Mark Gimenez

De ontvoering

2007 – De Boekerij – Amsterdam

Oorspronkelijke titel: The Abduction (Sphere)
Vertaling: Wim Holleman
Omslagontwerp: Wil Immink Design

ISBN 978-90-225-4824-0

© 2007 Mark Gimenez
© 2007 voor de Nederlandse taal: De Boekerij bv, Amsterdam

Voor David Shelley

'In het begin huilde ik elke avond. Ik riep je – kom me halen. Neem me mee naar huis. Je kwam niet.'
'Nu ben ik er.'

Uit: *The Searchers* van Alan LeMay

DAG EEN

04.59 uur

Het eerste wat Ben Brice zag toen hij zijn ogen opendeed, was een hond die nodig naar buiten moest.

'Maak je maar geen zorgen, Buddy. Ik leef nog.'

Voor alle zekerheid gaf de hond Ben nog een natte lik over zijn gezicht. Ben veegde het speeksel van de golden retriever af aan het laken en ging overeind zitten. Hij kreunde. Bij elke hartslag was het alsof er een hamer tegen de binnenkant van zijn schedel bonkte. Hij kon zich niet herinneren dat hij de inmiddels lege fles whisky op het nachtkastje soldaat had gemaakt. Maar dat herinnerde hij zich naderhand nooit.

Hij wreef over zijn blote armen in een poging de kilte van de vroege aprillochtend te verdrijven en stapte uit bed, maar hij moest steun zoeken bij de deur om overeind te blijven. Hij leunde met zijn rug tegen de muur totdat de wereld ophield met draaien en daarna bracht hij een eigenhandig gekapt blok grenenhout naar de woonkamer van de kleine blokhut. Hij deed de achterdeur open om Buddy naar buiten te laten en liet zich op de vloer zakken.

Terwijl hij in zijn lange onderbroek op zijn buik op het ruwwollen kleed lag, snoof hij de Navajo-geur op waarmee het indiaanse weefsel was doortrokken. Hij deed zijn ogen dicht en overwoog even of hij zou proberen nog wat te slapen, maar hij wist dat dat toch niet zou lukken na een leven lang reveille om 05.00 uur. Berustend in zijn lot bracht hij zijn benen bij elkaar, schoof zijn handen met de palmen omlaag onder zijn borst, haalde diep adem en ademde uit terwijl hij zich opdrukte. Zijn triceps trilden toen zijn strakke lijf zich van het kleed verhief. *Een.* Hij plofte hard neer en voelde zich alsof hij elk moment van zijn stokje kon gaan. Maar hij ademde in en uit en drukte zich nogmaals op. *Twee.* Terug op het kleed. Omhoog. *Drie.* Omlaag. Omhoog. *Vier.* Bij vijfentwintig kwam hij in een soort ritme en hij ging door tot hij de vijftig had bereikt.

Hij draaide zich op zijn rug, sloeg zijn handen ineen achter zijn hoofd, trok zijn knieën op tot zijn bovenbenen een hoek van negentig graden vormden met zijn rug, spande zijn buikspieren aan tot zijn schouders omhoogkwamen van het kleed, en draaide zijn bovenlichaam om met zijn linkerelleboog zijn rechterknie aan te raken, en daarna met zijn rechterelleboog zijn linkerknie. Dan weer omlaag. En weer omhoog en draaien naar rechts en naar links en weer omlaag. En weer omhoog. Rechts. Links. En weer omlaag. Vijftig keer.

Hij kwam overeind, wankelde even en liep naar de gootsteen. Hij draaide de koudwaterkraan helemaal open en stak zijn hoofd eronder; hij zette zich schrap toen het bronwater van een diepte van 120 meter uit de ingewanden van de aarde omhoogkwam en na enig gesputter uit de leiding gutste. Hij huiverde over zijn hele lichaam; het voelde aan alsof hij zijn hoofd in een emmer ijswater had gedompeld. Hij droogde zich af met een theedoek, deed toen de koelkast open en dronk sinaasappelsap uit het pak. Hij deed de koelkast weer dicht en bleef even naar haar staan kijken – het blonde haar, de blauwe ogen, de vrolijke glimlach. De deur van de koelkast hing vol met foto's van haar, alleen en met de rest van het gezin, de enige van het stel met blond haar.

Ben liep de achterdeur uit en liet zonder te kijken de lege whiskyfles in de afvalbak vol lege whiskyflessen vallen. Zijn adem vormde wolkjes in de koude lucht. Hij droeg nu loopschoenen, een joggingpak en een honkbalpet met de klep diep over zijn ogen getrokken tegen het scherpe licht van de ochtendzon. De eindeloze hemel was leeg, afgezien van een gier die in de verte boven zijn ontbijt cirkelde. Ben liep naar de tuin, trok hier en daar wat onkruid uit en gaf de keurige rijtjes water met de gieter. Buddy blafte opgewonden bij het vooruitzicht van wat er komen ging.

'Oké, jongen, daar gaan we dan.'

Ze holden het ruige terrein op dat de blokhut omgaf, Buddy voorop, Ben erachteraan; zijn lichaam geteisterd door zestig jaar leven en dertig jaar Jim Beam. Al gauw verloor hij Buddy uit het oog, maar hij wist dat hij zijn trouwe viervoeter terug zou vinden bij de lage rotsformatie zo'n drieënhalve kilometer verderop. Toen Ben daar arriveerde, zat Buddy geduldig te wachten tot hij kwam opdagen en zich voorover zou buigen om over te geven, het vaste ochtendritueel.

Ben spuugde het laatste restje gal uit en veegde zijn mond af met een rode zakdoek; hij nam even de tijd om weer een beetje op adem te komen. De stilte werd slechts verbroken door zijn zwoegende ademhaling. Hij bevond zich midden in de uitgestrekte eenzaamheid van New Mexico: het Taos Plateau begrensd door de hoge, met sneeuw bedekte toppen van de Sangre de Cristo-bergketen die afstaken tegen de blauwe hemel, een landschap zo prachtig en onherbergzaam dat slechts een kunstenaar of een man op de vlucht voor zijn verleden zich er thuis zou voelen. Naar het noorden bevond zich Colorado, naar het zuiden Albuquerque, naar het westen Taos, en naar het oosten de afgelegen blokhut op een lage helling, het zonlicht weerkaatsend op het metalen dak.

'Wie het eerst terug is, Buddy.'

Ben holde weg in de richting van de opkomende zon en Buddy ging enthousiast achter hem aan.

Een halfuur later had Ben zich opgeknapt en een spijkerbroek, laarzen en een corduroy overhemd aangetrokken. Hij at een mueslireep en dronk een kop koffie, gezet van de sterkste bonen die in Taos verkrijgbaar waren, met een niet-goed-geld-teruggarantie dat ze de nevel van de zwaarste kater konden doen optrekken.

Hij ging de deur uit en liep naar de werkplaats, voorbij de moestuin. Daar binnen hing houtbewerkingsgereedschap aan de wanden en de vloer stond vol met wat rijkelui in Santa Fe beschouwden als kunstvoorwerpen in de vorm van meubilair. Hij trok een krukje naast de schommelstoel die hij van mesquitehout had gemaakt, liet zijn handen over de armleuningen glijden en begon de ruwe plekken te schuren. Buddy draaide drie keer om zijn as en plofte neer in de deuropening, een plek waar hij de eerste uren niet meer vandaan zou komen. Het geluid van schuurpapier op hout en het gesnurk van Buddy voegden zich spoedig samen tot een primitief soort melodie, de enige muziek in het leven van Ben Brice.

De zonnestralen vielen nu in een lage hoek op de vloer van de werkplaats, de enige aanwijzing dat er weer een dag van zijn leven voorbij was. Ben legde zijn gereedschap neer, kwam overeind en rekte zich uit. Hij liep naar buiten, naar de veranda aan de westkant van de blokhut, en nam plaats in zijn schommelstoel van waaruit hij zou kijken naar de ondergaande zon die de hemel boven Taos oranje kleurde, waar hij zou luisteren naar het eenzame gehuil van de coyotes dat hij soms beantwoordde, waar hij zou blijven zitten tot de lichtjes van de stad in de verte doofden en het koud begon te worden. Dan zouden zijn gedachten terugkeren naar het verleden, altijd naar het verleden dat zijn leven in zijn greep hield als een bank die een hypotheek had verstrekt die nooit volledig afgelost zou worden. Hij zou piekeren over het leven dat hij had kunnen leiden – de dromen van een jongeman, het grote avontuur dat geen avontuur was, de dood van de broer die hij nooit had gehad, een vrouw die van hem hield maar bij hem weg was gegaan… en vervolgens zou hij piekeren over de keren dat hij gefaald had, net zolang tot hij belandde bij die ene keer die hem de rest van zijn leven 's nachts zou achtervolgen, en dan zou hij naar de fles grijpen. En zo zou zijn leven zich voltrekken tot hij op een ochtend niet meer op Buddy zou reageren.

Maar de dag was nog niet voorbij en zijn gedachten waren nog niet zover. Hij floot, en Buddy verscheen en sprong op de in half formaat uitgevoerde schommelstoel naast de zijne. Ben stak zijn arm uit, krabde Buddy's nek en liet vervolgens zijn vingers over de in de rugleuning uitgesneden blokletters glijden: GRACIE.

17.47 uur

Ruim elfhonderd kilometer daarvandaan draafde een blond meisje over een voetbalveld in Texas.

'Rennen, Gracie, rennen!'

Gracie Ann Brice kon rennen als een jongen, sneller dan de meeste jongens van haar leeftijd (tien, bijna elf), waardoor voetballen tegen meisjes van haar eigen leeftijd bijna oneerlijk leek. Maar het was een genoegen om haar bezig te zien, tenminste als je dochter bij haar in het elftal zat.

Ze holde met de bal aan haar voet langs de zijlijn, langs de juichende ouders op de tribune en Coach Wally die een Tornadoes-shirt droeg en haar vader die haar met de camcorder filmde – ze trok een gezicht naar de camera – terwijl hij in zijn mobieltje schreeuwde: 'Jezus, Lou! Zeg tegen die gasten in New York dat het mijn killerapplicatie is, mijn bedrijf, mijn beursgang – en de uitgiftekoers wordt dertig dollar per aandeel en geen cent minder!'

Multitasking noemde hij dat.

Met de wreef van haar witte Lotto-voetbalschoen trapte Gracie de bal over de op haar af komende verdedigsters heen naar Brenda aan de andere kant van het veld. Toen hield ze in en keek om naar haar broodmagere zevenendertigjarige vader langs de zijlijn. Hij gebaarde nu met de camcorder die hij op en neer zwaaide, waarbij hij beelden van de grond, de lucht, de grond, de lucht, opnam, zijn aandacht volledig gericht op zijn mobieltje. Onwillekeurig schudde ze het hoofd en glimlachte, het soort glimlach dat volwassenen reserveren voor kleine kinderen, maar alleen voor zover het hun eigen vlees en bloed betreft.

'De schat,' zei ze.

Haar vader was een volslagen nerd. Hij droeg zwarte instappers met witte sokken, een gekreukte kakibroek, een blauw denim overhemd met lange mouwen dat van achteren uit zijn broek hing, een gele Mickey Mouse-stropdas (die ze hem vorige vaderdag gegeven had) en een brilletje met zwart montuur; zijn zwarte krulhaar zag eruit alsof hij het gefatsoeneerd had door zijn vinger in een stopcontact te steken. (Mama zei altijd dat hij eruitzag als Buddy Holly met een föhn, maar Gracie wist niet wie dat was.) Het enige wat er aan het plaatje ontbrak, was een witte borstzakbeschermer vol vulpotloden. John R. Brice mocht dan een rare vogel zijn, Gracie hield heel veel van hem, zoals een moeder van een kind dat speciale zorg nodig heeft. Hij filmde nu het parkeerterrein.

'De schat,' zei ze nogmaals.

'Gracie, potverdorie, we hebben een doelpunt nodig om gelijk te komen! Sta nou niet om je heen te kijken en schop er een in!'

Jeetje, Coach, maak je niet zo druk. Gracie wendde haar blik af van haar vader en concentreerde zich op de wedstrijd. Aan de andere kant van het veld verspeelde Brenda de bal aan nummer vierentwintig, de beste speelster van de Raiders (ze was elf) en een verwaand wicht. Brenda was mollig en niet echt sportief. Ze had nog geen enkele keer gescoord in de drie seizoenen dat ze nu al samen speelden. Gracie vertrok haar gezicht toen het wicht Brenda tackelde en de bal veroverde. Dat was al erg genoeg, maar toen boog het wicht zich over Brenda heen zoals footballspelers doen na een keiharde tackle en snauwde tegen haar: 'Hou er toch mee op, dikzak!'

Gracie voelde het bloed naar haar hoofd stijgen, net als die keer vlak voordat ze Ronnie van verderop in de straat op zijn gezicht had geslagen omdat hij Sam, een vijfjarig buitenaards wezen dat bij hen in huis woonde, beentje had gelicht. (Ze houden bij hoog en bij laag vol dat hij haar broertje is.) Naderhand – nadat hij zich uiteraard eerst een eind uit de voeten had gemaakt – had Ronnie 'lesbo' tegen haar geroepen, wat ze een bijzonder lullige opmerking had gevonden gezien het feit dat ze verliefd was op Orlando Bloom, net als alle andere meisjes in de vierde klas. Ze nam aan dat Ronnie haar zo genoemd had omdat ze nogal een wilde meid was en haar blonde haar kort droeg als een jongen, of omdat ze sterkere beenspieren had dan hij, of omdat ze hem een bloedneus kon slaan – of misschien omdat ze voor haar elfde verjaardag een tatoeage wilde. Maar mama zei dat haar superieure atletische capaciteiten een bedreiging vormden voor Ronnies mannelijkheid, altijd een kwetsbaar onderdeel van de mannelijke psyche. *Ach, het zal wel.* De volgende keer dat Gracie het rotjoch tegen het lijf liep, had ze hem een blauw oog geslagen.

'Gracie, pas op voor de counter! Stop haar af!'

Het verwaande wicht holde met de zojuist op Brenda veroverde bal in de richting van het doel van de Tornadoes, kennelijk ten prooi aan een vorm van – hoe had mama dat ook alweer genoemd? – o ja, verminderde toerekeningsvatbaarheid, als ze in de veronderstelling verkeerde dat ze Gracie Ann Brice te snel af kon zijn. *Vergeet het maar.* Gracie zette het op een rennen.

'Kijk uit voor nummer negen!' schreeuwde iemand op de bank van de Raiders. Gracie droeg rugnummer negen omdat Mia Hamm rugnummer negen droeg. De diverse coaches die momenteel naar haar talent dongen, zeiden dat ze met de juiste begeleiding (door hen uiteraard) ooit net zo goed zou kunnen worden als Mia. Mama zei dat ze dat alleen maar zeiden om haar zover te krijgen dat ze voor hun ploeg zou gaan spelen. Hoe dan ook, de gedachte een tweede Mia Hamm te worden en het elftal van de Verenigde Staten naar het wereldkampioenschap te leiden, was gewoon te vet voor woorden.

'Gracie, laat haar niet schieten!'

Maar misschien kon ze maar beter eerst haar team naar de overwinning leiden in de leeftijdsklasse van tien tot elf jaar.

Het wicht vertraagde haar tempo terwijl ze aanlegde om op doel te schieten; Gracie sprintte op haar af terwijl ze dacht: *Zo, die heeft echt een dikke kont voor iemand van elf.* Maar dat nam niet weg dat ze zich in een prima schietpositie bevond. Het wicht zette haar linkervoet naast de bal, hield haar hoofd omlaag en knalde haar rechtervoet tegen de –

Lucht?

Niets dan lucht, zus! dacht Gracie, terwijl ze de fraaiste sliding in de geschiedenis van het meisjesvoetbal uitvoerde en de bal weggleed voor de rechtervoet van het wicht, dat in het luchtledige maaide.

De toeschouwers juichten!

Het wicht schreeuwde met een van woede vertrokken rood gezicht: 'Vrije trap! Dat was een overtreding!'

Maar de scheidsrechter schudde het hoofd en zei: 'Ze speelde gewoon de bal.'

Gracie kwam snel overeind en ging achter de bal aan. Het hele veld en acht verdedigsters bevonden zich tussen haar en het doel van de Raiders. Ze besloot langs de zijlijn te gaan, maar eerst moest ze enkelen van de verdedigsters uitschakelen. Dus dribbelde ze met de bal over het midden van het veld, waarbij ze de verdedigsters weglokte van hun posities aan de zijkant – *kom maar, meiden* – totdat vijf van de Raiders zich zo dicht bij elkaar bij de middenlijn bevonden dat ze elkaars hand zouden kunnen vasthouden als kleuters tijdens een schooluitstapje. Toen explodeerde Gracie – *op volle snelheid recht op ze af, plotseling inhouden, naar links wegdraaien en gáán!* – en liet hen achter zich terwijl ze langs de kalklijn sprintte, langs de tribune van de Tornadoes waar de ouders overeind waren gekomen en schreeuwden –

'Hup, Gracie!'

'Rennen, Gracie!'

'Schiet hem erin, Gracie!'

De coach, die molenwiekend met haar meeholde langs de zijlijn, zijn gedeeltelijk ontblote buik onder zijn shirt schuddend als een roze gelatinepudding – *over wanstaltig gesproken* – terwijl ze langs haar vader holde die de andere ouders op de tribune filmde, de schat, recht op het doel van de Raiders af, en de bal langs de gestrekte armen van de duikende keepster in het net knalde.

De gelijkmaker!
Gracie gooide haar armen in de lucht. Ze overwoog even om haar shirt uit te trekken en dat ook in de lucht te gooien, waarbij ze het publiek een blik zou gunnen op haar modieuze zwarte Nike-sportbeha, maar daar zag ze toch maar van af omdat ze geen beha droeg. Mama zei dat haar borsten zich misschien volgend jaar zouden gaan ontwikkelen. De andere meisjes verdrongen zich om haar heen en feliciteerden haar en hosten samen met haar op en neer... maar ze verstijfden allemaal toen vanaf de zijlijn voor de tribune waar de supporters van de Raiders zaten dat woord klonk dat zowel speelsters als toeschouwers abrupt tot zwijgen bracht en Gracie het gevoel gaf alsof iemand haar een stomp in de maag had gegeven.

'Toch niet wéér,' kreunde Brenda.

Allemaal keken ze naar de plek waar de Raiders-supporter zich bevond toen het woord nogmaals klonk – 'Sli-i-ipjescontro-o-ole!' – en als een kwalijke walm boven het veld bleef hangen. De man had een mond als een megafoon, de grote griezel! Hij droeg een glimmend kostuum, grijnsde als een idioot en dronk uit een grote plastic beker – en te oordelen naar zijn verhitte gezicht dronk hij iets sterkers dan sportdrank.

'Denkt hij nou echt dat er een penis in jouw slipje zit?' vroeg Brenda.

'Hij weet best dat je geen jongen bent,' zei Sally. 'Hij is gewoon jaloers omdat jij veel beter bent dan zijn dochter.'

Hij was de vader van het verwaande wicht en een enorme hufter, een footballvader bij een meisjesvoetbalwedstrijd die de speelsters vanaf de zijlijn allerlei schimpscheuten toeriep. Gracie beet op haar onderlip en probeerde haar tranen te bedwingen. Als dat rotjoch Ronnie van verderop in de straat iets dergelijks zei, was het al erg genoeg, maar een volwassene? Ze zou willen dat ze groter en ouder was; dan zou ze eropaf gaan en hem ook op zijn gezicht slaan. Ze keek naar haar vader, in de hoop dat hij dat zou doen – *Papa, doe iets! Alsjeblieft!*

Maar hij deed niets. Hij had die lul niet eens gehoord en stond met zijn rug naar het veld terwijl hij met zijn ene hand zijn mobieltje tegen zijn oor hield en met zijn andere met de camcorder zwaaide alsof hij muggen doodmepte bij het zwembad. Maar ja, wat zou hij überhaupt kunnen doen? Die hufter was tweemaal zo breed als hij; hij zou haar vader helemaal in elkaar slaan. Gracie raakte onwillekeurig de zilveren ster aan die aan haar halskettinkje bungelde.

'Sli-i-ipjescontro-o-ole!'

Sally zei: 'Als je moeder hier was, zou ze hem een rotschop onder zijn dikke reet geven.'

Haar moeder was bepaald niet het type dat iemand de andere wang toekeerde. Ze was het type dat je gezicht openkrabde. *Altijd met gelijke munt terugbetalen.* Mama's wijze woorden. Heel iets anders dan 'Schelden doet geen zeer', maar haar moeder was dan ook advocaat. Ze wilde maar dat Elizabeth Brice, de razende raadsvrouwe (zoals haar vader haar achter haar rug noemde), er nu bij was.

Maar het liefst van alles wilde ze dood.

Bij de zijlijn waar de supporters van de Raiders zich ophielden, schudden de andere ouders geërgerd het hoofd over het gedrag van de hufter, maar hij was te breedgebouwd om er iets van te zeggen en het risico te lopen klappen te krijgen, altijd een mogelijkheid bij een footballvader. Een moeder, kennelijk de vrouw van de hufter, trok hem aan zijn arm in een wanhopige poging hem weg te krijgen van het veld. Hij protesteerde luidkeels: 'Wat doe je nou moeilijk? Jezus, ik maakte maar een geintje!' Te oordelen naar de gegeneerde gelaatsuitdrukking van mevrouw Hufter was dit niet de eerste keer dat ze in een dergelijke situatie verzeild was geraakt. Brenda schudde het hoofd en zuchtte. 'Alweer zo'n gestoorde vader bij een sportwedstrijd voor kinderen.'

Brenda's woorden brachten de glimlach terug op Gracies gezicht en er kwam spontaan een originele countrysong van Gracie Ann Brice bij haar op. Met haar blik op de heer en mevrouw Hufter gericht bracht ze luidkeels een Tammy Wynette-imitatie ten gehore:

'D-I-V-O-R-C-E,
Hé, dame, luister even mee,
Jouw man is geen Or-lan-do B.,
Spoel die vent toch door de plee!'

De meisjes lachten. De scheidsrechter, een lekker ding van een jaar of vijftien, glimlachte tegen haar. De ouders op beide tribunes applaudisseerden. *Jeetje, misschien had ze wel de volgende hitsingle voor de Dixie Chicks!* Gracies neerslachtigheid was op slag verdwenen; de hufter was nu nog slechts een vage herinnering, gewoon een van die pijnlijke levenservaringen waarover ze kon zingen. Zoals alle countryzangeressen zeggen: verdriet moet je ervaren om erover te kunnen zingen, zeker voor vijftigduizend gillende fans die *Gracie, Gracie, Gracie* scanderen.

'Gracie! Gracie!'

Dat was geen gillende fan. Dat was een schreeuwende trainer. Gracie ontwaakte uit haar dagdroom; de scheidsrechter had gefloten voor de aftrap en Coach Wally stond zich aan de zijlijn op te winden en op zijn horloge te wijzen alsof hij zojuist het begrip tijd had ontdekt.

'De tijd begint te dringen! We moeten nog een keer scoren om te winnen! Jij zult het moeten doen, Gracie!'

Hou je hoofd erbij!

Officieel speelde Gracie in de spits, maar de trainer had tegen haar gezegd dat ze een vrije rol had. Dat betekende extra veel loopwerk, maar ze kon de hele wedstrijd blijven draven. Ze draafde nu ook, naar de zij-lijn, naar de bal – en smakte toen plotseling voorover in het gras en kon ternauwernood haar val breken met haar handen en ellebogen terwijl ze nog een stukje doorgleed en ze aarde en gras proefde.

'Slipjescontrole!'

Een snauwende stem boven haar. Gracie draaide zich op haar rug en zag het verwaande wicht woedend op haar neerkijken. Ze had haar van achteren gehaakt, een gemene overtreding, zeker voor een meisje.

Wat een loeder! Het wicht holde weg. Gracie spuugde wat aarde en gras uit en sprong overeind; ze klemde haar kaken op elkaar, balde haar vuisten en popelde met heel haar één meter vijfendertig lange en zesendertig kilo wegende lijf om achter het wicht aan te gaan en haar daar midden op het veld eens flink te grazen te nemen.

'Gracie, we hebben een doelpunt nodig!'

Maar de overwinning was belangrijker dan het gezicht van het ver-waande wicht kennis te laten maken met haar vuisten. En dus concen-treerde Gracie zich op de bal, zich nauwelijks bewust van de schaafplek-ken en het bloed op haar ellebogen.

Sally hield een schot op doel tegen en trapte de bal weg. Gracie voor-zag waar de bal terecht zou komen en ving hem op haar dijbeen op. Een snelle schijnbeweging en ze holde langs de zijlijn op weg naar het doel van de Raiders; de scheidsrechter hield gelijke tred met haar over het midden van het veld, en het verwaande wicht, haar gezicht verwrongen van woede, probeerde Gracie de pas af te snijden. Dus vertraagde Gra-cie iets zodat het wicht op gelijke hoogte met haar kon komen, en deed toen een grote stap naar voren in de hoop dat het wicht zou denken dat ze op volle snelheid langs de zijlijn zou sprinten, zoals ze bij haar vorige doelpunt gedaan had. Het wicht trapte met open ogen in de schijnbeweging en zette een stap in dezelfde richting om de weg langs de zijlijn af te schermen, één stap te veel – en Gracie tikte de bal tussen de benen van het wicht door, draaide om haar heen en pikte de bal weer op. Het wicht probeerde haar bewegingen te volgen, maar ze verloor haar evenwicht en plofte op haar dikke achterste. Gracie keek op haar neer en zei: 'Sorry... *maar niet heus!*'

Toen ging ze op het doel af. Nog slechts de keepster stond een overwinning voor de Tornadoes in de laatste seconden en roem voor Gracie Ann Brice, de volgende Mia Hamm, in de weg. De scheidsrechter bracht het fluitje naar zijn mond en keek op zijn stopwatch; er waren nog slechts enkele seconden te spelen. Gracie legde aan voor het harde schot waar ze patent op had – ditmaal kwam de keepster haar doel uit –, zette haar linkervoet naast de bal, timede haar schot perfect en –

gaf een breedtepassje op Brenda, die de bal in het open doel schoot vlak voordat de lekkere scheidsrechter blies voor het einde van de wedstrijd.

De tribune van de Tornadoes barstte los in gejuich!

De keepster van de Raiders staarde Gracie aan met een verbijsterde uitdrukking op haar gezicht, alsof ze wilde zeggen: *Je gunt het winnende doelpunt zomaar aan een ander?* Gracie haalde haar schouders op. Het leek haar dat Brenda het ook wel eens leuk zou vinden om het middelpunt van de feestvreugde te zijn. Mia Hamm was per slot van rekening een teamspeler.

De andere meisjes dromden om Brenda heen. Gracie stond op het punt zich bij hen te voegen toen ze een mannenstem hoorde zeggen: 'Nummer negen – uitstekend gespeeld!'

Terwijl de smakelijke scheidsrechter langs haar heen liep, wees hij naar haar en gaf haar een knipoog. *O, mijn god, Orlando, het spijt me heel erg, maar ik ben smoorverliefd!* Ze bleef stokstijf staan en staarde met open mond de scheidsrechter na die van het veld af liep; ze droomde al dat hij haar op een vrijdagavond na de wedstrijd kwam ophalen om samen naar de bioscoop te gaan – het zou natuurlijk een film voor alle leeftijden moeten zijn, omdat ze pas tien was, wat een probleempje zou kunnen zijn, maar... Haar dagdroom werd op ruwe wijze onderbroken door Coach Wally die langs kwam hollen. Zijn dikke buik schudde heen en weer, hij had zijn armen gespreid en huilde als een baby. Hij omhelsde Brenda alsof hij haar in geen jaren had gezien. Coach Wally was Brenda's vader.

De andere vaders holden het veld op en omhelsden hun dochters. Maar haar vader niet. Soms, zoals nu, zou Gracie willen dat hij meer een vader was en minder een grote broer die Nintendo met haar speelde en haar en Sam elke zaterdagochtend meenam om donuts te gaan eten en niet meer op kon houden met giechelen als mama hen betrapte op het gooien van met water gevulde ballonnen vanaf het balkon van haar slaapkamer naar Ronnie en de andere jongens die op de stoep aan het skaten waren, en wiens ergste dreigement luidde dat hij haar op eBay te koop zou zetten. Ze wilde dat hij voor één keer een echte *vader* zou zijn, dat hij haar omhelsde alsof hij haar jarenlang niet meer gezien had – dat hij haar volwassen mannelijke VADER zou zijn, al was het verdorie maar voor één keer. Ze keek naar de plek waar hij stond.

'Die stomme zakkenwassers! Lou, zeg maar tegen die dombo's dat ik desnoods afzie van die hele beursgang!'

Het getier van John R. Brice werd onderbroken door een schril fluit-signaal. Hij keek naar het veld, waar de meisjes zich in de middencirkel opstelden terwijl de ouders twee rijen tegenover elkaar vormden en hun handen boven hun hoofden tegen elkaar hielden om zo een ereboog te vormen. Jezus, de ereboog, een traditie na een overwinning die sociale vaardigheid vereiste, intermenselijk contact met de andere ouders. John dacht net: *Misschien moest ik het deze week maar eens aan me voorbij laten gaan,* toen hij zag dat Gracie naar hem keek en gebaarde dat hij er-bij moest komen. *Beam me up, Scotty.* Hij had veel liever met AI-systemen te maken dan met mensen. Niet dat hij uitgesproken asociaal was; hij voelde zich alleen niet op zijn gemak (Elizabeth zou zeggen onbeholpen) in het persoonlijk contact met anderen, zoals de meeste hackers die het grootste deel van hun leven meer met elektronenstraalbui-zen dan met mensen te maken hadden gehad.

Hij zuchtte en zei in de telefoon: 'Time-out, Lou… tijd voor dat ere-boog-gedoe.'

John liep op een sukkeldrafje het veld op en stelde zich op tegenover een modieus type dat alles was wat John niet was: lang, knap, Hollywood-kapsel, atletisch gebouwd, met een gesteven wit overhemd, een perfect geknoopte modieuze stropdas en een beeper aan zijn broekriem – ongetwijfeld iemand die in zijn studententijd uitgeblonken had in sport en nu in het onroerend goed werkzaam was. Vast ook een footballvader.

'Goeie wedstrijd, hè?' zei de man.

'Ja, heel goed.'

'Wie is jouw dochter?'

John zuchtte weer. Hij sloeg nooit een wedstrijd van Gracie over en hij vond het nog leuk ook, zijn dochter de uitblinkster, vooral omdat hij zelf nooit zo'n sportieveling was geweest. Sterker nog, hij was zo slecht in sport dat op de lagere school de meisjes eerder werden gekozen dan hij voor wedstrijdjes tijdens de pauzes. *Little Johnny Brice*. Pas op zijn tiende had hij zich gerealiseerd dat *Little* niet zijn voornaam was. Zevenentwintig jaar later stond Little Johnny Brice midden op een voetbalveld als onderdeel van een ereboog tegenover een van die knapen die voor alle teams altijd als eerste werden gekozen en die knaap vroeg hem wie zijn dochter was en zijn dochter was de beste speelster op het veld maar daar wilde hij liever niet mee te koop lopen omdat hij maar al te goed wist wat er dan zou volgen. John zette zich schrap.

'Nummer negen,' zei hij.

'*Gracie?*'

De zware wenkbrauwen van de knaap gingen omhoog en hij nam John van kop tot teen op met een ongelovige glimlach.

'Gracie is *jouw* dochter?'

Het was niet de eerste keer dat John geconfronteerd werd met die ongelovige glimlach bij een van Gracies wedstrijden. In feite was het de gebruikelijke gang van zaken geworden sinds de footballvaders begonnen waren de wedstrijden van de meisjes bij te wonen. Vijf jaar geleden, toen Gracie begonnen was met voetballen, was John de enige vader bij de wedstrijden geweest, terwijl de footballvaders ongetwijfeld dachten: *Wat is er nou aan als die meiden elkaar niet eens mogen tackelen?* Maar tegenwoordig, zo had hij van Elizabeth begrepen, schreef de wet seksegelijkheid voor bij de sportbeoefening op scholen en dus kregen meisjes beurzen om te voetballen, softballen, volleyballen, en zo'n beetje elke sport te beoefenen behalve American football. En dat had de footballvaders naar de voetbalwedstrijden van hun dochters gehaald als spam

21

naar het internet: Suzie zou dan misschien niet als *middle linebacker* kunnen spelen voor de University of Texas, maar als haar voetbalkwaliteiten vaderlief vier jaar collegegeld en kost en inwoning konden besparen, reken maar dat hij dan naar haar wedstrijden kwam kijken.

Het probleem was dat deze vaders met hun hoge testosteronspiegel hun football-instincten meebrachten naar het voetbalveld, waar ze gilden en schreeuwden en slaags raakten met andere vaders wier dochters het op Suzies beurs hadden voorzien. De jacht op beurzen had het jeugdvoetbal veranderd in een meedogenloze competitie tussen de ouders. Daarom hield John zich altijd afzijdig langs de zijlijn en mengde hij zich nooit onder de andere vaders, behalve voor de ereboog na de overwinning en de onvermijdelijke ongelovige glimlach. Na de wedstrijd van volgende week zou John R. Brice zijn smalle schouders rechten, de andere vader strak in de ogen kijken en zeggen: *Nou en of ze mijn dochter is! En ik ben toevallig wel miljardair!* – een reactie die gegarandeerd die ongelovige glimlach van dat zelfvoldane gezicht zou vegen. Maar deze week haalde Little Johnny Brice alleen maar zijn schouders op.

'Ja.'

De kerel schudde het hoofd alsof hij geconfronteerd werd met een van de grote mysteries van het universum. 'Ik heb zelf football gespeeld voor Penn State, maar mijn dochter is lang zo goed niet als Gracie. Soms vraag je je af waar het talent vandaan komt.'

'eBay.'

'Hè?'

'Ik heb haar op eBay gekocht.'

De meisjes liepen in een rij langs het andere elftal, waarbij ze elkaar slappe handjes gaven alsof ze bang waren dat ze luizen zouden krijgen, zoals Gracie altijd zei, en holden toen onder de ereboog door, begeleid door enthousiaste kreten van hun ouders:

'Goeie wedstrijd, meiden!'

'Fantastisch gespeeld!'

'Oké, Tornadoes!'

Het laatste meisje holde onder de boog door, de boog werd verbroken, de moeders omhelsden elkaar, de vaders wisselden high fives uit alsof ze zojuist de Super Bowl hadden gewonnen en John R. Brice stond daar midden op een voetbalveld met een camcorder en een mobieltje in zijn handen en voelde zich als een ongenode gast in een pornochatroom, zoals altijd wanneer er sprake was van een uitbarsting van mannelijke camaraderie. En dus zei hij: 'Ik moet er weer eens vandoor,' draaide zich om en liep in de richting van de zijlijn.

Gracie kreeg haar consumptiebon van de elftalbegeleidster en wachtte op Brenda en Sally. Toen die zich bij haar voegden, boog Brenda zich naar Gracie over en fluisterde: 'Bedankt dat je mij dat doelpunt liet maken.' Gracie sloeg haar arm om Brenda heen. 'Ik ga even tegen mijn vader zeggen dat we naar de kantine gaan.'

Ze liepen naar freakypapa@wij_nerds.com; hij schreeuwde in de telefoon terwijl hij tegelijkertijd zijn schoenen filmde. De lieverd.

'Harvey beschikt niet over de hersencapaciteit om het belang van de technologie op waarde te schatten! Lou, dit betekent een revolutie, kerel!'

Hij haalde zijn hand met daarin het mobieltje door zijn zwarte krullen – die nu rechtovereind stonden – en hij zag eruit als een, nou ja, als een nerd te midden van volwassenen. De andere vaders droegen pakken en stropdassen en witte gesteven overhemden en zagen eruit als de advocaten en artsen die ze waren. Haar vader zag eruit als een doorsneestudent. De andere meisjes onderdrukten hun gegiechel. Hij kreeg haar in het oog en richtte glimlachend de camcorder recht op haar gezicht. Gracie stak haar arm omhoog, zette de camcorder uit, wees toen naar de kantine en fluisterde: 'IJsjes.'

'Hoi lieverd,' zei haar vader. Toen, in zijn mobieltje: 'Nee, niet jij, Lou, mijn dochter. Een ogenblikje.'

John R. Brice liet zich op zijn hurken zakken, sloeg zijn armen om zijn dochter heen en drukte haar tegen zich aan; hij snoof haar zweetlucht op. Er glinsterde een dun laagje transpiratie op haar verhitte gezicht, haar korte blonde haar was vochtig en plakte tegen de zijkanten van haar hoofd, en haar blauwe ogen glinsterden als een multimedia LCD-monitor. Hij legde de camcorder op het gras, knipte met zijn vinger een zweetdruppeltje van haar wang en keek bewonderend naar zijn geweldige dochter.

Papa keek haar aan alsof ze een gloednieuwe harddisk van achthonderd gigabyte was die hij zojuist uit de doos had gehaald.

'Gracie versie tien punt nul,' zei hij. 'Het beste van het beste.'

Gracie zei tegen de andere meisjes: 'Ik ben zijn oog-Apple-tje.' Met haar wijsvinger schoof ze haar vaders bril hoger op zijn neus. 'En hij is mijn favoriete computerfreak op het hele www.'

Haar vader grinnikte alsof hij zich geneerde. 'Je veter zit los,' zei hij. Ze stak haar voet naar voren als Assepoester die het glazen muiltje past. Hij stak zijn handen uit naar de witte veters maar pakte in plaats daarvan de mouw van zijn blauwe overhemd beet. Er zat een vlek op. Hij keek van zijn mouw naar haar armen.

'Hé, je bloedt!'

Gracie bekeek haar handen en armen. Ze bloedde inderdaad, aan allebei haar ellebogen, waar ze de grond had geraakt toen dat wicht haar gehaakt had – dat was ze alweer bijna vergeten. Ze keek naar de andere kant van het veld, waar de Raiders bij de zijlijn stonden, en zag haar naast haar vader staan, die grote hufter. Hun blikken ontmoetten elkaar; het wicht stak haar hand op. Gracie dacht dat ze naar haar wilde zwaaien, bereid om hun vinnige sportieve confrontatie achter zich te laten; in plaats daarvan stak het wicht haar tong uit en stak haar middelvinger op. Het bloed steeg Gracie naar het hoofd; ze zou het wicht het liefst te lijf zijn gegaan. Maar zover zou het vandaag niet komen. Ze wendde zich weer tot haar vader.

'Dat stelt niks voor,' zei ze. Ze keek naar het parkeerterrein. 'Ik neem aan dat mama's rechtszaak nog niet afgelopen is. Nou ja, misschien dat ze bij de play-offs wel kan komen kijken. Heb je ook zin in een ijsje?'

Haar vader hield zijn mobieltje omhoog. 'Ik moet met Lou praten.'

'Hoi, Lou!' riep Gracie naar de telefoon.

John R. Brice keek de meisjes na, die wegholden en opgingen in de stroom kleurrijke gestalten die op weg was naar de kantine die zich een eind verderop aan de rand van het dichte bos bevond. Hij snoof de geur van popcorn op die door het briesje werd meegevoerd en glimlachte. Afgestudeerden aan de Algoritmegroep van het Laboratorium voor Computerwetenschappen van MIT, het Massachusetts Institute of Technology, hebben over het algemeen niet zoveel met emotie. Voor emotie was er geen plaats in de virtuele wereld, waar logisch, meedogenloos intellect de boventoon voerde. Eigenlijk kwamen voor hackers emoticons, de uit typografische tekens samengestelde gezichtjes waarmee ze online positieve of negatieve gevoelens uitdrukken, nog het dichtst in de buurt van emotie. Virtuele emotie. Echte emotie hoorde thuis in die andere wereld, die non-virtuele arena van pijn en schaamte en pedante voormalige footballspelers die in het onroerend goed terechtgekomen waren; een arena die John Brice wel bezocht (zoals vandaag) maar waar hij niet echt thuishoorde.

Maar toen hij daar op een mooie lentemiddag in zijn eentje op een voetbalveld in een welgesteld voorstadje van Dallas stond, moest hij toegeven: hij voelde zich behoorlijk stoer! En waarom ook niet? Voor het eerst in zijn leven voelde hij zich niet misplaatst in een wereld die niet toegankelijk was via een toetsenbord. Over vijf dagen zou de beursgang een feit zijn en dan zou Little Johnny Brice zich gewroken hebben – hij zou alles hebben waarvan hij gedroomd had gedurende al die eenzame dagen en nachten in Fort Bragg: twee fijne kinderen, een Range Rover, een groot huis, een bloedmooie vrouw die hem twee keer per maand seks toestond (een ongehoorde frequentie gedurende zijn voorechtelijke bestaan – computerfreaks op MIT komen over het algemeen nogal wat tekort op dat gebied), bekendheid, fortuin, respect, mannelijkheid, en misschien zelfs wel liefde. Na al die jaren waarin ze van de ene legerbasis naar de andere waren verhuisd, waar hij nooit aansluiting had gevonden bij de andere kinderen van beroepsmilitairen en gepest werd door rotjongens die er slechts van droomden in de voetsporen van hun vader te treden, een nerd in een soldatenwereld – behoorde de wereld nu eindelijk toe aan de nerds.

Little Johnny Brice had zijn plek in de wereld gevonden.

Maar inmiddels was hij Gracie uit het oog verloren. Hij schoof zijn bril omhoog en tuurde in de richting van de kantine. Hij zag haar lichtblonde koppie te midden van de andere meisjes toen ze plotseling bleef staan en zich naar hem omdraaide. De laatste stralen van de ondergaande zon vielen op haar volmaakte gezichtje, en vader en dochter deelden een van die zeldzame momenten in het leven die je nog niet zou willen ruilen voor de broncode van Windows. Ze zwaaide glimlachend naar hem. Hij hield van haar en hij benijdde haar. Zij was alles wat hij altijd had willen zijn: zelfverzekerd en sportief, blond en knap, sociaal en populair, lichamelijk sterk en geestelijk taai. Ze was totaal anders dan hij, en ze was beter. Vaak, zoals nu, vroeg hij zich af wanneer hij haar gadesloeg welk gedeelte van haar DNA nu precies van hem afkomstig was.

Maar dat deed er ook eigenlijk niet toe: ze was zijn dochter. John voelde een brok in zijn keel en een onverklaarbare aandrang om naar haar toe te hollen en haar nogmaals te omhelzen. In plaats daarvan zwaaide hij terug met zijn mobieltje en het moment ging voorbij – hij was Lou helemaal vergeten.

'Shit.' Hij hield het mobieltje tegen zijn oor. 'Sorry, kerel, ik was met mijn gedachten even heel ergens anders. Weet je, Lou, terwijl andere kinderen buiten honkbalden, zat ik op mijn kamer achter de computer, waar de pestkoppen me niets konden maken, en droomde ervan miljardair te zijn, net als Bill Gates. Een koers van dertig dollar per aandeel maakt me miljardair – en dat is mijn paspoort tot het geluk! Met een miljard dollar kan ik alles kopen wat ik altijd al heb willen hebben… Misschien zelfs liefde… Ja, Lou, ook nerds hebben behoefte aan liefde.'

Honderd meter verderop, in een zilverkleurige Lexus die rondreed over het volle parkeerterrein op zoek naar een lege plek, priemde Elizabeth Brice haar wijsvinger naar de voorruit in het airco-gekoelde interieur: 'Waarheid en gerechtigheid *eisen* dat u de gedaagde vrijspreekt, een eerlijk en fatsoenlijk man die zich *niet* schuldig heeft gemaakt aan het plunderen van zijn bank of het wegsluizen van een miljoen dollar naar een buitenlandse rekening, maar uitsluitend aan het verliefd worden op een ordinaire del – bekijkt u haar eens goed! Ze zijn niet eens echt! Ze is niet meer dan een gelukzoekster die bereid is zijn reputatie, zijn gezin en zijn bank kapot te maken – voor *zijn* geld! Als er iemand schuldig is, is zij het wel!'

Ze zweeg en glimlachte bij de herinnering.

'Zo schuldig als de pest, maar ze slikten het allemaal voor zoete koek. Twaalf brave burgers met het geestelijke bereik van een ruitenwisser.'

Ze zag een gezin van vier personen naar hun auto lopen. Ze reed stapvoets achter hen aan, zette haar richtingaanwijzer aan om eventuele concurrenten duidelijk te maken dat de betreffende parkeerplek voor haar was, en wachtte tot de kinderen en de voetbalspullen ingeladen waren.

En wachtte.

En wachtte.

'Jezus christus, stap nou toch eens in!'

Er kwam een ander gezin aanlopen dat bleef staan om een praatje te maken met het eerste gezin. Dat deed de deur dicht. Ze had niet het geduld om het eind van het gesprek af te wachten en bovendien voelde ze er weinig voor om op haar hoge hakken een heel eind over het betonnen parkeerterrein te lopen. En dat was ook nergens voor nodig. Ze reed door naar de voorste rij parkeervakken, draaide de Lexus een invalidenparkeerplaats op, zette de motor af, pakte een blauwe invalidenparkeervergunning uit de middenconsole en hing die aan de achteruitkijkspiegel.

Ze was niet lichamelijk gehandicapt.

Sterker nog, zoals iedere getrouwde man die toevallig voorbijkwam toen ze uit haar auto stapte volmondig zou beamen, Elizabeth Brice verkeerde niet alleen in uitstekende lichamelijke conditie, ze was nog mooi ook; haar make-up en ravenzwarte haar waren zelfs na een lange dag in de rechtszaal onberispelijk, en haar slanke figuur en fraaie benen werden geaccentueerd door haar getailleerde mantelpakje met korte rok. In de rechtszaal droeg ze altijd een kort rokje.

Elizabeth Brice was als beste van haar jaar afgestudeerd aan de rechtenfaculteit van Harvard, maar ze had door schade en schande geleerd dat vrouwelijke advocaten geen rechtszaken winnen met alleen maar hersens en hard werken. Vrouwen hadden iets extra's nodig om mee de rechtszaal in te nemen, iets om het veld te bespelen, zeker een vrouwelijke advocaat uit New York die een zaak probeerde te winnen in een rechtszaal in Texas: de oude grap dat Texas beschikte over de beste footballspelers, politici en rechters die voor geld te koop waren, was geen grap. Dientengevolge waren rechtszaken zonder jury eerder een kwestie van financiële onderhandelingen dan van rechtbankdrama – onderhandelingen waarbij het ouwe-jongens-krentenbrood-netwerk onvermijdelijk aan het langste eind trok.

Maar juryprocessen waren onvoorspelbaar. Het was eenvoudigweg onmogelijk om in te schatten wat een jury van twaalf verveelde en bevooroordeelde burgers die het met een minimumvergoeding moesten stellen, zou besluiten. En dus hadden de meeste advocaten de pest aan juryprocessen, maar Elizabeth A. Brice was er gek op. Omdat ze over een pre beschikte waar geen enkele kale, pafferige, ouderwets zuidelijke advocaat tegenop kon ten overstaan van een jury: korte rokjes. Echt korte rokjes die de afgelopen twee weken haar lange, slanke, afgetrainde benen hadden onthuld aan de geheel uit zwakzinnige mannen bestaande jury, die meer aandacht had besteed aan haar dan aan het vernietigende bewijsmateriaal van de officier van justitie.

Gedaagde Shay was zesenveertig jaar, getrouwd, had twee kinderen en was een gerespecteerd bankier uit een oud bankiersgeslacht uit Dallas; er was een aanklacht op vijftig punten tegen hem ingediend wegens bank- en belastingfraude, op grond van het onfortuinlijke feit dat hij federaal verzekerde bankfondsen had gebruikt om zijn vierentwintigjarige receptioniste/maîtresse een comfortabel leventje te kunnen bieden en geld had weggesluisd via een bank op de Cayman Eilanden om er geen belasting over te hoeven betalen. 'Dat vrouwtje tevreden houden is al duur genoeg zonder er ook nog eens belasting over te moeten betalen,' had Shay Elizabeth toevertrouwd tijdens een van hun gesprekken die onder haar beroepsgeheim vielen. Het Openbaar Ministerie beschikte over bandopnamen, foto's, afschriften van een buitenlandse bankrekening, en als kroongetuige de maîtresse, die in ruil voor haar getuigenis vrijuit zou gaan. Een veroordeling was een uitgemaakte zaak, althans volgens de aanklagers uit Washington.

Maar dan kenden ze Dallas niet. *Geen gerotzooi met het personeel* was een stelregel die in deze stad maar zelden werd nageleefd. Integendeel, naar bed gaan met een ondergeschikte werd niet als misdrijf beschouwd maar als een bonus, iets wat nastrevenswaard was, niet iets waarvoor je gerechtelijk vervolgd diende te worden. Als de overheid elke zakenman in Dallas zou vervolgen die geld van zijn bank of van zijn bedrijf, van investeerders, van de gemeente, de provincie of de staat had gebruikt om eens lekker vreemd te gaan, zou de Kamer van Koophandel niet genoeg leden meer hebben om een spelletje canasta te spelen.

En dus had ze zorgvuldig een jury van blanke mannen van middelbare leeftijd geselecteerd, mannen die mogelijk ooit een maîtresse hadden gehad of die hoopten er ooit een te zullen hebben, of die zich gedurende de rechtszaak zouden inbeelden dat zij hun maîtresse was. Vervolgens had ze ervoor gezorgd dat de toezichthouder van de bank en de vertegenwoordiger van de belastingdienst in de getuigenbank overkwamen als deerniswekkend incompetente oude mannen; ze had deskundigen opgeroepen die (voor aanzienlijke honoraria) geen spaan heel lieten van het tegen haar cliënt ingebrachte bewijsmateriaal; tijdens het kruisverhoor had ze de kroongetuige van het Openbaar Ministerie geschoffeerd (het arme kind moest zo huilen dat haar mascara over haar gezicht en in haar chirurgisch gecreëerde decolleté liep); en ze had vijftien centimeter kortere rokken aangetrokken.

Het was raadsvrouwe Elizabeth A. Brice opnieuw gelukt een schuldige cliënt vrijgesproken te krijgen.

Net toen ze besloot dat ze maandagochtend allereerst haar uurtarief zou verhogen tot vijfhonderd dollar, brachten de vrolijke stemmen van de kinderen en de ouders bij de kantine haar gedachten weer terug bij het heden. Ze keek de kant op waar de stemmen vandaan kwamen terwijl het koele avondbriesje langs haar heen streek. Ze sloeg haar armen over elkaar, maar de kilte die ze voelde kwam vanuit haarzelf. Een vaag gevoel van onrust bekroop haar, alsof de wind haar iets ingefluisterd had.

Grace.

Ze sloot de Lexus af en haastte zich naar de verlaten voetbalvelden en de eenzame toeschouwer die op de tribune zat.

John zei in zijn mobieltje: 'O, en wat weet jij dan wel van de liefde, kerel? Lou, weet je wel dat de vereiste opstartprocedure om een volwassen Amerikaanse vrouw tot een orgasme te brengen, complexer is dan de ontstekingsprocedure van een neutronenbom?'

Ze zag hem voordat hij haar zag. Maar hij voelde haar aanwezigheid, zoals je dreigend onheil voelt.

'Alarm, echtgenote in zicht,' fluisterde John in de telefoon.

Hij liet het toestel van zijn oor zakken – hij kon Lou nog horen roepen: 'Hou mij erbuiten!' – schoof zijn bril omhoog en zag dat ze haar priemende blik strak op hem gericht hield terwijl ze vanaf het middenveld vastberaden op hem af beende. Angst greep hem bij de keel – *Jezus, wat heb ik nu weer fout gedaan?* Zijn vrouw was nauwelijks veranderd sinds ze elkaar tien jaar geleden ontmoet hadden in Washington; ze was nu veertig maar nog steeds bijzonder aantrekkelijk (zelfs als ze in een slecht humeur was, zoals nu) en nog even intimiderend. Ze zag er perfect uit in haar chicste zwarte mantelpakje en wekte de indruk zichzelf en alles en iedereen in haar directe omgeving volledig onder controle te hebben. Elizabeth Brice was een keiharde perfectionistische controlfreak, waardoor ze samen een totaal verkeerde combinatie vormden, als een Wintel-programma op een Mac. Dat maakte dat John zich afvroeg, zoals hij al zo vaak had gedaan: *Waarom heeft ze mij ten huwelijk gevraagd?*

Ze plantte haar vuisten op haar heupen toen ze voor hem stond.

'Waar is Grace?'

'Verdorie, Elizabeth, je had haar beloofd dat je dit seizoen ten minste één wedstrijd zou komen kijken.'

'Ik had mijn cliënt beloofd dat ik zijn zaak zou winnen, en dat is me gelukt. Waar is Grace?'

John deed zijn mond open om zijn echtgenote eraan te herinneren dat ze Gracie nu al zo vaak beloofd had dat ze zou komen kijken, dat Gracie belangrijker was dan een of andere witteboordencrimineel, ook al betaalde die haar vierhonderd dollar per uur, dat… maar ze leek vanavond geagiteerder dan gewoonlijk, zoals ze daar driftig met haar voet stond te tikken, een duidelijk teken dat ze ergens behoorlijk de pest over in had. Elizabeths persoonlijkheid was een binair systeem – óf ze was afstandelijk óf ze had de pest in. Hij wilde haar vragen, zoals hij haar altijd al had willen vragen: *Waar ben je toch zo nijdig over?* Maar zoals altijd besloot hij al snel dat hij dat maar beter achterwege kon laten, wilde hij niet blootgesteld worden aan een niet-aflatende stroom krachttermen waarbij vergeleken een volledige systeemcrash een lolletje leek. Dus hield hij zijn mond om niet het risico te lopen van een uitbarsting van het wispelturige temperament van zijn vrouw; dat beschouwde hij als risicomanagement. En bovendien, Elizabeth was niet gediend van seks zolang ze met een rechtszaak bezig was; dit weekend zou zijn eerste kans in twee weken worden. Hij kon niet het risico lopen die te verknallen door een onbezonnen provocatie. Hij wees met zijn mobieltje naar de kantine.

'Een ijsje kopen,' zei hij.

Coach Wally hapte de bovenkant van zijn bolletje ijs met kersensmaak; er drupte wat van de koele rode siroop op zijn onderkin. Hij veegde zijn mond af aan de mouw van zijn Tornadoes-shirt.

Wally Fagan was op weg van de kantine naar het voetbalveld om de wedstrijdbal op te halen die hij in de opwinding rond Brenda's winnende doelpunt vergeten had. Hij nam nog een hap van zijn ijsje en zag een vrouw op zich af komen als een naderende onweersbui – donker haar, donkere kleren en een onheilspellende uitdrukking op haar gezicht.

Gracies moeder.

Wally's hartslag versnelde, en niet vanwege haar korte rokje. Hij had de afgelopen drie seizoenen maar een paar keer met Gracies moeder gesproken, maar om de een of andere reden had ze hem altijd nerveus gemaakt. Wally was bijna één meter tachtig lang en woog ongeveer honderdtien kilo, maar hij voelde zich volledig geïntimideerd door de slanke vrouw die hem tegemoet kwam. Ze was misschien tien jaar ouder dan hij, maar hij had altijd het gevoel dat hij tegen zijn moeder praatte – *O, shit, haar moeder!* Bij nader inzien was het toch wel merkwaardig dat hij haar vanavond hier zag.

Ze kwam naderbij en ze keken elkaar even aan. Wally glimlachte beleefd terwijl hij wachtte tot er een blik van herkenning op haar gezicht zou verschijnen. Dat gebeurde niet. Hij was een volslagen vreemde voor haar. Wally besloot haar toch maar aan te spreken, aangezien ze op het punt stond hem gewoon voorbij te lopen.

'Goh, mevrouw Brice, ik had niet verwacht u hier vanavond te zien.'

Ze diende hem onmiddellijk van repliek: 'Ik had een rechtszaak, ja!'

Jezus! Wally schrok zo van haar reactie dat hij bijna het ijs uit zijn hoorntje kneep. Hij had er onmiddellijk spijt van dat hij haar niet gewoon door had laten lopen.

Nu hij haar staande gehouden had, nam ze de tijd om hem van top tot teen op te nemen: de hoge Reeboks, de blauwe korte broek die strak om zijn aanzienlijke buik spande en het goudkleurige shirt dat die buik niet volledig bedekte, de Texas Rangers-pet met de klep naar achteren, het getatoeëerde hartje op zijn linkerarm en de druppels kersensiroop op zijn kin.

'Wie *bent* u?' vroeg ze op gebiedende toon.

Dat kwam hard aan. Wally veegde zijn kleverige hand af aan zijn shirt voordat hij hem naar haar uitstak. Ze had een zeer stevige greep.

'Coach Wally… ik train het elftal van Gracie.'

'O.'

Geen verontschuldiging. Ze staarde naar haar hand, die nu kleverig aanvoelde. Kennelijk probeerde ze te besluiten of ze haar hand aan haar rok zou afvegen. Ze zei: 'Nou, Wally, ik had vandaag een belangrijke zaak waarover de jury een uitspraak moest doen, daarom was ik te laat voor de wedstrijd van Gracie.'

'Nee, ik bedoelde vanwege, eh… uw moeder.'

Ze keek op van haar hand en fronste haar voorhoofd. 'Mijn *moeder*? Wat is er met mijn moeder?'

'O, jee, weet u dat dan niet?'

'*Wat* weet ik niet?'

Zelfs zijn ervaring als nachtmanager van het Taco House aan de snelweg had Wally Fagan er niet op voorbereid dit soort nieuws over te brengen. Maar hij had al te veel gezegd om er nu het zwijgen toe te doen.

'Mevrouw Brice, uw moeder heeft een beroerte gehad.'

Ze schrok zichtbaar. '*Wanneer?*'

'Eh, vandaag, neem ik aan. Ze ligt in het ziekenhuis.'

Ze keek niet-begrijpend en wees naar het voetbalveld achter haar. Wally keek die richting uit; er zat een man in zijn eentje op de tribune.

'Mijn man heeft niet gezegd dat mijn moeder een beroerte heeft gehad.'

'Was Gracies vader bij de wedstrijd?'

Ze keek Wally aan alsof hij een volslagen idioot was.

'Hij zit daar verdomme op de tribune!'

Nu was het Wally die niet-begrijpend keek; hij zette zijn pet af en krabde zich op het gemillimeterde hoofd. Hij hield zijn haar kort omdat hij dan minder transpireerde onder het haarnetje dat hij op zijn werk moest dragen.

'U bent toch niet op zoek naar Gracie, is het wel?'

Ze ademde duidelijk hoorbaar uit. 'Ik ben niet voor de ijsjes gekomen, Wally.'

'Maar… maar ze is… ze is *weg*.'

'Waarheen?'

'Naar uw moeder in het ziekenhuis.'

'Mijn moeder woont in New York!'

'Maar uw broer zei dat uw moeder een beroerte had gehad en dat hij Gracie kwam ophalen om naar het zie…'

De vrouw sprong op Wally af en greep hem bij zijn shirt, haar ogen en gezicht plotseling woest als een wild dier; hij voelde haar warme adem op zijn gezicht toen ze tegen hem schreeuwde: 'Ik heb geen broer!'

Wally was zo bang dat hij een paar druppels urine liet lopen. Hij liet zijn ijsje vallen. De woeste vrouw liet hem los en holde in de richting van de kantine terwijl ze de naam van haar dochter schreeuwde.

'Gra-cie!'

De stem van politiechef Paul Ryan vermengde zich met de andere stemmen die van alle kanten in het donker klonken, de stemmen van politiemensen en burgers die in het aan het park grenzende bos op zoek waren naar het vermiste meisje, en hij dacht: *In Post Oak, Texas, worden géén kinderen ontvoerd!*

'Gra-cie!'

Toen het telefoontje binnenkwam, was Ryan ervan uitgegaan dat een rijke voetbalmoeder uit Briarwick Farms weer eens een hysterische aanval had, zoals zo dikwijls het geval was als het om hun zeer bijzondere kinderen ging. Zijn vrouw, die onderwijzeres was op de plaatselijke basisschool, noemde dat het kindje Jezus-syndroom, wat er op neerkomt dat elke rijke moeder denkt dat haar verwende kleine kreng de wedergeboren Christus is. Hij was ervan overtuigd dat de moeder via haar mobieltje te horen zou krijgen dat het meisje met een vriendinnetje mee naar huis was gegaan, en de moeder zou niet 'Neem me niet kwalijk' of zoiets zeggen, ze zou alleen maar zwaaien en in haar suv stappen en op weg gaan naar Angelo, waar ouders en kinderen na de wedstrijd dikwijls pizza gingen eten, ervan uitgaand dat het politiekorps haar persoonlijke beveiligingsdienst was waarop ze op elk willekeurig moment een beroep kon doen. Maar toen hij ter plekke was gearriveerd en met de coach van het meisje had gesproken, had Paul Ryan onmiddellijk geweten dat dit een echte ontvoering was: een blonde man met een zwarte pet op had specifiek naar het meisje gevraagd.

'Gra-cie!'

Ryan kon niet verder zien dan de anderhalve meter vlak voor hem die beschenen werd door zijn zaklantaarn terwijl hij dieper het donkere bos in liep.

23.22 uur

Hij hoort de anderen om hem heen, maar het enige wat hij nu ziet is een vaag beeld van bomen en klimplanten en kreupelhout, dicht en ondoordringbaar – een oerwoud. Hij baant zich worstelend een weg door een oerwoud op een donkere avond. Hij hoort de gil van een kind in de verte. Hij verhoogt zijn tempo, maar het is alsof hij door stroop waadt. Hij moet zich haasten, er staat iets afschuwelijks te gebeuren, of het gebeurt nu al.

Hij hoort nog meer gegil. Hij is drijfnat van het zweet terwijl hij zich een weg baant door het dampende oerwoud. Ranken van klimplanten proberen hem te verstikken, takken zwiepen in zijn gezicht en tegen zijn armen, het kreupelhout kronkelt zich om zijn laarzen, het gegil wordt luider, zijn ademhaling gaat sneller, zijn hart bonkt harder tegen zijn ribbenkast – en plotseling strompelt hij het donker uit en het licht in. Een dorpje wordt verlicht door vlammen, strohutten staan in brand en geweerlopen spuwen vuur. Hij hoort het BOEM BOEM BOEM van zware wapens, hij hoort mensen schreeuwen, varkens krijsen en waterbuffels grommen. Hij ruikt de stank van brandend dierenvlees. Hij ziet vrouwen en kinderen die uit hun schuilplaatsen worden gesleept en op de grond worden gesmeten, terwijl de gloed van hun brandende hutten hun doodsbange gezichten verlicht, hun fijne en wanhopige Aziatische gelaatstrekken. Hij kijkt toe hoe ze over een onverhard pad worden voortgedreven terwijl ze huilende baby's meedragen en om genade smeken –

'NEE! NEE! NEE! GEEN VIETCONG! GEEN VIETCONG!'

Een jong meisje, mooi en breekbaar als een porseleinen poppetje, beroofd van haar kleren en haar onschuld, strompelt langs hem heen, wanhopig op zoek naar een mogelijkheid om te ontsnappen aan de barbaarsheid waaraan ze ten prooi gevallen is, voortgeduwd door grote handen die aan gespierde armen vastzitten. Haar gezichtje is vertrokken van angst omdat ze verhalen gehoord heeft over wat deze mannen doen met knappe jonge meisjes zoals zij. Ze zoekt medeleven in de harde gezichten en vindt dat in het zijne. Ze kijkt hem aan, woordeloos smekend om hulp. Hij weet dat hij haar moet redden om zichzelf te redden: haar leven en zijn ziel staan op het spel wanneer ze voorover op de grond valt. Een grote hand grijpt naar haar, maar hij duwt die weg en tilt zachtjes haar tengere arm op. Hij hoort haar in haar eigen taal snikkend zeggen: 'Red me. Red me alstublieft.' Het porseleinen poppetje draait haar gezicht naar hem toe, in slow motion draait ze zich naar het licht, en hij ziet haar gezicht, het gezicht van…

Gracie.

Ben Brice schreeuwde zichzelf wakker en schoot rechtovereind in bed terwijl hij naar adem snakte. Zijn hart ging tekeer, zijn borst en gezicht en haar waren nat van het zweet, en zijn oren tuitten. De telefoon rinkelde. Hij stak zijn hand uit naar het toestel en stootte de lege whiskyfles om. Hij bracht de hoorn naar zijn oor en zei: 'Wat is er met Gracie gebeurd?'

DAG TWEE

05.18 uur

De dageraad brak aan toen Ben de oude Jeep parkeerde, de plunjezak van de passagiersstoel pakte en op een drafje naar het luchthavengebouw van Albuquerque liep. Zijn hoofd bonkte bij elke pas. Skiërs op weg naar huis na de laatste afdalingen van het seizoen verdrongen zich op de vroege zaterdagochtend al bij de gates. Hij raadpleegde een monitor met aankomst- en vertrektijden. De eerste vlucht naar Dallas vertrok om 06.00 uur vanaf gate acht.

'Ik begrijp dat het een noodgeval is, meneer,' zei de grondstewardess, 'maar de vlucht is overboekt, en we hebben twintig stand-bypassagiers. Al onze vluchten naar Dallas zijn vandaag overboekt.' Ze keek op haar computerscherm. 'De eerste beschikbare vlucht is maandag.'

Met een verontschuldigende blik haalde ze haar schouders op en stak haar hand uit naar de volgende in de rij. Ben pakte zijn plunjezak op, liep weg van de balie en liet zijn blik over de wachtende passagiers gaan, onuitgeslapen studenten die terugkeerden van hun voorjaarsvakantie; het leek niet waarschijnlijk dat een van hen bereid zou zijn om zijn of haar plaats aan een vreemde af te staan.

Maar hij moest naar Dallas.

Hij zag drie geüniformeerde mannen in de richting van de gate lopen: de bemanning. De gezagvoerder liep in het midden en leek hem ongeveer van zijn leeftijd.

Hij liep naar hen toe en sneed hun de pas af.

Karen, de negentienjarige grondstewardess, schudde het hoofd toen de man captain Porter aanhield. Een halfjaar aan de gate en het was altijd hetzelfde verhaal: *Het is een noodgeval! Een crisis!* Ze had dan altijd de neiging om te zeggen: *Nou, dat geldt ook voor mijn sociale leven!* Maar het was bedrijfsbeleid om altijd beleefd te blijven tegen klanten, en dus glimlachte ze alleen maar en haalde haar schouders op. De man leek haar overigens wel oprecht, niet het type om zich met leugens een plaats in een overboekt toestel te verschaffen. Hij had vriendelijke ogen. Toch pakte ze vast de telefoon voor het geval ze de beveiliging zou moeten bellen.

Karen overhandigde de volgende passagier in de rij een instapkaart en wierp toen weer een blik op de man die zijn zaak stond te bepleiten bij captain Porter. Ze mocht captain Porter graag; dat gold voor alle meisjes. De luchtvaartmaatschappij nam uitsluitend militaire piloten in dienst; de jongeren vonden zichzelf heel wat; ze waren altijd maar aan het opscheppen en verwachtten dat elke vrouwelijke werknemer op commando voor hen uit de kleren ging. De ouderen, zoals captain Porter, waren anders. Ze gedroegen zich respectvol ten opzichte van de meisjes, waarschijnlijk omdat ze dochters van dezelfde leeftijd hadden, en ze pochten nooit over wat ze bij de luchtmacht hadden gedaan. De jongere piloten beschouwden captain Porter als een soort god; ze zeiden dat hij een eersteklas oorlogsvlieger was geweest in een of andere oorlog die ze zich nauwelijks kon herinneren van de geschiedenislessen op school, en dat hij ongeveer drie jaar in krijgsgevangenschap had doorgebracht. Karen huiverde bij de gedachte: drie jaar lang geen MTV! De man wees nu naar de CNN-monitor. Karen boog zich opzij om op de monitor te kunnen kijken. Het scherm toonde het gezicht van een klein blond meisje met erboven de woorden KIND ONTVOERD en eronder VERMOEDELIJK VOOR LOSGELD. Ze zag er leuk uit. Karen keek weer naar captain Porter, in de verwachting dat hij de man weg zou sturen met een meelevende uitdrukking op zijn gezicht en een geroutineerd schouderophalen – *Wat kan ik doen, ik werk hier alleen maar* –, de standaardreactie op klachten van passagiers die al het personeel van de luchtvaartmaatschappij zich al snel eigen maakte. Maar Karen keek met open mond toe en had geen oog meer voor de rij wachtende passagiers toen ze zag dat captain Porter zijn boordtas liet vallen en de man omhelsde alsof hij zijn verloren gewaande broer was, waarna hij hem losliet, zijn plunjezak oppakte en ermee naar Karen liep.

'Karen, zorg dat de bagage van de kolonel aan boord komt,' zei captain Porter. 'En dump een eersteklaspassagier.'

Karen zou durven zweren dat captain Porter tranen in zijn ogen had.

08.13 uur

Ondanks haar moeders bezwaren was Gracie hem om de paar maanden op komen zoeken en kwam ze 's zomers een maand bij hem logeren, nu al vijf jaar lang. Zonder haar bezoekjes zou de ochtend dat Ben niet meer op Buddy zou reageren misschien al aangebroken zijn. Hij had haar nodig en hij wist waarom, zij had hem nodig maar hij wist niet waarom. Het enige wat hij wist was dat God hen met elkaar verbonden had op een manier die hij niet begreep en waar hij verder geen vraagtekens bij plaatste: zijn leven was onlosmakelijk met het hare verbonden, en op de een of andere manier haar leven ook met dat van hem.

Ben zat nu op de achterbank van een taxi die met 110 kilometer per uur over de Dallas North Tollway reed, met een Arabier met een tulband achter het stuur. Hij had een barstende koppijn. Buiten schoot een betonnen wereld voorbij; hier binnen was zijn maag volkomen van slag bij de gedachte dat hij Gracie misschien nooit meer zou zien. Hij voelde zich alsof hij elk moment zijn uit koffie en pinda's bestaande vliegtuigontbijt zou kunnen uitkotsen, en als hij bleef zitten staren naar de vier driftig heen en weer bewegende Dallas Cowboys-poppetjes met oversized helmpjes op het dashboard, zou dat vast en zeker gebeuren. Dus leunde hij achterover en deed zijn ogen dicht; zijn gedachten gingen terug naar Gracies laatste bezoek. Ze hadden in hun schommelstoel op de veranda gezeten en naar de zonsondergang gekeken; na een periode van stilte had ze gezegd: 'Mama zegt dat je alcoholist bent.'

Hij had gezegd: 'Ze heeft gelijk.'

'Maar je drinkt niet uit die whiskyflessen als ik er ben.'

'Als jij er bent, hoef ik niet te drinken.'

'Waarom niet?'

'Dat weet ik niet. Het zal wel zijn omdat ik alleen maar aan fijne dingen denk als jij er bent.'

'Dat is dan duidelijk: ik moet hier altijd zijn.'

Hij had geglimlacht. 'Heel lief van je om dat aan te bieden…'

'Nee, Ben. Ik meen het. Ik wil hier bij jou wonen.'

'Liefje, dit is geen plek voor een meisje.'

'Kom jij dan bij ons wonen. Ons huis is groot genoeg.'

'Dat is geen plek voor mij. Als je eenmaal in het oerwoud hebt geleefd, kun je niet meer in een gewone woonwijk wonen.'

Gracie zweeg een tijdje en zei toen: 'Ze houdt nog steeds van je.'

Toen Ben zijn betraande ogen opendeed, stopte de taxi voor het bewakershokje bij de ingang van BRIARWYCK FARMS, EEN EXCLUSIEVE BESLOTEN WOONGEMEENSCHAP, volgens de tekst op de in de hoge stenen muur ingemetselde gevelplaat. Een zwart ijzeren hek voorzien van een bordje met VERBODEN TOEGANG VOOR ONBEVOEGDEN versperde hun de weg. Ben herinnerde zich de deurmat van het huis in West Texas waar hij zijn jeugd had doorgebracht, met de tekst WELKOM IEDEREEN.

Nadat Bens identiteitsbewijs in orde was bevonden, zei de bewaker tegen de taxichauffeur hoe hij moest rijden en even later zwaaide het automatische hek open. Ze reden een oase in de betonnen woestenij binnen: hoge eikenbomen die de brede laan overschaduwden, uitgestrekte groene gazons, sprankelend blauwe, door mensenhanden aangelegde vijvers met wandelpaden eromheen en schitterende villa's op grote percelen grond, huizen waar de meeste bezoekers met open mond naar zouden kijken, maar Ben had er nauwelijks oog voor. Zijn gedachten waren bij Gracie.

De taxichauffeur zette de radio harder: 'Om kwart over zes gisteravond heeft de politie van Post Oak bekendgemaakt dat er een kind is ontvoerd, en men heeft signalementen vrijgegeven van zowel het slachtoffer als de verdachte. Gracie Ann Brice is blank, tien jaar oud, één meter vijfendertig lang, weegt zesendertig kilo en heeft kort blond haar en blauwe ogen. De verdachte is blank, twintig tot dertig jaar oud, één meter tachtig lang, weegt negentig kilo, heeft blond haar en droeg een geruit overhemd en een zwarte pet. De politie verzoekt iedereen die gisteren video-opnames heeft gemaakt van de wedstrijden op Briarwyck Farms Park om die aan hen ter beschikking te stellen.'

De Arabische taxichauffeur maakte via de achteruitkijkspiegel oogcontact met Ben. 'Klein meisje, ontvoerd. In mijn land, als we de man vinden,' – hij sloeg met de zijkant van zijn open hand op het dashboard – 'snijden we zijn pik af. En daarna zijn hoofd.'

De chauffeur richtte zijn blik weer op de weg – '*Ahh!*' – en trapte op de rem; Ben schoot naar voren. De taxi was bijna ingereden op een politieafzetting op Magnolia Lane; twee geüniformeerde agenten stonden voor de taxi, hun handen op hun holsters, en ze schudden het hoofd. De chauffeur draaide zich om naar Ben, haalde zijn schouders op en zei: 'Kan niet verder.'

Ben betaalde de ritprijs van vijfenveertig dollar met een biljet van vijftig en stapte uit. De ochtendzon deed pijn aan zijn ogen; hij tastte zijn kleren af op zoek naar zijn zonnebril maar herinnerde zich toen dat hij die in de Jeep had laten liggen. Hij wreef over zijn slapen, maar dat maakte het bonken in zijn hoofd er niet minder op. Hij moest eigenlijk een eind gaan hardlopen om de demonen van de afgelopen nacht te verdrijven, maar daar zou het vanochtend niet van komen. En dus gooide hij zijn plunjezak over zijn schouder, liep voorbij de afzetting en kwam in een mediacircus terecht.

Aan weerskanten van de weg stonden tv-reportagewagens met op het dak gemonteerde satellietschotels geparkeerd. Ze hadden de bewoners al voor het ontbijt uit hun huizen gelokt. Kinderen, ouders, cameralieden, verslaggevers en politiemensen bevolkten de straat en de trottoirs; hun stemmen gingen grotendeels verloren in het lawaai van een laaghangende nieuwshelikopter.

Ben vervolgde zijn weg over het trottoir, dieper het circus in; hij kwam langs een verslaggever die tegen een camera praatte: 'Gracie is voor het laatst gezien in Briarwyck Farms Park. Ze droeg een blauw voetbalbroekje en een goudkleurig shirt met de naam van haar team, Tornadoes, op de borst, en rugnummer negen.'

Kinderen reden op fietsjes en skates over straat, technici stelden hun apparatuur op en fotografen maakten foto's van de villa's. Een andere verslaggever zei in een andere camera: 'Ze is ontvoerd na een voetbalwedstrijd gistermiddag, in dit welgestelde voorstadje vijfenzestig kilometer ten noorden van Dallas.'

Ouders stonden in groepjes bijeen en hielden hun kinderen dicht bij zich in de buurt; op hun gezichten die angst die ouders eigen is, de angst dat hun kinderen gekidnapt zouden kunnen worden. Ben had die angst al eerder gezien.

De cameramannen waren grunge-types (een woord dat Gracie hem had geleerd) met zonnebrillen op en honkbalpetten achterstevoren op hun hoofd die zich op de trottoirs en gazons hadden geïnstalleerd. Ze hingen in tuinstoelen, dronken koffie, klaagden dat ze zo vroeg hun bed uit hadden gemoeten en gaven deskundige meningen ten beste: 'Het zal wel iemand binnen de familie zijn. Dat is altijd zo.'

Dit was nu hún ontvoering. Gracie Ann Brice was nieuws.

En de wereld wachtte op nieuws voor haar huis, waar een stuk of tien tv-camera's op statieven stonden opgesteld, gericht op Magnolia Lane 6, een villa van drie verdiepingen in de stijl van een Frans chateau die meer weg had van een hotel dan van een woonhuis. Gracie had niet overdreven: het was echt een groot huis.

Ben liep het lange pad op dat naar de voordeur leidde, maar bleef toen even staan om te luisteren naar een verslaggever die tegen een camera sprak: 'Gracie speelde gisteren aan het eind van de middag een voetbalwedstrijd hier in Post Oak, ging na afloop naar de kantine en is sindsdien niet meer gezien. Haar ouders hopen vurig dat het de ontvoerder om losgeld te doen is, dat geld hun dochter kan redden. Er is nu veertien uur verstreken sinds de ontvoering en inmiddels is er een grootscheepse actie in gang gezet om Gracie en de man die haar ontvoerd heeft te vinden. De FBI zet een commandopost op, de plaatselijke politie organiseert zoekacties en binnenkort zullen bloedhonden het bos uitkammen dat grenst aan het park waar Gracie ontvoerd is…'

Ben liep verder. Op de grijze leistenen treden van het bordes waren met kleurkrijt in een kinderhandschrift de woorden WE HOUDEN VAN JE, GRACIE geschreven. Die woorden hadden op Ben hetzelfde lichamelijke effect als het hardlopen dat hij 's ochtends deed: hij liep naar de zijkant van het bordes en kotste achter een lage struik. Hij veegde zijn mond af met een rode zakdoek en belde aan.

In de villa was de deurbel niet te horen door de rinkelende telefoons, schetterende tv's en druk met elkaar pratende politiemensen en FBI-agenten die in mobiele telefoons schreeuwden, en een klein jongetje in een honkbaltenue van de Boston Red Sox dat rondholde en zijn wijsvinger als een pistool op iedereen richtte onder het uitroepen van 'Handen omhoog!'

Te midden van de chaos liep een lange zwarte man rustig door de brede gang die van de ene kant van de villa naar de andere liep. FBI-agent Eugene Devereaux droeg zwarte cowboylaarzen, een spijkerbroek, een goudkleurige badge aan een brede zwarte broekriem, een halfautomatisch pistool in een holster, een blauw nylon jack met op de rug de grote goudkleurige letters FBI, en een FBI-pet. Devereaux was belast met de leiding van het onderzoek naar de ontvoering van Gracie Ann Brice. Het opsporen van ontvoerde kinderen was al tien jaar lang zijn leven.

Zijn zware voetstappen op de smetteloze hardhouten vloer weerklonken luid en duidelijk onder zijn aanzienlijke gewicht. Aan de gelambriseerde wanden hingen fraaie schilderijen en er stonden meubelstukken in de gang die eruitzagen alsof ze zouden bezwijken als je er alleen maar op leunde. Naast hem liep agent Floyd, die zijn wijsvinger in de lucht stak alsof hij de windrichting wilde bepalen.

'Heb je ooit zoiets gezien?'

Op het hoge gewelfde plafond was een schildering aangebracht van een ouderwets Frans straattafereel met winkels, voetgangers en koetsjes met paarden ervoor; de straat liep door tot in de hal, waar hij overging in een dorpspleintje. Een soortgelijk straattafereel viel te bewonderen op het plafond boven de gang in de oostvleugel van de villa. Eugene Devereaux had inderdaad nog nooit zoiets gezien.

'Heb je ooit aan een ontvoeringszaak gewerkt waarbij het slachtoffer in een dergelijk huis woonde?' vroeg Floyd.

Devereauxs werk bracht hem niet in dit soort woningen. Ontvoeringsslachtoffers woonden meestal in een stacaravan of een verloederd flatgebouw of een goedkoop huurhuis; niet in een villa met kunst aan de muren en met Franse straattaferelen beschilderde plafonds.

'Nee. Rijke meisjes worden niet door vreemden ontvoerd.'

Devereaux was een specialist op het gebied van ontvoeringen bij de FBI, bureau Houston; hij hield zich uitsluitend bezig met ontvoeringen van kinderen door onbekenden. Gracie Ann Brice was zijn elfde zaak dit jaar en het was pas begin april.

Hij bleef staan. Aan de wand hing een geposeerd familieportret dat van bovenaf verlicht werd door een spotje; de ouders en het jongetje waren in het zwart gekleed, het slachtoffer in het wit. Haar blonde haar vormde een scherp contrast met het zwarte haar van de anderen. Ze zag er lief uit. Op een tafeltje eronder lag een exemplaar van het tijdschrift

Fortune, met het gezicht van de vader op de cover onder de kop: DE NIEUWE BILL GATES? Devereaux pakte het tijdschrift op en bladerde naar het hoofdartikel over de vader. Hetzelfde familieportret nam een hele pagina van het tijdschrift in beslag. De hele wereld wist dat John Brice op het punt stond schatrijk te worden en dat zijn vrouw Elizabeth heette, zijn zoontje Sam en zijn dochter Gracie.

Devereaux legde het tijdschrift terug en zei: 'Misschien is het in dit geval inderdaad om losgeld te doen.'

Dat hoopte hij maar. Een ontvoering om losgeld was de enige reële kans dat het meisje nog in leven was: voor een dood kind krijg je geen losgeld.

'De vader,' zei Floyd, 'is volkomen over zijn toeren. Ik geloof niet dat hij in staat is het telefoontje van de ontvoerder aan te nemen, als er al een telefoontje komt. Misschien moesten we maar een beroep doen op de moeder... strafpleiter, witteboordencriminelen.'

Verderop hoorde Devereaux een stem, vrouwelijk en vastberaden: 'Hilda, jij hoeft je alleen maar om Sam te bekommeren.'

De moeder van het slachtoffer – veertig, slank, vastberaden gezichtsuitdrukking – verscheen aan het andere eind van de gang en beende hun tegemoet met een gevolg dat moeite had haar bij te houden: de nanny, een jonge Latijns-Amerikaanse vrouw; een oudere blanke vrouw van Oost-Europese afkomst in een dienstbode-uniform; en een plaatselijke politieman, jong, gemillimeterd haar, gespierd, met een uitdrukking op zijn gezicht die deed vermoeden dat hij het liever aan de stok had met een Mexicaans drugskartel dan dat hij bevelen aannam van de moeder. Ze droeg een getailleerd mantelpakje en schoenen met hoge hakken. Haar kapsel zag er verzorgd uit en ze had zich zorgvuldig opgemaakt. Ze was een vrouw die je op straat niet zomaar voorbij zou lopen.

Ze priemde met haar vinger in de lucht.

'Zoek hem, geef hem te eten, volg hem. Laat hem niet naar buiten gaan en verlies hem geen moment uit het oog. *Comprende?*'

'*Si, señora.*' De Latijns-Amerikaanse vrouw verliet het gevolg.

De moeder, tegen het dienstmeisje: 'Sylvia, bel het cateringbedrijf. Ze kunnen niet op zoek gaan naar mijn dochter op een lege maag.'

'Goed, mevrouw.' Ze was al vertrokken voordat de moeder goed en wel uitgesproken was.

Tegen de politieman: 'Zorg dat die mensen van mijn gazon verdwijnen.'

'Ik zal het proberen, mevrouw Brice, maar…'

'Geen gemaar. Doe het gewoon. Schiet ze neer als het niet anders kan.'

'Eh, ja, mevrouw.' De jonge politieman was geen partij voor de moeder; hij gaf zich hoofdschuddend gewonnen.

Toen de moeder dichterbij kwam, vielen Devereaux haar ogen op, alert en geconcentreerd, niet de lege, wanhopige ogen die hij gewend was te zien bij moeders van ontvoerde kinderen. Devereaux knikte haar ernstig toe toen ze hem in de hal passeerde. Het was de ochtend na de ontvoering van haar dochter en ze was gekleed voor de rechtszaal; ze leek de zaken volledig onder controle te hebben en deelde links en rechts opdrachten uit. Devereaux wist dat dit haar manier was om de situatie het hoofd te bieden: zich gedragen alsof ze haar leven nog steeds in de hand had. Natuurlijk was dat niet het geval; het leven van haar dochter – en dus ook haar eigen leven – was nu in handen van de ontvoerder.

'Een keiharde tante,' zei Floyd even later.

'Dat zal ze ook wel moeten zijn,' zei Devereaux, 'als het de ontvoerder niet om losgeld is te doen.'

08.39 uur

God, laat het alstublieft om losgeld gaan.

Nu ze eindelijk even alleen was, bleef Elizabeth staan, liet haar hoofd tegen de wand van de gang rusten en deed haar ogen dicht. De adrenaline stroomde door haar aderen alsof ze op het uitspreken van een vonnis wachtte, maar ze hoefde vandaag nergens heen, geen schuldige verdachte te verdedigen, geen getuige à charge aan een nietsontziend kruisverhoor te onderwerpen, geen slotpleidooi over waarheid en gerechtigheid te houden voor een jury van brave en lichtgelovige burgers. Ze hoefde niets anders te doen dan door het huis ijsberen en hopen en bidden. Die ochtend, onder de douche, had ze voor het eerst in dertig jaar gebeden.

God, laat het alstublieft om losgeld gaan.

Ze haalde diep adem en ademde langzaam weer uit. Haar hart ging tekeer alsof ze zojuist een uur op de Stairmaster had getraind. Haar gedisciplineerde lichaam had zich overgegeven aan de angst, zoals haar al even gedisciplineerde geest zich overgegeven had aan anarchie, een wirwar van gedachten die door haar hoofd spookten: Waar was Grace? Was ze dood? Leefde ze nog? Wie had haar in handen? Wat had hij met haar gedaan? Wilde hij geld? Waarom was er nog geen telefoontje gekomen waarin losgeld werd geëist? Wist de FBI waar ze mee bezig was? Zou Grace ooit weer thuiskomen? Waarom ik? Waarom mijn kind? Hoe kon John dat nou laten gebeuren? *Hoe?*

Verdomde stommeling!

Ze voelde de woede in zich opwellen, de woede die vlak onder de oppervlakte lag, altijd gereed om tot uitbarsting te komen en elke situatie te beheersen, de woede die ze elke dag van haar leven uit alle macht probeerde te onderdrukken, als een patiënt die chemotherapie ondergaat om de kanker te bestrijden. De strijd was vandaag des te moeilijker omdat het voor Elizabeth Brice verdomme onbegrijpelijk was hoe haar dochter ontvoerd kon zijn onder de ogen van haar man in een openbaar park!

Ze had haar man gisteravond in het park vervloekt, nadat de paniek had plaatsgemaakt voor razernij. Maar eerst was ze in paniek geraakt en volkomen door het lint gegaan, schreeuwend, krijsend, kinderen en ouders aanklampend – 'Hebben jullie Grace gezien? Hebben jullie Grace gezien?' –, in het wilde weg rondhollend en Grace' naam roepend tot ze helemaal schor was. Toen had de woede het overgenomen en was ze tekeergegaan, eerst tegen John en vervolgens tegen Grace' trainer: 'Je hebt Grace aangewezen aan de ontvoerder? Wat ben jij voor een verdomde idioot?'

Ouders en politie hadden het park tot laat in de avond doorzocht. Toen de FBI gearriveerd was en de chaotische zoekoperatie in ogenschouw had genomen, hadden ze het park als plaats delict bestempeld en iedereen weggestuurd. De zoektocht moest georganiseerd verlopen, zeiden ze. Er konden aanwijzingen vertrapt worden. Het park en het bos waren te uitgestrekt en te dichtbegroeid om in het donker grondig te doorzoeken, en als Grace na acht uur zoeken nog steeds niet gevonden was, bevond ze zich niet langer in het park. En dus was

Elizabeth terug naar huis gegaan, had onder de douche gebeden, en zich aangekleed; ze was nu zevenentwintig uur aan één stuk wakker, op de been gehouden door cafeïne en adrenaline. Ze had haar geest en haar lichaam getraind om zonder slaap te functioneren; dat kon ze zo'n zesendertig uur volhouden. Daarna zou haar geest overmand worden door haar lichamelijke uitputting, en zou ze gaan slapen. Maar nu niet. Nog niet. Haar lichaam begon vermoeid te raken, maar haar geest bleef alert en woedend: *Verdomme, hoe heeft John dat nou kunnen laten gebeuren!* Ze balde haar vuist en sloeg ermee tegen de muur.

'Eh, gaat het nog een beetje, mevrouw Brice?'

Toen Elizabeth haar ogen opendeed, zag ze een jonge agent met een kop koffie en een donut in zijn handen; er zat witte poedersuiker rond zijn mond en hij had een lusteloze uitdrukking op zijn gezicht, alsof dit het begin was van een normale werkdag met donuts en verkeerscontroles. Hij was het schoolvoorbeeld van een kleinsteedse diender en de reden dat ze geëist had dat de FBI onmiddellijk ingeschakeld werd.

'Met mij wel. Maar niet met mijn dochter. Ga haar zoeken!'

De agent verslikte zich in zijn donut, draaide zich om en maakte zich haastig uit de voeten. Ze haalde enkele malen diep adem om haar kalmte te herwinnen en beende toen de brede gang door, vastbesloten om zich in het openbaar niet te gedragen als andere moeders van ontvoerde kinderen, deerniswekkend snikkend op televisie en smekend om de veilige terugkeer van haar kind. Raadsvrouwe Elizabeth Brice zou wel op tv verschijnen, maar niet om te smeken.

Voor de derde keer die ochtend liep ze de eetkamer binnen. Het hoofd van de politie van Post Oak en vier geüniformeerde agenten stonden over de eettafel gebogen en bestudeerden een grote kaart die verlicht werd door de kroonluchter die boven de tafel hing. Ze merkten niet dat ze binnenkwam.

'We kammen het helemaal uit,' zei Chief Ryan. 'Van zuid naar noord. Geef jullie mensen instructie dat ze op armlengte van elkaar lopen, langzaam, het is verdomme geen wedstrijd. Als ze iets zien, laat ze dan hun hand opsteken en nergens met hun tengels aankomen. De jongens van de FBI zullen alle eventuele aanwijzingen verzamelen.' Chief Ryan was een stevig gebouwde man met een forse buik, als een sportman op leeftijd. Toen hij eindelijk Elizabeth in het oog kreeg die in de deuropening stond, trok hij een gezicht. 'Let u maar niet op mijn taalgebruik, mevrouw Brice.'

Ze stak haar hand op. 'Als u haar maar vindt.'

'Jazeker. O, mevrouw Brice, we hebben een kledingstuk nodig dat Gracie kortgeleden gedragen heeft, iets wat nog niet gewassen is. Voor de bloedhonden.' Elizabeth knikte. De politiechef zei tegen zijn mensen: 'We beginnen exact om halftien. Bobby Joe zal de honden eerst in het bos laten speuren, terwijl wij de sportvelden voor onze rekening nemen. Daarna kammen we het bos nogmaals uit – misschien hebben we bij daglicht meer geluk.'

Toen Elizabeth zich omdraaide om het vertrek te verlaten, stond ze oog in oog met een ernstig kijkende jonge vrouw die een blauw FBI-jack droeg en een blocnote en een pen in haar hand had. Ze waren eerder aan elkaar voorgesteld, maar Elizabeth kon zich haar naam niet meer herinneren.

'Mevrouw Brice, wat voor kleur, maat en merk ondergoed had Gracie aan?'

De agent stelde de vraag alsof ze haar vroeg of ze melk in haar koffie wilde. Elizabeth hield haar emoties in bedwang.

'Dat weet ik niet. Ik ben gisteren de deur uit gegaan voordat ze opstond. Ik had een rechtszaak. Misschien dat mijn man het weet, vraag het hem maar. Hij was in het park toen ze ontvoerd werd.'

FBI-agente (in haar proeftijd) Jan Jorgenson keek de moeder na die wegbeende door de fraaie hal; ze noemden het een vestibule. Boerderijen in Minnesota hebben geen vestibules.

Jan glipte de keuken in, keek om zich heen om te zien of ze alleen was en haalde een proteïnereep uit haar heuptasje; ze had sinds gisteravond toen ze gebeld was niet meer gegeten en ze at geen donuts. Ze had het alleen maar zo lang zonder voedsel uitgehouden omdat ze zich de afgelopen week had volgestopt met koolhydraten met het oog op de marathon die ze eigenlijk op dit moment had moeten lopen. Ze nam een flinke hap en schrok zich toen een ongeluk – iemand had haar hard in haar rug geprod.

'Omhoog met die handen!'

Een kinderstem die ouder probeerde te klinken. Jan draaide zich om en keek neer op het jongetje van Brice, dat als twee druppels water op zijn vader leek. Hij hield de wijsvinger van zijn rechterhand als een pistool op haar gericht en grinnikte.

'Dat heb ik van Woody, in *Toy Story*.'

Hij lachte en holde weg. Ze schudde het hoofd. Zijn oudere zus was ontvoerd en hij speelde cowboytje en indiaantje of rovertje of wat het dan ook mocht zijn. Het joch had geen flauw benul.

Jan maakte de proteïnereep in vier snelle happen soldaat terwijl ze naar de kleine tv op het werkblad keek; een verslaggever op het gazon aan de voorkant van het huis zei: 'Losgeld. John Brice zal binnenkort een zeer vermogend man zijn…'

Oud nieuws. Jan liep de keuken uit, maar ze kon nog steeds de verslaggever horen op de keuken-tv of de tv in de aangrenzende kamer of op andere onzichtbare tv's in vertrekken waar ze langs kwam, alsof iemand doodsbenauwd was om het laatste nieuws te missen: 'Zijn bedrijf, BriceWare-dot-com, gaat volgende week naar de beurs, wat John Brice naar verwachting aanzienlijk méér zal opleveren dan…'

Jan ging de studeerkamer binnen.

'*Een miljard dollar?*'

Agent Eugene Devereaux, belast met de leiding van het onderzoek, ondervroeg de vader van het slachtoffer. De vader knikte wezenloos. Hij zat met afhangende schouders op de bank en zag eruit alsof hij van pure uitputting zou omvallen als de agenten Floyd en Randall niet als boeksteunen aan weerszijden van hem zouden zitten. Zijn zwarte krullen staken alle kanten op, zijn kakibroek en blauwe denimoverhemd waren gekreukt en groezelig, de knoop van zijn gele Mickey Mouse-stropdas hing op halfzeven en zijn gezicht was uitgezakt als een ballon waar de meeste lucht uit was gelopen. Hij leek nog magerder dan de vorige keer dat ze hem gezien had. Maar wat haar het meest opviel was de ongelooflijke droefheid in zijn ogen, bruine ogen boven een brilletje met zwart montuur dat op het puntje van zijn neus rustte, de ogen van een man die plotseling alle houvast kwijt was in een hardvochtige wereld. Hij liet de stropdas door zijn slanke vingers glijden als een rozenkrans.

'Die heb ik van haar gekregen,' zei hij tegen niemand in het bijzonder.

Op de salontafel voor hem stond een telefoon die aangesloten was op FBI-apparatuur. Een agent met een koptelefoon op testte de apparatuur die het telefoontje waarin losgeld werd geëist zou opnemen en traceren. Als dat telefoontje tenminste zou komen. Als geld het motief was.

'Een miljard dollar,' zei agent Devereaux nogmaals.

De vader keek op naar Devereaux en zei met nauwelijks hoorbare stem: 'Hij mag het allemaal hebben als hij Gracie laat gaan.'

Agent Devereaux sloeg zijn ogen neer en wierp een zijdelingse blik op de andere agenten. 'Meneer Brice, kunt u een reden bedenken waarom iemand uw gezin kwaad zou willen doen?'

Haast een fluistering: 'Nee.'

'Zijn er bedreigingen tegen u geuit?'

'Nee.'

'Hebt u de laatste tijd werknemers ontslagen?'

'Nee.'

'Is er iemand die u verdenkt?'

'Nee.'

'Hebt u de laatste tijd misschien onbekenden in de buurt gezien?'

'Nee. Dat hek is bedoeld om ongenode gasten buiten te houden.'

Agent Devereaux liet zijn blik even op de vader rusten en kwam kennelijk tot de conclusie dat die niet de ontvoerder was en dat hij verder niet veel meer van hem te weten zou komen. Vervolgens wendde Devereaux zich tot haar.

'Ja, agent Jorgenson?'

'Meneer, ik ben bezig met de gedetailleerde beschrijving van de kleding die het slachtoffer droeg. De moeder zei dat meneer Brice mogelijk over de informatie beschikte die ik nodig heb.'

Agent Devereaux knikte. 'Ga je gang.'

Dit was Jan Jorgensons eerste kinderontvoering. Ze werkte nu elf maanden bij de FBI en ze was er altijd van uitgegaan dat ze ooit zou trouwen en kinderen zou krijgen; maar nu ze geconfronteerd werd met het verdriet van de vader om het verlies van zijn kind, een verdriet dat een miljard dollar niet kon verzachten, was ze daar niet meer zo zeker van. De vraag die ze moest stellen voelde aan als een zware last.

'Meneer Brice…'

John staarde de FBI-agente aan en probeerde haar woorden te begrijpen. Zijn brein voelde verbrokkeld aan. Hij kon niet verwerken wat hij dacht dat hij haar had horen vragen. Waarom vroeg ze naar Gracies –

'Ondergoed?'

John keek naar de andere FBI-agenten, degenen die de opnameapparatuur aan het installeren waren voor als de ontvoerder zou bellen om losgeld te eisen – één miljoen, vijf miljoen, tien miljoen, het zou hem een rotzorg zijn hoeveel. Hij zou het gevraagde bedrag betalen en Gracie zou weer thuiskomen. *Dat is de afspraak!* Hij keek van de ene agent naar de andere. Allemaal hielden ze hun blik strak op hun apparatuur gericht.

'Maar u zei… ik dacht… ik dacht dat het de ontvoerder om losgeld te doen was.'

Tot op dat moment was het nooit bij John R. Brice opgekomen dat zijn geld misschien niet het motief was voor de ontvoering van zijn dochter. Plotseling voelde hij zich onpasselijk. Hij was bang dat hij van zijn stokje zou gaan. Hij boog zich voorover en sloeg zijn handen voor zijn gezicht. Hij trok zijn bril van zijn hoofd; de wereld om hem heen vervaagde, maar het beeld in zijn hoofd was haarscherp: *Gracie… en een man… en…*

'O, mijn god.'

Hij begon te huilen. Hij kon er niets aan doen. Hij probeerde het niet eens tegen te houden. Hij gaf het verzet op.

De deurbel ging net op het moment dat Elizabeth de studeerkamer binnenkwam. Vijf fbi-agenten met grimmige gezichten keken gelijktijdig naar haar en wendden toen haastig hun blik af. Haar man zat tussen twee agenten op de bank. Hij had zijn gezicht in zijn handen; hij huilde ontroostbaar. Haar lichaam verstijfde toen haar grootste angst bezit van haar nam.

'Is het Grace?' vroeg ze.

De fbi-agent die de leiding had, schudde het hoofd. Haar lichaam ontspande zich enigszins. Fluisterend zei ze: 'Goddank.' Vervolgens wendde ze zich tot haar echtgenoot. 'John, wat is er aan de hand?'

Het snikken werd niet minder. Elizabeth liep naar hem toe en boog zich over zijn deerniswekkende gestalte heen, terwijl ze met zichzelf overlegde of ze hem zou troosten of hem in zijn gezicht zou meppen omdat hij haar dochter had laten ontvoeren. De agenten die aan weerskanten van hem op de bank zaten, kwamen overeind en zochten een andere plek op. Over de ineengezakte gestalte van haar echtgenoot heen vroeg ze aan agent Devereaux: 'Wat is er gebeurd?'

Agent Devereaux zuchtte. 'We moesten het vragen, mevrouw Brice.

We hebben een complete beschrijving nodig van Gracies kleding, met inbegrip van haar…'

'Ondergoed.'

Agent Devereaux knikte. 'Inderdaad.'

Er spookten zoveel wilde gedachten rond in Elizabeths hoofd dat ze vergeten was dat ze de vrouwelijke FBI-agent zelf naar John verwezen had om hem ernaar te vragen. Ze legde haar hand op de schouder van haar echtgenoot.

'John,' zei ze zachtjes. Hij keek naar haar op met rode ogen en een trillende kin; de tranen biggelden over zijn gezicht en het snot liep uit zijn neus. Hij veegde het snot af aan de mouw van zijn overhemd.

John Brice was met haar getrouwd toen ze een echtgenoot nodig had. En hij was een goede echtgenoot geweest: hij had haar nooit in het openbaar in verlegenheid gebracht of haar op enigerlei wijze gedwars- boomd; op haar verjaardag en hun trouwdag had hij altijd bloemen op haar kantoor laten bezorgen, ook al was ze totaal niet romantisch aan- gelegd, en hij was een liefhebbende vader voor allebei de kinderen en een wiskundig genie, de perfecte vaardigheid in deze digitale wereld. John R. Brice was een zachtaardige, briljante jongen… en volslagen nutteloos als het op vechten aankwam. Hij had slechts een doctoraal om in dit soort situaties op terug te vallen, geen reserve van innerlijke kracht waarop je een beroep kon doen als je hard en gemeen en meedo- genloos moest zijn; hij was niet zoals zij – zij zou zonder enig probleem een vuurwapen tegen het hoofd van de ontvoerder kunnen drukken en de trekker overhalen als dat nodig was om Grace te redden. John Brice was niet hard of gemeen of meedogenloos. Hij was gewoon een jonge- tje van zevenendertig dat naar haar opkeek alsof hij zojuist in elkaar ge- slagen was door de pestkop van de buurt en verwachtte dat mammie hem zou knuffelen en het af zou kussen. In plaats daarvan gaf ze hem een klap in zijn gezicht.

'John,' zei ze met opeengeklemde kaken, terwijl de woede in haar op- borrelde, 'ik hoop voor jou dat het de ontvoerder om losgeld te doen is. Want als dat niet zo is…'

'Eliza…'

Ze sloeg hem opnieuw.

'Godverdomme! Jij hebt het laten gebeuren!'

'Mevrouw Brice,' zei agent Devereaux, 'dit heeft geen zin.'

Voor háár had het wel degelijk zin. Elizabeth hief haar hand weer, maar een zwarte hand greep haar bij de pols. Haar woede richtte zich op agent Devereaux.

'Laat – me – los.'

De telefoon ging. Agent Devereaux liet haar los en ging naast John zitten. De agent met de koptelefoon op schakelde de recorder in en knikte toen naar agent Devereaux. De telefoon rinkelde weer.

'Meneer Brice,' zei agent Devereaux.

John bleef in dezelfde houding zitten, met zijn handen voor zijn gezicht om haar klappen af te weren. Hij huilde nog steeds en zei zachtjes: 'Het spijt me.'

De telefoon rinkelde weer.

'Meneer Brice, kunt u de telefoon opnemen?'

Haar echtgenoot verroerde zich niet. Elizabeth dacht: *Volslagen nutteloos als het eropaan komt,* en ze stak haar hand uit naar agent Devereaux.

'Ik neem hem wel.'

Agent Devereaux nam de hoorn van de haak en gaf hem aan haar. De band liep. Ze bracht de hoorn naar haar oor.

'Elizabeth Brice.'

Er klonk een kinderstem over de lijn. 'Mag Sam bij me komen spelen?'

'*Wat?* Nee, Sam kan vandaag niet komen spelen!'

De agenten ademden gelijktijdig uit en rolden met hun ogen. Elizabeth gaf de hoorn terug aan agent Devereaux en zuchtte; de kinderstem had haar even respijt gegeven. De razernij verdween als een tornado in de donkere lucht en nu nam ze de verwoesting in ogenschouw die hij had aangericht – haar nog steeds snikkende echtgenoot met rode vlekken op zijn gezicht – en heel vaag voelde ze iets van gewetenswroeging. Maar dat gevoel trapte ze uit als een brandende sigarettenpeuk.

Het is zijn schuld, verdomme! Hij heeft het laten gebeuren!

Na nog een laatste blik op haar volslagen nutteloze echtgenoot te hebben geworpen, beende ze de studeerkamer uit en de gang door. Toen ze in de hal kwam, ging de bel. Ze bleef staan, rukte de voordeur open en staarde naar de man die voor haar stond. Iedereen die op de hoogte was van zijn voorgeschiedenis zou een grotere man verwacht hebben, een harder uitziende man. Zoals hij daar stond, had hij een kunstenaar kunnen zijn die het Westen schilderde en zijn kleding daaraan had aangepast; zo'n outfit die er onnatuurlijk uitzag als hij gedragen werd door de mannelijke modellen in de catalogus van Neiman Marcus, maar die ontworpen leek te zijn voor zijn pezige lijf, met de gebeeldhouwde gelaatstrekken en het ruige blonde haar dat zijn gebruinde gezicht omkranste en zijn helblauwe ogen extra goed deed uitkomen. Hij was opmerkelijk knap voor een zestigjarige en zou best een filmster van middelbare leeftijd kunnen zijn. In plaats daarvan was hij alcoholist.

Elizabeth Brice keerde haar schoonvader de rug toe en liep het huis in.

08.59 uur

Ben Brice stapte het huis van zijn zoon binnen en kwam op een druk kruispunt terecht. Hij deed snel een stap achteruit toen geüniformeerde politiemensen en FBI-agenten en een dienstmeisje dat in een draadloze telefoon praatte en zijn kleinzoon in honkbaltenue, achternagezeten door een jonge Latijns-Amerikaanse vrouw – 'Señor Sam, de havermoutpap is klaar!' – langs kwamen hollen.

Onder zijn voeten bevond zich een glanzende hardhouten vloer; boven zijn hoofd een gewelfd beschilderd plafond. Vanaf de entree liep een brede gang naar beide vleugels van de villa. Even verderop voerde een monumentale trap naar een overloop op de eerste verdieping. Voorbij de trap bevond zich een woongedeelte met een twee verdiepingen hoge raampartij die uitzicht bood op een fonkelend blauw zwembad met waterval. Gracie had gezegd dat hun nieuwe huis drie miljoen dollar had gekost. Indertijd had hij gedacht dat ze zich moest vergissen, maar nu hij om zich heen keek, kon Ben best geloven dat dit huis zoveel had gekost, en misschien nog wel meer. Wat geruststellend was: zijn zoon zou zich het losgeld kunnen permitteren.

De laatste keer dat Ben John gesproken had, was vijf jaar geleden, toen hij naar Dallas was gekomen voor de geboorte van Sam. Hij herkende de tengere jongeman haast niet die doelloos de hal in was gelopen en zich nu opeens te midden van alle drukte bevond, als een insect in een draaikolk; hij maakte een verslagen en verloren indruk, zoals de seniele veteranen uit de Tweede Wereldoorlog in het veteranenhospitaal, een wezenloos gezicht in een niet langer herkenbare wereld. Ben liet zijn plunjezak vallen, liep naar zijn zoon toe en pakte hem bij de schouders.

'John.' Hij schudde hem even door elkaar. 'John.'

Zijn zoon bekeek hem alsof hij een volslagen vreemde was en zei: 'Denk je dat het om losgeld te doen is?'

'John, ik ben het... Ben.'

John schoof zijn bril omhoog en knipperde met zijn ogen. *'Ben?* Wat doe jij... Hoe ben je... Wie heeft je gebeld?'

'Dat had jij moeten doen, jongen.'

Een stem van boven aan de trap: 'Dat heb ik gedaan.'

Ze was bij hem weggegaan vlak na de geboorte van Gracie, vastbesloten dat haar enige kleindochter niet grootgebracht zou worden door een nanny. Ben had gedacht dat het alleen maar een excuus was. Niet dat hij het haar kwalijk nam; als hij gekund had, zou hij zelf al lang geleden bij zichzelf weggegaan zijn. Aanvankelijk was ze hem nog regelmatig komen opzoeken, maar de tijd tussen de bezoeken was steeds langer geworden. Vijf jaar geleden was er helemaal een eind aan haar bezoeken gekomen, toen er twee kleinkinderen grootgebracht moesten worden. Nu hij haar daar boven aan de trap zag staan, met haar rode haar en bleke teint – nog steeds de mooiste vrouw die hij ooit had gezien – keerde de liefde die Ben Brice samen met het verdriet in de whisky had proberen te verdrinken terug met zo'n hevigheid dat hij bang was dat zijn knieën het zouden begeven. De tranen sprongen hem in de ogen – ze droeg nog steeds haar trouwring. Als vrome Ierse katholieke vrouw zou ze nooit van haar echtgenoot scheiden, maar ze kon niet langer leven met een alcoholist; hij zou nooit van een andere vrouw houden, maar hij kon niet meer leven zonder drank.

Ze liep de trap af, en Ben zag dat ze de hele nacht gehuild had. Dat wist hij omdat hij er de oorzaak van was geweest dat deze vrouw vele nachten lang gehuild had. Niet dat hij haar ooit geslagen had. Ben Brice had geen kwade dronk over zich. Hij was een stille drinker. Hoe meer hij dronk, hoe dieper hij in zichzelf wegkroop, strijdend tegen de demonen in zichzelf terwijl zijn vrouw zichzelf in slaap huilde. Zijn ziel was bevlekt met haar tranen. Het was vijf jaar geleden dat hij haar gezien had, haar aangeraakt had, haar in zijn armen gehouden had. Hij hunkerde ernaar om haar nu in zijn armen te houden, maar hij stond als verlamd, als een rekruut tegenover een viersterrengeneraal.

Ze wist het.

Ze kwam naar hem toe en drukte haar gezicht tegen zijn borst. Ben trok haar tegen zich aan en snoof haar geur op alsof het de eerste keer was. En heel even was het achtendertig jaar eerder, toen alles nog goed was. Ze slaakte een diepe zucht, bijna een snik, en hij voelde hoe haar slanke lijf zich enigszins ontspande.

'O, Ben. Als hij haar maar niets aandoet.'

'We krijgen haar terug, Kate. We betalen het losgeld en we krijgen haar terug.'

Ze hielden elkaar vast als vreemden en achtendertig jaar van hun leven snelde voorbij – de goede tijden, de slechte tijden, en nog meer slechte tijden. Ben had zich altijd vastgeklampt aan de goede tijden om de slechte door te komen; zij was haar greep op de goede tijden al tien jaar geleden kwijtgeraakt. Terwijl ze daar stonden, hoefden ze niet te zeggen wat ze allebei wisten: erger dan nu kon het niet worden.

'Opa!'

Ben keek neer op zijn kleinzoon, die zich aan zijn benen vastklampte. Even later voegde de Latijns-Amerikaanse vrouw zich buiten adem bij hen.

'Señor Sam, de havermoutpap, u moet eten.'

'Ik wil geen vieze havermoutpap!'

Ben Brice omhelsde zijn kleinzoon. John was inmiddels verdwenen.

'Wat komt hij hier verdomme doen?' zei Elizabeth tegen haar man zodra hij de keuken binnenkwam; hij kromp ineen, bracht zijn handen naar zijn gezicht en liet ze weer zakken zodra hij zich realiseerde dat ze hem niet opnieuw zou slaan.

'Ik wil die dronkenlap niet in mijn huis!'

John reageerde niet. Hij liep de provisiekamer in, alsof hij op zoek was naar een plek om zich te verstoppen. Ze keek haar man na en schudde het hoofd: *volslagen nutteloos als het op vechten aankomt.*

'Mevrouw Brice.'

Agent Devereaux stond in de deuropening van de keuken.

Ben stond aan de voet van de trap met Kate en zijn kleinzoon en de jonge Latijns-Amerikaanse vrouw toen een FBI-agent van middelbare leeftijd verscheen, samen met Elizabeth. Ben keek haar aan en ze wendde haar blik af.

'Kate,' zei Elizabeth, 'zou jij de foto van Grace even uit onze slaapkamer willen pakken voor agent Devereaux? En iets wat ze gisteren gedragen heeft, iets wat nog niet gewassen is. Misschien haar schooluniform. Ryan heeft daarom gevraagd. Hij is in de eetkamer.' Vervolgens vroeg ze aan Sam: 'Heb je al ontbeten?'

Sam: 'Ik beroep me op het Vierde Amendement.'

'Vijfde.'

'Vijfde wat?'

'Het Vijfde Amendement, het recht om geen antwoord te geven.'

'Ook goed.'

Elizabeth zuchtte en wendde zich tot de Latijns-Amerikaanse vrouw. 'Hilda?'

Hilda stak haar handen omhoog. 'Señora, ik kan hem niet te pakken krijgen.'

Sam, die probeerde zich tussen Bens benen te verstoppen, zei: 'Help.'

Ben leidde de aandacht af van zijn kleinzoon door zijn hand uit te steken naar de FBI-agent: 'Ben Brice. Ik ben Gracies grootvader.'

'Eugene Devereaux, FBI.'

Het was een grote man met grote handen en een stevige handdruk. De twee mannen keken elkaar aan.

'Ben Brice,' zei agent Devereaux. 'Die naam komt me bekend voor. Hebben we elkaar al eens eerder ontmoet?'

Ben schudde het hoofd en bracht het gesprek op een ander onderwerp. 'Hebben jullie al een losgeldtelefoontje gehad?'

'Nee, nog niet.' Agent Devereaux wendde zich tot Elizabeth. 'Hoe staat het met Gracies ondergoed?'

'Kate,' zei Elizabeth, 'wat voor ondergoed droeg Grace?'

'Ze draagt Under Armour als ze moet voetballen.'

'Under wat?'

Agent Devereaux zei: 'Under Armour. Sportondergoed. Alle jongelui dragen het vandaag de dag omdat de profs het ook doen. Mijn dochter draagt het onder haar basketballtenue.' Tegen Kate: 'Droeg Gracie een slidingbroekje?'

'Ja. Blauw. En een mouwloos T-shirt, ook blauw.'

Agent Devereaux keek de gang in en riep: 'Agent Jorgenson!' Hij wenkte, en een vrouwelijke FBI-agent liep naar hem toe. Hij zei tegen haar: 'We hebben witte Lotto-voetbalschoenen, blauwe kniekousen, scheenbeschermers, blauw Under Armour-slipje en mouwloos T-shirt, een blauw voetbalbroekje, een blauw slidingbroekje, een goudkleurig voetbalshirt met "Tornadoes" op de borst en rugnummer negen.' Hij wendde zich weer tot de anderen: 'Verder nog iets?'

'Haar halskettinkje,' zei Ben, wat hem op een priemende blik van Elizabeth kwam te staan.

'Wat voor halskettinkje?' vroeg agent Devereaux.

'Zilver, met een zilveren ster eraan.'

'Weet u zeker dat ze dat droeg?'

'Ja.'

Kate knikte bevestigend.

Tegen de vrouwelijke agent, die aantekeningen maakte op een blocnote, zei Devereaux: 'En het halskettinkje. Speel die gegevens door naar de media.'

'Ja, meneer,' zei ze, en toen vertrok ze.

Agent Devereaux knikte beleefd naar Ben en Kate en zei: 'Meneer Brice, mevrouw Brice,' en toen liepen hij en Elizabeth weg door de gang. Ben keek Kate aan.

'Waarom vragen ze naar haar' – een blik omlaag, op Sam – 'kleding? Ik dacht dat het om losgeld te doen was.'

Ze hief haar handen in een hulpeloos gebaar. 'Tot ze een telefoontje krijgen...'

Sam trok aan Bens benen. 'Opa, wat is er met Gracie gebeurd? Niemand wil me vertellen wat er aan de hand is.' Hij gebaarde naar Kate. 'Zelfs oma niet.'

Ben liet zich op zijn hurken zakken tot hij oog in oog zat met een miniatuurversie van John – dezelfde zwarte krullen, dezelfde donkere ogen, hetzelfde zwarte brilletje, hoewel er in het brilletje van zijn kleinzoon geen glazen zaten; Gracie zei dat Sam het alleen maar droeg om op zijn vader te lijken. Ben had zijn kleinzoon elk jaar verjaardags- en kerstcadeaus gestuurd (handgesneden houten coyotes en paarden en een klein schommelstoeltje met SAM in de rugleuning) en had met hem gepraat elke keer als Gracie hem belde; Gracie had hem de foto's van

58

Sam gestuurd, die hij op de deur van de koelkast in de blokhut had bevestigd, zodat Ben het gevoel had dat hij Sam kende, maar hij had de jongen sinds zijn geboorte niet meer gezien. Ben was nooit welkom geweest in het huis van zijn zoon.

'Ze is weg,' zei Ben.

'Mag ik haar spullen hebben?'

'Wat?'

'Nou, net als wanneer ze gaat studeren, dat ik dan haar kamer en al haar spullen krijg.'

'Dit is iets heel anders, Sam. Ze wilde niet weg.'

'Waarom is ze dan weggegaan?'

'Een man heeft haar meegenomen.'

Een onschuldig gezicht. 'De postbode?'

'Nee, geen aardige man.'

'Een boef?'

'Ja, Sam, een boef.'

'Waar heeft ze vannacht geslapen?'

'Dat weet ik niet.'

'Heeft de boef haar te eten gegeven?'

'Dat weet ik niet.'

'Wat is losgeld?'

'Gewoon, geld.'

'Wil de boef geld om Gracie vrij te laten?'

'Misschien.'

Sams gezicht klaarde op. 'Nou, dan is het goed.'

'Hoezo?'

'Omdat we na de beursgang miljardair zullen zijn.'

09.17 uur

FBI-agent Eugene Devereaux twijfelde er niet aan dat de inrichting van dit ene vertrek meer gekost had dan zijn complete huis. Hij was de moeder van het slachtoffer gevolgd naar de smaakvol ingerichte woonkamer in de oostvleugel van de villa; Devereaux had totaal geen verstand van meubilair, maar hij wist wel dat deze spullen niet goedkoop waren.

Instinctief stak hij zijn handen in zijn zakken, zoals hij ook deed in de antiekzaakjes waar zijn vrouw zo graag kwam, om niet per ongeluk iets te breken wat hij niet kon betalen.

'Gebruikt u deze ruimte maar,' zei de moeder. Met een handgebaar omvatte ze het hele vertrek. 'U kunt het meubilair gebruiken, het naar de garage verplaatsen, het voor mijn part als brandhout gebruiken. Dat zal me verder een zorg zijn.'

'Mevrouw Brice, normaal gesproken zetten we de commandopost niet op in het huis van het slachtoffer, maar…'

Ze priemde haar wijsvinger in zijn richting. 'Ik wil hem hier hebben! Ik wil te allen tijde weten wat er gedaan wordt om mijn dochter te vinden! Desnoods bel ik Larry McCoy in hoogsteigen persoon. Hij staat bij me in het krijt!' Niet dat het zijn besluit zou beïnvloeden, maar Devereaux vroeg zich onwillekeurig af of de moeder de president werkelijk persoonlijk kende of dat ze alleen maar een 'Vriend van Larry' was, een status die iedereen ten deel viel die een bijdrage van minimaal 100.000 dollar had geleverd aan zijn laatste verkiezingscampagne. '… maar uw huis is al voorzien van twintig telefoon- en faxlijnen en breedband voor computers en het zou ons de hele ochtend kosten om een andere locatie in gereedheid te brengen. Dus zullen we de commandopost hier opzetten. Over een uur zijn we operationeel.'

Devereaux hoopte dat hij geen spijt zou krijgen van zijn besluit. Want er was een goede reden om geen commandopost op te zetten in het huis van het slachtoffer: als het slachtoffer niet snel gevonden werd, konden de medewerkers niet voor onbepaalde tijd op een afgelegen locatie gestationeerd blijven; de commandopost zou verplaatst moeten worden naar het plaatselijke FBI-bureau in het centrum van Dallas, vijfenzestig kilometer verderop. En als het zover was, zouden de ouders bang zijn dat de FBI hun kind opgegeven had. Maar Eugene Devereaux had nog nooit een ontvoerd kind opgegeven.

'Mooi zo. Wat wordt er allemaal precies gedaan om mijn dochter te vinden?'

Een heel redelijke vraag. Devereaux haalde zijn handen uit zijn zakken en telde de punten af op zijn vingers.

'Twintig van mijn mensen werken fulltime aan de zaak, plus nog eens tien plaatselijke politiemensen. Chief Ryan heeft meteen na Gracies verdwijning een opsporingsbericht laten uitgaan en alle relevante gegevens op het NLETS, het National Law Enforcement Telecommuni-cations System, gezet. Elke politie-instantie in het land is inmiddels op de hoogte van Gracies ontvoering.

We hebben Gracie ingevoerd in het bestand Vermiste Personen van het National Crime Information Center. Zodra we een foto van haar hebben, wordt die ingevoerd in het National Center for Missing and Exploited Children. Daar zetten ze haar op hun website, en ze komt ook op de website van de FBI.

We laten flyers drukken met Gracies foto en een compositietekening van de verdachte, en die laten we verspreiden in de hele regio, en ook via de media. Chief Ryan coördineert de zoektocht in het park. Er bevindt zich bovendien een team van de Technische Recherche van de FBI op de plaats delict. Dat verzamelt alle aanwijzingen en voert een forensische analyse uit van de plek waar de ontvoering heeft plaatsgevonden.

We hebben communicatieapparatuur geïnstalleerd om alle binnen-komende telefoongesprekken op te nemen en te traceren. Ons Rapid Start Team zal de commandopost opzetten, de telefoons, computers en faxapparaten installeren, en alle aanwijzingen coördineren en natrek-ken op een computersysteem – het zullen er duizenden zijn. We onder-vragen getuigen die gisteravond in het park zijn geweest, en we stellen een buurtonderzoek in.'

Devereaux besloot geen melding te maken van het feit dat ze een lijst aan het opstellen waren van in de regio woonachtige, als zodanig gere-gistreerd staande zedendelinquenten. 'Mevrouw Brice, we kunnen een psycholoog laten komen.'

'Met welk doel?'

'Voor u, uw man, uw zoontje. Om u hierdoorheen te helpen.'

'Ik wil geen hulp. Ik wil dat mijn dochter gevonden wordt.'

De moeder draaide zich om, liep naar de deur, draaide zich toen weer naar hem om; ze sloeg haar armen over elkaar en nam hem aandachtig op.

'En wat zijn uw kwalificaties, agent Devereaux, om mijn dochter te vinden?'

Eugene Devereaux nam geen aanstoot aan botheid.

'Nou, mevrouw, dit is niet bepaald mijn eerste klus.' Haar gezicht stond uitdrukkingloos. 'Honderdzevenentwintig ontvoeringen, me-vrouw Brice. Dat zijn mijn kwalificaties.'

Haar gezicht betrok toen zijn woorden tot haar doordrongen; ze sloeg haar blik neer.

'Honderdzevenentwintig,' fluisterde ze. 'Mijn god.' Ze keek op. 'Kinderen?'

'Inderdaad.'

'In hoeveel van die gevallen was het om losgeld te doen?'

Hij aarzelde even. 'Geen een.'

'Ben, als het de ontvoerder nu eens niet om geld te doen is?' zei Kate.

Ze had Ben meegenomen naar het tuinhuisje naast het zwembad. Het leek haar beter dat Ben hier in zijn eentje bivakkeerde, voor het geval hij de fles niet kon laten staan. En de nachtmerries terugkeerden. En hij het uitschreeuwde, die gekwelde schreeuw die haar zoveel nachten ruw uit haar slaap had gerukt.

'Breng me naar het park.'

Kate schudde haar hoofd. 'Dat is een plaats delict. Verboden terrein totdat ze het helemaal hebben uitgekamd.'

Bobby Joe Fannin spuwde een straaltje bruin tabakssap uit.

'Rustig maar, jongens.'

De honden trokken ongeduldig aan hun riemen, de lucht van het meisje vers in hun neusgaten. Bobby Joe was de leider van de speurhondeneenheid van het district, een team van zes bloedhonden die hij als pup onder zijn hoede had genomen om ze af te richten. Goeie baan, goeie verdiensten, het grootste deel van de tijd in de openlucht. Niet zo goed als het bewerken van dit land dertig jaar geleden, toen zijn opa nog de eigenaar ervan was geweest, maar niet slecht. Afgezien van het vinden van dode mensen. Dat aspect van het werk vond Bobby Joe maar niks. Waarom dumpten moordenaars uit de grote stad de lijken altijd op het platteland?

Over de radio: 'Bobby Joe, meld je.'

Bobby Joe haalde de radio van zijn riem en drukte de zendknop in. 'Ja, chef?'

Hij kon Chief Ryan aan de andere kant van het park nauwelijks verstaan; de zoekploeg had zich in een rij opgesteld bij de sportvelden. Bobby Joe werkte in zijn eentje, alleen hij en de honden. Dat was een ander pluspunt van zijn baan, dat hij niet veel met andere mensen hoefde samen te werken. Bij het soort werk dat hij deed, zorgden andere mensen in de buurt alleen maar voor verwarring: de honden konden mensengeur opsporen, maar ze konden geen onderscheid maken tussen verschillende mensen. Een ander mens in de buurt zou ze van het spoor van het meisje kunnen afleiden.

'Bobby Joe, we staan hier op het punt om te beginnen,' zei de chef. 'Zet je honden maar aan het werk. Als je iets vindt, meld je me dat. Niets aanraken, begrepen?'

In zijn radio: 'Ik heb dit al vaker gedaan, Paulie.'

Bobby Joe en Paul Ryan waren samen opgegroeid. Als jongens hadden ze samen op dit land gejaagd – herten, wilde zwijnen, kwartels, konijnen – toen het bos nog ruim tweehonderd hectare besloeg. Zijn grootvader had gezegd dat dit een van de laatste natuurlijke eikenbossen was op de High Plains van Texas. Maar die tijd was voorbij en er was nog maar zo'n veertig hectare van over. En in dit bos ging Bobby Joe op zoek naar een jong meisje.

Hij spuwde weer een straaltje tabakssap uit.

'Toe maar, jongens,' zei hij, en hij floot even. Ze verdwenen het bos in en Bobby volgde ze, de hondenriemen in zijn rechterhand en het rood-blauw geruite schooluniform van het meisje in zijn linker.

'Ga verdomme van dat gazon af!'

De chef had gezegd dat ze de moeder te vriend moesten houden, dus agent Eddie Yates verdreef de menigte verslaggevers en cameralieden van het goed onderhouden gazon aan de voorkant van het huis van de familie Brice. Na één blik op hem te hebben geworpen – het hoekige drieëntwintigjarige gezicht, het gemillimeterde haar, de donkere zonnebril, de opbollende biceps die de mouwen van zijn uniformhemd bijna uit hun naden deden barsten – begaven ze zich mopperend naar het trottoir.

One riot, one Ranger.

Alleen was Eddie geen Texas Ranger. Hij was politieagent in een klein voorstedelijk politiekorps dat niet eens over een swat-team beschikte – niet dat daar behoefte aan was, gezien het feit dat het zwaarste misdrijf waarmee het stadje Post Oak geconfronteerd werd erin bestond dat jongelui elkaar op zaterdagavond een biertje doorgaven onder de tribune van het honkbalveld. Eddie vulde zijn werkdag meestal met snelheidscontroles op de snelweg even buiten het stadje, bonnen uitschrijvend voor snelheidsmaniakken terwijl hij ervan droomde deel uit te maken van een swat-team in een grote stad, gekleed in een zwart paramilitair uniform en tot de tanden gewapend, om drugspanden binnen te vallen en gangsters in elkaar te slaan in de strijd tegen drugs. Komende zomer zou hij voor de vierde keer deelnemen aan het toelatingsexamen voor de politieacademie van Dallas.

Vecht dan terug, Johnny-boy!
Wees een kerel!
Toe dan, hol maar gauw naar mammie, Little Johnny Brice, stomme huilebalk!
Alle schimpscheuten van alle pestkoppen op alle legerbases kwamen hem nu weer voor de geest. Little Johnny Brice was niet mans genoeg geweest om zijn eigen dochter te beschermen in een openbaar park. Net zoals hij indertijd niet mans genoeg was geweest om zich te weer te stellen tegen de pestkoppen. Als de kolonel terugkwam van een missie, smeekte zijn moeder hem altijd om te maken dat er een eind kwam aan de aframmelingen, en dan gaf de kolonel de vaders van de pestkoppen opdracht om hun kinderen in het gareel te houden. Maar dat had het er alleen maar erger op gemaakt. Hij herinnerde zich de aframmelingen en hij voelde zijn gezicht gloeien; maar vandaag was dat door toedoen van Elizabeth' hand, en die pijn zou niet overgaan.

Indertijd had hij zich in zichzelf teruggetrokken, diep in zijn inwendige ik, terwijl zijn uitwendige ik er ongenadig van langs kreeg. Na afloop holde hij altijd naar huis, naar zijn kamer. Dan kwam zijn moeder naar hem toe om hem in haar armen te houden terwijl hij huilde, en zij huilde dan ook; ze verzorgde zijn verwondingen en zei tegen hem dat het nooit meer zou gebeuren. Maar het gebeurde steeds opnieuw. Andere kinderen hadden hun jeugd buiten doorgebracht, waar ze leerden een met effect geworpen honkbal te raken; John had zíjn jeugd doorgebracht op zijn kamer, waar hij zich verborg voor de pestkoppen en zichzelf leerde programmeren.

Nu had hij zich teruggetrokken in zijn kantoor aan huis, afgezonderd aan de achterkant van de villa; hij hield zich schuil voor zijn echtgenote en probeerde te ontsnappen aan de angst en walging die hij voelde voor de realiteit, zoals hij zo vaak deed. Maar deze keer was er geen ontsnapping mogelijk. De angst en walging waren Little Johnny Brice tot in zijn huis gevolgd.

De telefoon ging. Hij liet het antwoordapparaat zijn werk doen. Het was Lou in New York, die weer een boodschap insprak: 'John, heb je mijn eerdere berichten ontvangen? Jezus, man, het is hier op het nieuws. Ik weet niet wat ik moet zeggen. Hoe heeft zoiets in godsnaam kunnen gebeuren in een openbaar park? Man, ik ben... *shit*. Bel me.' Het antwoordapparaat gaf een piep en viel stil.

Omdat ik niet mans genoeg was om haar te beschermen, zo heeft het kunnen gebeuren!

De ruimte in Johns schedel werd ingenomen door een Cray-super-computer; zijn geest was in staat complexe berekeningen uit te voeren en hij had een bijna fotografisch geheugen – maar van gisteren kon hij zich niets herinneren.

Was de wedstrijd pas gisteren geweest?

Met zijn ellebogen op het bureau, zijn hoofd in zijn handen en zijn ogen dicht probeerde John zijn geheugen opnieuw op te starten: hij zit op de tribune langs het voetbalveld en praat met Lou over de beurs-gang; Elizabeth is naar de kantine op zoek naar Gracie; dan wordt hij opgeschrikt door een doordringende kreet – *Grace!* Hij laat het mobiel-tje vallen en holt naar de kantine, waar de ouders hun kinderen bij zich roepen en paniek zich als een e-mailvirus door de menigte verspreidt. Als hij Elizabeth gevonden heeft, is ook zij in paniek.

Grace is weg!

Waarheen?

Meegenomen!

Naar huis?

Nee, godverdomme! Ze is ontvoerd!

Nooit eerder heeft hij Elizabeth zo onbeheerst en in paniek gezien, en dat beangstigt hem. Toen het geluid van sirenes, de politie, de zoektocht in het bos. En Gracie was verdwenen. En misschien zou hij haar nooit meer terugzien. En Little Johnny Brice voelde pijn op een plek waar de pestkoppen hem nooit hadden kunnen raken.

09.42 uur

'U hebt aan honderdzevenentwintig ontvoeringen gewerkt?' vroeg de moeder.

FBI-agent Eugene Devereaux knikte. 'Inderdaad.'

'Maar bij geen daarvan was het de ontvoerder om losgeld te doen?'

'In mijn dertig jaar bij de FBI heb ik één geval meegemaakt waarin om losgeld werd gevraagd. En dat betrof geen kind.'

Hij wist waar dit gesprek op uit zou lopen. Zo ging het bij dit soort gesprekken altijd.

'Het is uw werk om ontvoerde kinderen op te sporen?'

'Inderdaad.'

'En lukt u dat ook?'

Hij gaf haar hetzelfde antwoord dat hij de ouders altijd gaf, in de hoop dat ze de logische vervolgvraag niet zouden stellen; de meeste ouders deden dat niet omdat ze het antwoord niet konden verdragen.

'Uiteindelijk wel.'

Aan de gelaatsuitdrukking van de moeder kon hij zien dat haar geest zijn antwoord aan het verwerken was. Haar mond zakte een beetje open en ze keek hem strak aan. Ze was een harde tante, hard genoeg om de vervolgvraag te stellen.

'Hebt u ooit kinderen... levend teruggevonden?'

Terwijl hij de moeder aankeek, merkte Devereaux dat hij vurig hoopte dat haar kind ontvoerd was voor losgeld, hoe onwaarschijnlijk dat ook mocht zijn. Maar hij had al honderdzevenentwintig keer eerder net zo vurig gehoopt op een goede afloop van een ontvoering, elke keer tevergeefs. Honderdzevenentwintig ontvoeringen van kinderen door onbekenden – drieënnegentig waren geëindigd met een dood kind; de andere vierendertig kinderen waren nooit gevonden en men ging ervan uit dat ze dood waren – hadden hem geleerd dat het wekken van valse hoop de familie alleen maar een tweede keer tot slachtoffer maakte.

'Nee.'

Haar hele lichaam leek ineen te zakken. Niet langer was ze de keiharde advocate; even was Elizabeth Brice gewoon een wanhopige, gekwelde moeder, niet anders dan die straatarme moeders van slachtoffertjes die in armoedige stacaravans woonden, omdat ze nu iets gemeenschappelijks hadden: het gruwelijke besef dat je kind in handen van een vreemde was. Na een korte stilte zei ze, langzaam en zachtjes: 'Dit gaat niet goed aflopen, hè?'

'Mevrouw Brice, Gracie behoorde absoluut niet tot een risicogroep voor ontvoering door een onbekende – hogere inkomensklasse, niet woonachtig in de grote stad, compleet gezin... kinderen als zij worden normaal gesproken niet ontvoerd door onbekenden. En losgeld is ook geen waarschijnlijke optie. Dat gebeurt gewoon niet in dit land. Maar dit was niet zomaar een willekeurige ontvoering. Hij heeft speciaal naar Gracie gevraagd. Waarom? Waarom had hij het van alle meisjes in het park uitgerekend op haar voorzien?'

Bobby Joe Fannin holde hijgend achter de honden aan om ze niet uit het oog te verliezen. Aan hun gejank te horen, waren ze iets op het spoor. Diep in het bos bleven de honden plotseling staan. Bobby Joe haalde ze in en keek omlaag. Hij spuwde.

'Shit.'

11.13 uur

De afgevallen bladeren en twijgjes van de afgelopen herfst knarsten en knapten onder hun voeten toen ze door het dichte bos holden in de richting van het geluid van blaffende honden, maar Bens gedachten gingen terug naar een andere tijd en een andere plaats, toen hij ook door een bos had gehold op weg naar een tragische afloop.

Ze is twaalf of misschien dertien. Ze hebben haar het struikgewas in ge-sleept. Hij heeft haar gedempte kreten gehoord en is erop afgegaan. 'Ga van haar af!' schreeuwt hij terwijl hij de soldaat tegen zijn ribbenkast trapt, waardoor die van haar af rolt. De andere soldaat grijnst en wijst naar het meisje. 'Toe maar, luit, ga gerust je gang.' Hij kijkt neer op het doodsbange meisje en dan weer naar de grijnzende soldaat. Hij brengt zijn geweer in de aanslag en drukt de loop tegen het voorhoofd van de soldaat; de grijns ver-dwijnt van diens gezicht. De aandrang om de trekker over te halen is over-weldigend. In plaats daarvan draait hij zich snel om en ramt de kolf van het geweer tegen het voorhoofd van de soldaat, die bewusteloos op de grond valt. De twee soldaten zouden voor de krijgsraad zijn gekomen als ze niet

diezelfde middag nog gesneuveld waren, hun benen afgerukt door land-
mijnen van de Vietcong, hun doodskreten opstijgend boven de rietvelden,
waar ze doodbloedden op een warme dag in de Mekongdelta.

Voor hem uit struikelde Elizabeth en kwam ze opnieuw ten val; een rokje en hoge hakken waren niet echt geschikt voor het terrein. Ben hield stil om haar overeind te helpen. De hak van een van haar schoenen was afgebroken; ze gooide de andere schoen weg, duwde zijn handen weg en holde verder, haar gezicht vertrokken van angst.

Chief Ryan ging nu voorop, gevolgd door agent Devereaux en vervolgens John, Elizabeth en Ben. Chief Ryan had aanvankelijk een stevig wandeltempo aangehouden, waarbij hij zorgvuldig takken voor Elizabeth opzijduwde, maar toen ze het op een hollen had gezet, met haar armen maaiend naar de scherpe takken die haar in het gezicht en tegen haar armen en benen sloegen, had hij zich gerealiseerd dat wandelen geen optie was. Ze hadden Elizabeth ingehaald toen ze de eerste keer viel.

Ze bevonden zich nu diep in het bos. Aan de spaarzame verkeersgeluiden te horen, moest hier vlakbij een weg liggen. Dertig meter verderop stonden geüniformeerde politieagenten en FBI-mensen zwijgend in een kring, de hoofden gebogen, alsof ze samen stonden te bidden. Chief Ryan en agent Devereaux waren er het eerst, en draaiden zich toen om om John tegen te houden. Ben zag zijn zoon in elkaar zakken en op zijn knieën vallen; hij begon nog harder te hollen en zijn hart ging nog heviger tekeer. Agent Devereaux probeerde Elizabeth het zicht te belemmeren – 'Mevrouw Brice, u kunt beter niet…' – maar ze duwde hem opzij en drong de kring binnen; ze gaf een gil en sloeg toen als in een reflex haar handen voor haar mond. Haar benen begaven het en ze viel op de grond. Haar kleren waren gescheurd en zaten onder het vuil en verdroogde bladeren, ze had nog maar één schoen aan, de andere was verdwenen, en haar armen en benen en gezicht zaten onder de schrammen. Ben stond over haar heen gebogen. Hij staarde naar de grond en ademde zwaar. Hij absorbeerde de pijn en begroef die diep binnen in zichzelf bij alle andere pijn, en hij klemde zijn kaken zo hard op elkaar dat zijn tanden en kiezen er pijn van deden. Het was griezelig stil in het bos, alsof zelfs de dieren de wandaad begrepen waarvan alleen zij getuige waren geweest.

Elizabeth kroop naar voren en stak haar hand uit naar het blauwe voetbalbroekje en de witte voetbalschoen op de grond.

18.11 uur

In de grote villa op Magnolia Lane 6 heerste stilte bij het vallen van de avond. Boven zat Kate in haar kamer de rozenkrans te bidden terwijl ze geluidloos huilde. Elizabeth sliep in haar bed; ze had zich overgegeven aan de uitputting na zevenendertig uur aan één stuk door in touw te zijn geweest; ze was erin geslaagd één been uit haar gescheurde panty te krijgen voordat ze in slaap viel. Sam keek op zijn kamer met Hilda naar *Pirates of the Caribbean: The Curse of the Black Pearl;* de film was voor boven de twaalf, dus hij mocht er eigenlijk helemaal niet naar kijken, maar dat wist Hilda niet – die kon niet eens Engels lezen.

In Gracies slaapkamer zat agent Chip Stevens, een FBI-computer-specialist van het Computer Analysis Response Team, ook wel bekend als de 'nerdsectie', achter de computer van het slachtoffer; hij bekeek haar e-mailgeschiedenis en het cachegeheugen om te zien welke websites ze had bezocht en welke webpagina's ze had gedownload, en hij probeerde erachter te komen of er via internet contact met haar opgenomen was door een zedendelinquent die met een computer overweg kon. Misschien was ze per ongeluk in de verkeerde chatroom terechtgekomen en had ze zich laten verleiden tot het onthullen van persoonlijke informatie die de dader naar haar voetbalwedstrijd had geleid. Internet had een geheel nieuwe wereld geopend voor zedendelinquenten.

God, wat had hij de pest aan kinderontvoeringen!

Stevens bekeek het laatste e-mailtje van het slachtoffer. Gedateerd gisteren, van kahuna@BriceWare.com aan gracie@BriceHome.com.

Hll, bn r wr! Trg vn NYC. Kn hst nt w88 j t zn. Lk wk p schl? Klr vr grt wdstr? Td wdstr? Wl m ng nt mssn vr 1mljrd. Echt wr! Na wdstr lkkr smkkln & bijkltsn, girlf. CUL8r. xxx, Kahuna.

Hij vertaalde het bericht van meneer Brice aan het slachtoffer: *Hallo, ik ben er weer! Terug uit New York City. Kan haast niet wachten je te zien. Leuke week op school? Klaar voor de grote wedstrijd? Hoe laat begint de wedstrijd? Wil hem nog niet missen voor een miljard. Echt waar! Na de wedstrijd lekker smikkelen en bijkletsen, meisje. See you later. Kusjes, Kahuna.*

Stevens glimlachte. Het was kennelijk een soort standaardgrap tussen het slachtoffer en haar vader, want wie gebruikte er vandaag de dag nog dergelijke afkortingen in zijn e-mail? Hij vond het antwoord van het slachtoffer:

1mljrd? Lch m rt! Vl nws vr schl. Kl vr wdstr? NMBM, bn vtbl! Wdstr 1700. Zrg dt j r bnt! Mssch kmt spkmdr ng? Vst nt! Dg fvrt nrd vn hl hll. CU, knjr. O&U. Gracie. :-)

De tranen sprongen Stevens in de ogen toen hij haar antwoord vertaalde: *Een miljard? Ik lach me rot! Veel nieuwtjes over school. Of ik klaar ben voor de wedstrijd? Naar mijn bescheiden mening bén ik voetbal! Wedstrijd om vijf uur. Zorg dat je er bent! Misschien komt spookmoeder nog? Vast niet! Dag favoriete nerd van het hele heelal. Zie je, kanjer. Over en uit. Gracie.*

Ondertekend met het emoticon van een glimlachend gezichtje.

Het slachtoffer en haar vader moesten een fantastische relatie hebben gehad. Stevens veegde met zijn mouw over zijn ogen. Het probleem was dat hij veel te emotioneel werd als hij te maken kreeg met ontvoerde kinderen. Hier in de kamer van het slachtoffer, te midden van haar persoonlijke spulletjes, kon hij niet anders dan zich verdiepen in haar leven en het belang van elk voorwerp daarin – zoals deze ingelijste foto van een jonge soldaat in militair uniform, met een groene baret, een borst vol medailles, en wat Stevens herkende als de Congressional Medal of Honor om zijn hals. Wie was deze soldaat en waarom kwam hij in aanmerking voor zo'n prominente plek op het bureau van een meisje van tien, het eerste wat ze elke ochtend en het laatste wat ze elke avond zou zien? Dergelijke vragen bleven hem door het hoofd spoken nog wekenlang nadat het lichaam van het kind gevonden was.

Behalve dat hij ongeveer vijf keer zo groot was, met een aangrenzende badkamer die niet had misstaan in een chic hotel, vertoonde de kamer van het slachtoffer een opmerkelijke overeenkomst met die van zijn dochter van negen: posters aan de muur, dezelfde van Orlando Bloom en een levensgrote Mia Hamm, trofeeën, boeken, tv/dvd, telefoon, gettoblaster, elektronisch keyboard, een voetbal en een kast vol kleren. Gracie Ann Brice is een echt, levend kind. Of dat was ze. Ze had gezeten waar hij nu zat, haar huiswerk op deze computer gemaakt, in deze kamer tv-gekeken, telefoongesprekken met haar vriendinnen gevoerd en geslapen in dat bed, waar haar vader nu sliep, in foetushouding, nog steeds in dezelfde vuile kleren en met de teddybeer van het meisje tegen zich aan gedrukt. Hij zag er helemaal niet uit als het genie over wie Stevens had gelezen in dat artikel in *Fortune*. Stevens was die dag jaloers geweest: hij was een nerd die 51.115 dollar per jaar verdiende en Brice was een nerd die op het punt stond miljardair te worden. Maar nu de dochter van Brice ontvoerd en vermoord was – hij had nog nooit een ontvoering door een onbekende meegemaakt waarbij het kind niet vermoord was – was Stevens niet meer zo jaloers. Hij zou zijn dochter niet willen ruilen voor al het geld van Bill Gates.

Volgens de standaard FBI-procedure moest de slaapkamer van het slachtoffer afgesloten en verzegeld worden voor iedereen, zelfs de familie. Maar hij kon het niet over zijn hart verkrijgen om de vader wakker te maken, niet na wat hij de afgelopen vierentwintig uur te verwerken had gekregen. En dus ging agent Stevens zo zachtjes mogelijk te werk.

In het hele huis heerste stilte.

Beneden bemanden elf sombere FBI-agenten de telefoonlijnen in de commandopost, waarbij ze elke aanwijzing, hoe onbelangrijk ook, en elke melding dat het meisje ergens gezien was, hoe onwaarschijnlijk ook, in de computer invoerden. En wachtten. Voornamelijk wachtten, aangezien er maar weinig telefoontjes binnenkwamen.

Agent Jan Jorgenson zat achter een van de computers, waar ze in opdracht van Devereaux databases doorzocht op zoek naar gegevens over de familie; ze was nog altijd geschokt nadat ze er getuige van was geweest dat de moeder van het slachtoffer de vader, weerloos in zijn wanhoop, in het gezicht geslagen had. Als dit de gebruikelijke gang van zaken was bij gevallen van kinderontvoering, voelde Jan er bar weinig voor om een specialist als agent Devereaux te worden. Ze keek naar hem aan de andere kant van het vertrek.

FBI-agent Eugene Devereaux was moe, godvergeten moe. Hij hield zijn privémobieltje tegen zijn oor terwijl de telefoon aan de andere kant overging en dacht: *Wat is er toch met de mensheid aan de hand dat een man dat een kind kan aandoen?* En haar voetbalbroekje achterlaten als een pervers visitekaartje: zie je wat ik gedaan heb? *Ja, we zien het – sterf en ga naar de verdoemenis, smerige schoft die je bent!* Toen Devereauxs zeventienjarige dochter opnam, zei hij: 'Hallo, liefje, ik wilde je alleen even laten weten dat ik van je hou.' Ze lachte en zei: 'Wat is er, ga je soms dood of zo?' Ergens diep vanbinnen was dat inderdaad het geval.

Coach Wally Fagan zat achter een andere computer; hij bekeek poli-tiefoto's van de 42.000 geregistreerde zedendelinquenten op de officië-le zedendelinquentenwebsite van de staat – foto's, namen, adressen en strafbladen – beginnend bij degenen die in dit district geregistreerd stonden, in de hoop de blonde man met het zwarte petje en het geruite shirt te kunnen identificeren die na de wedstrijd naar Gracie had ge-vraagd, terwijl hij wenste dat hij haar nooit had aangewezen. De moe-der had gelijk: hij was een verdomde idioot.

In de keuken zette Sylvia Milanevic, de huishoudster van de familie Brice, een pot verse koffie voor de FBI-agenten. Ze was drieënzestig, im-migrante uit Kosovo, en had in de oorlog twee kinderen verloren. Ze was al lang geleden tot de conclusie gekomen dat het leven een kwestie was van pijn lijden: je wordt geboren, je lijdt, en je gaat dood. Het tv'tje op het aanrecht stond aan: 'Een kind dat door een onbekende wordt ontvoerd, heeft een levensverwachting van drie uur. Gracie Ann Brice wordt nu al vierentwintig uur vermist…' Sylvia keek door het raam bo-ven het aanrecht naar de eenzame gestalte bij het zwembad.

Ben zat op een terrasstoel. Zijn gezicht was nat van de tranen en het verdriet vrat als een kankergezwel aan zijn ingewanden. Hij sloot zijn ogen en dacht terug aan 1964, toen hij achttien was en in de trein naar West Point stapte. Zijn vader had hem een hand gegeven en gezegd: 'Zorg dat je land trots op je kan zijn, jongen.' Zijn moeder had hem om-helsd en in zijn oor gefluisterd: 'God heeft een plan voor Ben Brice.' Ben deed zijn ogen weer open en keek omhoog.

'Hebt u nog steeds een plan, God?'

DAG DRIE

07.08 uur

De ochtendzon scheen gefilterd door de jaloezieën van de ruime ouderslaapkamer op de eerste verdieping van Magnolia Lane 6. Elizabeth werd wakker onder een dik donzen dekbed in het hoge king-size hemelbed dat alleen via een houten trapje toegankelijk was. Een flauw glimlachje plooide haar lippen.

Niet schuldig, op alle punten van de aanklacht.

Ze draaide zich om en kreunde. Haar lichaam deed pijn. Ze voelde zich groggy, alsof ze een kater had, maar ze herinnerde zich niet dat ze gisteravond had gedronken. Het kwam waarschijnlijk alleen maar door de rechtszaak; na een langdurig proces voelde ze zich altijd lichamelijk en geestelijk uitgeput, vooral als de euforie van een overwinning was uitgewerkt.

Twaalf brave burgers met het geestelijke bereik van een ruitenwisser.

Was het vandaag zaterdag? Of zondag? Het moest wel zondag zijn. John en Kate waren waarschijnlijk met de kinderen naar de kerk. Zelf ging ze niet naar de kerk; in de eenentwintigste eeuw waren godsdienst en de wet opium voor het volk, dat in bedwang gehouden werd door het onwrikbare geloof in God en gerechtigheid. Elizabeth Brice wist wel beter. Haar geloof in de rechtvaardigheid van de wet was ze kwijtgeraakt vijf jaar nadat ze haar rechtenstudie had voltooid, later dan de meeste advocaten, en ze had niet meer tot God gebeden sinds…

Gisteren?

Had ze gisteren gebeden?

Elizabeth schudde haar hoofd in een poging de mist te verdrijven. Ze haalde diep adem en besefte dat ze honger had. Erge honger. Wanneer had ze voor het laatst gegeten? Ze kon het zich niet herinneren. Een uitgebreid ontbijt op zondagochtend terwijl de anderen naar de kerk waren zou fijn zijn, tijd om rustig koffie te drinken, de krant te lezen en haar overwinning in de rechtszaal opnieuw te beleven – misschien stond er wel een artikel over de opzienbarende uitspraak in de zaak-Shay in de krant! Bij dat vooruitzicht rekte ze zich uit, gooide het dekbed van zich af en liet zich uit bed rollen.

Ze smakte hard op de houten vloer.

Wat krijgen we nou? Haar benen zaten verstrikt in haar panty… De panty was aan flarden gescheurd… Ze plukte verdorde bruine bladeren van één been van de gescheurde panty… Waarom had ze hem maar half aan…? Waarom sliep ze met haar panty aan…? Waarom waren haar benen vuil en zaten ze onder de schrammen…? En haar armen… En haar handen… Kapotte nagels… Kleren vuil en gescheurd… Waarom sliep ze met haar kleren aan…? Ze bracht een hand naar haar gezicht… Waarom was ze naar bed gegaan zonder haar make-up eraf te halen…? *Wat was er in godsnaam aan de hand?*

Een golf misselijkheid spoelde over haar heen. Op handen en knieën kroop ze naar het raam aan de voorkant, waarbij ze de panty als de sleep van een bruidsjurk achter zich aan trok, en ze richtte zich op en gluurde door de jaloezieën. Beneden, voor haar huis, stonden politieauto's, televisiewagens, camera's, en mensen. Het mediacircus. Ze liet zich opzij tegen de muur vallen. Ze wist het weer.

Grace was verdwenen.

Beneden kwam Ben van buitenaf de keuken binnen. Kate en Sylvia waren druk bezig voldoende ontbijt voor een heel bataljon te bereiden, en de geur van pannenkoekjes, worstjes, eieren en broodjes lokte een gestage stroom politiemensen en FBI-agenten naar de keuken.

Ben was bij het krieken van de dag wakker geworden na slechts een paar uur onrustig geslapen te hebben. Hij had de achterdeur horen dichtgaan toen Kate op weg ging naar de vroegmis om datgene te doen wat katholieke Ierse vrouwen al eeuwenlang doen als ze geconfronteerd worden met hongersnood, armoede, de pest, oorlog en alle andere vormen van het kwaad: bidden. Hij had gedoucht en zich aangekleed, daarna was hij naar buiten gegaan en had de zon boven de bomen zien opkomen, het begin van een nieuwe dag zonder Gracie – en de eerste dag in het besef dat geld haar niet zou redden.

Nu probeerde Ben een kop koffie in te schenken, maar zijn hevig trillende handen speelden hem parten. Kate nam de koffiepot van hem over, schonk voor hem in en zette kop en schotel zwijgend op de ontbijttafel neer.

Ben ging zitten, hield het kopje met beide handen vast en dronk met kleine slokjes. Het was alweer vijf jaar geleden dat Kate zijn ochtendkoffie voor hem had gezet, maar ze was het nog niet vergeten; in deze koffie zat genoeg cafeïne om de moeder aller katers te verdrijven. Maar Ben Brice was gisteravond niet gezwicht voor de fles.

Sam zat tegenover hem aan de keukentafel. Hij droeg nog steeds het Boston Red Sox-tenue, maar nu had hij een blauwe sjaal om zijn hoofd geknoopt. Afwisselend nam hij happen van zijn pannenkoekjes met veel stroop en reciteerde teksten alsof hij meerdere rollen in een toneelstuk speelde:

'Wacht! U moet me naar de kust brengen. Volgens de piratencode...'

Sam draaide zich een stukje om alsof hij zich tot een ander personage richtte; zijn stem veranderde.

'Ten eerste maakte uw terugkeer naar de kust geen deel uit van onze onderhandelingen of onze overeenkomst. Dus ik moet helemaal niets. En ten tweede moet je een piraat zijn om een beroep te kunnen doen op de piratencode en dat bent u niet. En ten derde is de code meer een kwestie van richtlijnen dan van feitelijke regels. Welkom aan boord van de *Black Pearl*, Miss Turner.'

Ben keek naar Kate, die bij het fornuis stond. Ze zei: 'Filmdialogen. Hij heeft het geheugen van John. Hij kan complete films woord voor woord citeren.'

Sam vervolgde: 'Dus dat is het dan. Dat is het grote geheime avontuur van de beruchte Jack Sparrow. Je hebt drie dagen op het strand rum liggen drinken!'

'Welkom in de Caribbean, liefje.'

Kate zei: 'Sam, komt dat uit een film voor boven de twaalf?'

Sam verstijfde, met volle mond, zijn armen nog steeds gestrekt, en zijn ogen plotseling wijdopen alsof hij op heterdaad betrapt was. Hij keek schichtig naar Ben. Die besloot zijn kleinzoon nogmaals te hulp te komen.

'Ben je fan van de Red Sox?'

Kate schudde haar hoofd en richtte haar aandacht weer op het fornuis; Sam concentreerde zich weer op zijn pannenkoekjes en zei: 'Na de beursgang, als hij eenmaal miljardair is, koopt papa de Red Sox voor me.'

'Echt waar?'

'Yep.' Sam nam een grote hap – zijn wang puilde uit als die van een honkballer met een prop pruimtabak – en vroeg: 'Hoeveel geld wil die boef eigenlijk?'

'Wie?'

'De man die Gracie heeft ontvoerd.'

Ben keek Kate aan. 'O. Dat heeft hij nog niet gezegd.'

Sam zuchtte. 'Ik wou maar dat die eikel besloot wat hij wilde.'

'Sam!' zei Kate.

Sam haalde zijn schouders op. 'Nou ja, dan kan papa tenminste een cheque uitschrijven en dan kan Gracie weer naar huis komen.'

07.23 uur

'Het is hier een hartstikke veilige plek om te wonen!'

Aan de andere kant van het stadje stond politiechef Paul Ryan in de werkkamer van de burgemeester en keek naar diens brede rug terwijl hij luisterde naar de jengelende stem waarmee hij een journalist uit Dallas met klem verzocht om geen negatief verhaal te schrijven over Post Oak, Texas. Ryans gedachten schoten heen en weer tussen donkere beelden van een klein meisje dat hij niet kende en dat ergens dood lag te wezen en het kale achterhoofd van de burgemeester, terwijl hij zich afvroeg hoeveel haarlak ervoor nodig was om zijn spaarzame, dwars over zijn hoofd gekamde lokken op hun plaats te houden. Paul Ryan vertrouwde nooit mannen die probeerden op die manier hun kaalheid te camoufleren.

De burgemeester kwam 's zondags nooit naar het stadhuis en hij was sowieso nooit vroeg aanwezig. Maar toen Ryan deze zondag om zeven uur op zijn werk was verschenen, was hij onmiddellijk bij de burgemeester ontboden. Hij wist dat de burgemeester niet blij zou zijn, zo vlak na dat sterfgeval op de middelbare school ten gevolge van een overdosis, en nu dit weer. Slecht voor het bedrijfsleven, heroïne op school en ontvoeringen in het park. En de burgemeester was verknocht aan het bedrijfsleven.

Hun relatie was in het gunstigste geval oppervlakkig. Ryan was een overblijfsel uit de oude tijd, voordat de projectontwikkelaars uit Dallas hun slaperige stadje vijfenzestig kilometer ten noorden van de stad ontdekt hadden en de grond hadden opgekocht waarop hij als kind had gejaagd, en het hadden opgedeeld in exclusieve besloten woongemeenschappen die rust en voorspoed beloofden, lokaas voor de yuppen die de nadelen van het stadsleven wilden ontvluchten. En de yuppen waren gekomen, in hun BMW's en Lexussen en Hummers, als rode mieren in de achtertuin – de ene dag zie je er niet één, de volgende dag hebben ze de hele tuin overgenomen. Tien jaar geleden was dit een boerengemeenschap geweest, met een boerenleenbank en een veevoederbedrijf; vandaag de dag had je er een Victoria's Secret en een Starbucks.

Paul Ryan had de pest aan de yuppen.

Maar de burgemeester had ze met open armen verwelkomd. Omdat de burgemeester de eigenaar was van de grond, althans het grootste deel ervan, geërfd van zijn vader of voor een zacht prijsje opgekocht bij gedwongen verkopen tijdens de jaren van droogte, toen de boeren hun verplichtingen aan de bank niet meer konden nakomen. De bank, die tussen haakjes eigendom was van de burgemeester en diens vader vóór hem. Paul Ryans vader had zelfmoord gepleegd binnen een jaar nadat de vader van de burgemeester zijn boerderij wegens betalingsachterstanden had laten verkopen.

Paul zuchtte. De burgemeester was een klein, pafferig baasje dat niet eens goed genoeg was geweest voor het footballteam waarin Paul Ryan uitgeblonken had. Maar zoals de vader van de burgemeester beschikt had over het eigendomsrecht van de boerderij van de familie Ryan, beschikte de burgemeester over Paul Ryans carrière, een carrière die hij op elk willekeurig moment kon beëindigen: een van de gemeenteverordeningen bepaalde uitdrukkelijk dat de burgemeester naar eigen goeddunken het hoofd van de politie kon benoemen en ontslaan. En de burgemeester had de pest in. Hij legde de hoorn neer en staarde Ryan nijdig aan.

'Paul, waarom heb je verdomme de FBI ingeschakeld?'

'Om het meisje op te sporen! De FBI heeft de beschikking over aanzienlijk meer hulpbronnen dan wij.'

'Jawel, maar ze hebben hier geen jurisdictie!'

'De FBI verleent plaatselijke politiekorpsen bijstand bij alle gevallen van kinderontvoering. Ze brengen een hoop ervaring mee, burgemeester.'

'Ze brengen de media naar mijn stad!' De burgemeester priemde een dikke wijsvinger in Ryans richting. 'Paul, je vindt dat meisje levend of je vindt haar dood, maar ik wil dat ze gevonden wordt, ik wil dat er iemand gearresteerd wordt, ik wil dat deze zaak binnen achtenveertig uur afgesloten wordt of je kunt straks als bewaker bij de Wal-Mart aan de slag!'

07.31 uur

FBI-agent Eugene Devereaux ontweek de jongste telg van het gezin Brice toen hij de keuken binnenging voor een kop koffie. Hij wist dat cafeïne zijn prostaat zou laten opspelen, maar er werd een jong meisje vermist en hij had een shot cafeïne nodig om scherp te worden. Hij was om middernacht naar zijn motel gegaan en was zojuist weer teruggekeerd met een lege maag. Normaal gesproken raakte hij tijdens het onderzoek naar een ontvoering zo'n vijf kilo kwijt. Ook een manier om af te vallen.

Devereaux stond op het punt naar buiten te lopen toen de grootmoeder hem een bord eten toeschoof. De geur deed hem denken aan de ontbijten van zijn eigen grootmoeder op de boerderij in Louisiana. Haar ontbijt leek hem beter dan de hele dag donuts eten. En dus nam hij tegenover de grootvader plaats aan de ontbijttafel; ze knikten elkaar somber toe. De handen van de grootvader vertoonden de typische ochtendbevingen van de alcoholist. Nadat Devereaux in stilte de helft van zijn stapeltje pannenkoekjes verorberd had, zei de grootvader: 'Waarom zou hij haar voetbalbroekje in het bos hebben achtergelaten?'

Devereaux probeerde een gepast antwoord te bedenken, iets anders dan *omdat hij een gestoorde smeerlap is*, toen de vader gehaast de keuken binnenkwam alsof hij zojuist uit bed was gestapt; zijn zwarte brilletje stond laag en scheef op zijn neus, één kant van zijn krullen was platgedrukt, de andere kant stond overeind, en hij droeg nog steeds dezelfde vuile kleren. Hij verdween zonder een woord te zeggen door de achterdeur. Een paar minuten later kwam hij terug en liep recht op Devereaux af; hij stak hem eenzelfde camcorder toe als die Devereaux zijn vrouw met Kerstmis gegeven had.

'Dat was ik helemaal vergeten,' zei hij.

'Wat was u vergeten, meneer Brice?'

'Ik heb video-opnamen van Gracies wedstrijd gemaakt.'

Ze was Michael Jordan in een voetbalbroekje.

De andere meisjes waren typische tienjarigen, onhandig, ploeterend, af en toe struikelend, terwijl Gracie een uitgesproken gracieuze, zelfs elegante indruk maakte. Haar bewegingen waren vloeiend en ritmisch, ze zweefde over het veld op haar witte voetbalschoenen, tot een plotselinge versnelling haar voorbij de verdedigsters bracht, waarbij ze de witte bal voortdurend volledig onder controle hield, soms vlak voor haar voeten, dan weer naast haar, dan weer een eind voor haar uit, op haar onuitgesproken commando. En ze had haar tegenstandsters al evenzeer onder controle; ze verschoof ze bij wijze van spreken als pionnen op een schaakbord, waarbij ze met een lichte schijnbeweging van haar schouder de verdedigster de ene kant op stuurde, waarna die alleen nog maar hulpeloos kon toekijken hoe Gracie de andere kant op draaide, waar de bal op de een of andere manier al op haar wachtte. Als je natuurtalenten bezig ziet, lijkt het allemaal zo gemakkelijk. Gracie Ann Brice was een natuurtalent.

Terwijl hij het slachtoffer op de videoband over het veld zag draven – haar glimlach, haar enthousiasme, haar voetbaltalent – wilde fbi-agent Eugene Devereaux dit meisje zo graag levend terugvinden dat het gewoon pijn deed. Het slachtoffer was niet die foto die aan de media was verstrekt; het was een echt, levend meisje dat nog maar twee dagen geleden geen enkele zorg aan haar hoofd had gehad, terwijl ze blij en lachend liep te voetballen. En voetballen kon ze. Zoals zijn dochter zou zeggen: Gracie heeft het helemaal.

Ze had de toeschouwers in haar ban.

Vier fbi-agenten, de vader en de grootouders stonden voor het bijna drie meter brede, in de wand van de televisiekamer ingebouwde projectiescherm, gehypnotiseerd door de beelden van het slachtoffer en zich er maar al te zeer van bewust dat ze waarschijnlijk naar de laatste momenten van haar leven keken. De opname was opmerkelijk helder –

agent Stevens, die de op de tv aangesloten camcorder bediende, had iets gezegd over 'high def' – en had de beelden en geluiden van de wedstrijd vastgelegd: de voetballende meisjes, het fluitje van de scheidsrechter, achtergrondgeluiden, toen plotseling een luide aanmoediging: 'Rennen, Gracie, rennen!' en de stem van de vader: 'Lou, een uitgiftekoers van dertig dollar en geen cent minder!'

De camera zwaaide abrupt van het veld naar het volle parkeerterrein een eind verderop en net zo abrupt weer terug naar het veld, wat een opeenvolging van wazige beelden opleverde. Het slachtoffer verscheen weer in beeld, in close-up, en trok een gezicht naar de camera terwijl ze langsholde. Devereaux moest onwillekeurig glimlachen. Vervolgens gaf ze een pass – 'Hup, Tornadoes!' – en de camerahoek zakte opeens, alsof de bediener alle kracht in zijn arm was kwijtgeraakt; een paar zwarte instappers met witte sokken vulden het scherm. Devereaux wierp een blik op de vader; hij droeg nog steeds dezelfde schoenen en sokken. Hij had zijn eigen voeten gefilmd. Op de band klonk weer de stem van de vader: 'Lou, als ik hier op het voetbalveld kon e-mailen, zou ik Harvey verdomme een shitogram sturen!'

Op het scherm nogmaals een ongecontroleerde camerabeweging en een close-up van een omvangrijke witte buik die van onder een goudkleurig shirt tevoorschijn kwam, en een bulderende stem die Devereaux herkende als die van de trainer – 'Gracie, stop haar af!' Abrupt weer terug naar het veld: Gracie lag op volle snelheid, maakte een sliding en gleed de bal weg voor de voeten van een tegenstandster die juist wilde scoren, een ongelooflijke actie... nu de blauwe lucht, dan plotseling Gracie weer, de bal voor zich uit drijvend, haar tegenstandsters passerend – 'Hup, Gracie! Schiet hem erin, Gracie!' – op het doel af, op het punt om te scoren, haar been achteruit halend, en... weer de schoenen van de vader. Iedereen in het vertrek ademde hoorbaar uit; agent Jorgenson had bijna Devereaux een schop gegeven in een poging het doelpunt voor Gracie te scoren. Op de band barstte op de achtergrond luid gejuich los... de ondergaande zon... en ouders op de tribune... en weer terug bij de wedstrijd... en plotseling viel het geluid weg.

'Is het geluid uitgevallen?' vroeg Devereaux aan agent Stevens.

'Volgens mij niet,' zei Stevens, die de aansluiting controleerde.

'Zet het geluid eens harder en spoel de band een stukje terug.'

Stevens deed wat Devereaux hem opdroeg. De band toonde hetzelfde tafereel van de meisjes die zich rond Gracie verdrongen. Er klonk een gedempt geluid op de achtergrond.

'Nog eens. Harder.'

Nogmaals hetzelfde tafereel. Hetzelfde geluid op de achtergrond.

'Wat was dat? *Chipscontrole? Nog eens.*'

Ditmaal kwam het geluid duidelijker door, een mannenstem die riep: 'Slipjescontrole.'

'Slipjescontrole? Wat moet ik me daar in jezusnaam bij voorstellen?' vroeg Devereaux aan niemand in het bijzonder.

'Het was bedoeld om haar te treiteren.'

Alle hoofden draaiden zich om naar de stem achter hen: de moeder stond in de deuropening. Ze zag er belabberd uit. Ze had zich niet omgekleed, ze had niets aan haar haar gedaan, haar blouse hing uit haar rok, haar rok zat scheef en ze liep op blote voeten. Ze zei: 'Hij suggereerde dat ze eigenlijk een jongen is, omdat ze zo goed is.' De moeder wierp de vader een woedende blik toe. 'Jij hebt niets gedaan, John? Je bent niet het veld overgestoken om die klootzak op zijn bek te slaan? Dat zou ik hebben gedaan.'

De vader: 'Ik… ik heb hem niet gehoord.'

'Omdat je met Lou de beursgang doornam,' zei de moeder.

Op de video stond Gracie roerloos in het midden van het veld; ze had het hoofd gebogen en de andere meisjes stonden om haar heen.

'Je laat een kerel Grace beledigen, je laat haar door een andere kerel ontvoeren, omdat je er zeker van wilde zijn dat je je verdomde miljard dollar in de wacht zou slepen. Grace is verdwenen omdat jij verdomme aan het telefoneren was!'

De stem van de vader op de band: 'Lou, met een miljard dollar wordt deze nerd een mán in deze wereld!'

De moeder keek naar de vader, maar niet alsof ze hem weer zou gaan slaan; ze keek naar hem met een blik van diepe verachting.

'Een miljard dollar maakt je nog geen man, John Brice. En we krijgen Grace er ook niet mee terug.'

Ze draaide zich om en liep weg.

Er heerste een ongemakkelijke stilte in het vertrek totdat de stem van de vader op de band klonk: 'Lou, de enige nerd die in deze wereld respect krijgt, is een rijke nerd. Het maakt niet uit hoe slim je bent, zonder geld ben je nog steeds niet meer dan een verdomde nerd.'

De vader had zijn hoofd zo diep gebogen dat Devereaux dacht dat het elk moment los kon raken van zijn nek en op de vloer zou vallen. De woorden van de moeder hadden hem meer pijn gedaan dan haar hand gisteren. Hij zuchtte. Het was niet de eerste keer dat Eugene Devereaux er getuige van was geweest dat een huwelijk op de klippen liep door een ontvoering; het zou ook niet de laatste keer zijn. Maar hij oordeelde nooit over ouders van ontvoerde kinderen, van wie de meesten in dit stadium voldeden aan de wettelijke definitie van tijdelijke ontoerekeningsvatbaarheid. Ze gaven elkaar dikwijls de schuld. De confrontatie met de emoties van de ouders hoorde er nou eenmaal bij; het ontvoeringsprotocol van de FBI noemde dat 'gezinsmanagement'.

De grootmoeder liep naar de vader en ging naast hem staan; ze sloeg een arm om hem heen en klopte hem op zijn rug.

Devereaux haalde diep adem om zich te concentreren. Hij kon zich niet bekommeren om het huwelijk van de ouders. Zijn enige zorg betrof het meisje op de videoband. Hij staarde weer naar het scherm, naar schokkerige beelden van het veld, de lucht, het veld, de lucht, het parkeerterrein, de ouders, de toeschouwers – *Wat deed de vader toch met die verdomde camcorder?* – toen hem plotseling iets opviel.

'Stop! Spoel eens terug!'

Stevens spoelde de band een stukje terug.

'Daar – stop!'

Het stilstaande beeld toonde de mensen op en rond de tribune. Devereaux stapte naar het scherm en wees naar een blanke man met blond haar die een zwart petje en een geruit overhemd droeg. Hij stond met zijn rug naar de camera, maar Devereaux wist het.

'Dat is onze man.'

De man werd grotendeels aan het zicht onttrokken door een grotere man die naast hem stond: blank, lang, stevig gebouwd, gemillimeterd haar, met een grote donkere vlek op zijn linkerarm die gedeeltelijk zichtbaar was onder het mouwtje van zijn zwarte T-shirt. Een tatoeage.

Tegen de vader: 'Kent u die mannen?'

De vader schudde het hoofd. 'Nee.'

Tegen Stevens, die de camcorder bediende: 'Vergroot dit beeld eens.' Devereaux raakte de arm van de grote man op het scherm aan. 'En die tatoeage.'

Tegen agent Floyd: 'Ga de trainer halen.'

De band liep weer: een opname van het parkeerterrein, nog meer gepraat over zaken door de vader, nog meer wedstrijdbeelden, Gracie die
hard tegen het gras smakte – 'Hé, ze heeft Gracie gehaakt!' flapte agent
Jorgenson eruit – overeind kwam en het weer op een hollen zette, luid
gejuich, de camera die weer alle kanten op zwaaide, de voeten van de vader, andere voeten, nu een opname van een andere camcorder – 'Vooruit, Tornadoes!' – nog meer opnamen van de lucht, het gras, de tribune,
een paar witte voetbalschoenen, één met losse veter –

'Ik heb haar veter niet vastgemaakt,' zei de vader, alsof hij een misdaad bekende.

– en het slachtoffer dat weer in close-up verscheen. Haar verhitte gezicht glom van het zweet; ze stak haar hand uit naar de camera.

'Bloedt ze?' vroeg Devereaux.

Stevens spoelde de band een stukje terug.

'Ze bloedt, aan haar elleboog.'

De vader keek naar zijn arm; hij pakte zijn mouw beet en draaide die
zodat de onderkant zichtbaar werd. De lichtblauwe stof vertoonde op
meerdere plaatsen donkerblauwe vlekken. Hij richtte zijn blik op Devereaux.

'Dat is Gracies bloed,' zei hij.

Was Grace dood?

Vanaf dat moment in het park toen de trainer zei dat haar broer naar
Grace gevraagd had – toen de gedachte *Grace is ontvoerd* voor het eerst
bij haar was opgekomen – had Elizabeth vurig gehoopt dat het de ontvoerder om losgeld te doen was – *Je kunt geen losgeld vragen voor een
dood kind,* had ze een FBI-agent horen zeggen – en had ze strijd geleverd
met haar geest, die uit alle macht probeerde haar een donkere wereld
binnen te drijven, haar alle mogelijkheden te onthullen, de misschiens,
de stel-dáts, om haar te kwellen met walgelijke, afschuwelijke, gruwelijke beelden van haar dochter die onderworpen werd aan de ziekelijke
verlangens van een zedendelinquent; maar daar had ze zich tegen verzet, zich ervoor afgesloten, geweigerd te kijken... tot op dit moment.
Grace was niet ontvoerd voor losgeld.

Zittend op de marmeren vloer van de stoomcabine had ze zich on-
voorwaardelijk overgegeven aan de duistere kant van haar geest en toegestaan dat die haar kwelde met die beelden, beelden die zo plastisch

waren dat het leek alsof ze ooggetuige was van de verkrachting van haar dochter. En Elizabeth Brice vroeg zich af, zoals ze zich al eens eerder had afgevraagd: *Als je in feite al dood bent, is zelfmoord dan nog een doodzonde?*

'Waarom, God?'

Stoom vulde de douchecabine. Elizabeth' tranen vermengden zich met het warme water. Ze was alleen in haar wanhoop en ze vroeg zich af of ze haar polsen zou kunnen doorsnijden met het veiligheidsscheermes dat ze in haar hand had. Eén keer eerder was het kwaad haar leven binnengedrongen en had het haar ertoe gebracht zelfmoord te overwegen, serieus na te denken over de verschillende manieren om een eind aan haar leven te maken alsof ze de menukaart in een restaurant bestudeerde. Eén keer eerder had ze op het randje van de dood gestaan en in de afgrond gestaard, waarbij ze was gered door een kind. Dit kind. Grace had haar leven gered. Nu, tien jaar later, was het kwaad teruggekeerd om Grace te halen.

'Waarom hebt U ook haar aan het kwaad overgeleverd?'

Ze had alleen maar geleefd voor Grace. Waarom zou ze zonder Grace nog verder leven? Ze stelde zich voor hoe het bloed uit haar aderen zou vloeien en in de afvoer zou verdwijnen tot al het leven uit haar geweken was. Ze zette het scheermes op haar pols en drukte het lemmet in haar huid, en ze stond op het punt het over haar aderen te halen en haar bloed te vergieten toen een plotselinge opwelling van woede haar spieren en hersencellen als een narcoticum deed opleven, waarbij haat en woede haar lichaam en haar geest nogmaals nieuwe energie verschaften en haar van de marmeren vloer overeind deden komen.

Elizabeth Brice wilde iemand van het leven beroven, maar niet zichzelf. Ze wilde de ontvoerder doden. En ze had er het geld voor.

12.00 uur

In de Verenigde Staten worden per jaar tweehonderd kinderen omgebracht door zedendelinquenten. Die gevallen kunnen altijd rekenen op een overweldigende publieke belangstelling. FBI-agent Eugene Devereaux had honderdzevenentwintig van dergelijke zaken onderzocht.

Zodoende was hij gewend aan het mediaspektakel waar kinderontvoeringen onvermijdelijk op uitdraaiden.

Maar deze zaak was anders. Misschien was het omdat Gracie een rijk, blank, blond meisje was dat in een villa woonde met plafondschilderingen; misschien kwam het doordat haar vaders gezicht op de cover van *Fortune* stond; of misschien was het alleen maar een kwestie van komkommertijd. Maar deze zaak groeide al snel uit tot grotere proporties dan Devereaux ooit had meegemaakt. Er hing een bepaalde spanning in de lucht die elk uur dat verstreek zonder dat Gracie gevonden werd toenam, evenals het aantal mensen op het gazon voor de villa van de familie Brice, waar Devereaux stond op deze zonnige zondagmiddag. Hij werd geflankeerd door de burgemeester en de politiechef en hij zag zich geplaatst voor een verzameling microfoons, tv-camera's, verslaggevers en, daarachter op straat, bewoners van Briarwyck Farms. Ze hadden flyers met Gracies portret onder de ruitenwissers van elke auto gestoken, Gracie-T-shirts laten drukken, roze linten aan autoantennes, brievenbussen en bomen bevestigd, en op elk overhemd en elke revers een Gracie-button gespeld.

Er was een tijd geweest dat persbriefings Devereaux het gevoel gaven belangrijk te zijn, een zwarte agent, geboren in de binnenlanden van Louisiana, die de leiding had over een geruchtmakend FBI-onderzoek; tegenwoordig vond hij dergelijke briefings alleen nog maar vermoeiend. Hij deed een stap naar voren.

'Ik ben FBI-agent Eugene Devereaux. De FBI is bij deze zaak betrokken op verzoek van Chief Ryan. Tenzij het slachtoffer de staatsgrenzen over wordt gebracht, berust de jurisdictie uitsluitend bij de plaatselijke politie. Maar we hebben onze diensten aangeboden om Chief Ryan en zijn onderzoek te ondersteunen.'

Devereaux hield altijd de schijn op dat de plaatselijke politie de leiding had over het onderzoek. Juridisch gezien was dat ook zo, maar niet feitelijk. Plaatselijke politiefunctionarissen als Chief Ryan realiseerden zich heel goed dat ze geen enkele kans hadden om een ontvoerd kind terug te vinden zonder de hulp van de FBI – en ze vonden het allang best hun falen met de FBI te kunnen delen als het lijk van het kind gevonden werd.

'De stand van zaken met betrekking tot ons onderzoek naar de ontvoering van Gracie Ann Brice is als volgt: Gracie wordt inmiddels tweeenveertig uur vermist. Ze is vrijdagavond rond zes uur ontvoerd vanaf Briarwyck Farms Park hier in Post Oak door een blanke man, twintig tot dertig jaar oud, één meter tachtig, negentig kilo, blond haar, met een zwart petje op en een geruit overhemd aan. Een schets van de verdachte is al verstrekt aan de media. Ons onderzoek richt zich op twee doelen: het eerste, en belangrijkste, is het opsporen van Gracie; het tweede is het identificeren en lokaliseren van mogelijke verdachten, beginnend bij geregistreerde zedendelinquenten. We doen een dringend beroep op iedereen die mogelijk Gracie of de verdachte heeft gezien of die over enige informatie beschikt, om contact op te nemen met het speciale telefoonnummer dat vermeld staat op de flyers die verspreid zijn. We hebben uw hulp nodig. Vragen?'

Devereaux wees een van de verslaggevers aan.

'Agent Devereaux, vermoedt u dat er iemand van de familie bij betrokken is?'

'Nee.'

'Is de familie onderworpen aan een leugendetectortest?'

'Nog niet.'

De volgende verslaggever: 'Kunt u bevestigen dat Gracies voetbalbroekje in het park gevonden is?'

'We hebben een blauw voetbalbroekje en één witte voetbalschoen gevonden. We denken dat die van Gracie zijn.'

En de volgende, die niet wachtte tot hij het woord kreeg: 'Hebt u aanknopingspunten?'

'We krijgen telefoontjes binnen, we bestuderen videobanden van de voetbalwedstrijd van vrijdagmiddag, we zijn bezig met het samenstellen van een profiel van de ontvoerder...'

Vanuit het publiek: 'Na tweeënveertig uur is het enige wat jullie hebben een blonde man met een zwart petje op?'

Devereaux zuchtte vermoeid. 'Ja.'

Van ergens achteraan: 'Is Gracie seksueel misbruikt?'

Dat was de vraag die ze altijd stelden. Waarom? Waarom wilden ze weten of een meisje van tien verkracht was? *Wat denken ze verdomme dat een zedendelinquent met haar zou doen? Haar mee uit eten nemen en daarna een bioscoopje pikken?* Ze wisten verdomd goed wat hij met haar gedaan had, maar ze wilden het uit zijn mond horen, een quote die ze konden gebruiken in de aankondiging van het avondjournaal – angst is goed voor de kijkcijfers. Maar hij speelde hun spelletje nooit mee. Zelfs als hij het wist, wat niet het geval was, het was althans niet bevestigd, zou FBI-agent Eugene Devereaux dat nooit zeggen. Niet voordat het lijk gevonden was. Voordat hij er zeker van was dat het kind dood was.

Dat was toch wel het minste waar Gracie Ann Brice recht op had.

Anderhalve kilometer verderop stond Ben Brice in de middencirkel van voetbalveld nr. 2, een eenzame gestalte in het uitgestrekte, lege park. Hij was hierheen gekomen voordat de FBI het park weer openstelde voor de gebedswake bij kaarslicht die die avond zou plaatsvinden. Hij was hier om Gracies laatste activiteiten van die vrijdagmiddag na te gaan; hij moest zijn waar zij geweest was. Hij moest het weten.

Waarom zou iemand Gracie ontvoeren als het niet voor losgeld was? Voor de seks? Ben Brice had het kwaad in de mens gezien, dus dat was een mogelijkheid. Misschien zelfs een waarschijnlijkheid. Maar geen zekerheid, zoals de FBI geconcludeerd scheen hebben. Zedendelinquenten opereren in hun eentje, had agent Devereaux gezegd. Maar de blonde man met het zwarte petje was niet alleen geweest; ze waren met z'n tweeën bij haar wedstrijd geweest.

Ben moest er eerst achter komen hoe Gracie ontvoerd was. Hij liep nu in de richting van de zijlijn voor de lage tribune. Volgens John was Gracie na afloop van de wedstrijd ongeveer op deze plek naar hem toe gekomen. Ben bleef staan. De andere ouders hadden op de tribune gezeten en de twee mannen vlak daarachter. John had even met Gracie gepraat, en daarna was zij met de andere meisjes naar de kantine gegaan. John had ze nagekeken tot ze naar binnen gingen.

Ben liep die richting uit.

Kinderen die door onbekenden worden ontvoerd, hebben een levensverwachting van drie uur, volgens die tv-reportage. Toen Gracie vrijdagavond deze kant op was gelopen, nog geen achtenveertig uur geleden, had ze toen nog maar drie uur te leven gehad? Iets binnen in Ben zei nee. Misschien was het de merkwaardige manier waarop hun levens met elkaar verbonden waren: hij wist dat als Gracie dood was, hij dat ongetwijfeld ook zou zijn. Misschien kon hij zich er gewoon niet toe brengen om te accepteren dat hij haar nooit meer zou zien. Of misschien, heel misschien, was ze nog steeds in leven.

Toen hij bijna bij de kantine was, bleef Ben staan en draaide zich om, net zoals Gracie gedaan had toen ze naar John had gezwaaid: een onschuldig jong meisje dat naar haar vader zwaaide, zich er niet van bewust dat ze een hinderlaag tegemoet liep. Ben raadpleegde het kompas op zijn horloge om zich te oriënteren. Hij stond nu met zijn gezicht naar het zuiden, naar de voetbal- en softbalvelden en de aan het park grenzende huizen achter de hoge stenen muur. Naar het oosten bevonden zich tennisbanen en de muur die dat gedeelte van het park begrensde. Naar het westen, ruim honderd meter verderop, lag het parkeerterrein, te ver om een ontvoerd kind door een menigte mensen mee naartoe te slepen. Het park werd aan de zuid- en oostkant begrensd door de stenen muren en aan de westkant door het parkeerterrein; geen waarschijnlijke ontsnappingsroutes voor de ontvoerder. Dan bleef alleen de noordelijke route over.

Door het bos.

Ben liep naar de achterkant van de kantine, een stenen muur met een dienstingang en zonder ramen. Tussen de kantine en het bos bevond zich een kleine open plek. Ben liet zich op handen en knieën zakken en bestudeerde de grond. Hij deed zijn ogen dicht en streek met zijn vingers door de grassprieten als een blinde die braille las. En hij wist het.

Dit was de plek waar de ontvoerder haar gegrepen had.

Maar hoe had hij haar hier in haar eentje naartoe gekregen? En hoe had hij haar stil gehouden?

Ben kwam weer overeind en liep het bos in. Gisteren had hij gehold en zijn geest was verward geweest door de angst en de gedachten uit het verleden, en dus had hij niet op zijn omgeving gelet. Nu liep hij langzaam; zijn ogen speurden de grond, het kreupelhout en de bomen af op zoek naar een spoor van Gracie. Zijn oude vaardigheden kwamen als vanzelf terug.

Voordat hij tien meter had afgelegd, viel Bens oog op een voorwerp dat oplichtte in het zonlicht dat door het bladerdak viel. Hij liet zich op zijn hurken zakken, schoof wat bladeren opzij en pakte het voorwerp op tussen zijn duim en wijsvinger. Hij legde het in zijn linkerhandpalm: een zilveren ster aan een gebroken zilveren kettinkje. Hij herinnerde zich de dag dat hij Gracie had meegenomen naar de zilversmid in Taos om die ster aan dat kettinkje te laten bevestigen. De eigenaar had de ster bestudeerd en gezegd: 'Dat is een echte.' Gracie had gezegd dat ze hem altijd zou dragen.

Ben kwam overeind, liet het kettinkje met de ster in de borstzak van zijn overhemd glijden en maakte het knoopje dicht. Hij liep verder het bos in. Spoedig kwam hij op de open plek waar haar voetbalbroekje en voetbalschoen waren gevonden; die was afgezet met gele politietape.

De ontvoerder had Gracie achter de kantine beetgegrepen en haar door het bos naar deze plek gebracht. Hij had hier halt gehouden om... Ben verdrong zijn emoties en concentreerde zich. De ontvoerder had haar voetbalbroekje en voetbalschoen hier achtergelaten en had... wat had hij gedaan? Haar meegenomen naar zijn auto?

Ben liep het bos door naar de nabijgelegen weg, klom het lage talud op en bleef op de berm staan. Het was een oude asfaltweg met de nodige gaten in het wegdek; de twee rijbanen waren zo smal dat twee auto's elkaar nauwelijks konden passeren. Het was geen doorgaande weg. Had de ontvoerder zijn auto hier geparkeerd toen hij naar Gracies wedstrijd ging? Of had de andere man op de videoband de auto hiernaartoe gereden terwijl de ontvoerder Gracie greep en haar het bos door droeg? Werkten ze samen?

Ben stond op het punt om terug het bos in te lopen, maar bleef toen staan; de berm was net breed genoeg om op te staan, te smal om een auto te parkeren zonder de weg te blokkeren. Hij knielde neer en bestudeerde de berm op de plek waar mogelijk een auto gestopt was en gewacht had tot de ontvoerder met Gracie arriveerde. Hij zag iets glinsteren. Hij wreef er met zijn vinger overheen, het was nat. Hij bracht zijn vinger naar zijn neus en snoof.

Olie.

Little Johnny Brice proeft zijn eigen bloed, dat uit zijn neus en mond loopt. Hij ligt in foetushouding op de grond, zijn armen om zijn hoofd geslagen; hij huilt. Dit is het ergste pak slaag tot nu toe, en het is nog niet voorbij. Luther Ray zit schrijlings boven op hem, stompend en scheldend, scheldend en stompend; zijn vuisten voelen aan als stalen hamers elke keer dat ze Johns lijf raken. Little Johnny Brice smeekt God om hem te laten sterven, zodat de pijn zal ophouden.

John deed zijn ogen open. Het vloerkleed onder zijn gezicht was nat. Hij lag in foetushouding op de vloer van zijn inloopkast. Hij had zijn overhemd aan de FBI gegeven en was naar boven gegaan om zich op te knappen. Hij had een douche genomen en was zijn kast in gelopen om schone kleren te pakken. Maar de beelden van Gracie en de ontvoerder waren teruggekomen, en hij was weer in huilen uitgebarsten. Hij kon alleen nog maar aan haar pijn denken. *Alstublieft, God, laat haar pijn ophouden.*

Kate trof John moederziel alleen aan in zijn kast, net zoals ze hem als jochie zo dikwijls moederziel alleen op zijn kamer had aangetroffen. Indertijd waren het de pestkoppen geweest die hem pijn hadden gedaan; vandaag was het zijn vrouw. Toen was het erg geweest; vandaag was het erger.

Ze ging naast hem op de vloer zitten. Ze sloeg haar arm om hem heen en hij legde zijn hoofd op haar schoot, zoals hij zo dikwijls had gedaan. Ze streelde zijn haar, net als vroeger, en ze zei dezelfde woorden.

'John, probeer vertrouwen te hebben. Je moet erop vertrouwen dat hier een reden voor is, dat er een reden is voor alles wat ons in het leven overkomt, zelfs de akelige dingen. God heeft…'

Johns hoofd kwam omhoog en hij ging abrupt overeind zitten. 'Nee, ma, je hebt het helemaal mis! Je had het indertijd al mis en nu weer! Er was geen reden voor dat ik door die pestkoppen afgetuigd werd, en er is geen reden voor dat Gracie door de een of andere gestoorde smeerlap is ontvoerd. Er is geen reden, geen bedoeling, geen alomvattend plan voor dit alles – het had gewoon niet mogen gebeuren! Het zijn willekeurige gewelddaden. Slechte mensen doen slechte dingen. Jij gaat naar de kerk en je gelooft al die flauwekul die Father Randy verkondigt – en meer is het niet, ma. Flauwekul!'

John kwam overeind en liep de kast uit. Kate Brice sloeg haar handen voor haar gezicht en huilde omdat ze haar zoon nu niet kon helpen, net zomin als ze hem indertijd had kunnen helpen.

13.07 uur

FBI-agent Eugene Devereaux was weer in de commandopost, waar hij de vergrotingen van de twee mannen op de videoband en de tatoeage van de grootste van de twee bestudeerde. Er heerste stilte in het grote vertrek – en dat klopte niet. Drieënveertig uur na een ontvoering zouden de telefoons roodgloeiend moeten staan van alle binnenkomende tips. Maar de telefoons zwegen.

Waar bleven de telefoontjes verdomme?

Devereaux zette zijn leesbril af, deed zijn ogen dicht en wreef over zijn gezicht. Toen hij zijn ogen weer opendeed, kwam agent Jorgenson op hem af lopen. Ze had een gespierd lijf en kort bruin haar. Ze droeg een blauw nylon FBI-jack, een spijkerbroek en sportschoenen, en ze had bruine mappen onder haar arm. Hij mocht Jorgenson graag. Ze deed hem denken aan zijn dochter; ze had dezelfde veerkrachtige tred en dezelfde intellectuele nieuwsgierigheid. Ze was leergierig. Ze zat nog in haar proeftijd van een jaar, maar ze had al heel goed door wat het werk inhield; het draaide niet om de eer van het oplossen van een zaak die met veel publiciteit omgeven was of het aanhouden van een topcrimineel, of om Washingtons obsessie met public relations. Het ging om het slachtoffer. Het draaide altijd uitsluitend om het slachtoffer.

'Waarom is het zo rustig?' vroeg agent Jorgenson, en ze plofte in een stoel. 'Is dat normaal?'

'Nee.'

'Het is alsof ze van de aardbodem verdwenen is.'

'Een meisje van tien verdwijnt niet zomaar.'

'Wat zijn haar kansen – dat ze nog in leven is?'

'Niet zo best. Statistisch gezien nihil.'

'Verdomme.'

'Doe gewoon je werk, agent Jorgenson. Concentreer je op de aanwijzingen.'

Ze knikte. 'Zal ik doen. U doet het goed voor de camera's.'

'Te veel ervaring. Vertel eens, Jorgenson, wat verbouwen ze daar in… waar in Minnesota kom je precies vandaan?'

'Owatonna. Voornamelijk maïs. Voor de ethanol.'

'Boerendochter?'

'Inderdaad.'

'Mijn grootvader verbouwde katoen. Als kind hielp ik hem vaak met plukken. Het was een ongecompliceerd leven.'

'Ik was op zoek naar spanning.'

'Nou, die heb je gevonden.' Hij wees naar de bruine mappen. 'Wat heb je voor me?'

'We hebben bloedmonsters van de familie genomen om die te vergelijken met het bloed op het overhemd van de vader. De DNA-tests zijn onderweg.'

'Mooi zo. Wat nog meer?'

'Achtergrondrapporten over de familie.'

'Ga door.'

Devereaux verwachtte niet dat de familieachtergronden iets van belang zouden onthullen, maar hij was er door schade en schande achter gekomen dat je nooit de routineaspecten van een onderzoek mocht veronachtzamen.

'Oké,' zei ze, en ze sloeg de eerste map open. 'De vader schijnt een genie te zijn – doctoraal aan MIT in algoritmen, wat dat dan ook mogen wezen, een IQ van 190... ik wist niet eens dat dat bestond.'

'Bestaat ook niet,' zei Devereaux. 'Tenminste, niet bij de FBI.'

Ze glimlachte even en vervolgde toen: 'Hij heeft BriceWare opgericht, dat weet u allemaal al. Hij en de moeder zijn tien jaar geleden getrouwd. Hij studeerde aan MIT, zij werkte bij justitie in Washington, D.C., als assistent-officier van justitie. Vijf jaar.'

'O ja?'

'Ja. Haar meisjesnaam was Austin. Opgegroeid in New York. Haar vader is vermoord toen ze pas tien was.'

'Even oud als Gracie nu.'

'Ze was de beste van haar jaar op de rechtenfaculteit van Harvard, een rijzende ster op justitie. Toen nam ze plotseling ontslag, trouwde met Brice en verhuisde naar Dallas.'

'Verliefde mensen doen rare dingen.'

'Het is wel een merkwaardig stel, vindt u ook niet? En zoals ze hem gisteren in zijn gezicht sloeg, en hem vanochtend kleineerde...' Jorgenson schudde haar hoofd. 'En zoals ze tegen de plaatselijke politiemensen praat, en tegen ons, zo pissig en iedereen maar commanderend alsof we allemaal bij haar in dienst zijn.'

'Haar kind is ontvoerd. Gun haar het voordeel van de twijfel.'

'U was heel, eh, diplomatiek tegen haar.'

Hij knikte. 'Twee regels, Jorgenson, die je bij ontvoeringen in gedachten moet houden. Regel nummer één: dit is officieel niet onze zaak. We hebben hier geen jurisdictie, althans niet wettelijk. De plaatselijke politie voegt zich over het algemeen naar ons, maar technisch gesproken zijn we hier te gast. Dus gedraag je ook als zodanig. Regel nummer twee:

waarschijnlijk is het kind al dood tegen de tijd dat wij onze opwachting maken, dus als de moeder je verrot wil schelden, tegen je zegt dat je een stom stuk onbenul bent, dan zeg je: 'Jawel, mevrouw.' Je houdt rekening met het feit dat ze haar kind verloren heeft... en dat ze waarschijnlijk half gek is van angst en verdriet tegen de tijd dat je haar ontmoet. Je verblikt of verbloost niet als de ouders hun emoties de vrije loop laten. Zij hebben daar meer behoefte aan dan dat jij er behoefte aan hebt te bewijzen dat je een doorgewinterde FBI-agent bent die alles onder controle heeft. Ruziemaken met de ouders brengt je geen stap dichter bij het vinden van het slachtoffer of het aanhouden van de ontvoerder. En dat is je werk, agent Jorgenson. Laat je ego je daarbij niet in de weg zitten.'

'Ik zal eraan denken.' Ze fronste haar voorhoofd. 'Maar evengoed laat u haar een leugendetectortest doen?'

'Absoluut. Als er bij een ontvoeringszaak een beroep wordt gedaan op de FBI, dan werken we ook volgens het boekje – en in het boekje staat dat de ouders aan een leugendetectortest onderworpen moeten worden. Maar ik vraag het ze netjes. Ik leg het ze niet op. Dat werkt net zo goed.' Hij gebaarde naar Jorgensons map. 'Zoek uit voor wie ze werkte bij justitie. Ik ken daar een paar mensen.'

'Dat heb ik al gedaan. Haar directe superieur was een zekere James Kelly.'

'Jimmy?'

'Hebt u hem gekend?'

'Ja, we hebben samen de politieacademie doorlopen. Hij studeerde in de avonduren rechten en op een gegeven moment stapte hij over naar justitie. Het laatste wat ik gehoord heb, is dat hij in L.A. was gestationeerd... Hoe bedoel je, *gekend*?'

'Hij is dood. Aangereden door een auto waarvan de bestuurder doorgereden is, drie jaar geleden.'

'Verdomme. Het was een goeie gozer.' Devereaux zuchtte. 'De goeien gaan meestal het eerst. Wat heb je verder nog?'

Jorgenson sloeg een andere map open. 'De grootvader is een gepensioneerde landmachtkolonel – West Point, Vietnam. Blijkbaar was hij een soort oorlogsheld.'

'Je meent het.' Devereaux wachtte tot ze verder zou gaan. Dat deed ze niet. 'En...?'

Ze haalde haar schouders op. 'Verder niets. Zijn gegevens zijn niet toegankelijk.'

Devereaux zette zijn leesbril op en gebaarde naar de map. Ze stak hem de bruine map met het opschrift BRICE, BEN toe; hij pakte hem aan, sloeg hem open en liet zijn blik langs de tekst glijden.

'Kolonel. Groene Baret. Zeven keer uitgezonden naar Vietnam. Zes Silver Stars, vier Bronze Stars, acht Purple Hearts, twee Soldier's Medals, Distinguished Service Cross, Legion of Merit, Medal of Honor. Ja, het lijkt me dat hij inderdaad een soort held was.'

'Waarom die geheimzinnigheid?'

'Groene Baret, hij opereerde waarschijnlijk in Cambodja en Laos toen Johnson en Nixon op tv bezwoeren dat we daar niet actief waren.'

'Logen die presidenten over de oorlog?'

Hij grinnikte. 'Hoe oud ben je, Jorgenson?'

'Zesentwintig.'

Hij schudde zijn hoofd. 'Ik kan me niet eens meer herinneren dat ik zesentwintig was. Ja, Jorgenson, presidenten logen over de oorlog, en generaals ook. Ik was reserveofficier, ik had me aangemeld vanwege de studiemogelijkheden. Nou, reken maar dat ik in Vietnam het nodige geleerd heb. Toen ik uitgezonden werd, hoopte ik alleen maar dat ik het zou overleven. Kerels als Brice gingen erheen om de onderdrukten te bevrijden, zoals het motto van de Groene Baretten luidt. Daar geloofden ze in. En als dank voor al hun inspanningen werd er op ze gespuugd toen ze thuiskwamen.' Devereaux zette zijn leesbril weer af en krabde met een van de pootjes over zijn kin. 'Ben Brice… om de een of andere reden komt die naam me bekend voor. Doe navraag bij de landmacht en kijk wat je in openbare gegevensbestanden over hem te weten kunt komen.'

'Denkt u dat er misschien een verband bestaat met de ontvoering van Gracie?'

'Je weet maar nooit.' Jorgenson stond op. 'Ik wil dat je vanavond de gebedswake bijwoont. Misschien dat onze man zijn gezicht laat zien.'

'Ja, meneer. O, de trainer is er om de uitvergrote foto's te bekijken.'

'Laat hem maar binnen, noem me geen meneer, en laat iemand kolonel Brice opsnorren.'

Hij draagt Gracie door het bos naar de afgesproken plek. Hij heeft haast, is bang dat iemand merkt dat ze verdwenen is en naar haar op zoek gaat. Zijn medeplichtige wacht twintig meter verderop in een auto die olie lekt. Maar hij blijft staan, trekt haar kleren uit en verkracht haar ter plekke? Met zoveel mensen in het park, mogelijk mensen die al naar haar op zoek zijn in het bos? Terwijl Gracie schopt en schreeuwt en als een furie tekeergaat? Ze is een sterke meid en voor niemand bang – ze zou alleen maar niet gevochten hebben als ze bewusteloos of dood was. Had hij een bewusteloos of dood slachtoffer verkracht? Had hij haar hier vermoord?

Nee. Gracie Ann Brice was hier niet gestorven. Ben Brice was op het slagveld geweest, had tot aan zijn knieën in de dood gestaan; de dood zou voor altijd deel uitmaken van zijn leven – hij had de dood gezien, hij had de dood gehoord, hij kon de dood aanraken, proeven, ruiken en voelen. Maar niet hier.

Gracie was hier levend vandaan gegaan.

Maar waarom had de ontvoerder haar voetbalbroekje achtergelaten? Ben deed zijn ogen dicht en dacht eraan terug hoe hij samen met haar in de werkplaats bezig was geweest. Ze was druk doende geweest haar naam in de rugleuning van haar schommelstoel uit te snijden toen ze daar even mee ophield en zei: 'Ben, hoe komt het dat je altijd weet wanneer ik in moeilijkheden zit, wanneer ik je nodig heb?'

'Dat weet ik niet, liefje. Er is iets in onze levens wat ons bindt. Ik weet niet wat en waarom, maar er is een reden voor.'

God had hen met elkaar verbonden. Dat wist Ben Brice net zo goed als hij wist hoe hij een schommelstoel moest maken of een mens moest doden. En hij wist dat zolang hij haar aanwezigheid voelde, hun band ongebroken was. En dat ze nog in leven was.

Gracie, wijs me de weg. Ik kom je halen.

'Kolonel Brice!'

Ben deed zijn ogen open. Hij zat in kleermakerszit op de met politie-tape afgezette open plek waar Gracies voetbalbroekje en voetbalschoen waren gevonden. Een jonge FBI-agent draafde door het bos naar hem toe. Hij kwam buiten adem aan en zei: 'Kolonel Brice, agent Devereaux heeft u nodig op de commandopost!'

14.12 uur

Jan Jorgenson was vijf jaar na de Vietnamoorlog geboren. Vierentwintig jaar later had ze aan de University of Minnesota haar kandidaats pedagogiek gehaald – de enige studie waarvoor haar ouders bereid waren te betalen – en haar doctoraal criminele psychologie. Ze had tegen haar ouders gezegd dat schoolbesturen in het hele land criminele psychologie de meest relevante studie vonden voor een onderwijscarrière op de openbare scholen van Amerika. Ze waren erin getrapt. Direct na haar afstuderen had ze bij de FBI gesolliciteerd. Haar ouders wilden dat ze het onderwijs in zou gaan; zij wilde de nieuwe Clarice Starling worden.

En dus had Jan Jorgenson de familieboerderij even buiten Owatonna in Minnesota verlaten, was naar Quantico in Virginia gereden en had zich gemeld bij de FBI-Academy. Ze wilde *profiler* worden, gedetineerde seriemoordenaars, psychopaten en zedendelinquenten ondervragen, gedetailleerde psychische afwijkingen van dergelijke lieden verzamelen en daderprofielen opstellen ten behoeve van lopende onderzoeken. Maar nadat ze afgestudeerd was aan de Academy, was ze gestationeerd op het FBI-bureau in Dallas, waar ze gedurende de afgelopen elf maanden jonge Arabische mannen had opgespoord en ondervraagd, mannen die pasten in het profiel van de islamitische terrorist.

En nu zat ze aan de keukentafel van de familie Brice naast de ouders en tegenover twee levensechte FBI-profilers, Baxter en Brumley. Ze zagen eruit als partners van een accountantskantoor.

'Vreemden ontvoeren kinderen voor de seks.'

Brumley had zojuist deze bijeenkomst met de familie geopend. Hij had dat wel iets tactischer kunnen aanpakken, dacht Jan. De moeder dacht er kennelijk hetzelfde over; haar ogen boorden gaten in Brumleys kale hoofd. Zich van geen kwaad bewust denderde hij door.

'Deze dader heeft een waslijst van zedenmisdrijven achter zijn naam staan, dat garandeer ik u.'

De vader van het slachtoffer zag eruit alsof hij moest braken; hij stond abrupt op en holde bijna de keuken uit, net toen kolonel Brice binnen kwam lopen en tegen de muur leunde.

'We hebben een profiel opgesteld,' zei agent Baxter. 'Een persoonlijkheidssignalement, zo u wilt, zoiets als een vingerafdruk.' Hij deelde kopieën uit aan iedereen aan tafel en las toen voor van zijn eigen exemplaar. 'We denken dat de timing van de ontvoering samenhing met een belangrijke stressfactor in het leven van de dader, mogelijk het verlies van zijn baan of een andere vorm van persoonlijke afwijzing. En dat de ontvoerder een einzelgänger is, boven de dertig en alleenstaand, onvolwassen voor zijn leeftijd, geen vrienden, niet in staat een relatie te onderhouden met een vrouw van zijn eigen leeftijd, waarschijnlijk werkzaam in een beroep waarbij hij met kinderen te maken heeft, geen sociale vaardigheden, gebruikt alcohol of drugs, reageert gewelddadig als hij getergd wordt, kan slecht met stress overweg, is egoïstisch, paranoïde en impulsief, heeft een overdreven gevoel van eigenwaarde waardoor hij niet tegen afwijzing kan en vertoont asociale neigingen.' Hij keek op. 'We zullen dit profiel aan de media ter beschikking stellen. Hopelijk meldt zich iemand die iemand kent die aan deze kenmerken voldoet.'

De moeder stond abrupt op. 'O, mijn god,' zei ze. 'Zo iemand ken ik.' Ze hield haar kopie van het profiel omhoog. 'Onvolwassenheid, gebrek aan sociale vaardigheden, egoïsme, paranoia, overdreven gevoel van eigenwaarde, er niet tegen kunnen afgewezen te worden – al die karaktereigenschappen zijn van toepassing op iemand die ik ken.'

Baxter sprong bijna op uit zijn stoel van opwinding. 'Wie is dat, mevrouw Brice?'

'Elke partner van mijn advocatenkantoor.'

Baxter blies zijn adem uit en liet zich weer achteroverzakken, zich realiserend dat hij in de maling was genomen. De moeder gooide haar kopie van het profiel op tafel.

'Doe me een lol, agent Baxter,' zei ze, 'en hou op met dat psychologengeleuter. Die kerel is gewoon een smeerlap die graag kleine meisjes neukt!'

De moeder beende de keuken uit. Baxter was zichtbaar van zijn stuk gebracht. Na een ongemakkelijk lange stilte nam kolonel Brice met zachte stem het woord.

'Hij was niet alleen. Het zijn twee mannen geweest, waarschijnlijk de twee op de videoband.'

'Meneer Brice,' zei Brumley, 'zedendelinquenten werken alleen, dat is bewezen. Ze zijn wat we noemen "afwijkende eenlingen".'

'Ik ben in het park geweest,' zei de kolonel, 'om Gracies gangen na gaan. Hij heeft haar achter de kantine gegrepen en door het bos naar een medeplichtige gebracht die op hem wachtte in een auto die olie lekte. Hij is niet alleen te werk gegaan.'

'Maar waarom heeft hij dan haar voetbalbroekje in het bos achtergelaten?' vroeg Baxter.

'Omdat hij wilde dat we dat zouden vinden.'

Baxter fronste het voorhoofd. *'Waarom?'*

'Zodat jullie zouden doen wat jullie nu doen – jacht maken op een zedendelinquent.'

14.27 uur

'Gaat het een beetje, mevrouw Brice?'

Elizabeth zat in haar woonkamer – nu de FBI-commandopost – en richtte haar blik op Devereaux aan de andere kant van de tafel.

'Nee. Mijn dochter is ontvoerd.'

'Mevrouw Brice, ik kan nog steeds een psycholoog laten komen.'

'Nee.'

Ze had haar emoties weer onder controle. Haar geest was weer alert en woedend. Ze had een plan. En daarvoor had ze een bankier nodig, geen psycholoog.

'Laat het me weten als u van gedachten mocht veranderen. Oké, mevrouw Brice, wat voor kind is Gracie? Ziet u, bij dat soort lieden draait het uitsluitend om macht. Ze intimideren hun slachtoffers, zorgen ervoor dat het slachtoffer zich hulpeloos en in het nauw gedreven voelt, zodat zij zich machtig voelen. Wat zou Gracie doen als ze in het nauw gedreven werd?'

'Ze zou vechten.'

'Mooi zo. Zo heeft ze de meeste kans om te overleven.'

'Ze komt hier levend uit.'

Devereaux knikte. 'Ja. Ik heb begrepen, mevrouw Brice, dat u vroeger voor justitie hebt gewerkt?'

'Inderdaad.' Een flauw glimlachje.

'Wat deed u besluiten om over te stappen naar de andere kant?'

Ze zweeg even. 'Het is gewoon zo gelopen.'

Devereaux fronste zijn voorhoofd en zei toen: 'Goed, ik neem aan dat u begrijpt waarom ik u wil vragen uw medewerking te verlenen aan een leugendetectortest.'

'U zei dat het geen willekeurige ontvoering was, dat de dader het specifiek op haar gemunt had. En nu denkt u dat een van ons het gedaan heeft?'

'Nee, mevrouw. Ik zeg alleen dat de FBI alle mogelijke middelen inzet om uw dochter en de man die haar ontvoerd heeft te vinden. Maar we hebben al eens eerder onze vingers gebrand – herinnert u zich de zaak Susan Smith nog, die zei dat haar auto gestolen was terwijl haar kinderen erin zaten? Later bleek dat ze de kinderen zelf verdronken had. We moeten elke mogelijke betrokkenheid van de familie uitsluiten.'

Elizabeth staarde Devereaux aan en haar woede borrelde weer op. 'Ik kom zojuist bij uw twee briljante profilers in mijn keuken vandaan. Die vertelden me dat de dader mijn dochter ontvoerd heeft voor de seks.' Ze sloeg met haar vuist op tafel. 'Godverdomme! En nu vertelt u me dat u wilt dat mijn man en ik ons aan een leugendetectortest onderwerpen?'

Devereaux knikte. 'Inderdaad, mevrouw. En kolonel Brice en zijn vrouw, en het huishoudelijk personeel. Mevrouw Brice, ik besef dat het een inbreuk op uw privacy is, maar vanuit ons standpunt is het altijd een mogelijkheid. Het is een feit dat er slechts zo'n tweehonderd kinderen per jaar ontvoerd worden door vreemden. In alle overige gevallen is er iemand van de familie bij betrokken.'

Hij stak zijn armen uit en nam haar gebalde vuisten in zijn handen. Ze weigerde de tranen te laten komen.

'Mevrouw Brice, ik weet heus wel dat de familie er niet bij betrokken is. Maar Washington weet dat niet. En ik heb net een telefoontje naar mijn superieuren gepleegd met het verzoek om meer mensen te mogen inzetten – tien extra agenten om ons te helpen Gracie te vinden. Opdat dit goed afloopt. Werkt u alstublieft mee, mevrouw Brice, zodat de FBI me meer mensen ter beschikking stelt om uw dochter te vinden. Doe het voor Gracie.'

'Mijn medewerking hebt u.'

De stem klonk van achter hen. Elizabeth trok haar handen terug uit die van Devereaux en draaide zich om. Haar schoonvader stond in de deuropening. Ze wilde protesteren omdat Ben Brice alcoholist was en ze hem haatte. Maar iets in zijn ogen maakte dat ze haar mond hield. Ze wendde zich weer tot Devereaux.

'Ik wil dat het hier gebeurt. Ik wil niet dat ze op tv uitzenden hoe wij het politiebureau binnengebracht worden.'

Devereaux zei: 'We doen het in de studeerkamer.'

Ben ging de studeerkamer binnen, waar een jonge FBI-agent zijn hand naar hem uitstak. 'Meneer Brice, mijn naam is Randall.'

Randall was dertig, droeg een bril en leek nog het meest op een accountant die zijn best deed om gezellig te zijn. Hij had een rubberslangetje in zijn hand.

'Als u uw overhemd even wilt uittrekken, meneer Brice, bevestig ik het slangetje van de pneumatograaf om uw borst.' Randall ging achter Ben staan en bleef op gemoedelijke toon praten. 'Niets om nerveus over te zijn. Een leugendetector registreert uw ademhaling, uw bloeddruk…'

Ben knoopte zijn overhemd los.

'… uw polsslag en uw huidreflex op een zwak elektrisch stroompje. Ziet u, het idee is dat wanneer iemand liegt…'

Ben trok zijn overhemd uit.

'Jezus!'

Ben voelde Randalls ogen op zijn rug; er was een abrupt einde gekomen aan zijn gebabbel. Na een korte stilte stak Randall van achter Bens rug zijn armen om hem heen om het slangetje vast te maken; zijn handen trilden.

'Is het, eh, zit het niet te strak, meneer Brice? Het doet geen pijn aan deze… aan uw rug?'

'Nee.'

Randall verscheen weer in Bens blikveld. 'Goed, waar was ik gebleven? O, u kunt gaan zitten, meneer Brice.'

Ben nam plaats in een leren stoel naast de leugendetector, die eruitzag als een laptop. Het leer voelde koel aan tegen zijn blote rug. Randall ging voor hem staan.

'Dit is een elektrode,' zei hij.

Hij pakte Bens hand en schoof een hulsje over het topje van zijn rechterwijsvinger.

'En dit is gewoon een bloeddrukmanchet, net als bij de dokter.'

Hij bevestigde de manchet rond Bens rechterbovenarm en deed een stap achteruit.

'Oké, ik, eh, ik geloof dat we zover zijn.' Randall ging op een stoel achter het apparaat zitten, rechts van Ben. 'Meneer Brice, ik ga u een aantal standaardvragen stellen, alleen maar om u op uw gemak te stellen zodat ik een standaardinstelling kan vastleggen. Haal alstublieft zo gelijkmatig mogelijk adem, blijf kalm en adem niet al te diep in. En beantwoord elke vraag naar waarheid met ja of nee. Oké?'

Ben knikte.

Agent Randalls eerste vraag: 'Is Ben Brice uw echte naam?'

'Ja.'

'Bent u de grootvader van Gracie Ann Brice?'

'Ja.'

'Hebt u ooit eerder een leugendetectortest afgelegd?'

'Nee.'

Dat was een leugen.

Ben deed zijn ogen dicht en dacht terug aan zijn eerste leugendetectortest: hij is naakt, zijn armen en enkels zijn vastgebonden aan een houten stoel en zijn blik is gericht op twee draden die met tape aan zijn testikels zijn bevestigd en die over de betonnen vloer lopen, naar een veldtelefoon met handslinger op batterijen die bediend wordt door een grijnzende sadist. Het kleine vertrek stinkt naar urine en uitwerpselen.

De Noord-Vietnamese legerofficier die de test afneemt, is vastbesloten om erachter te komen of Brice, Ben, kolonel, 32475011, 5 april '46, liegt over de aanwezigheid van Amerikaanse soldaten in Noord-Vietnam; een Amerikaanse officier van zijn rang zou nooit in zijn eentje opereren zo dicht bij Hanoi. Hij was ervan uitgegaan dat de Amerikaanse kolonel wel zou bezwijken onder de afranselingen met de ventilatorriem. De Grote Lelijkerd, zoals de Yanks kapitein Lu noemden, is een meester met de ventilatorriem; hij heeft de brede rug van de kolonel bewerkt als een houtsnijder die figuren snijdt uit een blok hout. Maar tot zijn verbijstering heeft de kolonel slechts zijn naam, rang, legernummer en geboortedatum prijsgegeven.

Toch is deze verhoormethode bijzonder effectief gebleken in het overreden van de onwillige Amerikanen om hun geheimen prijs te geven; de gevangenen noemen het het telefoonuurtje. Ze zijn gek op galgenhumor, die Yanks. Gelukkig had Oompje Ho voor zijn voortijdig overlijden zijn officieren laten weten dat de Conventie van Genève niet van toepassing was op de Amerikaanse gevangenen; aangezien er officieel geen sprake is van een oorlog tussen de Verenigde Staten van Amerika en de Democratische Republiek Vietnam, bestaan er ook geen Amerikaanse krijgsgevangenen, had Ho Chi Minh gezegd. Alleen Amerikaanse oorlogsmisdadigers. Die hun verblijf in het San Bie-gevangenenkamp nooit zullen vergeten, als het aan majoor Pham Hong Duc ligt.

Hij knikt naar luitenant Binh, die grinnikt terwijl hij aan de slinger draait, waardoor er een stroomstoot via de draden naar de geslachtsdelen van de kolonel gejaagd wordt. Het lichaam van de Amerikaan spant zich tot het uiterste, maar hij geeft geen kik. Merkwaardig, dacht de majoor. De meeste Amerikanen krijsen als speenvarkens en verliezen de controle over hun blaas en darmen als ze aan deze vorm van marteling worden onderworpen – vandaar het gat in de stoelzitting en de emmer eronder –, maar de kolonel knarsetandt alleen maar en verdraagt de pijn, terwijl zijn armen en benen aan de leren riemen rukken –

'Meneer Brice! Meneer Brice! Voelt u zich wel goed?'

Ben deed zijn ogen open. Hij had zijn kaken op elkaar geklemd, hij transpireerde hevig en ademde snel, en zijn vingers groeven in de leren armleuningen van de stoel. Agent Randall stond over hem heen gebogen.

'Uw ademhaling loopt uit de grafiek!'

17.33 uur

'Ze zijn clean,' zei agent Randall.

Eugene Devereaux kauwde op een pootje van zijn leesbril. Hij stond met Randall in de commandopost naast Devereauxs bureau.

'Ik dacht ook niet dat de familie hier iets mee te maken had. Maar het hoofdkwartier zei dat we het protocol moesten volgen.'

'De grootvader,' zei Randall. 'Zijn rug ziet eruit alsof iemand die met een vleesmes onder handen heeft genomen.'

'Hij is kolonel geweest bij de landmacht. Is vermoedelijk krijgsgevangene geweest.'

'In Vietnam?'

'Ja.'

'Martelden ze Amerikaanse gevangenen?'

Devereaux grinnikte. 'Geven ze tegenwoordig geen geschiedenisles meer op school?'

Randall keek hem aan als een kind dat niet wist wat het verkeerd had gedaan.

'Ja, de Noord-Vietnamezen martelden onze jongens, en dan niet het soort martelingen dat ze in Guantanamo Bay toepassen, waar de gevangenen gedwongen worden om dag en nacht naar Barry Manilow te luisteren. De Noord-Vietnamezen ranselden onze jongens af, dienden ze stroomstoten toe, braken hun armen en benen…'

Randall keek langs Devereaux heen naar de deur. 'Hier is hij,' zei hij, en hij liep de kamer uit.

Devereaux draaide zich om. De magere blonde man die op hem af liep, was misschien één meter tachtig lang en tachtig kilo zwaar, maar in Devereauxs ogen leek hij nu groter.

'Kolonel Brice…'

Een korte stilte. 'U hebt het nodige huiswerk gedaan.'

'Dat hoort erbij, kolonel.'

De kolonel knikte. 'U hoeft me niet met kolonel aan te spreken.'

'U hebt het verdiend, meneer. Ik ben luitenant geweest, reserveofficier, ingekwartierd bij de University of Texas. Uiteraard vormde het exerceren op een trainingsveld niet bepaald de ideale voorbereiding op Vietnam.'

'Hetzelfde gold voor West Point.'

Ze glimlachten allebei, terwijl ze een gedachte deelden die voorbehouden was aan soldaten die daadwerkelijk gevochten hadden en dat gedurende de rest van hun leven probeerden te vergeten. Devereaux zette zijn leesbril op en pakte de uitvergrote foto's van zijn bureau.

'De trainer heeft de mannen aan de hand van deze vergrotingen niet kunnen identificeren,' zei Devereaux. 'En deze tatoeage… iets dergelijks ben ik in de krijgsmacht nooit tegengekomen, maar u misschien wel. De bovenste helft wordt bedekt door de mouw van zijn T-shirt, maar het zichtbare gedeelte ziet eruit als een stel adelaarsvleugels van het para-insigne, afgezien dan van het doodshoofd met de gekruiste beenderen.' Hij stak kolonel Brice de uitvergroting van de tatoeage toe. 'Ik laat momenteel uitzoeken of een dergelijke tatoeage voorkomt in onze gegevensbestanden over bendes. Het zou de tatoeage van een motorclub kunnen zijn. Er staat "viper".'

De kolonel griste de vergroting uit Devereauxs hand en staarde naar de afbeelding alsof het het gezicht van Satan was. Het bloed trok weg uit zijn gezicht en hij liet zich op een stoel vallen. Hij liet de vergroting los; die dwarrelde op de vloer. Hij boog zich voorover en sloeg zijn handen voor zijn gezicht. 'Kolonel, voelt u zich wel goed?' Devereaux pakte de vergroting op. 'Hebt u deze tatoeage eerder gezien?'

Kolonel Brice haalde zijn vingers door zijn blonde haar en ging langzaam rechtop zitten. Hij ademde een paar keer diep in en uit. Hij sprak zonder Devereaux aan te kijken.

'Het is geen tatoege van een motorclub.'

'Hoe weet u dat?'

De kaakspieren van de kolonel spanden en ontspanden zich enkele malen. Hij maakte zijn linkermanchetknoopje los en begon zijn mouw op te rollen. Hij droeg een zwart horloge, militaire stijl. Zijn gebruinde onderarm was bedekt met zongebleekte blonde haartjes; zijn bovenarm, waar de zon geen vrij spel had gehad, was bleek. Maar wat opviel op zijn bovenarm waren de adelaarsvleugels die met zwarte inkt in zijn witte huid waren getatoeëerd; op de plek tussen de vleugels waar normaal gesproken een open parachute staat afgebeeld, ten teken dat een soldaat de parachutistenopleiding heeft voltooid, stond een doodshoofd met gekruiste beenderen. In een halve cirkel boven de vleugels stonden woorden in Aziatisch schrift met daaronder de letters SOG-CCN; en onder de vleugels, tussen aanhalingstekens, VIPER. Devereaux boog zich voorover en hield de vergroting tegen de arm van de kolonel; het zichtbare gedeelte van de tatoeage op de foto kwam exact overeen met het onderste gedeelte van de tatoeage van de kolonel.

Devereaux stond op, zette zijn leesbril af en wachtte tot de kolonel iets zou zeggen. Hij drong niet aan; dat kon hij niet. Deze man was verdomme een echte Amerikaanse held. Toen kolonel Brice uiteindelijk sprak, hield hij zijn blik gericht op zijn voeten.

'SOG-team Viper hield zich bezig met het soort geheime operaties waar presidenten over logen. SOG stond voor Studies and Observation Group, CCN was Command and Control North. We voerden operaties uit in Laos, Cambodja en Noord-Vietnam. Onze missie was het saboteren van transporten via de Ho Chi Minh-route, het vermoorden van Noord-Vietnamese officieren, het uitvoeren van verkenningen voor luchtaanvallen… wat officieel allemaal niet gebeurd is. We opereerden buiten de boekjes.'

Devereaux wees naar de Aziatische lettertekens op de bovenarm van de kolonel.

'Die andere woorden, is dat Vietnamees?'

De kolonel knikte.

'Wat staat er?'

De kolonel aarzelde even, en zei toen: '"Wij doden voor de vrede." Het officieuze devies van de Groene Baretten.' Hij keek Devereaux nu aan. 'Verdomd moeilijk om van af te komen, een tatoeage.'

Devereaux overhandigde de vergroting van de grootste van de twee mannen aan de kolonel.

'Dit is de man met die tatoeage. Herkent u hem? Het lijkt me dat je een dergelijk litteken niet zo gemakkelijk vergeet.'

De kolonel staarde naar de foto; Devereaux dacht even dat hij een blik van herkenning op het gezicht van de kolonel zag verschijnen. Maar ten slotte schudde kolonel Brice langzaam het hoofd en zei: 'Nee.'

'Hoeveel mannen hebben zo'n tatoeage?' vroeg Devereaux.

'Viper was een verkenningsteam van twaalf man dat al vier jaar actief was voordat ik erbij kwam. Er sneuvelden nogal wat leden. Misschien zijn er vijfentwintig man die die tatoeage hebben laten zetten, misschien meer. Ik kende alleen de elf man die samen met mij het team vormden.'

'Dan vragen we toch de SOG-dossiers op…'

'Die dossiers krijgt u nooit, als ze überhaupt al bestaan.' De kolonel stond op en rolde zijn mouw omlaag. 'Agent Devereaux, mijn vrouw weet wat ik daar gedaan heb, maar mijn zoon niet. Dat zou ik graag zo houden.'

'Ik begrijp het.'

Devereaux dacht: *Alleen een held uit de Vietnamoorlog zou zich verplicht voelen zijn heldhaftigheid voor zijn eigen zoon verborgen te houden.*

'Hij heeft de tatoeage wel gezien,' zei de kolonel, 'maar hij kent de betekenis niet. En hij weet niets over het Viper-team.'

'En mevrouw Brice?'

'Elizabeth? Nee. Ze weet dat ik in Vietnam heb gevochten, verder niets. Ze zou het niet begrijpen. Niemand die daar zelf niet is geweest, kan het begrijpen.'

'Dat ben ik volkomen met u eens.'

De kolonel maakte zijn manchetknoopje dicht en zei: 'Ik zou het als een persoonlijke gunst beschouwen als u de tatoeage niet ter sprake zou willen brengen in het bijzijn van mijn familie.'

Devereaux keek de kolonel even aan en zei: 'Goed, kolonel, voorlopig houden we het onder ons. Het lijkt me sowieso verstandig om die tatoeage buiten de publiciteit te houden, voor het geval ik de namen van die Groene Baretten te pakken kan krijgen.'

De kolonel staarde Devereaux aan, maar het was alsof hij dwars door hem heen keek. Eugene Devereaux had in Vietnam bij de infanterie gezeten. Een zandhaas. Groene Baretten waren de elite van de landmacht, getraind in de kunst van het doden. Ben Brice zag er niet bepaald uit als een getrainde killer. Hij was geen fysiek intimiderende man, zoals de Groene Baretten die Devereaux in het leger had gezien. Ook was hij niet de stereotiepe machocommando. Sterker nog, hij leek haast te zachtmoedig om te hebben gedaan wat Groene Baretten veertig jaar geleden in Zuidoost-Azië deden. Maar er was iets in die blauwe ogen wat Devereaux iets anders vertelde.

19.14 uur

Gracie had pijn, ze was bang en ze huilde en smeekte om gered te worden. En haar vader deed helemaal niets om haar te redden. Hij zou niet weten hoe.

Little Johnny Brice staarde naar een levensgrote voetbalfoto van zijn dochter die aan de zijmuur van de kantine was bevestigd, onder een spandoek met in grote letters WE HOUDEN VAN JE, GRACIE; eronder lagen roze linten, kaarten, gekleurde ballonnen en honderden bosjes bloemen en teddyberen. De kantine was nu een gedenkplaats voor zijn dochter.

Gracie was verdwenen omdat haar vader als man niet veel voorstelde.

John had deze gebedswake niet willen bijwonen, maar de FBI zei dat het belangrijk was om een beroep te doen op het medegevoel van de ontvoerder – als hij op televisie het verdriet zag dat hij haar familie aan-

108

deed, zou hij haar misschien wel laten gaan. Maar John kon alleen maar denken aan Gracies pijn.

Hij voelde een hand op zijn schouder. John draaide zich om en keek in de ogen van zijn vader, deze man die hij vroeger kolonel had genoemd en nu Ben maar nooit vader of pa, die ooit een held was geweest met een gezin maar die nu een alcoholist met een hond was. Zijn moeder had hem verteld dat zijn vader een goed mens was die kapotgemaakt was door een slechte oorlog; dat er in Vietnam verschrikkelijke dingen met hem waren gebeurd; dat de oorlog voorbij was maar dat Ben Brice nooit meer rust gevonden had.

John Brice had nooit ook maar het geringste medeleven voor zijn vader kunnen opbrengen.

'Kom mee, jongen,' zei Ben, terwijl hij John zachtjes wegtrok van de geïmproviseerde gedenkplek.

De ogen van zijn zoon bleven strak gericht op de beeltenis van Gracie. Hij fluisterde: 'Ik heb haar veter niet vastgemaakt.'

Ben draaide John om, en ze liepen langs de burgemeester die een tv-interview gaf – 'Een veilige plek, een fantastische plek om je droomhuis te bouwen en je kinderen groot te brengen' – naar de voorkant van de kantine, waar een jonge priester de menigte voorging in gebed. Ben en John stonden te midden van honderden ouders en kinderen met Gracie-buttons en T-shirts met Gracies afbeelding op de rug en flakkerende kaarsen in de hand. Onder de menigte bevonden zich FBI-agenten; enkelen van hen maakten onopvallend met minicamcorders opnamen van de gebedswake. Devereaux had gezegd dat het niet uitgesloten was dat de ontvoerder zijn gezicht zou laten zien.

'Meneer Brice.' Een jonge blonde man en een zwangere vrouw waren op John af gelopen, die zich omdraaide en naar hen keek maar hen niet leek te zien. 'Meneer Brice,' begon de jongeman opnieuw, 'ik wil alleen maar zeggen hoe erg ik het vind. We krijgen een baby en... ik bedoel...'

Hij keek Ben aan; hij wist niet meer wat hij moest zeggen.

'Dank u voor uw medeleven,' zei Ben tegen de jongeman.

Het stel liep weg. Vooraan begon een jong meisje te zingen: '*A-mazing Grace, how sweet the sound...*' En de menigte viel in:

'That saved a wretch like me,
I once was lost, but now I'm found,
I was blind, but now I see…'

De parkverlichting doofde langzaam, tot het enige licht afkomstig was van de flakkerende vlammetjes van honderden kaarsen die omhoog werden gehouden terwijl de mensen zongen.

De sterren in de donkere Vietnamese nacht lijken angstig te flikkeren, alsof ze ineenkrimpen bij het geluid van wapens die volautomatisch vuren en dood en verderf zaaien in dit dorpje. Maar niet voor dit meisje. Hij is vastbesloten haar te redden.

Luitenant Ben Brice houdt het porseleinen poppetje in zijn armen terwijl hij door het brandende dorpje in de richting van de jungle holt, waar hij haar kan verbergen. Hij kijkt om en struikelt over een dood varken, waardoor hijzelf en het porseleinen poppetje tegen de grond smakken. Het porseleinen poppetje krabbelt het eerst overeind. Voordat hijzelf overeind kan komen, spat haar hoofd als een rijpe watermeloen uiteen; haar hersenen en bloed spatten over het gezicht en het gevechtstenue van de tweeëntwintigjarige tweede luitenant. Als hij opkijkt, ziet hij de majoor daar staan; de rook uit de loop van zijn .45-pistool hangt nog in de vochtige lucht en onttrekt de Viper-tatoeage op zijn blote linkerarm gedeeltelijk aan het zicht.

'Ze was nog maar een kind!' schreeuwt hij tegen zijn SOG-teamleider.

'Ze was maar een spleetoog,' reageert de majoor kalmpjes, terwijl hij het bloed van het meisje van zijn wapen veegt. 'Het zijn allemaal maar spleetogen, luitenant. En het is jouw taak om spleetogen te doden.'

De SOG kende slechts weinig regels, maar daar werd dan ook strikt de hand aan gehouden: laat nooit een teamlid achter; laat je nooit gevangennemen door de vijand en ga tijdens acties nooit in discussie met de teamleider. De majoor keert de naïeve en idealistische jonge luitenant, die op zijn eerste missie een SOG-regel overtreedt, de rug toe.

'U hebt het oorlogsrecht geschonden! En de militaire gedragscode!'

De majoor blijft staan, draait zich om, en twee stappen later staat hij over de luitent heen gebogen, zijn blauwe ogen fonkelend van woede.

'Hier in de jungle ben ík de wet! Ik bepaal de regels! En ik zeg dat we

Vietcong doden! We doden vee dat als voedsel voor de Vietcong dient! We steken hutten in brand die onderdak bieden aan de Vietcong! We doden burgers die de Vietcong helpen! Dat is *mijn* gedragscode, luitenant!'

De majoor haalt diep adem en bedaart. Hij gaat op zijn hurken voor zijn meest recente discipel zitten, de woede nu gezakt, en even denkt Ben dat de majoor hem zal gaan troosten, misschien een bemoedigend persoonlijk woordje zal richten tot een jonge soldaat die geen ervaring heeft met oorlog voeren in een moreel vacuüm; maar de majoor zet de loop van zijn .45 tegen Bens hoofd en zegt met vaste stem: 'Soldaat, als je ooit nog eens mijn beslissingen in twijfel trekt, jaag ik je een kogel door je kop en dan kan de Vietcong wat mij betreft van jou ook soep koken. Dat garandeer ik je godverdomme.'

De majoor komt overeind en loopt weg door rook en vuur en opdwarrelende as. Ben brengt zijn hand omhoog om het bloed van zijn gezicht te vegen en ziet dat die hand trilt.

Ben was trots geweest toen hij hoorde dat de majoor hem had uitgekozen om een lege plek in het sog-team Viper op te vullen. De majoor was zevenendertig en een levende legende bij de Special Forces. Ben Brice was tweeëntwintig en naïef. 'Nu ben je een echte soldaat, Brice,' zei de majoor nadat Ben in Saigon zijn Viper-tatoeage had laten zetten. 'Een van ons.' En hij was trots geweest na de hinderlaag die ze hadden gelegd voor dat Noord-Vietnamese legerkonvooi dat via de Ho Chi Minh-route door Laos voorraden vervoerde die de vijand zouden helpen, en wapens waarmee Amerikanen gedood zouden worden.

Vandaag voelt hij geen trots.

Luitenant Ben Brice staat langzaam op en kijkt neer op het porseleinen poppetje, haar armen en benen grotesk gespreid, haar nietsziende ogen die hem aanstaren, het laatste moment van haar leven bevroren op haar gezicht – een gezicht dat hem de rest van zijn leven elke nacht zal blijven achtervolgen. Hij draait zich om en loopt weg, het porseleinen poppetje en zijn ziel achterlatend om weg te rotten in de vruchtbare zwarte grond van de provincie Quang Tri in Zuid-Vietnam.

God heeft een plan voor Ben Brice, dat had zijn moeder tenminste altijd gezegd en dat had hij altijd geloofd, tot aan die donkere nacht in Vietnam. Nu, achtendertig jaar na die gebeurtenis, zat Ben Brice elke avond

in zijn schommelstoel op de veranda van de kleine blokhut die hij eigenhandig had gebouwd, te kijken naar de zon die onderging boven
Taos, en dan vroeg hij zich af wat Gods plan was geweest en waarom het
zo verkeerd was gelopen. Nu, terwijl hij naar de sterren staarde boven de
villa van zijn zoon in een voorstadje van Dallas, begon de vage omtrek
van een antwoord zich af te tekenen in zijn geest.

DAG VIER

06.05 uur

Terwijl het hek opengleed voor zijn auto, groette Eugene Devereaux de geüniformeerde bewaker die een Gracie-button droeg. Briarwyck Farms was de Amerikaanse Droom, een exclusieve woongemeenschap, afgesloten met een zwart ijzeren hek, omgeven door een drie meter hoge stenen muur, en dag en nacht bewaakt door een particuliere beveiligingsdienst, een plek waar alle huizen minimaal een miljoen dollar kostten, alle ouders succesvol waren en alle kinderen veilig.

Maar die muur en dat hek hadden Gracie geen veiligheid geboden.

Het was maandagochtend – zestig uur na de ontvoering – en Devereaux wist het niet meer. Hij had een commandopost die uitgerust was met telefoons, faxen en computers met RapidStart, het geavanceerde informatieverwerkingssysteem van de FBI dat in staat was gelijktijdig duizenden aanwijzingen op te slaan, te indexeren, te vergelijken en na te trekken – alleen had hij geen aanwijzingen.

Het meisje was spoorloos verdwenen.

Devereaux stopte voor een kruising voor de basisschool. Een klaarover die een stopbord omhooghield, hielp een groepje kinderen oversteken; over haar shirt met lange mouwen droeg ze een wit T-shirt met een foto van Gracie op de rug met daarboven de tekst HEBT U MIJ GEZIEN? Onder de foto stond BEL 1-800-VERMISTEN.

De klaar-over gebaarde dat hij door mocht rijden. Bij de volgende kruising sloeg hij rechtsaf. De geüniformeerde agenten die aan het eind van Magnolia Lane geposteerd waren, herkenden Devereauxs auto en begonnen de houten wegversperringen al weg te halen zodra hij de hoek om kwam. Hij zag dat het mediacircus inmiddels op volle toeren draaide. De landelijke tv-stations waren gearriveerd.

'Shit. Ze gaat het echt doen.'

06.49 uur

'Mevrouw Brice, doet u dit alstublieft niet. Elke halvegare in het land komt eropaf. Daar schieten we niets mee op. Het is een kwestie van afwachten.'

'Ik heb lang genoeg gewacht.'

Elizabeth liep weg en Devereaux bleef in de keuken achter, duidelijk gefrustreerd door een moeder die weigerde de haar toebedachte rol te spelen. Nou, jammer dan. Het slachtoffer werd nu eenenzestig uur vermist en deze moeder was het zat om te blijven afwachten – tot er een losgeldtelefoontje zou komen, tot de ontvoerder opgepakt zou worden, tot een speurhond het lijk van haar dochter zou vinden, tot God haar zou redden. Deze moeder wilde haar dochter levend zien of de ontvoerder dood. Of allebei. En dus nam deze moeder het heft in eigen hand.

Ze was gekleed alsof ze naar de rechtbank ging; ze had haar haar gedaan en haar make-up camoufleerde de wallen onder haar ogen. Vandaag zou ze niet de deerniswekkende, treurende, afgepeigerde moeder zijn die met trillende stem en tranen die over haar gezicht liepen en haar make-up ruïneerden, op tv ten overstaan van het hele land een perverse smeerlap smeekte om het leven van haar kind te sparen. Vandaag was ze een keiharde advocate die onderhandelde met de tegenpartij: jij hebt iets wat ik wil; ik heb iets wat jij wilt. Laten we een deal sluiten, klootzak.

Ze liep de brede gang door; de vertrouwde adrenalinestoot verschafte haar energie voor haar komende optreden, net als wanneer ze de rechtszaal betrad voor het begin van een proces. Alle hoofden draaiden haar kant op toen ze de bibliotheek binnenkwam, die nu op een televisiestudio leek. De drie landelijke tv-zenders waren vertegenwoordigd met camera's en technici; de presentators van de ochtendshows in New York zouden de interviews doen en die zouden live worden uitgezonden. Dat waren de voorwaarden die Elizabeth gesteld had.

'Nog vijf minuten, mevrouw Brice!' riep een irritant mannetje met

116

een koptelefoon op terwijl hij vijf vingers omhoogstak voor het geval ze doof mocht zijn.

Ze zat naast John op een stoel met rechte rug die voor de boeken-planken stond opgesteld, een achtergrond die meer aan een advocaten-kantoor deed denken dan aan een woonhuis. Elizabeth had dit optre-den tot in alle details gepland, net alsof ze op het punt stond met een officier van justitie in onderhandeling te gaan over de invrijheidstelling van haar cliënt; in plaats daarvan stond ze op het punt om met een per-verse smeerlap te onderhandelen over het leven van haar dochter. En niemand anders dan zij zou de onderhandelingen voeren. Ze had haar echtgenoot dezelfde uitdrukkelijke instructie gegeven die ze haar schul-dige cliënten gaf voor het begin van de onderhandelingen over het af-leggen van een bekentenis in ruil voor strafvermindering: *Je houdt je bek dicht!*

John droeg zwarte instappers, witte sokken, een geel overhemd en een lullige blauwe stropdas met tekenfilmfiguurtjes, zijn zakelijkste stropdas; hij had in elk geval geprobeerd iets aan zijn haar te doen. Hij staarde in de verte. Ze boog zich naar hem over en zei: 'Doe die stropdas af.' Terwijl hij gehoorzaam de stropdas afdeed, plukte zij de propjes toi-letpapier van zijn gezicht op de plekken waar hij zich bij het scheren had gesneden – en zag nog steeds de sporen van haar handtastelijkheid van twee dagen geleden. Opnieuw stak iets van wroeging de kop op; ditmaal kreeg die een voet tussen de deur.

Elizabeth zuchtte. Later had ze altijd de pest aan zichzelf – nadat de razernij weggeëbd was. Nadat ze tegen John tekeer was gegaan. Dat ver-diende hij niet. Ze had hem te vaak stijf gevloekt, maar ze had hem nooit eerder geslagen. Ditmaal was ze in haar razernij te ver gegaan en dat boezemde haar angst in.

Ze staarde naar haar echtgenoot en vroeg zich af of hij haar half zo-veel haatte als zij zichzelf haatte.

Op de kleurenmonitor in Johns gedachten stond zijn beeld van de ont-voerder – grof, dik, behaard, vuil, gemeen en lelijk –, een man die er toe-vallig net zo uitzag als de pestkoppen die hem als kind op de legerbases geterroriseerd hadden.

Hij dacht weer aan de pestkoppen, Luther Ray in het bijzonder, en vroeg zich af wat het leven die pummel gebracht had – vermoedelijk een stacaravan ergens op het platteland van Alabama. John had zich Luther Ray altijd voorgesteld als een domme, racistische boerenkinkel die eens per week in zijn gammele pick-up naar de stad reed om zijn werkeloosheidsuitkering te innen (na ontslagen te zijn bij de plaatselijke kippenslachterij). Op de terugweg naar huis zou hij dan hier en daar nog wat aan de straat gezet grofvuil doorzoeken om te zien of er misschien iets bij zat wat hij kon gebruiken in de stacaravan. Luther Ray zou een kater hebben na de bijeenkomst de vorige avond van de plaatselijke Ku Klux Klan-afdeling als hij zijn ochtendkrant opensloeg en las dat John Brice nu miljardair was.

'Godverdomme, is dat onze Little Johnny Brice?' zou Luther Ray tegen zijn vrouw zeggen, die aan het fornuis grutten voor het ontbijt stond te koken. 'Dat lulletje rozenwater heeft het tot miljardair geschopt?' Vervolgens zou hij lachen en zeggen: 'Shit, die hebben we vroeger regelmatig in elkaar getremd, gewoon voor de lol.'

En dan zou zijn vrouw (dik en met een ontbrekende voortand) een scheet laten en iets zeggen als: 'Nou, Luther Ray, misschien had je wat aardiger tegen die kleine Johnny moeten zijn, dan had hij je nu een goeie baan kunnen geven en dan zouden de kinderen en ik niet op dit stomme kamp hoeven wonen.' En vanaf dat moment zou zijn vrouw elke keer als ze ruzie hadden over geld of over zijn drankgebruik (elke dag dus), woorden van diezelfde strekking uitbraken, als het groene braaksel van het meisje in *The Exorcist*, zodat Luther Ray er voor de rest van zijn miserabele leven aan herinnerd zou worden dat Little Johnny Brice een miljard dollar had en hij een stacaravan.

De afgelopen negentien jaar hadden zich in Johns hoofd minstens eenmaal per dag wisselende versies van dat scenario afgespeeld, een scenario dat hij had bedacht tijdens zijn eerste rit naar MIT, toen hij zich ten doel had gesteld om op zijn veertigste miljardair te zijn, en dat hij sindsdien steeds had verbeterd. Een paar jaar geleden had hij de vrouw aan het scenario toegevoegd.

En dat was de reden waarom hij er zo op gebrand was geweest om miljardair te worden. Dankzij de hausse op de effectenmarkt en in het onroerend goed was iedereen en zijn ouwe moer tegenwoordig miljonair. Maar in één dag miljardair worden, zoals die jongens van Google – dat zou nog steeds elke krant in het land halen, zelfs op het platteland van Alabama.

Maar nu zou Luther Ray hem op tv zien, horen dat zijn dochter was ontvoerd in een park terwijl hij vlak in de buurt was, en hij zou zeggen: 'Als een of andere smeerlap geprobeerd had om onze Ellie May te ontvoeren terwijl ik in de buurt was, dan zou hij het niet meer kunnen navertellen, neem dat maar van mij aan. Little Johnny Brice mag dan een hoop poen hebben, maar een echte vent is hij niet. Nooit geweest ook.' En de vrouw zou instemmend knikken.

En ze zouden gelijk hebben.

'Mevrouw Brice!'

Elizabeth rukte haar blik los van John en concentreerde zich op datgene wat haar te doen stond. Het irritante mannetje stond nu vlak voor haar; hij had zich voorovergebogen, zijn handen rustten op zijn knieën en zijn ronde gezicht bevond zich op een halve meter van het hare.

'Eerst komt er een inleiding, drie minuten,' – hij stak drie vingers op, wees toen naar een tv-monitor aan de zijkant van het vertrek – 'die kunt u daar volgen. Daarna gaat DeAnn live met u in gesprek.' Vier vingers. 'Vier minuten, dan de reclame. Als ik het stopteken geef, houdt u uw mond. Als u doorpraat, wordt u onderbroken.'

Toen het mannetje opzij stapte, keek Elizabeth recht in het gezicht van agent Devereaux, die zich teruggetrokken had achter de camera's; hij stond tegen de deurstijl geleund en staarde haar aan. *Hé, je kunt de pot op met je FBI! Jullie hebben mijn dochter niet gevonden!*

'Stilte!' riep het mannetje. Hij wees naar de tv-monitor.

De ochtendshow kwam terug op het scherm. De gastvrouw introduceerde de verslaggever, live vanuit Texas, op het gazon voor de grote villa, met een Gracie-button op zijn revers.

'DeAnn, Gracie Ann Brice is tien jaar oud' – Gracies voetbalfoto verscheen op het scherm – 'en op deze maandagochtend wordt ze nog steeds vermist. Ze is ontvoerd door een blonde man met een zwart petje en een geruit overhemd, na haar voetbalwedstrijd vrijdagmiddag hier in Post Oak, Texas, een welvarende enclave vijfenzestig kilometer ten noorden van Dallas. Ik sta hier voor de villa van drie miljoen dollar van het gezin in deze villawijk.'

Op de monitor waren beelden te zien van Briarwyck Farms, het mediacircus buiten, en hun huis. De voice-over van de verslaggever vervolgde: 'Het park waar ze ontvoerd is, doet nu dienst als geïmproviseerde gedenkplaats voor Gracie.' Op de monitor verschenen beelden van het park en de kantine, het spandoek en de bloemen. 'Kinderen hebben bloemen, knuffels en briefjes neergelegd voor hun vriendinnetje. Gisteravond is hier een gebedswake bij kaarslicht gehouden. Honderden mensen kwamen opdagen om te bidden voor Gracies veilige terugkeer. Haar ontvoering heeft de bewoners van deze gemeenschap angst aangejaagd.'

Het vertwijfelde gezicht van een buurtbewoner: 'Dit zou hier niet mogen gebeuren. We zouden hier veilig moeten zijn.'

De stem van de verslaggever bij videobeelden van de zoekactie: 'Er wordt al twee dagen zonder succes gezocht naar Gracie. Afgezien van haar voetbalbroekje en een van haar voetbalschoenen, die zaterdag door speurhonden zijn gevonden, is er geen enkel spoor van haar gevonden. Het Heidi Search Center heeft een uitgebreide vrijwilligersactie op touw gezet om de directe omgeving van het stadje te doorzoeken.'

Op de monitor verschenen beelden van mensen die elkaar omhelsden en de tranen van hun gezicht veegden. 'We zijn hier omdat ons kind het volgende slachtoffer zou kunnen zijn,' zei een van de vrijwilligers.

'Bij Gracies school' – een liveopname van kinderen die bij de basisschool van Briarwyck Farms arriveerden – 'houden ouders hun kinderen vandaag dichter bij zich.'

Het gezicht van een jonge vrouw met het onderschrift NORA UNDERWOOD, GRACIES ONDERWIJZERES: 'Eigenlijk horen we niet te bidden op school, maar vandaag bidden we.'

En AMY APPLEWHITE, HOOFD VAN DE SCHOOL: 'We hebben een beroep gedaan op crisisbegeleiders met wie de kinderen over hun angsten kunnen praten.'

Weer live naar de verslaggever voor het huis, die de flyer met Gracies beeltenis omhooghield: 'DeAnn, vrienden en buurtgenoten hebben duizenden van deze flyers verspreid in de wijde omgeving, en evenveel roze linten bij wijze van steunbetuiging. Het National Center for Missing and Exploited Children heeft Gracies foto op zijn website gezet, op www.missingkids.org, evenals de FBI, op www.fbi.gov. Haar gezicht zal overal ter wereld te zien zijn. Het is inmiddels duidelijk dat er sprake is van ontvoering door een buitenstaander; de FBI heeft eventuele betrokkenheid van de familie uitgesloten met behulp van leugendetectortests. De ouders blijven hopen, maar vrezen het ergste. Gracie wordt al meer dan zestig uur vermist. Terug naar jou, DeAnn.'

Elizabeth wendde haar blik af van de monitor en kreeg Sam in het oog, die op de bank achter in het vertrek met een strak gezicht naar een tv-monitor zat te staren. Ze kon de angst in zijn ogen zien. *Verdomme, waar is Hilda?* Elizabeth probeerde Sams aandacht te trekken om hem het vertrek uit te sturen, maar het irritante mannetje stond weer druk naar haar te gesticuleren en naar de monitor te wijzen. Elizabeth wendde haar blik af van Sam en keek naar de monitor.

Op het scherm was nu het bezorgde gezicht te zien van DeAnn, de presentatrice in New York, die met een wijsvinger tegen haar opeengeklemde lippen gedrukt traag en bedroefd het zorgvuldig gecoiffeerde hoofd schudde. Wat een inlevingsvermogen zo vroeg op de ochtend, dacht Elizabeth, en dat vlak voordat ze een item over liposuctie moet presenteren. Nu zou ze de wanhopige ouders interviewen, die op tv ten overstaan van het hele land de ontvoerder in tranen zouden smeken om hun dochter te laten gaan, een gegarandeerde kijkcijferhit. Zo stond het in het script. Zo werden die dingen geacht te gaan. Nou, DeAnn, zet je maar schrap, meid, want vandaag zal het er een tikkeltje anders aan toegaan.

DeAnn, vanuit New York: 'Vandaag hebben we in het programma, vanuit hun huis een eindje buiten Dallas, Gracies ouders, John en Elizabeth Brice.'

Het irritante mannetje wees naar hen; ze waren live in beeld.

'John Brice is de oprichter van BriceWare.com, dat over twee dagen naar de beurs gaat, waardoor hij van de ene dag op de andere de zoveelste hightechmiljardair wordt. Elizabeth Brice is een vooraanstaand strafpleiter in Dallas. Meneer Brice, de ontvoering van uw dochter staat vandaag op de voorpagina van *The Wall Street Journal*. U stond op het punt uw droom te verwezenlijken, en nu is uw dochter ontvoerd. Dit moet afschuwelijk voor u zijn. Hoe voelt u zich?'

O, shit, dacht Elizabeth, terwijl ze zich schrap zette voor een staaltje van Johns belachelijke koeterwaals, iets in de trant van: *DeAnn, mijn wetware is compleet ontregeld! De een of andere maniak heeft mijn dochter losgekoppeld van mijn netwerk en dat is hartstikke fout en onbehoorlijk!*

Maar John keek in de camera en zei zachtjes: 'Ik voel me leeg.'

Elizabeth staarde weer naar haar echtgenoot en zag een vreemde.

DeAnn, vanuit New York: 'Waarom denkt u dat de ontvoerder Gracies voetbalbroekje in het bos heeft achtergelaten? En die ene voetbalschoen?'

Ze trok alle registers open om de tranen aan het vloeien te krijgen. Maar met Johns antwoord wist ze kennelijk even geen raad: 'Ik ben vergeten haar veter na de wedstrijd vast te maken.'

'Eh, ja, maar bij deze ontvoering is het kennelijk niet om losgeld te doen. Uw dochter is ontvoerd door een zedendelinquent – maar Gracie voldeed niet aan het risicoprofiel dat men gewoonlijk associeert met kinderen die door zedendelinquenten ontvoerd worden. Waarom denkt u dat hij het op uw dochter voorzien had?'

John schudde het hoofd. 'Ik weet het niet.'

'Waren er problemen thuis? Zou het kunnen zijn dat ze weggelopen is?'

'Nee. Ze weet dat we van haar houden.'

DeAnn maakte nu een zichtbaar gefrustreerde indruk. 'Denkt u dat ze nog in leven is?'

'Ja.'

Nog steeds geen tranen.

'Meneer Brice, zijn er problemen in uw huwelijk?'

'Mijn *huwelijk?*'

Het kostte Elizabeth de grootste moeite om haar woede in bedwang te houden; als deze landelijk uitgezonden therapeutische sessie nog veel langer duurde, zou ze zich niet meer kunnen beheersen. Ze kwam tussenbeide.

'DeAnn,' zei Elizabeth, en de camera zoomde in op Elizabeth Brice. 'We zijn hier niet voor relatietherapie. We zijn hier omdat een onbekende mijn dochter heeft ontvoerd. Hij heeft haar van ons weggenomen, en we willen haar terug. En we zijn bereid daarvoor te betalen. Voor informatie die leidt tot de veilige terugkeer van mijn dochter betalen we vijfentwintig miljoen dollar, contant.'

Elizabeth stelde zich voor hoe kijkers in het hele land hun ochtendkoffie uitproestten; ze had zich zojuist verzekerd van de onverdeelde aandacht van de kijkers.

'Als u Grace gezien hebt, belt u ons dan en u bent rijk.'

Een korte pauze voor het effect; DeAnn kreeg de kans niet om ertussen te komen.

'En dan nóg een aanbod, ditmaal voor de ontvoerder: laat mijn dochter vrij, levend en wel, en dan betalen we ú die vijfentwintig miljoen dollar. We zullen het geld storten op een bankrekening op de Cayman Eilanden onder een pincode – dus volledig anoniem. De belastingdienst kan het geld niet traceren, de FBI kan u niet traceren. U kunt het geld telegrafisch laten overmaken naar elke plaats ter wereld. U kunt het vliegtuig nemen naar Costa Rica, Thailand, de Filippijnen, waar u zoveel jonge meisjes kunt krijgen als u maar wilt. U bent rijk en u kunt uw perverse neigingen botvieren – wat wilt u nog meer? Het enige wat ik wil, is mijn dochter terug. Mijn aanbod blijft geldig tot vrijdag middernacht, Dallas-tijd. Vijfentwintig miljoen dollar voor mijn dochter. Het is een goede ruil. Ik zou het maar doen.'

Ze boog zich lichtjes voorover en staarde in de camera met de blik waarmee ze in de rechtszaal al menige getuige had weten te intimideren: 'Want als je dit aanbod niet accepteert, als je mijn dochter op de deadline niet hebt laten gaan, als je mijn dochter niet kúnt laten gaan omdat je haar al vermoord hebt, knoop dan het volgende goed in je oren: je bent ten dode opgeschreven. Ik zet een premie op je hoofd net zoals de regering in het geval van Osama bin Laden heeft gedaan: met ingang van vrijdag één minuut na middernacht betalen we de vijfentwintig miljoen dollar aan degene die jou opspoort en je van kant maakt, als het weerzinwekkende perverse beest dat je bent. En let wel: je gaat niet een paar jaar achter de tralies om vervolgens op vrije voeten te worden gesteld en wéér een jong meisje te verkrachten – dat zal niet gebeuren! Of je laat mijn dochter vrij, óf je zult sterven. De keus is aan jou.'

DeAnn, buiten zichzelf vanuit New York: 'Mevrouw Brice, dit wordt in het hele land uitgezonden! U kunt niet...'

Ter afsluiting: 'Neem het aanbod aan. Neem het geld. En geef ons Grace terug.'

Elizabeth zou hetzelfde aanbod herhalen in de andere landelijke ochtendshows.

08.08 uur

'Mooi is dat verdomme, onze eigen superlotto!' zei de burgemeester. Hij smeet een presse-papier tegen de muur van zijn kantoor op het stadhuis. Hij had een behoorlijk goeie werparm voor zo'n dikzak. Chief Paul Ryan keek vanaf een veilige plek naar de moeder op tv terwijl hij een volgende uitbarsting van de burgemeester over zich heen liet komen.

'Vijfentwintig miljoen dollar, verdomme! Met zo'n bedrag kun je er donder op zeggen dat haar dochter elke dag in het nieuws blijft!'

Ditmaal smeet de edelachtbare een nietapparaat tegen de muur.

'En wij blijven in het nieuws totdat jij haar lijk of haar moordenaar vindt!'

'U bedoelt ontvoerder.'

'Ik bedoel moordenaar. Ze is dood, net zoals die verslaggever zei en dat weet je best. Godverdomme, Paul, zorg dat je die smeerlap vindt!'

'Burgemeester, we ondervragen elke zedendelinquent in de regio, maar...'

Een dikke stijve vinger vlak voor Ryans gezicht: 'Geen gemaar, Paul! Vind hem, arresteer hem en zorg dat we van de tv verdwijnen, of je kunt het wel schudden!'

Paul Ryan verliet het kantoor van de burgemeester terwijl hij zichzelf al twaalf uur per dag in een golfkarretje met geel zwaailicht over een parkeerterrein zag rijden en zich afvroeg wat voor pensioenregeling Wal-Mart voor zijn bewakingspersoneel had.

09.27 uur

'Beschikt u over vijfentwintig miljoen dollar in contanten?' vroeg Eugene Devereaux aan de moeder.

Zonder hem aan te kijken zei ze: 'Mijn man heeft een krediet geregeld met zijn aandelenpakket als onderpand. Over twee dagen is dat pakket een miljard dollar waard. We hebben het geld.'

Voordat het beeld van de moeder van het tv-scherm verdwenen was, begon elk faxapparaat in de commandopost papier uit te spugen, knipperde elk lampje op elke telefoon en was een tiental FBI-agenten druk bezig aanwijzingen in de computer in te voeren, zo snel als ze maar konden typen:

'U hebt haar gezien in Houston?'

'Weet u zeker dat zij het was? Waar in Oklahoma?'

'Arkansas?'

'Louisiana?'

'Mexico? Of bedoelt u soms de staat New Mexico?'

Devereaux zou persoonlijk de computeranalyse van de aanwijzingen bestuderen en beslissen welke tips nagetrokken zouden worden. Hij hoopte uit de grond van zijn hart dat er serieuze aanwijzingen bij zaten, maar zijn verstand zei hem dat het waardeloze meldingen betrof van mensen die op een gedeelte van de beloning uit waren en naar de telefoon grepen bij elk blond meisje dat ze zagen, in de hoop dat ze een lot uit de loterij zouden treffen.

Hij hoorde agent Floyd zeggen: 'Eh, nee, mevrouw, u krijgt geen deel van de beloning als u er toevallig dichtbij zit. Het is geen spelletje jeu de boules.'

En agent Jorgenson: 'En wie zijn er bij haar…? Een man en een vrouw…? En u staat momenteel samen met hen in een kruidenierszaak in Abilene…? Ik hoor iemand "mama" zeggen. Is dat het meisje…? Tja, mevrouw, als het meisje de vrouw "mama" noemt, is dat misschien wel haar moeder.'

Devereaux wendde zich tot de moeder. 'Nou, mevrouw Brice, we hebben bijna vijfhonderd waarnemingen binnengekregen in de twee uur sinds u de beloning hebt uitgeloofd.' Ze stonden samen in het midden van de commandopost.

'Uitstekend.'

'Nee, mevrouw, niet echt. Als het zo doorgaat, heb ik niet voldoende mankracht om al die tips na te trekken.'

De moeder keek Devereaux aan alsof ze een mop had verteld en hij te stom was om die te begrijpen.

'Dat verwacht ik ook niet van u. Grace loopt heus niet ergens in een of ander winkelcentrum rond – denkt u soms dat hij een nieuw voetbalbroekje voor haar heeft gekocht? Als ze nog leeft, is ze bij hem. Ik heb de beloning uitgeloofd om hem onder druk te zetten om haar vrij te laten. Dat is onze enige kans om haar levend terug te krijgen, en dat weet u ook wel.'

Devereaux moest zichzelf zijn eigen regel in herinnering brengen: ruziemaken met de moeder zou hem geen stap dichter bij het vinden van het meisje of het oppakken van de ontvoerder brengen. En waarschijnlijk was het kind toch al dood.

11.17 uur

'Haar lichaam, het is koud.'

Angelina Rojas was één meter vijftig en woog negentig kilo. Ze droeg een roze joggingpak. Ze had haar haar getoupeerd tot een fraai hoog suikerspinkapsel boven haar ronde gezicht, waarop ze extra make-up had aangebracht. Vandaag wilde ze er op haar best uitzien.

Angelina woonde en werkte in de wijk Little Mexico in Dallas. Normaal gesproken zou ze op maandagochtend rond dit tijdstip contact zoeken met de geesten van overleden familieleden van arme Mexicanen, of hun de toekomst voorspellen door hun de hand te lezen of de tarotkaarten te leggen. *Angela Rojas, el medium.* Ze was helderziende. Dat stond tenminste op haar visitekaartje.

Maar gisteren had ze de foto van het ontvoerde meisje op de voorpagina van de zondagskrant zien staan; er was een merkwaardige aantrekkingskracht van de afbeelding uitgegaan. Ze had naar de foto gestaard, had hem vervolgens aangeraakt. Ze had iets gevoeld en iets gehoord. Iets echts ditmaal. Iets wat haar angst aanjoeg. *'La madre de Dios,'* had ze gezegd. *Moeder van God.*

En dus had ze zich vanochtend na het opstaan aangekleed, en had Carlos een overhemd laten aantrekken voordat hij haar hiernaartoe reed. Toen ze bij het grote hek arriveerden, had ze het doel van haar bezoek uitgelegd aan de bewaker, maar hij had geweigerd hen door te laten. Ze had hem gesmeekt om Señora Brice te bellen. Toen hij ook dat weigerde, zei Carlos dat hij uit de Chevy zou stappen en hem een schop voor zijn dikke blanke reet zou geven. De bewaker besloot dat het verstandiger was om even te bellen dan het aan de stok te krijgen met de een of andere Latijns-Amerikaanse *hombre* met een tatoeage van de Maagd Maria op zijn gespierde linkerarm. En dus belde hij, maar hij kreeg Señor Brice aan de lijn. Hij liet hen door.

Carlos was in de auto achtergebleven, buiten de politieversperring aan het begin van de straat; hij was nerveus vanwege het feit dat hij Amerika illegaal binnengekomen was via de Rio Grande vlak buiten Laredo. Zij was de straat door gelopen naar de voordeur van het huis – dat was net zo groot als het kantoor waar ze vroeger elke avond schoonmaakte, voordat ze fulltime helderziende was geworden. Normaal gesproken stond ze erop dat haar klanten contant vooraf betaalden; Angelina accepteerde geen cheques of creditcards. Niet dat haar klanten over bankrekeningen of creditcards beschikten. Maar vandaag bekommerde ze zich niet om geld. Ze wilde helemaal geen geld. Ze wilde hun alleen de boodschap van het meisje doorgeven en dan terug naar huis.

Angelina Rojas was bang dat ze misschien wel echt helderziend was.

Nu zat ze in de keuken tegenover Señor Brice en verscheidene andere blanken; ze had haar ogen dicht en drukte de witte schoolblouse van het meisje tegen haar gezicht, terwijl ze probeerde het kind te voelen. Er trok weer een koude rilling door haar omvangrijke lichaam, heviger dan de eerste. Maar het was niet Angelina die het koud had.

'Haar lichaam, het is heel koud.'

'Mijn dochter is niet dood!'

Toen Angelina haar ogen opendeed, zag ze een vrouw die ze herkende van tv. De moeder. Ze was heel knap, zelfs als ze boos was, zoals nu.

'Nee, Señora, ze is niet dood. Ze heeft het koud. Ze rilt.'

De moeder rolde met haar ogen. 'O, alsjeblieft zeg. We kunnen verdomme nog beter een ouijabord gebruiken. Je bent hier alleen maar voor de beloning.'

'Nee, Señora, ik wil uw geld niet. Ik ben hier omdat het meisje het koud heeft en omdat ze om iemand roept.'

De moeder zette haar handen in haar zij zoals de blanke huisbaas van Angelina deed als ze te laat was met de huur. 'O ja? En om wie roept ze dan wel?'

'Ze roept om een zekere Ben.'

13.24 uur

'Ben! Ben!'

Kate Brice tuurt naar de slurf op de luchthaven van San Francisco; de zesjarige John staat naast haar. Het is 1975 en Ben Brice komt naar huis. Die verdomde oorlog is eindelijk afgelopen.

Passagiers druppelen de slurf in. Haar ogen speuren naar een groene baret, maar haar geest vreest een herhaling van vijf jaar geleden op deze zelfde luchthaven. Ze liepen door de aankomsthal; Ben droeg zijn uniform, duwde het wandelwagentje met de kleine John en sloeg geen acht op de gefluisterde commentaren in het genre 'kindermoordenaar'. Een jongeman met lang haar versperde Ben plotseling de weg en zei: 'Mijn broer is gesneuveld in Vietnam door toedoen van officieren zoals jij!' Toen spuugde hij Ben vol in het gezicht. Ben greep de jongeman bij de keel en drukte hem tegen de muur, waarbij hij Kate nog meer angst aanjoeg dan de jongeman. Die Ben Brice had ze nog nooit gezien; zijn blauwe ogen waren helemaal donker. Hij had de jongeman gemakkelijk kunnen doden, en heel even dacht ze dat hij dat ook zou doen. Maar toen verdween de duistere blik; hij veegde de klodder spuug van zijn gezicht, liet de angstige jongeman los en zei: 'Het spijt me van je broer.'

Drie dagen na zijn afstuderen aan de militaire academie waren ze getrouwd. Het was een sprookjeshuwelijk in de kapel van West Point; naderhand, nog steeds gekleed in haar witte bruidsjurk, was ze aan de arm van luitenant Ben Brice in zijn witte gala-uniform onder de door sabels gevormde ereboog door gelopen, een militaire traditie. Haar sprookjeshuwelijk duurde exact drie weken. Eenentwintig dagen na hun bruiloft reisde haar echtgenoot af naar Fort Bragg voor een Special Forces-opleiding voordat hij uitgezonden zou worden. Hij vertrok naar Vietnam de dag na Thanksgiving 1968. Ze bracht hem naar de luchthaven; de man die ze uitzwaaide, zag ze nooit meer terug.

Die rotoorlog had het sprookjeshuwelijk verwoest waarvan ze als meisje had gedroomd. Vandaag hoopt ze op een nieuwe start.

Daar! Ze ziet een groene baret boven een zee van hoofden… en nu zijn gezicht, gebruind en scherp, en zo knap. Hij ziet haar en glimlacht.

Ben draaide zich naar haar om: hetzelfde gezicht, nog altijd gebruind en scherp, en nog steeds zo knap. Maar de glimlach was verdwenen. Hij was op weg naar het tuinhuisje bij het zwembad toen ze hem had geroepen. Hij liep naar haar terug en ze gingen op de veranda aan de achterkant van het huis zitten.

'Wanneer vertrek je weer?' vroeg ze.

'Zodra ik weet waar ze is.'

Kate bekeek haar echtgenoot aandachtig. 'Gracie?'

Hij knikte.

'Geloof je die helderziende?'

Hij knikte weer.

'Ben, het was wel merkwaardig dat ze je naam wist, maar…'

'Ze leeft nog, Kate.'

Ze roept om een zekere Ben, had de helderziende gezegd. Waarom niet om mij? Waarom niet om haar moeder?

Maar bij Grace was het altijd Ben geweest. En Elizabeth had altijd de pest gehad aan Ben Brice omdat hij een band met Grace had die zij niet had. Nu, alleen in haar slaapkamer, koesterde ze geen wrok; ze dacht aan haar vader en de band die er tussen hen had bestaan.

Ze dacht terug aan hun tijd samen.

Arthur Austin was advocaat geweest, maar hij leefde niet uitsluitend voor zijn werk, en dus had hij tijd voor zijn dochter. Tijdens hun laatste jaar samen, toen ze tien was, had hij haar minstens eenmaal per week meegenomen naar een wedstrijd van de New York Mets. Vaak ging hij vroeg weg van kantoor om op tijd te zijn voor een doordeweekse wedstrijd. Moeder kon slecht tegen de hitte, dus ze gingen altijd met z'n tweetjes. Ze was zo trots geweest dat ze naast haar knappe vader zat, in zijn kostuum met stropdas. Met zijn scherpe gelaatstrekken en zijn dikke zwarte haardos trok hij de aandacht van heel wat vrouwen. Maar hij was van haar. Dat waren heerlijke dagen geweest waarvan ze had gedacht dat er nooit een einde aan zou komen.

Hoe kon een man van vijfendertig nou vermoord worden?

Als ze haar ogen dichtdeed, kon ze hem nog steeds in het ziekenhuisbed in St. Mary's Catholic Hospital zien liggen, zijn ogen gesloten, de witte lakens opgetrokken tot zijn kin (om zijn verwondingen aan het oog te onttrekken, realiseerde ze zich jaren later), zijn huid bleek en koud, en moeder die zei dat het tijd was om afscheid te nemen. Maar Elizabeth Austin, het gelovige katholieke meisje, had gezegd: 'Nee, God zal hem behoeden.' Ze was naast zijn bed neergeknield en had zijn koude hand vastgehouden; ze had tot God gebeden om zich over haar vader te ontfermen. Maar God had geweigerd. Hij had haar gebeden genegeerd. Hij had haar in de steek gelaten. 'Ik zal u nooit vergeven,' had ze die dag tegen God gezegd. En dat had ze ook nooit gedaan.

Ze had haar vader verschrikkelijk gemist. Maar op de een of andere manier was ze verdergegaan met haar leven, zich altijd bewust van al die dingen die ze nooit meer samen zouden doen. Dat was voordat het kwaad in haar leven was gekomen. Naderhand was ze opgelucht geweest dat haar vader er niet meer was; hij zou er kapot van zijn geweest als hij had gezien wat er van zijn gelukkige dochter van tien geworden was: een veertigjarige, van woede vervulde krankzinnige die eeuwig en altijd achtervolgd werd door haar confrontatie met het kwaad. Net zoals zij er kapot van was als ze zich voorstelde wat er van haar eigen gelukkige dochter van tien zou worden – als die haar confrontatie met het kwaad zou overleven.

En als dat niet het geval zou zijn?

Hoe kon het levensverhaal van dit kind op deze manier eindigen? Na de manier waarop het begonnen was? Ze had dit kind het leven geschonken, en dit kind had haar leven gered. Hoe moest ze verdergaan met haar leven zonder dit kind? Zonder Grace? Hoe moest Elizabeth Brice op zekere dag – *wanneer, volgende week of de week daarna?* – opstaan, naar kantoor rijden en zich weer om schuldige cliënten bekommeren? Hoe zou de vrijspraak van een rijke witteboordencrimineel de leegte binnen in haar kunnen opvullen?

Haar telefoon ging. Het was haar moeder, met het aanbod om te helpen – ze zou niet weten hoe. Het kostte Elizabeth slechts enkele minuten om haar te overreden in New York te blijven.

Moeder was pas negenentwintig geweest toen haar vader gestorven was. Ze was meteen na de middelbare school met hem getrouwd, toen hij rechten studeerde. Hij was álles voor haar. Na zijn dood had moeder zich teruggetrokken in haar eigen wereld. Ze kwam nog maar zelden het huis uit, voelde zich hulpeloos in een hardvochtige wereld. Eigenlijk was haar moeder samen met haar vader gestorven.

En Elizabeth Austin was alleen opgegroeid.

'Ik wil geen enig kind zijn.'

John kneep in Sams schouder en vocht tegen de tranen. Hij was naar

Sams kamer gegaan om zijn zoontje van vijf te troosten. Eindelijk begon het tot Sam door te dringen dat hij Gracie misschien nooit meer zou zien. Zoals dat ook tot zijn vader begon door te dringen.

'Ik hoef haar kamer en haar spullen niet,' zei Sam. 'Ik wil alleen maar dat ze terugkomt. Ik mis haar.' Hij veegde zijn neus af aan zijn mouw. 'Die man op tv zei dat ze waarschijnlijk dood is.'

'Ze is niet dood,' zei John, en hij deed zijn best om overtuigend te klinken. 'Ze komt gauw weer thuis, kerel.'

'Maar dat weet je niet zeker, hè?'

'Hè? Nou, nee, Sam, dat weet ik niet zeker.'

'Dus dat zeg je alleen zodat ik me beter voel, omdat ik toch maar een dom kind ben.'

John keek naar zijn zoon, die sprekend op hem leek.

'Sam, ten eerste heb je een IQ van honderdzestig, dus je bent niet dom, en ten tweede zeg ik dat omdat ik geloof dat Gracie weer thuis zal komen.'

'Waarom?'

'Waarom wát?'

'Waarom geloof je dat ze weer thuis zal komen?'

Jezus, Sam leek wel Microsoft dat achter een concurrent aan zat!

'Eh, nou ja, omdat ik daar vertrouwen in heb.'

'Ook in God?'

'Eh, ja, ook.'

'Dus je gelooft in God?'

John aarzelde. Eigenlijk was hij er niet zo zeker van of hij wel in God geloofde. Als kind had Little Johnny Brice God dikwijls gesmeekt om hem de afranselingen van de pestkoppen te besparen, maar dat deed God nooit. En John R. Brice had in zijn volwassen leven niet veel nagedacht over God; hij had het veel te druk gehad met zijn studie, het programmeren van een killerapplicatie en nu weer al het werk dat samenhing met de beursgang. En hij ging alleen maar met de kinderen naar de kerk omdat zijn moeder dat van hem verwachtte. Als Sam een dergelijke vraag een week geleden had gesteld, zou hij er automatisch omheen hebben gedraaid en gereageerd hebben als een grote broer: 'Hé, knul, God is een van die moeilijke filosofische keuzes die ieder mens voor zichzelf moet maken, net zoiets als de keuze tussen Windows en Mac. Maar jij hoeft je nog helemaal geen zorgen te maken over zulke serieuze zaken, wacht daar maar mee tot je ouder bent. Je weet wel, na je eigen beursgang. Hé, laten we naar de keuken gaan en een ijsje pakken.'

En dat was de rol die hij al die jaren voor de kinderen had gespeeld, de rol die hem eigenlijk het beste beviel: grote broer, vriend, maatje. Meer werd er niet van hem gevraagd. En trouwens, met Elizabeth in de buurt was de rol van de man in huis al vergeven.

Maar nu, nu hij Sam aankeek, kon hij zien dat Sam iets méér van hem nodig had. Op kantoor was John de Grote Kahuna omdat hij altijd antwoord had op de lastigste technische vragen die hem door zijn werknemers gesteld werden. Maar hun vragen verbleekten naast die van Sam: Bestaat er een God? Het antwoord was niet te vinden in het online Help-menu. John wilde zeggen: *Shit, kerel, ik heb geen flauw idee!* Maar zijn zoontje van vijf had nu geen behoefte aan een grote broer; hij had behoefte aan een volwassen vader. En dus nam John zijn toevlucht tot een leugen.

'Natuurlijk geloof ik in God.'

'Maar je weet niet of God echt bestaat, hè? Ik bedoel, er is geen waterdicht bewijs dat Hij bestaat, toch?'

'Nee.'

'Maar je gelooft dat God echt bestaat?'

'Ja.' Over de tweede leugen hoefde hij minder lang na te denken.

'Dus je gelooft dat Gracie weer thuiskomt omdat je in God gelooft en God zorgt voor de kinderen, toch?'

'Dat klopt.' Zonder erbij na te denken.

'Nou, daarom heb ik besloten dat God nep is.'

'Sam, dat moet je niet zeggen. God is geen nep.'

'Nou, als God dan zo goed voor Gracie zorgt, waarom heeft Hij haar dan door die boef laten ontvoeren?'

John gaf het op. 'Dat weet ik niet, Sam.'

Sam fronste zijn voorhoofd en zei: 'Denk je dat die boef méér dan vijfentwintig miljoen dollar wil om haar te laten gaan?'

'Ik... ik weet het niet.'

Sam keek John even aan en zei toen: 'Je gezicht ziet er alweer wat beter uit. Na die klap van mama.'

16.33 uur

'Neem het geld alsjeblieft.'

Elizabeth legde haar wijsvinger tegen de monitor en liet die zachtjes langs de omtrek van haar dochters gezicht glijden. Ze had ingelogd op de website van de FBI, de pagina *Kidnapped and Missing Persons Investigations* op www.fbi.gov/mostwant/kidnap/kidmiss.htm. Twee kolommen met foto's en namen van kinderen die ontvoerd waren in Saginaw, Texas; Deltona, Florida; Santa Fe, New Mexico; Oregon City, Oregon; Jackson, Tennessee; Oklahoma City, Oklahoma; Chicago, Illinois; San Luis Obispo, Californië; Las Vegas, Nevada.

Waar in Amerika zijn kinderen nog veilig?

Ze klikte de foto van haar dochter aan, die in vergrote versie verscheen op een pagina met de tekst:

---

http://www.fbi.gov/mostwant/kidnap/brice.htm

ONTVOERING
Post Oak, Texas

GRACIE ANN BRICE

SIGNALEMENT

Leeftijd:	10		
Geboorteplaats:	Dallas, Texas		
Geslacht:	Vrouwelijk	Haar:	Kort blond
Lengte:	1.35 m	Ogen:	Blauw
Gewicht:	36 kg	Huidskleur:	Blank

BIJZONDERHEDEN

Gracie Ann Brice is ontvoerd na haar voetbalwedstrijd om ongeveer 18.00 uur op vrijdag 7 april, in Briarwyck Farms Park in Post Oak, Texas. Ze droeg een voetbaltenue, een goudkleurig shirt met 'Tornadoes' op de borst en rugnummer 9, een blauw voetbalbroekje, blauwe kousen en witte voetbalschoenen van het merk Lotto, en verder nog een zilveren halskettinkje met een zilveren ster. Gracie verkeert mogelijk in het gezelschap van een blanke man, 20 tot 30 jaar oud, 90 kilo, blond haar, blauwe ogen, die een zwarte honkbalpet en een geruit overhemd draagt. Hij vroeg specifiek naar Gracie in het park.

OPMERKINGEN
Gracie Ann Brice is atletisch gebouwd, heeft een lichte huidskleur en kort haar. Op haar ellebogen heeft ze mogelijk recente schaafwonden.

BELONING
De ouders van Gracie Ann Brice loven een beloning van 25 miljoen dollar uit voor informatie die leidt tot haar terugkeer. Personen die beschikken over informatie met betrekking tot deze zaak moeten zelf geen actie ondernemen, maar onmiddellijk contact opnemen met het dichtstbijzijnde FBI-kantoor of de plaatselijke politie. Voor eventuele waarnemingen buiten de Verenigde Staten kan contact opgenomen worden met de dichtstbijzijnde ambassade respectievelijk consulaat van de Verenigde Staten.

Elizabeth pakte beide zijkanten van de monitor beet en drukte haar gezicht tegen de afbeelding van haar dochter.

'Neem het geld! Laat haar gaan! Alsjeblieft!'

23.39 uur

Een kind dat door een onbekende ontvoerd is, is goed voor een uitgebreid item in de ochtendprogramma's van de landelijke tv-zenders en voor een vermelding in het avondnieuws. Maar als de moeder van het slachtoffer een premie van vijfentwintig miljoen dollar op het hoofd van de ontvoerder zet, dood of levend, dan openen alle nieuwsuitzendingen daarmee.

In opdracht van het hoofdkwartier had FBI-agent Eugene Devereaux diverse live-interviews gegeven voor het avondnieuws van de grote tv-stations. Hij had geprotesteerd dat hij het te druk had met het onderzoek, maar hij had te verstaan gekregen dat de opdracht rechtstreeks van directeur White zelf afkomstig was. De hoge omes van de FBI zagen graag dat hun agenten – en dan vooral welbespraakte agenten zoals hij

– op tv verschenen. Goed voor de public relations. En voor de budget-aanvragen van het volgende jaar. Devereaux zuchtte; zijn onderzoek was verdomme een circusattractie van vijfentwintig miljoen dollar geworden.

Hij zat nu in de commandopost, onderuitgezakt in zijn stoel, en liet zijn gewicht afwisselend op zijn linker- en zijn rechterbil rusten om zijn opspelende prostaat te ontlasten terwijl hij de laatste meldingen doornam. Hij moest de eerste nog tegenkomen die een serieuze indruk maakte.

'Prostaat?'

Toen Devereaux opkeek, zag hij kolonel Brice staan.

'Ik herken de manier van zitten,' zei de kolonel.

'U ook?'

De kolonel knikte. 'Probeer het eens met zaagtandpalm.'

'Zaagtandpalm?'

'Verlicht de pijn. Je kunt het in elke reformwinkel kopen.'

De kolonel gebaarde naar de stapel meldingen. 'Zit er nog iets bij?'

'Ja, meer dan tweeduizend waarnemingen,' zei hij. 'Nog een paar dagen en dan weten we waar elk blond meisje met blauwe ogen in het Zuid-Westen woont.'

'Denkt u dat het ze om het geld te doen is?'

'Ik ben bang van wel, kolonel.' De kolonel nam plaats op een stoel naast Devereaux; Devereaux ging weer verzitten. 'Beloningen van een paar duizend dollar kunnen resultaat opleveren, maar vijfentwintig miljoen dollar – dat is een heel ander verhaal. Met tweeduizend waarnemingen verdoen we te veel tijd met het natrekken van te veel valse sporen.' Hij legde zijn hand op de stapel. 'Stel nou eens dat er wél een goede aanwijzing tussen zit?'

'Mag ik?'

'Natuurlijk. Hier, deze heb ik al doorgewerkt.' Devereaux schoof een stapeltje papieren naar kolonel Brice en geeuwde.

'U hebt slaap nodig. Gun uw prostaat wat rust.'

'Ik slaap wel als we Gracie eenmaal hebben gevonden.'

De kolonel keek hem waarderend aan. 'U bent een prima agent.'

'En u was een uitstekend soldaat.' De kolonel reageerde niet. Er viel een ongemakkelijke stilte, die Devereaux verbrak door een bekentenis te doen tegenover een Amerikaanse held. 'Ik was dat niet. Ik wilde alleen maar terug naar huis. Ik had nog negentien dagen te gaan en ik liep voorop op patrouille en ik dacht net bij mezelf: je zal zien dat ik de laatste Amerikaanse soldaat ben die in Vietnam sneuvelt, toen nog geen drie meter voor me plotseling een VC achter een boom vandaan stapte, met zijn geweer op me gericht. Daar ging ik. Maar zijn geweer ketste – het was zo'n ouderwets grendelgeweer. Ik bracht mijn M16 omhoog en schoot hem dood. Ik liep naar hem toe en zag dat het nog maar een kind was, veertien misschien. Ik moest kotsen.' Devereaux voelde zich te gegeneerd om de kolonel recht aan te kijken. 'Ik draag al het grootste deel van mijn volwassen leven een wapen, maar dat is de enige keer dat ik ooit een medemens heb gedood.' Hij zweeg even en schudde zijn hoofd. 'Ik heb dat verhaal nog nooit aan iemand verteld, zelfs niet aan mijn vrouw.'

De stem van de kolonel was niet veel meer dan een fluistering toen hij zei: 'Het is niet gemakkelijk om over het doden van mensen te praten... of om ermee te leven.'

De twee mannen zwegen geruime tijd, elk verzonken in zijn eigen gedachten aan oorlog en dood, tot Devereaux zei: 'Hoe lang hebt u in krijgsgevangenschap gezeten?' De kolonel keek niet-begrijpend, dus beantwoordde Devereaux zijn onuitgesproken vraag. 'Randall zag de littekens op uw rug tijdens de leugendetectortest.'

De kolonel knikte. 'Een halfjaar, nauwelijks genoeg om eraan gewend te raken.'

'Het Hanoi Hilton?'

Hij schudde zijn hoofd. 'Een afgelegen kamp, San Bie. Nadat we ontsnapt waren, sloot het Noord-Vietnamese leger alle kampen en bracht alle Amerikanen over naar Hanoi.'

En toen drong het plotseling tot Devereaux door waarom de naam Ben Brice hem zo bekend in de oren klonk.

'U bent het. U bent degene die die piloten heeft bevrijd.' Hij staarde de kolonel zwijgend aan. 'U hebt die dag een heleboel soldaten het leven gered.'

Kolonel Brice toonde geen emotie. Hij verbrak het oogcontact en kneep zijn ogen tot spleetjes alsof hij probeerde iets in de verte te zien. Of in het verleden. Toen hij sprak, was het met zachte stem.

'Gezagvoerder Ron Porter.'

'Wie?'

136

Hij keek Devereaux weer aan. 'Een van die piloten, hij vliegt tegenwoordig vanaf Albuquerque.'

'Kolonel, ze hebben u de Medal of Honor toegekend.'

De kolonel pakte de papieren op, stond op en zei: 'Inderdaad.' Toen liep hij weg.

Een halfjaar voorafgaand aan de dag dat hij het San Bie-krijgsgevangenenkamp in Noord-Vietnam binnen was gebracht, had kolonel Ben Brice in de jungle van Vietnam geleefd bij de Montagnards, een inheemse bevolkingsgroep die bij de Amerikaanse soldaten bekendstond als de 'Yards', een volk dat in veel opzichten leek op de Amerikaanse indianen. De mannen droegen lendendoeken; hun bronskleurige lichamen waren mager en gespierd en hun gelaatstrekken hard en scherp, maar ze hadden gevoel voor humor en ze waren intelligent. De stamoudsten spraken vloeiend Frans, wat ze geleerd hadden tijdens de rampzalig afgelopen poging tot kolonisatie van Vietnam door de Fransen. Er woonden zo'n achttien miljoen mensen in Noord-Vietnam, onder wie ongeveer een miljoen Montagnards, verspreid over talrijke stammen. De stam bij wie Ben leefde waren de Sedang.

Toen de Groene Baretten voor het eerst naar Vietnam uitgezonden werden, was hun voornaamste missie de Montagnard-stammen te organiseren tot burgerwachtbataljons om de communistische infiltratie in Zuid-Vietnam langs de westelijke grenzen met Laos en Cambodja een halt toe te roepen. Ben werd verondersteld de Sedang de tactiek van de guerrillaoorlogvoering bij te brengen, maar het waren de Sedang die hém het nodige bijbrachten: hoe hij van het land kon leven, hoe hij op wild en op Vietcong kon jagen op de steile berghellingen en in de dichte jungles die de valleien bedekten, en hoe hij zich als een schaduw door de nacht moest voortbewegen. De Sedang waren geboren jagers. Hij werd een van hen. Hij kreeg zelfs een handgemaakte koperen armband die hem tot lid van de stam bestempelde; een grote eer voor een blanke. Ben Brice was inboorling onder de inboorlingen geworden.

Ze voerden een operatie uit in Noord-Vietnam, net binnen de zeventiende breedtegraad – de gedemilitariseerde zone die de scheiding vormde tussen Noord en Zuid, tussen communistisch en vrij – toen ze een USAF F-4 Phantom laag over zagen vliegen met een rookpluim achter zijn staart, geraakt tijdens een bombardementsvlucht boven Hanoi.

De tweekoppige bemanning maakte gebruik van de schietstoel vlak voordat het toestel neerstortte en explodeerde in een vuurbol; allebei de parachutes gingen open, dus Ben en de Montagnards gingen op weg naar de Amerikanen. Maar ze kwamen te laat; de Noord-Vietnamezen hadden hen al gevangengenomen.

Ze brachten de piloten naar het San Bie-gevangenenkamp. In stille nachten hoorde Ben, die zijn kamp een kilometer verderop had opgeslagen, de bloedstollende kreten van de Amerikanen die gemarteld werden. De volgende ochtend hoorde hij hen 'God Bless America' zingen. Ben en de Montagnards beraamden een reddingsoperatie die vereiste dat hij gevangengenomen zou worden. De kampleiding van Noord-Vietnamese gevangenenkampen had standaard de opdracht alle Amerikaanse gevangenen te doden in geval van een bevrijdingspoging. De enige succesvolle poging zou van binnenuit moeten plaatsvinden, met hulp van buitenaf.

Nu, na een krijgsgevangenschap van een halfjaar, zal hij ontsnappen en honderd Amerikaanse piloten meenemen, met de hulp van de Montagnards. Ben Brice had hun ook het een en ander geleerd, waaronder het gebruik van C-4 explosieven. Samen hadden ze vijandelijke wapendepots vernietigd, bevoorradingskonvooien via de Ho Chi Minh-route ontwricht, hinderlagen voor de Vietcong gelegd, Noord-Vietnamese officieren gedood, via de radio coördinaten doorgegeven voor B-52-bombardementsvluchten, en die marinehelikopterpiloot bevrijd uit handen van de Noord-Vietnamezen in Laos. Vandaag zullen ze Amerikaanse krijgsgevangenen bevrijden.

Hij blijft op de betonnen vloer liggen, in dezelfde houding als waarin hij vijf uur geleden achtergelaten is, in afwachting van de bewaker die 's ochtends de ronde doet. Al spoedig hoort hij het vertrouwde geluid van een rammelende sleutelbos, zo vertrouwd dat hij exact weet waar in de gang de bewaker zich bevindt terwijl hij Bens cel nadert. De bewaker arriveert bij de cel en bonst op de deur, kijkt dan naar binnen door de kleine getraliede opening en ziet de Amerikaanse kolonel nog steeds op de vloer liggen, het bloed op zijn met de ventilatorriem bewerkte rug opgedroogd en aangekoekt, ratten aan zijn voeten knagend. Ben hoort metaal tegen metaal knarsen als de bewaker de sleutel in het roestige slot steekt. De sleutel wordt omgedraaid en de deur zwaait krakend open. Voetstappen, enigszins behoedzaam, komen naderbij; de bewaker vraagt zich af of de hoogste Amerikaanse officier in het kamp de meedogenloze afranseling van de vorige avond door de Grote Lelijkerd wel heeft overleefd. Ben zet zich schrap om niet te reageren op de schop die ongetwijfeld komt; hij maakt geen geluid als de bewaker hem hard in zijn zij trapt. De gevangene reageert niet, dus de bewaker stapt om hem heen en hurkt neer om zijn pols te voelen.

Dat is het laatste wat hij in zijn leven zal doen.

Ben grijpt de bewaker bij de keel, met handen die sterk zijn geworden op de olievelden van West Texas en in de jungle van Vietnam, en knijpt die dicht zodat de man geen geluid meer kan maken en rukt hem naar de grond. Ben Brice doodt hem niet uit wraak; hij doodt hem omdat het noodzakelijk is. De nek van de bewaker klinkt als een broos kippenbotje dat knapt als Ben zijn hoofd voorbij het breekpunt draait.

Ben komt overeind en neemt voor het laatst zijn cel in zich op. Bij de gebruikelijke stank voegt zich die van verse urine en fecaliën als het lichaam van de bewaker de dood accepteert en afstand doet van zijn waardigheid. Er zullen nog meer slachtoffers vallen. Hij moet doden om die piloten te redden. Het schenkt hem geen voldoening, maar hij is bedreven in de kunst van het doden. Daar is hij voor opgeleid.

Dit is zijn moment in de grote menselijke tragedie die bekendstaat als de Vietnamoorlog.

John dook onder het gele politielint door en ging Gracies kamer binnen. Hij deed het licht aan.

'Hoi, grote vriend,' zei ze altijd als hij op haar slaapkamerdeur klopte nadat hij van zijn werk was thuisgekomen. Gewoonlijk zat ze op de vloer de sportpagina's te lezen, of haar huiswerk te doen of een nieuw nummer te zingen. Maar vanavond was haar kamer leeg. Al haar spullen waren er nog, maar zonder haar was er geen leven in deze kamer. Of in dit huis. Gracie Ann Brice bracht het huis tot leven.

Hij knipte het nachtlampje aan en deed de plafondlamp uit. Hij kroop in haar bed. Hij trok het dekbed op en begroef zijn hoofd in haar kussen. Hij omarmde haar grote zachte teddybeer. Hij deed zijn ogen dicht, snoof de geur van zijn dochter op en de herinneringen kwamen bij hem boven.

'Op een dag zul je op de radio zingen,' had hij ooit tegen haar gezegd, terwijl hij hier op dit bed zat.

Ze had haar voorhoofd gefronst en gezegd: 'Weet je wel hoe moeilijk het is om radiostations zover te krijgen dat ze nummers van een nieuwe artiest draaien?'

'Nee. Hoe moeilijk?'

'Ontiegelijk.'

'Dan koop ik een heel stel radiostations en draai alleen maar jouw nummers.'

'Dat kun je niet doen.'

'Na de beursgang wel. Ik ga ook de Boston Red Sox kopen voor Sam.'

'Nee, ik bedoel dat het zo niet werkt. Ik zal eerst heel lang moeten knokken om me ertussen te werken, anders heb ik geen materiaal voor mijn nummers.'

'O, dus zo werkt dat.'

'Ja, de Dixie Chicks hebben echt heel lang moeten knokken, en ze moesten naar Nashville verhuizen. Ik neem aan dat ik dat ook zal moeten.'

'En mij hier achterlaten? Geen denken aan, meisje. Ik koop wel een straalvliegtuig voor je, dan kun je naar Nashville vliegen om platen op te nemen. Of ik koop hier een opnamestudio voor je, dan kunnen ze naar jou toe komen. En reken maar dat ze dat zullen doen.'

'Ja, vast. Weet je hoeveel grote artiesten er staan te trappelen voor een doorbraak in de countrymuziek?'

'Nee. Hoeveel?'

'Nou… een heleboel.'

Hij schudde zijn hoofd. 'Kansberekening is niet van toepassing op statistisch unieke gebeurtenissen.'

'Hè?'

'Er is maar één Gracie Ann Brice.'

Ze had hem aangekeken met een merkwaardige uitdrukking op haar gezicht, een uitdrukking die hij nooit eerder op dat lieve gezichtje had gezien; onmiddellijk dacht hij: *Jezus, ik heb iets verkeerds gezegd! Sufkop die je bent, je hebt nooit met meisjes kunnen praten!* Maar plotseling sloeg ze haar armen om hem heen en zei: 'Jij bent de beste vader die een meisje zich maar kan wensen.' Toen ze hem losliet, waren haar grote blauwe ogen vochtig. 'Bedankt dat je mijn dromen niet belachelijk maakt.'

Hij had haar volmaakte gezichtje tussen zijn handen genomen en gezegd: 'Gracie, ongemanierde hufters kunnen je gebruikersprofiel opblazen, je hardware vernielen, je randapparatuur loskoppelen, je componenten ontregelen – maar dromen zijn gepatenteerde technologie.'

'Hè?'

'Niemand kan je je dromen afnemen.'

Maar hij had het mis gehad. Iemand had hem wel degelijk zijn droom afgenomen.

00.09 uur

Ben zat nu aan de keukentafel en bladerde het stapeltje FBI-meldingsformulieren door. Rond dit tijdstip was hij meestal dronken genoeg om te kunnen slapen. Hij verlangde nu naar een borrel, één glas whisky maar. Of twee. Hij kon de warmte ervan in zijn ingewanden voelen.

Maar er zou voor hem geen borrel meer zijn. Tijdens de rit van Taos naar de luchthaven van Albuquerque, alleen in de uren voor het aanbreken van de dag, had hij Gracie een plechtige belofte gedaan, en nu moest hij een beroep doen op dezelfde krachten die hem bijna vier decennia geleden op de been hadden gehouden: toen ze hem hadden afgeranseld in San Bie, had hij aan Kate en John gedacht en daaraan kracht ontleend; nu de hunkering naar alcohol hem te veel dreigde te worden, dacht hij aan Gracie en ontleende daaraan dezelfde kracht.

Hij liep naar de koelkast en haalde er een pak jus d'orange uit. Misschien dat een glas sap zou helpen. Hij trok verscheidene bovenkastjes open op zoek naar de glazen; wat hij vond was een drankkastje. Hij staarde naar de flessen. Hij stak zijn arm uit en pakte een fles Jim Beam. Het was pas zijn derde nuchtere avond; alleen al de aanblik van het etiket bracht de hunkering terug. Hij stond nog steeds naar de fles te staren toen hij iemand 'Ben' hoorde zeggen.

Toen hij zich omdraaide, zag hij zijn vrouw in de deuropening staan. Hij zag ook de teleurgestelde blik in haar ogen. Hij zette de fles terug in het kastje en deed de deur dicht.

'Ik laat haar niet in de steek, Kate.'

Niets is voor een advocaat teleurstellender dan een deal voor een cliënt die in het water valt – nou ja, afgezien van een onbetaalde rekening dan.

Hoe vaak was een advocaat niet aan de onderhandelingstafel verschenen, klaar om een deal te sluiten, om vervolgens geconfronteerd te worden met een tegenpartij die verontschuldigend de schouders ophaalde en zijn lege handen spreidde? Geen geld. Niets om op de onderhandelingstafel te leggen. Geen deal mogelijk. Terwijl ze in bed lag, alleen, zoals ze zich het grootste deel van haar leven gevoeld had, vroeg Elizabeth Brice zich nu af: Stel dat de ontvoerder de deal niet kan sluiten? Stel dat hij niets heeft om op de onderhandelingstafel te leggen? *Drie op de vier kinderen die door onbekenden worden ontvoerd, worden binnen drie uur vermoord.* Grace was achtenzeventig uur geleden ontvoerd.

Stel dat haar dochter dood was?

01.18 uur

Eddie Yates had de pest aan dubbele diensten, vooral avond- en nachtdiensten, voornamelijk omdat hij dan niet vier uur lang kon gewichtheffen in de sportschool. Maar in opdracht van de baas draaide elke agent in het korps nu dubbele diensten, om zoveel mogelijk zedendelinquenten aan de tand te kunnen voelen – en er liepen heel wat van die viespeuken rond, had Eddie ontdekt. Hij hoopte dat de moordenaar van het meisje op zijn lijstje stond; de arrestatie van een kindermoordenaar zou niet misstaan op het cv dat hij bij het politiekorps van Dallas zou indienen.

Op zijn computerscherm bekeek hij de gegevens van de volgende verdachte op zijn lijstje: Jennings, Gary M., blank, zevenentwintig, blond, blauwe ogen, één meter vijfenzeventig, zeventig kilo (jezus, Eddie zou die knaap met één hand aankunnen), acht jaar geleden beschuldigd van geslachtsgemeenschap met een minderjarig meisje, schuld bekend aan onzedelijke handelingen met een minderjarige, veroordeeld tot een voorwaardelijke straf, sindsdien zelfs geen bon voor te hard rijden. *Risicocategorie 3: geen reden tot bezorgdheid voor herhaling.* Dat was alles, maar Eddie kon tussen de regels door lezen. Deze knaap was ten tijde van het strafbare feit negentien geweest, had waarschijnlijk nog op school gezeten; hij had samen met een meisje de bloemetjes buiten gezet en ze waren in bed beland, maar het meisje bleek minderjarig te zijn.

Het kon overigens maar verdomd weinig gescheeld hebben, anders zou hij er niet met een voorwaardelijke straf zijn afgekomen. En nu was hij voor de rest van zijn leven gebrandmerkt als zedendelinquent.

Eddie zuchtte. Gary Jennings was geen zedendelinquent; hij was alleen maar met het verkeerde meisje naar bed geweest op het verkeerde moment. Hoe zei zijn moeder dat ook alweer? *Zoiets kan de beste overkomen?* Hoe dan ook, het zou wel uitdraaien op een gigantisch staaltje tijdverspilling. Maar toch, waarom had Jennings zich niet bij de politie gemeld toen hij hier was komen wonen, zoals hij wettelijk verplicht was?

Jennings woonde op nummer 121. Volgens de gegevens van het Bureau Kentekenregistratie bezat hij een zwarte Ford F-150 uit '99. Eddie reed langzaam over het parkeerterrein van het flatgebouw tot hij een zwarte Ford pick-up in het oog kreeg. Het kenteken klopte.

Eddie parkeerde achter de pick-up en stapte uit zijn surveillancewagen; hij bevestigde zijn politieknuppel aan zijn riem. Niet dat hij enig probleem van Jennings verwachtte – maar een mens mocht altijd hopen, niet? Hij pakte de grote zware zaklantaarn – eigenlijk een soort hamer die aan één kant licht gaf, een uiterst effectief hulpmiddel om een weerspannige verdachte mee klein te krijgen, niet dat hij er ooit gebruik van had hoeven maken. Hij liet de lichtbundel in de cabine schijnen en probeerde toen het portier, voorzichtig, om het alarm niet te laten afgaan. Overbodig – de wagen was niet afgesloten, dat gold trouwens voor de helft van alle auto's in het stadje. Zolang Eddie bij de politie werkte, was er in Post Oak, Texas, geen enkele auto gestolen. Hoe kun je de misdaad bestrijden als er geen misdaad is? En dat was de reden dat Eddie Yates hunkerde naar een baan bij het politiekorps van Dallas: daar hadden ze tenminste echte misdaad, in de gevaarlijkste stad in Amerika.

Eddie deed het portier open en scheen rond in de cabine. Die was brandschoon. Hij keek in de middenconsole en vond daar een mobieltje. Jennings was niet eens bang dat het gejat zou worden.

Eddie keek onder de voorbank. Niets. Hij tilde de rubber vloermat aan de passagierskant op. Niets. Hij tilde de mat aan de bestuurderskant op en – wat was dat? Een foto? Hij raapte hem op en richtte de lichtbundel erop. Het was inderdaad een foto, zo eentje die je krijgt als je het portret van een verdachte vanaf de computer print. Alleen was dit geen foto van een crimineel. Dit was een opname van een naakt meisje. Een jong naakt meisje. Kinderporno. Eddie schudde zijn hoofd. Verdomme, hij had het mis gehad wat Jennings betrof. Hij was echt een viespeuk.

Natuurlijk was Jennings door de aanwezigheid van een foto van een naakt meisje in zijn pick-up nog niet schuldig aan de ontvoering van het meisje van Brice. En hoe moest Eddie de brigadier van dienst duidelijk maken wat hij in Jennings' pick-up te zoeken had gehad? Hij dacht even na, veegde toen over de zijkant van de foto waar hij die had beetgepakt en legde hem terug onder de vloermat.

Eddie deed het portier zachtjes dicht en liep naar de achterkant van de pick-up. De laadbak was afgesloten met een zwarte fiberglasconstructie die was voorzien van een klep, zodat je er spullen uit kon pakken zonder het hele geval eraf te hoeven halen. Eddie probeerde de klep; zoals hij al verwacht had, was die niet afgesloten.

Eddie deed de klep open en stak de zaklantaarn en zijn hoofd naar binnen. Hij liet de lichtbundel door de laadbak schijnen en stond op het punt om zijn hoofd weer terug te trekken toen… *Wat is dát verdomme?* In een hoek van de laadbak, het zag eruit als een shirt, goudkleurig met een nummer… een sportshirt.

De adrenaline gierde door Eddies lijf.

Hij trok zijn hoofd terug en probeerde kalm te blijven en te bedenken wat hij moest doen. Als hij dit meldde en het bleek Jennings' bowlingshirt te zijn, zou hij daar nog minstens een maand lang door zijn collega's mee gepest worden. Aan de andere kant, als dit het voetbalshirt van het dode meisje was, zou hij misschien het bewijsmateriaal onbruikbaar maken door ongeoorloofd de pick-up te doorzoeken. Hij herinnerde zich vaag het cursusonderdeel over het in beslag nemen van bewijsmateriaal, wat je zonder machtiging alleen mocht doen als dat bewijsmateriaal van buitenaf duidelijk zichtbaar was. Eddie vroeg zich af: *Als hij de klep moest openmaken en zijn hoofd en een zaklantaarn naar binnen moest steken, zou dat dan gelden als van buitenaf duidelijk zichtbaar?*

Nou, hij voelde er in elk geval niets voor om een maand lang het mikpunt van spot te zijn. Hij zou het shirt tevoorschijn halen; als het een bowlingshirt was, niks aan de hand. Als het het voetbalshirt van het meisje was, zou hij het weer op zijn plaats leggen en ontkennen dat hij het ooit had aangeraakt.

Eddie liep naar de surveillancewagen, maakte de kofferbak open en haalde een bandenlichter tevoorschijn. Hij liep terug naar de pick-up, stak zijn hoofd weer in de laadbak en haalde met de bandenlichter het shirt naar zich toe tot het onder de open klep lag. Hij spreidde het uit en liet het licht van de zaklantaarn erop schijnen zodat hij de blauwe letters kon lezen.

Tornadoes.

Hij draaide het shirt om. Rugnummer negen.

Eddie vroeg zich nu af: *Zou een dienstdoende agent aanspraak kunnen maken op de beloning van vijfentwintig miljoen dollar?*

02.02 uur

Op nummer 121 kon Gary Jennings de slaap niet vatten. Hij kroop dichter tegen zijn vrouw aan, met zijn borst tegen haar rug – ze sliep de laatste tijd op haar zij met een kussen tussen haar benen – en legde zijn arm op haar bolle buik. Ze was zeven maanden zwanger en dikker dan hij, maar daar zat hij niet mee.

Hij zou vader worden.

Gary wilde dat zijn eigen vader zijn kleinkind nog had kunnen zien; hij was acht jaar geleden gestorven aan een hartaanval, vlak na dat ak kefietje op de universiteit. Zijn vader was gestorven van schaamte. Hij had zich gegeneerd voor zijn zoon. En Gary kon het hem niet kwalijk nemen. Jezus, hij was in die tijd een echte loser geweest, alleen maar zuipen, feesten, golfen, precies voldoende studiepunten halen en met meiden de koffer in duiken – *Wat deed een meisje van zestien verdomme op een corpsfeest?*

En hij zou vandaag de dag nog steeds een loser zijn geweest als hij Debbie niet had ontmoet.

Debbie had zijn leven veranderd. Ze had gezegd dat hij altijd een loser zou blijven als hij zijn zondige leventje niet opgaf – nou ja, ze had niet 'loser' gezegd, ze had de woorden 'dolend kind' gebruikt, wat hij vertaald had als 'loser'. En, man, hij was het zat om een loser te zijn. En ze had ook gezegd dat hij nooit geld zou hebben. En, man, hij had er schoon genoeg van om altijd maar blut te zijn. En dus had hij bij zichzelf gedacht: Ach, waarom ook niet, het is het proberen waard. Het enige wat hij hoefde te doen, had ze gezegd, was naar de kerk gaan, stoppen met bier drinken en hasj roken, en zijn abonnement op de *Playboy* opzeggen.

En ze had gelijk gehad.

Nog geen twee jaar nadat hij zijn zondige leventje afgezworen had, was hij getrouwd, zou hij binnenkort vader worden en had hij een prima baan. Hij was een halfjaar geleden aangenomen; momenteel was hij niet meer dan een programmeerslaaf die twaalf uur per dag codes zat in te voeren, op de been gehouden door Snickers en Red Bull.

Maar de lange werktijden stonden op het punt zich uit te betalen: over een halfjaar kon hij zijn aandelenopties uitoefenen en die zouden na de beursgang een miljoen dollar waard zijn. *Een miljoen!* Zodra de gesloten periode afliep, zou hij cashen. Hij zou tien procent schenken aan de kerk, daar zou Debbie op staan (ofschoon hij dat percentage misschien omlaag kon praten naar zevenenhalf), vijftien procent belasting betalen, en netto zo'n 750.000 dollar overhouden. Hij zou een ton vastzetten in een studiefonds voor de baby, een mooi huis voor Debbie kopen en de rest gebruiken om zijn eigen internetbedrijf op te starten.

Terwijl hij daar naast Debbie in bed lag en zich op de toekomst verheugde, trok er een glimlachje over zijn gezicht. Eindelijk had hij zijn plek in de wereld gevonden. Gary Jennings was dankbaar voor wat hij had terwijl hij in slaap dommelde.

Gary schoot overeind in bed bij het geluid van zijn voordeur die uit zijn scharnieren werd geramd. Debbie schrok wakker en begon te gillen. Plotseling stonden er mannen in hun slaapkamer die schreeuwden, met felle zaklantaarns schenen en wapens op hen richtten, mannen in zwarte uniformen met in witte letters POLITIE erop.

DAG VIJF

06.17 uur

Luitenant Ben Brice draagt een zwart XM21-scherpschuttersgeweer met Starlight-telescoopvizier en Sionics geluiddemper. Aan zijn gordel hangen twintig patroonmagazijnen, zes brisant- en twee fosforgranaten, een .45-pistool, C-4-springstof, een claymore-mijn en een voorraadje morfine. Een uzi, zijn reservewapen, is aan zijn rugzak bevestigd. Een jachtmes met een lemmet van achtentwintig centimeter zit met een riempje om zijn rechterkuit gegespt. Hij draagt het gereedschap om te doden met zich mee omdat hij een professionele killer is, een Groene Baret, opgeleid voor speciale operaties. WIJ DODEN VOOR DE VREDE luidt de tekst van de tatoeage op zijn linkerarm. Zeventien dagen in de rimboe en Ben Brice heeft al genoeg lijken gezien voor een heel mensenleven. Maar hij weet dat het nog maar net begonnen is.

En na deze nacht zal hij nooit meer vrede kennen.

Hij loopt door rook en as die als grijze confetti neerdwarrelt het smeulende dorpje in de provincie Quang Tri in Zuid-Vietnam uit, met achterlating van het porseleinen poppetje en zijn ziel.

Hij blijft staan.

Hij staat boven een irrigatiegreppel; onder hem ligt een verwarde massa bleke lichamen. De stank van de dood hangt als een dikke mist in de vochtige lucht. De geluiden van de dood klinken vanuit de greppel, het laatste gekerm en gekreun van de stervenden.

Hij laat zijn geweer vallen en springt in de greppel. Hij zoekt vertwijfeld naar levenstekenen. Maar er is geen leven meer te vinden. Er zijn alleen nog maar lijken. Hij telt er eenenveertig – oude mannen, vrouwen en kinderen.

Zijn laarzen zijn doorweekt van het bloed. Zijn handen druipen van het bloed. Het bloed en de hersenen van het porseleinen poppetje kleven aan zijn gevechtstenue als souvenirs van de dood.

Hij is doordrenkt met de dood.

Hij heft zijn bebloede handen ten hemel en schreeuwt in de stille nacht: 'Waarom, God?'

Hij is uitgeput en staat te wankelen op zijn benen. Hij doet zijn ogen dicht. Hij valt voorover, op die bleke deken des doods.

Maar hij valt niet.

Hij zweeft.

Hij doet zijn ogen open. Onder hem zijn de bleke lichamen nu helderwit – een verblindend witte wereld tot zover het oog reikt. Boven hem heeft zijn parachute zich geopend, maar hij herinnert zich niet de heftige ruk waarmee dat gepaard ging. Hij scheert nu vlak boven de grond, waarbij hij bijna het wit kan aanraken, zo zuiver als ongerepte sneeuw. Ongerepte witte sneeuw. Een witte wereld van diepe hemelse sneeuw. Hij zweeft steeds sneller, steeds hoger boven de sneeuw.

Onder hem doemen donkere voorwerpen op. Hoge, dikke bomen in een bosbouwgebied. En tussen de bomen, opgerold en huiverend en gehuld in een deken van sneeuw, als een cadeautje onder een kerstboom, ligt Gods kleine schepsel.

Hij zweeft naar beneden en landt op beide voeten. Hij gespt de parachute los en laat hem vallen; de parachute verdwijnt in de diepe sneeuw waar hij zonder inspanning doorheen loopt op weg naar het koude en huiverende schepsel. Hij draagt nu zijn uitgaanstenue met groene baret en alle medailles op zijn uniformjasje en de Medal of Honor om zijn hals. Hij trekt zijn jasje uit, hurkt neer, wikkelt het schepsel erin en tilt het voorzichtig op uit de sneeuw, neemt het in zijn armen en drukt het dicht tegen zich aan om Gods kleine schepsel te verwarmen. Hij veegt de sneeuw van het gezichtje en door zijn tranen heen ziet hij haar, zijn reddende engel, zijn Grace.

'Ben, wakker worden! Ze hebben hem!'

En dan is ze verdwenen. Toen Ben zijn ogen opendeed, stond Kate over hem heen gebogen.

'Wie hebben ze?'

'De man die Gracie heeft ontvoerd.'

'Het zou hem kunnen zijn. Ik weet het gewoon niet zeker.'

Coach Wally Fagan staarde door de doorkijkspiegel naar de sombere jongeman in het witte gevangenisuniform die aan een metalen tafel in de kale verhoorkamer zat; zijn geboeide handen lagen plat op de tafel en hij maakte een versufte en verwarde indruk. Hij had blond haar en blauwe ogen, maar hij leek lang zo groot niet als de man die na de wedstrijd naar Gracie had gevraagd. Hij zag er op de een of andere manier anders uit.

'Hoor nou eens, Coach,' zei Chief Ryan, 'die knaap is een veroordeelde zedendelinquent en we hebben in zijn truck kinderporno en Gracies voetbalshirt aangetroffen – hoe denk je dat hij daar aangekomen is?'

'Tja, nou ja, dan zal hij het wel zijn.'

Toch was er iets aan hem wat niet klopte. Wally kon alleen niet precies zeggen wat.

Ben zat op de rand van het bed en wreef over zijn blote armen en borst in een poging het beven te onderdrukken.

'Ze hebben Gracie daar niet gevonden, hè?' zei hij tegen Kate.

'Hoe wist je dat?'

'Angelina had gelijk. Gracie heeft het koud. Ze hebben haar meegenomen naar het noorden.'

'Wie zijn *ze*?'

Ben wreef over zijn gezicht. 'De ontvoerders.'

Kate zette de kleine televisie aan. Op het scherm verschenen beelden van een politieteam dat een tweepersoonsstormram gebruikte om die dinsdagochtend vroeg de deur van een flat in te beuken. Ze schreeuwden 'Politie!' en stormden met getrokken wapens naar binnen; even later voerden ze een slaperige jongeman naar buiten in de felle lichten van de verzamelde media. Hij maakte een allesbehalve gevaarlijke indruk in zijn roodgeruite pyjama, met zijn handen geboeid op zijn rug en geëscorteerd door politieagenten die boven hem uittorenden. Hij zag eruit als een magere puber. Hij werd gevolgd door een vertwijfelde jonge zwangere vrouw in ochtendjas. De arrestatie voor dag en dauw was geknipt geweest voor de tv. Kate wees naar het scherm.

'Maar *hij* is de ontvoerder!'

06.45 uur

Hij ziet er niet uit als een smeerlap, dacht John toen hij door de door-kijkspiegel van de verhoorkamer naar de verdachte staarde. Hij leek he-lemaal niet op de pestkoppen op de legerbases; hij was niet grof, dik, be-haard, vies of lelijk. Maar ja, hoe wordt zo'n smeerlap verondersteld eruit te zien? De politiefoto's van zedendelinquenten in de krant toon-den altijd ongeschoren onverlaten met vet haar en acnelittekens en een onvolledig gebit. Deze knaap zag er verzorgd uit. Zijn gezicht kwam hem zelfs vaag bekend voor, hetzelfde soort gezicht als de jongelui die de schoolbanken nog maar net achter zich hadden gelaten en nu bij Bri-ceWare.com werkten; het soort gezicht dat John elke dag om zich heen zag in de hightech-wereld – jong, blank en bleek.

John wist nu dat hij Gracie nooit meer terug zou zien. Haar nooit meer in zijn armen zou houden of met haar zou praten of haar vol-maakte gezichtje zou bewonderen. Deze kerel had haar van hem afge-nomen. Voorgoed. John wilde razend worden, maar hij kon geen woe-de in zich oproepen. Hij had nauwelijks de kracht in zijn wankele benen om overeind te blijven, en dus boog hij zich voorover en liet zijn ge-wicht tegen het raam rusten. Er verschenen tranen in zijn ogen. In elk geval was er aan haar pijn nu een eind gekomen. En hij merkte dat hij weer eens jaloers op haar was: aan zijn pijn zou nooit een einde komen.

De ontvoerder had niets om mee te nemen naar de onderhandelingstafel.

Er kon geen deal worden gesloten.

Haar deal was dood.

Elizabeth stond eveneens achter het raam naar de ontvoerder te sta-ren, zo dicht bij hem dat ze haar armen uit kon steken en de schoft kon wurgen als ze niet gescheiden waren geweest door het glas, en ze vroeg zich af of ze genoeg tijd zou hebben om de verhoorkamer binnen te vliegen en zijn strot dicht te knijpen voordat Ryan of Devereaux kon-den reageren. Ze keek naar John; met zijn voorhoofd tegen het glas en zijn armen slap langs zijn lichaam stond hij naar de ontvoerder te sta-ren als een kind dat in de dierentuin naar de gorillakooi kijkt.

Elizabeth keek weer naar de ontvoerder, stelde zich hem voor boven op haar dochter, die roerloos onder hem lag terwijl de tranen stilletjes over haar wangen biggelden en ze zich afvroeg waarom God haar in de steek gelaten had. Een razende woede nam bezit van Elizabeth; ze balde haar vuisten en haar hele lichaam hunkerde ernaar de schoft te wurgen.

Ze keek naar Ryan en Devereaux die een paar passen achter haar stonden, druk in gesprek, zonder aandacht te besteden aan de vertwijfelde moeder van het slachtoffer. Voetje voor voetje schuifelde ze in de richting van de deur. Haar hart ging als een razende tekeer.

'We kregen een anonieme tip,' zei Ryan tegen Eugene Devereaux.

'Je had voor een huiszoekingsbevel moeten zorgen,' zei Devereaux. 'Paul, jouw man heeft een onrechtmatig onderzoek ingesteld. Onder een vloermat en in een afgesloten laadbak is nou niet bepaald duidelijk van buitenaf zichtbaar. Die foto en dat voetbalshirt zullen nooit een rechtszaal vanbinnen zien. Wat heb je nog meer?'

'De trainer heeft hem geïdentificeerd.'

'Is hij zeker van zijn zaak?'

'Zo goed als.'

Devereaux trok een wenkbrauw op. 'Zo goed als, daar koop je in de rechtszaal niet zoveel voor. Verder nog tastbaar bewijsmateriaal?'

'Nee, op dit moment niet.'

'Niets in zijn flat?'

'Nee.'

'Verder niets in zijn pick-up?'

'Nee... maar daar houden jullie mensen zich momenteel mee bezig, op zoek naar DNA.'

'Nou, dat kunnen ze dan maar beter vinden, Paul, want met wat we nu hebben, hoeven we echt niet bij een *grand jury* aan te komen.'

Ryan moest bijna lachen. 'Dat dacht je maar. De grand jury in dit district stelt desnoods een Greyhoundbus in staat van beschuldiging als wij dat van ze vragen!'

'Chef!'

Een agent kwam door de gang naar hen toe hollen.

'Chef,' zei de agent even later hijgend, 'we hebben de belgegevens van zijn mobiele telefoon. Vorige week negen telefoontjes naar het huis van de familie Brice.'

Elizabeth was bijna bij de deur van de verhoorkamer toen de woorden van de agent haar een schok bezorgden. Ze keek hem aan maar wees met priemende vinger naar de ontvoerder achter het glas.

'Hij heeft *mijn* huis gebeld?'

'Niet een van uw nummers, mevrouw,' zei de agent. 'Hij heeft Gracies nummer gebeld. Dat staat in het telefoonboek.'

'*Heeft hij mijn dochter gestalkt?*'

Dat was de druppel. Elizabeth vloog naar de deur en was in de verhoorkamer voordat de anderen konden reageren. De ontvoerder deinsde terug toen ze over de tafel heen dook en op zijn schoot terechtkwam. Zijn stoel viel achterover en ze kwamen allebei op de cementen vloer terecht. Hij kon zijn val niet breken met zijn geboeide handen en voeten. Elizabeth kwam op haar knieën op zijn borst terecht, waardoor de lucht uit zijn longen werd geperst. Zijn mond stond wijd open en hij hapte naar lucht terwijl ze hem keer op keer zo hard mogelijk in het gezicht stompte, waarbij de adrenaline en de razernij haar een kracht gaven die ze nooit gekend had. Speeksel vloog uit haar mond toen ze hem toeschreeuwde: 'Waar is mijn dochter, godverdomme?'

Ze deed haar uiterste best om met de knokkels van haar vuist zijn neus te breken. Hij kreunde.

'Je hebt haar vermoord, hè?'

Ze strekte haar rechterbeen naar achteren, alsof ze haar bilspieroefeningen deed, en ramde toen haar knie in zijn kruis, hopend dat zijn ballen in zijn hersenpan terecht zouden komen. Zijn ogen draaiden weg en hij gilde het uit van de pijn.

'Nou lig je niet bovenop hè, vuile smeerlap!'

Ze greep hem bij de keel en begon de schoft die haar dochter had ontvoerd te wurgen.

'Vuile gore smeerlap die je bent!'

Dikke zwarte armen werden plotseling van achteren om haar middel geslagen en ze werd van de ontvoerder opgetild tot ze in de lucht bungelde – maar haar sterke handen bleven om de magere nek van de smeerlap geklemd. Ze hield zo lang mogelijk vast, maar uiteindelijk moest ze toch loslaten. Ze wist hem nog één keer goed te raken, een trap recht in zijn ribben, wat een diep gekreun van de schoft teweegbracht.

'Mevrouw Brice, beheers u!'

Devereaux had zijn armen om het bovenlichaam van de moeder geslagen en probeerde achteruit de verhoorkamer uit te lopen terwijl zij schopte en schreeuwde en spuugde naar de verdachte. *Het mens was vol-*

komen uitzinnig! Hij wist haar tot bij de deur te krijgen, maar ze greep beide kanten van de deurstijl beet en klemde zich daar uit alle macht aan vast terwijl ze nog steeds tegen de verdachte tekeerging en haar ogen vuur spuwden.

'Je zult sterven, zieke schoft die je bent! Je zult sterven en voor eeuwig in de hel branden!'

Jezus, ze was ongelooflijk sterk voor iemand van haar postuur! Devereaux probeerde de vingers van de moeder van de deurstijl los te wrikken terwijl hij haar met één arm vasthield. Hij voelde haar keiharde middenrif snel uitzetten en samentrekken; de adrenaline joeg door haar lichaam.

'Ik zal je hoogstpersoonlijk de gifinjectie toedienen, vuile smeerlap die je bent! Je hebt mijn dochter vermoord! Klootzak! Klootzak! Klootzak!'

Devereaux was minstens vijftig kilo zwaarder dan de moeder, maar hij kon deze vrouw met geen mogelijkheid de kamer uit krijgen! En het toepassen van een wurggreep op de moeder van een slachtoffer was uitgesloten. Hij besloot lichtjes achterover te leunen om te zien of ze zich vast kon blijven klampen wanneer hij met zijn hele gewicht aan haar trok. Dat kon ze. *Verdomme!* Het moest de adrenaline zijn die haar zoveel kracht gaf. Hij keek naar Ryan in de hoop dat die hem te hulp zou komen.

Maar Ryan was bezig om de met hand- en voetboeien gekluisterde verdachte, die hevig bloedde uit zijn neus en mond en die beide handen voor zijn geslachtsdelen hield, van de vloer weer op zijn stoel te krijgen. De verdachte wist zich met moeite op zijn knieën te werken; Ryan stond achter hem en rukte aan de ijzeren gordel om zijn middel, waarbij hij hem bijna van de vloer tilde. De verdachte kwam moeizaam overeind. Toen begon hij te kotsen.

De moeder schreeuwde: 'Ik hoop dat je er in stikt, vuile schoft!'

Zodra hij de verdachte weer op zijn stoel had gekregen, haastte Ryan zich naar hen toe en wrikte de vingers van de moeder een voor een los, eerst haar rechterhand – de moeder boog zich om Ryan heen en schreeuwde nog een laatste keer 'Klootzak!' naar de verdachte – en vervolgens haar linkerhand. Devereaux viel bijna achterover de gang in, met haar in zijn armen. Ryan deed de deur van de verhoorkamer achter hen dicht.

'Zet me neer, verdomme!' eiste de moeder.

Devereaux liet haar los. Ze duwde zijn armen weg en streek haar kleren glad. Ze droeg een zwart-wit nylon joggingpak met daaronder een zwart T-shirt; haar gezicht was rood en glom van het zweet; haar borst zwoegde met elke hijgende ademhaling op en neer. Met haar mouw veegde ze tranen, speeksel en snot van haar gezicht.

'Ik wil weten wat hij met haar gedaan heeft!'

'Dat willen wij ook, mevrouw Brice, maar we kunnen niet toestaan dat u de waarheid uit hem slaat!'

'Doen jullie dat dan voor me!'

'Mevrouw Brice!'

Eugene Devereaux had nog nooit geschreeuwd tegen de moeder van een ontvoerd kind. Maar hij had dan ook nog nooit een moeder als Elizabeth Brice meegemaakt. De meeste moeders stortten in: sommige begonnen weer te roken of te drinken, sommige kwamen hun bed niet meer uit, sommige belandden in een psychiatrische inrichting met een zenuwinzinking. Elizabeth Brice sloeg de hoofdverdachte verrot. Devereaux was blij dat hij niet met haar getrouwd was, maar evengoed was ze een indrukwekkende vrouw.

Nu ijsbeerde ze door de kamer als een gekooid dier, terwijl de invloed van de adrenaline langzaam afnam en ze de bloedsporen op haar ontvelde knokkels bestudeerde; ze stak haar knokkels in haar mond en zoog het bloed weg.

'Nou allemaal even rustig!' zei Ryan. Tegen enkele agenten in uniform, die op het tumult af waren gekomen, zei hij: 'Laat iemand de rotzooi daar opruimen... en laat een verpleegkundige komen voor de verdachte.' Toen hij zich ervan verzekerd had dat de moeder zichzelf weer in de hand had, wendde hij zich tot de jonge agent die het nieuws over de telefoongegevens had gebracht. 'Dat was alles? Die telefoongesprekken?'

'Nee, chef. Hij werkt voor meneer Brice.'

'*Wat?*'

'Ja, chef, die knul werkt voor BriceWare.'

Ryan wendde zich tot de vader. 'Kent u hem niet?'

De meeste vaders van slachtoffers smeekten Devereaux om hen vijf minuten met de ontvoerder alleen te laten. Maar de vader van dit slachtoffer had zijn plek bij het raam geen moment verlaten terwijl de

156

moeder de verdachte te lijf ging. John Brice schudde zijn hoofd.

'Nee.'

'Chef,' zei de agent, 'de telefoonmaatschappij kan nagaan via welke zendmast het gesprek gevoerd is. Er staat een zendmast naast het pand waarin BriceWare gevestigd is.'

Ryan keek Devereaux aan en haalde zijn schouders op alsof hij wilde zeggen: wat heb ik je gezegd? Terwijl de nieuwe informatie langzaam bezonk, richtten alle blikken zich op de jongeman die aan de tafel in de verhoorkamer bloedend zat te snikken. De moeder wendde zich tot Devereaux en priemde haar wijsvinger in zijn richting.

'Ik wil dat u uitzoekt wat hij met mijn dochter gedaan heeft.'

07.38 uur

'Je hebt het recht om te zwijgen. Alles wat je zegt kan in de rechtszaal tegen je worden gebruikt. Voorafgaand aan en tijdens je verhoor mag je je laten bijstaan door een advocaat. Als je je geen advocaat kunt veroorloven, heb je het recht om je er vóór het verhoor een te laten toewijzen.'

Paul Ryan keek op van het kaartje waarop de rechten van verdachten stonden vermeld en keek de verdachte aan. 'Gary, begrijp je je rechten zoals ik je die heb uitgelegd?'

De verhoorkamer rook naar het schoonmaakmiddel dat gebruikt was om de vloer en de tafel te desinfecteren waar Jennings overgegeven had. Ryan zat met zijn rug naar de doorkijkspiegel met Jennings tegenover zich; Devereaux zat aan het ene uiteinde van de rechthoekige metalen tafel. Jennings' neus en lippen waren gezwollen; onder zijn linkeroog begon het al te verkleuren. Dat zou ongetwijfeld een joekel van een blauw oog worden. Hij knikte naar Ryan.

'Je moet het hardop zeggen voor de taperecorder, knul.'

Er stond een recorder midden op de tafel. Ze hadden besloten geluidsopnamen te maken in plaats van video-opnamen; het gehavende gezicht van Jennings zou voor zijn advocaat aanleiding kunnen zijn om te beweren dat een eventuele bekentenis afgedwongen was. Een rechter zou niet zomaar geloven dat de verdachte, die in verzekerde bewaring was gesteld, afgetuigd was door de moeder van het slachtoffer.

'Ja,' zei Jennings.

'Ja, je begrijpt je grondwettelijke rechten?'

'Ja.'

'En je ziet af van je recht om je tijdens het verhoor te laten bijstaan door een advocaat?'

'Ja.'

Zodra een advocaat het vertrek betreedt, vervliegt elke hoop op een bekentenis. Het verkrijgen van een snelle bekentenis in deze zaak was des te urgenter omdat het bewijsmateriaal dat in Jennings' pick-up aangetroffen was vermoedelijk ontoelaatbaar was in de rechtszaal – maar voornamelijk omdat een bekentenis ervoor zou zorgen dat het verhaal uit het nieuws verdween en dat de burgemeester Ryan met rust liet. En dus stak Paul Ryan het kaartje met de rechten van verdachten in zijn borstzak, legde zijn gevouwen handen op tafel en zei met zachte stem, op de teleurgestelde toon van een vader tegen zijn tienerzoon die zonder toestemming de auto meegenomen had: 'Gary, waarom heb je Gracie ontvoerd?'

'Ik heb haar niet ontvoerd!'

'Meneer Brice heeft gezegd dat ze in de kerstvakantie bijna elke dag op het kantoor van BriceWare is geweest. Heb je Gracie daar leren kennen?'

'Ja… ik bedoel, nee! We waren geen *kennissen*.'

'Wat waren jullie dan wel?

'We waren… *helemaal niets*! Ik werk voor meneer Brice, dat is alles!'

'Maar je hebt haar op kantoor gezien?'

'Ja. Ze bracht de post rond, op skates.'

'En je wist dat ze de dochter van meneer Brice was?'

'Natuurlijk, dat wisten we allemaal.'

'Is meneer Brice een goede werkgever?'

'Ja, het is een prima bedrijf om voor te werken.'

'Goed salaris, goede secundaire arbeidsvoorwaarden?'

'Ja.'

'Aandelenopties?'

'Ja.'

Ryan wees met zijn duim naar de doorkijkspiegel achter hem. 'Gary, meneer Brice staat aan de andere kant van die spiegel naar je te kijken en te luisteren naar alles wat je zegt.' Jennings keek op naar de spiegel. 'In godsnaam, knul, vertel hem ten minste waar het lichaam van zijn dochter is, zodat hij haar fatsoenlijk kan begraven. Laat haar niet zomaar ergens in een of ander veld liggen, waar de roofvogels haar kaal pikken.'

'Ik weet niet waar ze is!' Jennings probeerde op te staan, maar de voetboeien weerhielden hem daarvan. Tegen de spiegel zei hij: 'Meneer Brice, ik zweer dat ik haar niet ontvoerd heb!' Hij zag eruit alsof hij elk moment weer in tranen uit kon barsten.

'Maar je hebt zoiets al eerder gedaan.'

Jennings liet zich achterover in zijn stoel vallen. 'Nee, nee, nee, dat was op een feest in mijn studententijd, we waren dronken… Hoe kon ik nou weten dat ze pas zestien was?'

Devereaux gebaarde naar Ryan dat hij Jennings' dossier wilde inzien. Ryan schoof het over de tafel naar Devereaux, die het doorbladerde terwijl Ryan verderging met zijn verhoor.

'Volgens de wet telt alleen maar dat het slachtoffer jonger dan zeventien was toen je geslachtsgemeenschap met haar had, of je dat nou wist of niet.'

'Het *slachtoffer*? Bij een studentenfeest het weekend daarop legde ze het met een heel stel gasten aan – dat heb ik zelf gezien!'

Ryan haalde zijn schouders op. 'Je was verplicht je bij de politie te melden toen je hier kwam wonen. Dat heb je niet gedaan, Gary.'

'Ja, en dan mijn foto weer in de krant met "zedendelinquent" in vette letters. Ik blijf mijn leven lang gebrandmerkt als zedendelinquent en zij is met een arts getrouwd.'

'Waarom heb je je niet gemeld?'

'Omdat ik niet wilde dat mijn vrouw het te weten kwam. Ik wilde een nieuwe start maken.' Er welden tranen op in Jennings' ogen. 'Ik ben gewoon dronken geworden op een studentenfeest. Ik was vijf dagen te oud voor haar.'

Volgens een uitzonderingsbepaling in de Texaanse wet is er geen sprake van een misdrijf als de verdachte minder dan drie jaar ouder is dan het slachtoffer. Jennings was ten tijde van het incident negentien jaar en zevenentwintig dagen oud; het meisje zestien jaar en tweeëntwintig dagen. Een verschil van drie jaar en vijf dagen. Die vijf dagen bestempelden hem voor de rest van zijn leven als zedendelinquent.

'Je bent geen kinderverkrachter?'

'Nee!'

Ryan reikte naar het dossier en haalde er de geplastificeerde foto van het naakte jonge meisje uit die in Jennings' pick-up was aangetroffen. Hij schoof de foto naar Jennings toe.

'Nou, jongen, waarom kijk je dan naar dit soort foto's?'

Jennings wierp een blik op de foto en deinsde terug.

'Ik heb die foto nog nooit gezien!'

'Hij lag in je wagen, onder de vloermat.'

'In *mijn* wagen?'

'Ja, jongen, in jouw wagen. Het bezit van kinderporno is een misdrijf, Gary – die foto alleen al kan je voor het grootste deel van je leven achter de tralies doen belanden.'

'Ik weet niet hoe die foto in mijn wagen terechtgekomen is.'

'O, en hoe zit het dan met haar shirt? Hoe is dat in je wagen terechtgekomen?'

'Wat voor shirt?'

'Gracies voetbalshirt. Dat lag in je afgesloten laadbak.'

'Haar voetbalshirt lag in mijn pick-up?'

'Ja.'

'Dit moet een grap zijn, één grote vergissing!'

'En hoe zit het met die negen telefoontjes van je naar Gracie vorige week, zijn die ook een grote vergissing?'

'Ik heb haar nooit gebeld!'

'We hebben de gesprekken getraceerd naar jouw mobieltje.'

'*Mijn* mobieltje? Ik weet niet… Dat laat ik altijd in mijn auto liggen. Die sluit ik nooit af.'

'Waarom niet?'

'Omdat er hier geen misdaad is, precies zoals de burgemeester zegt! Sluit u uw auto af? Misschien heeft iemand mijn mobieltje gebruikt terwijl ik aan het werk was.'

'O, oké, dus iemand probeert je erin te luizen?'

'Ja!'

Ryan leunde achterover, sloeg zijn armen over elkaar en nam Gary Jennings aandachtig op. Met zijn zevenentwintig jaar en zijn jongensachtige gezicht en lichaamsbouw zag hij er niet uit als de typische zedendelinquent; eigenlijk had hij wel iets weg van Ryans schoonzoon, een proctoloog in Dallas. En de meeste zedendelinquenten waren lang zo overtuigend niet in het betuigen van hun onschuld – deze jongen maakte een oprechte indruk. Maar hij had al eerder met dit bijltje gehakt, dus hij wist dat hij moest ontkennen, ontkennen en nog eens ontkennen; jury's raakten daarvan onder de indruk als ze naar de geluidsopname van het verhoor luisterden. Ryan besloot de druk te verhogen, de jongen iets te geven om over na te denken.

'Oké, Gary, laten we je verweer voor de jury even samenvatten: een zedendelinquent beraamt de ontvoering van Gracie weken van tevoren. Hij zoekt in het databestand van zedendelinquenten van de staat en vindt jou, een veroordeelde zedendelinquent die toevallig als twee druppels water op hem lijkt, die toevallig vijf kilometer van het park woont en die toevallig voor Gracies vader werkt. Dan, in de week vóór de ontvoering, gaat hij naar de plek waar jij werkt, ontdekt dat je auto niet afgesloten is, legt er kinderporno in en gebruikt jouw mobieltje om negen keer met Gracie te bellen. Dan, nadat hij Gracie ontvoerd en verkracht en vermoord heeft in het bos achter het park, dumpt hij haar lijk, rijdt naar je flat en gooit haar voetbalshirt in je pick-up om jou erin te luizen.' Ryan hief zijn handen. 'Gary, je bent een intelligente knaap, denk je nou echt dat een jury dat gelooft?'

Jennings schudde langzaam het hoofd, alsof hij het allemaal niet kon bevatten. 'Nee... ik bedoel, ja! Ik neem aan dat het zo gegaan zou kunnen zijn, ik weet het niet. Maar ík heb het niet gedaan!'

'Gary, wie zal de jury geloven als Gracies trainer in de getuigenbank plaatsneemt en naar jou wijst' – wat Ryan nu ook deed – 'en zegt: "Dat is de man die Gracie heeft ontvoerd"?'

'Ik heb haar niet ontvoerd!'

'Oké, Gary. Nog een laatste vraag: wat zullen we nog meer in je pick-up aantreffen? De beste mensen van de FBI onderzoeken momenteel elke vierkante centimeter van je wagen – zullen ze Gracies vingerafdrukken aantreffen, haar haren, haar bloed?'

'Nee! Ze heeft nooit in mijn auto gezeten!'

Ryan stond op en liep naar de deur, draaide zich toen om en speelde zijn laatste troef uit, waardoor deze jongen later op de dag ongetwijfeld in tranen een bekentenis zou afleggen.

'Ik hoop voor jou dat je de waarheid spreekt, knul, want als ze haar DNA in jouw pick-up aantreffen, bewijst dat dat ze bij jou in de auto heeft gezeten en dan kom jij in een dodencel te zitten.'

Ben was gearriveerd terwijl Devereaux en Ryan de verdachte ondervroegen. Het gezicht van de jongen kwam hem bekend voor. Even later wist Ben hem te plaatsen: hij was de jongeman met de zwangere vrouw die zondagavond tijdens de gebedswake bij kaarslicht naar John toe was gekomen om hem zijn medeleven te betuigen. Ben stond bij de doorkijkspiegel naar de verhoorkamer toen Devereaux en Ryan naar buiten kwamen.

'Dronken seks?' zei agent Devereaux tegen Ryan. 'Is dat het enige wat hij op zijn kerfstok heeft? Hij wordt samen met een meisje dronken op een studentenfeest, ze gaan met elkaar naar bed, de volgende ochtend heeft zij daar spijt van en dient een aanklacht in. Jennings sluit een deal omdat hij negentien is en zij nog net te jong en hij komt er met een voorwaardelijke straf van af. Maakt dat hem tot een zedendelinquent?'

Ryan haalde zijn schouders op. 'Hij heeft schuld bekend.'

'Aan onzedelijk gedrag met een minderjarige, Paul, zodat hij niet de volgende twintig jaar achter de tralies hoefde door te brengen! Deze knaap heeft acht jaar lang nog geen bekeuring wegens te hard rijden gehad, en dan besluit hij plotseling om een kind te ontvoeren en te vermoorden?'

Ben stapte naar voren. 'Hij voldoet niet aan het profiel. Hij is geen afwijkende eenling. Hij is getrouwd, zijn vrouw is in verwachting, hij staat op het punt een heleboel geld te innen. Geen slecht nieuws in het leven van deze knaap dat de aanleiding zou kunnen zijn tot de ontvoering, zoals jullie profiler zei.' Ben hield de flyer omhoog met de compositietekening van de verdachte die onmiddellijk na de ontvoering aan de media was verstrekt. 'Hij lijkt totaal niet op deze knaap. En volgens de trainer was de ontvoerder ongeveer één meter tachtig lang en woog hij zo'n negentig kilo. Deze knul is hoogstens één meter vijfenzeventig en weegt nog geen zeventig kilo.'

'Waarschijnlijk leek hij langer door die zwarte pet,' zei Ryan. 'Hoor eens, kolonel, we hebben de dader te pakken, oké? De trainer heeft hem geïdentificeerd, hij had kinderporno en Gracies voetbalshirt in zijn pick-up liggen, en hij heeft Gracie vorige week negen keer gebeld.' Hij stak zijn handen omhoog. 'Wat wilt u nog meer?'

'De waarheid.'

Een scherpe blik. 'Sorry. De wet voorziet alleen in een veroordeling.'

11.00 uur

'Als we niet precies volgens het boekje te werk gaan, zal een eventueel doodvonnis door een federale rechter vernietigd worden.'

Nog geen uur na het verhoor van Jennings hadden de burgemeester en Chief Ryan samen op het bordes van het stadhuis gestaan en Gary Jennings schuldig verklaard aan de ontvoering van en de moord op Gracie Ann Brice. De plaatselijke autoriteiten wilden uiteraard niets liever dan deze ontvoeringszaak zo snel mogelijk afsluiten – slecht voor de waarde van het onroerend goed – maar FBI-agent Eugene Devereaux had geweigerd daaraan mee te werken. Jennings' houding baarde hem zorgen; dat was niet de houding van een zedendelinquent. Kon Jennings zo goed liegen? Misschien. Maar Devereaux besloot het rapport van de technische recherche af te wachten alvorens zich een oordeel over Gary Jennings aan te meten; hij zou afwachten of Gracies DNA in Jennings' pick-up werd aangetroffen. DNA loog nooit.

Maar de aankondiging van de burgemeester had de familie naar de commandopost gebracht; Gracies ouders en grootouders stonden nu voor Devereauxs bureau.

'De rechtbank moet Jennings een advocaat toewijzen, iemand met ervaring in zaken waarbij de doodstraf kan worden geëist, want als de advocaat bij nader inzien niet voor zijn taak berekend blijkt, zal er in hoger beroep een nieuw proces worden gelast. Dus dan begint alles weer van voren af aan en voor u het weet, zijn we drie jaar verder.'

'Maar we moeten Grace vinden!' zei de moeder.

Dit was het gedeelte waar Devereaux altijd vreselijk tegen opzag. 'Mevrouw Brice, als we ervan uitgaan dat Jennings inderdaad de ontvoerder is, Gracie was niet bij hem. Hetgeen betekent...'

'Dat ze dood is,' zei de moeder.

'Ja, mevrouw. Als Jennings inderdaad onze man is.'

'Dan kan hij ons in elk geval vertellen waar ze is.'

'Inderdaad. Als hij dat weet.'

'U bent er niet zeker van dat hij de ontvoerder is, is het wel?' vroeg kolonel Brice. 'Er zijn dingen die niet kloppen.'

'Er zijn inderdaad dingen die niet kloppen.'

'Laat hem een leugendetectortest afleggen,' zei de kolonel.

'Als we dat doen voordat hem een advocaat is toegewezen en hij valt door de mand, dan weten we dat hij schuldig is, maar datgene wat we via de leugendetectortest te weten komen, zou als bewijs voor de rechtbank wel eens ontoelaatbaar kunnen zijn.'

'En als hij wél door de test heen komt?'

'Dan laten we hem gaan. Leugendetectortests mogen dan in de rechtszaal niet als bewijs worden geaccepteerd, ze zijn voor vijfennegentig procent betrouwbaar, en dat kun je van een jury meestal niet zeggen.'

'Hoe zit het met die andere man op de videobeelden van de wedstrijd?'

'Kolonel, ik weet het niet. Misschien hoorden ze niet bij elkaar. Misschien kende Jennings die andere man inderdaad niet, zoals hij zegt.'

'Hoe lang gaat dit allemaal duren?' vroeg de moeder.

'Een paar dagen. De rechtbank zal hem vandaag een advocaat toewijzen, morgen wordt hij in staat van beschuldiging gesteld. Op deze manier duurt het wat langer, maar als we de zaak verprutsen, wordt zijn veroordeling vernietigd en dan zullen we Gary Jennings nooit kunnen berechten voor de moord op uw dochter.'

13.48 uur

'Nou, Eddie, met dat shirt heb je er een mooi zootje van gemaakt,' zei Chief Ryan. 'Van buitenaf zichtbaar? In de laadbak van een pick-up onder een afdekklep? Heb je soms röntgenogen?'

Agent Eddie Yates transpireerde. Chief Ryan had hem thuis gebeld en gevraagd of hij wat vroeger wilde komen, nog vóór de wisseling van de wacht, en zich op zijn kantoor wilde melden. Dat was nog nooit gebeurd. Eddie dacht dat de chef hem wilde complimenteren omdat hij zulk goed werk geleverd had. Dat had hij verkeerd gedacht.

'En die pornofoto, dat is ook best interessant, Eddie, want de enige vingerafdrukken die ze daarop hebben aangetroffen, waren de jouwe. Hoe zou dat nou komen?'

Er parelden zweetdruppels op Eddies voorhoofd.

'Chef, ik...'

'Je hebt zijn pick-up opengemaakt, hebt die doorzocht, hebt onder de vloermat gekeken, de foto opgepakt en hem weer teruggelegd? Hoe stom kun je zijn?'

'Shit, chef, ik dacht dat ik mijn vingerafdrukken had weggeveegd.'

'Eddie, dat hoor je je meerdere niet te vertellen, godverdomme!' Ryan schudde het hoofd. 'Verdomme, Eddie, die schoft zou dankzij jou wel eens vrijuit kunnen gaan! Je mag hopen dat de jongens van de FBI DNA in zijn wagen aantreffen.'

'Het spijt me echt, chef.'

'Heb je de klep geforceerd?'

'Nee, chef, ik zweer van niet! Hij zat niet op slot, net als het portier.'

'Waar lag dat mobieltje?'

'In de middenconsole. Dat is toch ook stom? Ik bedoel, niemand sluit hier zijn auto af, maar om je mobieltje er nou in te laten liggen? Ik had het mee kunnen nemen en op het parkeerterrein zijn hele beltegoed kunnen opmaken zonder dat hij het in de gaten zou hebben, totdat hij de rekening kreeg.'

Eddie lachte; zijn chef niet. Ryan maakte een gebaar dat Eddie kon gaan. Terwijl Eddie naar de deur liep, schoot hem iets te binnen. Hij wist niet zeker of dit het beste moment was om het te vragen, maar hij kon niet langer wachten.

'Eh, chef…'

Ryan keek op.

'Zou ik kans maken op een deel van die beloning?'

Ryan knipperde met zijn ogen en zei: 'Neem je me soms in de maling?'

Eddie liep het kantoor uit net toen Ryans secretaresse haar hoofd om de hoek van de deur stak en zei: 'De vrouw van Jennings is er.'

Ze was eigenlijk nog maar een meisje.

Ryan had de deur van zijn kantoor open laten staan zodat zijn secretaresse hem en Jennings' vrouw kon zien en horen. Debbie Jennings was gekomen om de onschuld van haar echtgenoot te bepleiten. Hij had haar eraan herinnerd dat ze niet gedwongen kon worden om tegen haar man te getuigen; ze zei dat ze niets te verbergen hadden. Ze was vijfentwintig en was zeven maanden zwanger. Ze waren twee jaar geleden getrouwd. Ze wist niets van zijn veroordeling in zijn studententijd.

'Dat wil nog niet zeggen dat hij een kinderverkrachter is,' zei ze. 'Gary zou zoiets nooit doen.'

Ze zag eruit alsof ze na de arrestatie niet meer geslapen had. Ze ademde zwaar.

'Gaat het wel?' Ze knikte, maar Ryan had zo zijn twijfels. 'Mevrouw Jennings, waar was Gary vrijdagavond?'

'Bij mij. Hij kwam even na vijven thuis, we maakten onze wandeling – de dokter wil dat ik elke dag een stuk ga lopen – we hebben gegeten en daarna tv-gekeken. En we hebben namen voor de baby uitgezocht. Het wordt een meisje.'

'Zijn jullie er al uit?'

'Waaruit?'

'Wat haar naam wordt.'

'Sarah.'

'Mooie naam.' Paul Ryan wilde graag een kleinkind, maar zijn schoonzoon de proctoloog had liever een Porsche. 'Gary heeft die avond de flat niet verlaten?'

'Nee.'

'En u hebt ook de flat niet verlaten?'

'Nee.'

'Zijn er nog andere getuigen?'

'We houden meestal geen logeerpartijtjes, en wie anders dan je vrouw kan bevestigen waar je gisteravond was?'

Daar zat iets in.

'En uw agenten hebben niets gevonden toen ze onze flat overhoop haalden – ze hebben nota bene zelfs mijn la met ondergoed doorzocht!'

'Mevrouw Jennings, weet u iets van Gracies voetbalshirt, hoe dat in Gary's pick-up terechtgekomen kan zijn?'

'Nee. Ik heb hem al zo vaak gezegd dat hij zijn wagen moet afsluiten, maar hij zegt altijd dat hij daarom juist uit de grote stad is weggegaan, omdat er hier geen misdaad is. Iedereen had dat shirt in zijn pick-up kunnen leggen.'

'Niet iedereen, mevrouw Jennings. Alleen de ontvoerder. En waarom zou hij dat doen?'

'Dat weet ik niet.'

'Heeft Gary het ooit over Gracie gehad?'

'Nee. En de enige keer dat hij ooit met meneer Brice gesproken heeft, was tijdens die gebedswake.'

'Ook niet toen hij aangenomen werd?'

166

Ze schudde het hoofd. 'Gary werkt daar pas een halfjaar. Meneer Brice zat in die tijd voornamelijk in New York, vanwege de beursgang.'

'Waarom is Gary naar de gebedswake geweest?'

'Ze was het dochtertje van zijn baas. Iedereen ging erheen.'

'Is Gary's gedrag sinds vrijdagavond op de een of andere manier veranderd?'

'Ja, om twee uur vanochtend, toen de politie onze deur forceerde en vuurwapens op ons richtte. Toen ging hij over de rooie.'

'Heeft hij de laatste tijd kleding weggedaan?'

'Nee.'

'Heeft hij in het weekend zijn auto schoongemaakt?'

'Nee.'

'Heeft Gary ooit een ongebruikelijk belangstelling voor kinderen aan de dag gelegd?'

'Integendeel, hij wordt gek van kinderen.'

'Hebt u hem ooit naar kinderen horen verwijzen als "rein" of "onschuldig"?'

'Nee. Hij beschouwt de kinderen van mijn zus als satansgebroed. Waar haalt u die vragen vandaan, uit een handleiding ter herkenning van kinderverkrachters?'

Dat was inderdaad het geval.

'Heeft hij vrienden die u zou omschrijven als afwijkend of zonderling?'

'Bent u wel eens op zijn werkplek geweest? De mensen daar hebben ringetjes in hun oren, neus, tong, navel, tepels en geslachtsdelen. Ik noem dat zonderling.'

Daar moest hij haar gelijk in geven.

'Mevrouw Jennings, hebben Gary en u een, eh, normale echtelijke relatie?'

'U bedoelt of we gemeenschap hebben?'

Hij knikte.

'Ja, we hebben gemeenschap. Gary houdt van seks met zijn vrouw, niet met kleine meisjes.'

Ryan aarzelde. Op die manier kwam hij niet veel verder. Maar hij had haar natuurlijk nog niet verteld over de kinderporno. Hij overlegde even bij zichzelf of hij dat zou doen, en besloot toen dat ze er bij de rechtszaak sowieso mee geconfronteerd zou worden, en waarschijnlijk al eerder. Dus het was niet zo dat hij haar willens en wetens van streek maakte. En misschien zou ze zich dan realiseren dat haar man schuldig was en kon ze druk op hem uitoefenen om een bekentenis af te leggen. Paul Ryan had een bekentenis nodig om zijn baan te behouden. En dus haalde hij de foto uit zijn bureaula en legde hem op zijn schoot.

'Mevrouw Jennings, houdt uw man zich bezig met pornografie?'

'O, nee, hij heeft me nooit gevraagd om dergelijke dingen te doen… Nou ja, hij heeft me één keer gevraagd of ik het met mijn mond wilde doen, maar ik heb hem gezegd dat dat zondig was. Daarna heeft hij het nooit meer gevraagd.'

'Nee, eh, ik bedoel, heeft hij pornografie in huis, u weet wel, tijdschriften of films?'

'Nee, hij heeft zelfs zijn abonnement op de *Playboy* opgezegd sinds hij God in zijn leven heeft toegelaten.'

'Heeft hij ooit kinderporno in zijn bezit gehad?'

'Nee!'

'Mevrouw Jennings, dit hebben we in Gary's pick-up aangetroffen.'

Ryan legde de foto op het bureau en schoof hem langzaam naar haar toe. Ze staarde ernaar en haar mond ging open alsof ze iets wilde zeggen, maar er kwam geen geluid uit. Ze keek op naar Ryan en toen weer naar de foto. Ten slotte zei ze: 'Lag deze foto in Gary's pick-up?'

'Ja, mevrouw.'

Haar gezicht werd bleek. Ze legde haar handpalmen op het bureau en duwde zich omhoog uit haar stoel. Halverwege kreunde ze en drukte haar hand tegen de onderkant van haar bolle buik. Ze boog zich voorover schreeuwde het uit van de pijn. Ze zakte in elkaar.

Jezus christus!

Ryan sprong naar haar kant van het bureau. Er liep bloed over haar blote benen.

'Bel een ambulance!' schreeuwde hij naar zijn secretaresse.

14.12 uur

Een delinquent uit risicocategorie 3 is een delinquent van wie het niet aannemelijk is dat hij een ernstig gevaar voor de samenleving vormt of zich opnieuw zal bezighouden met strafbaar seksueel gedrag.

Gary Jennings was een delinquent uit risicocategorie 3. Elizabeth had ingelogd op de database Zedendelinquenten van het Texas Department of Public Safety. Ze typte *Jennings, Gary* in het zoekvenster en klikte.

Jennings' foto verscheen, samen met zijn dossier.

JENNINGS, GARY MICHAEL

DPS NR.	GEB. DATUM	RISICO- CATEGORIE	GESLACHT	HUIDS- KLEUR
156870021	10/3/79	3	mnl.	blank

LENGTE	GEWICHT	KLEUR OGEN	KLEUR HAAR	SCHOEN- MAAT
1.75 m	68 kg	blauw	blond	42

SCHUILNAMEN
Jennings, Gary

HUIDIG ADRES
1100 Interstate 45
Oakville Apartments
Flat 121
Post Oak, Texas 78901

GEGEVENS M.B.T. STRAFBARE FEITEN

STRAFBAAR FEIT:	Onzedelijk gedrag met kind/seksueel contact
AANTAL AANKLACHTEN:	1
GESLACHT SLACHTOFFER:	Vrouwelijk
LEEFTIJD SLACHTOFFER:	16 jaar, 11 maanden

42.000 geregistreerde zedendelinquenten in de staat Texas. En een van hen had haar dochter ontvoerd en vermoord.

14.30 uur

BriceWare.com Incorporated was gevestigd in een voormalige supermarkt in een onopvallend winkelcentrum in Post Oak. FBI-agent Eugene Devereaux volgde de vader door de automatische glazen schuifdeuren de winkelruimte in, vergezeld door de agenten Stevens en Jorgenson. Ze waren gekomen om de werkplek van Gary Jennings en zijn personeelsgegevens te bekijken.

Binnen was nog duidelijk te zien dat de ruimte ooit een supermarkt had gehuisvest. Grote lichtreclames – ZUIVELPRODUCTEN ... VLEESWAREN ... BAKKERIJ ... APOTHEEK ... VIDEO'S ... GROENTEN EN FRUIT – verlichtten nog steeds de wanden. Aan het plafond hingen tl-buizen en vakaanduidingen met producten. Maar waar vroeger de gangpaden met hun verscheidenheid aan artikelen waren geweest, bevonden zich nu gangpaden met werkhokjes met lage afscheidingen ertussen; in elk hokje zat iemand achter een computer.

Jonge mannen en vrouwen, jongens en meisjes eigenlijk, gleden langs op skates of elektrische scootertjes, met koptelefoons op het hoofd, hun oren en neuzen versierd met ringetjes, hun armen en enkels met tattoos, kapsels in alle kleuren van de regenboog; sommigen duwden winkelwagentjes vol post of dozen voor zich uit; ze waren gekleed alsof ze bij een rockconcert waren in plaats van in een bedrijf. Als er al iemand van boven de vijfentwintig bij was, dan had Devereaux hem of haar nog niet gezien. De werkruimte van dit hightech-bedrijf zag er eerder uit als de kantine op de middelbare school van zijn dochter tijdens de middagpauze. En de vader had meer weg van een magere tiener dan van de directeur van een bedrijf dat miljarden waard was. Bij de KLANTENSERVICE-balie kwam een jonge receptioniste met paarsrood haar en een klein brilletje met zwart montuur abrupt overeind toen ze de vader zag; haar neonrode truitje liet haar navel bloot, die voorzien was van een zilveren ringetje. Ze liep naar de vader toe en legde haar hoofd tegen zijn borst, sloeg toen haar armen om hem heen. De vader klopte haar stijfjes op de rug.

'O, Kahuna,' zei ze zachtjes. Ze liet de vader los en veegde haar tranen weg. 'Hoe heeft hij dat kunnen doen? Hij leek me een goeie gozer. Gisteren was hij er nog gewoon, alsof er niks aan de hand was.' Ze schudde het hoofd. 'Waar gaat het met de wereld naartoe?' Ze beet op haar gepiercete onderlip. 'Ik zal haar echt missen.'

De vader knikte en zei bijna op fluistertoon: 'Terri, zeg tegen iedereen dat de beursgang morgen gewoon doorgaat. Ze verdienen het.'

Terri knikte. 'Oké, baas. Als je maar weet... die beursgang is natuurlijk hartstikke cool, maar dat is helemaal jouw verdienste. Jij bent de Man.'

De vader zuchtte en staarde even in het niets. Toen zei hij: 'Ja... ik ben de Man. Waar is de werkplek van Jennings?'

De jonge vrouw keek op haar computerscherm. 'Koekjes en Crackers, hokje drieëntwintig.'

Devereaux en zijn agenten volgden de vader in de richting van de aanduiding APOTHEEK; ze kwamen langs een ruimte die ingericht was met diverse spellen zoals tafelvoetbal en blaashockey en een hele verzameling racesimulators, een fitnessruimte, een koffiehoek, een open ruimte met een basketbalring en een tiental frisdrank- en snoepautomaten langs de muur. Een jonge Latijns-Amerikaanse man met platinablond haar stond op de zijkant van een Red Bull-automaat te beuken. De vader bleef staan en zij dus ook.

'Dat rotapparaat heeft alweer mijn geld ingepikt!' Hij keek op naar de vader. 'O, het spijt me, baas. Ik bedoel, niet dit hier, maar, eh, je weet wel...'

De vader keek de jongeman aan, staarde toen naar het apparaat zoals Devereauxs dochter naar de basket staarde voordat ze een vrije worp nam. Toen bracht hij plotseling zijn rechtervoet omhoog in een soort karatetrap en ramde met de hak van zijn schoen tegen de zijkant van de automaat: BENG! Het apparaat wiebelde even op en neer en spuwde toen twee blikjes Red Bull uit.

De Latijns-Amerikaanse man grijnsde breed, pakte de twee blikjes en zei: 'Cool. Eentje gratis.' Toen, tegen de vader: 'Jij bent de Man.'

Hij stak zijn vuist uit naar de vader. Ze sloegen hun vuisten tegen elkaar zoals profsporters dat doen, toen liep de Latijns-Amerikaanse man de ene kant op en zij de andere. Ze sloegen een gangpad in waar KOEKJES EN CRACKERS boven stond. Stoelen in de werkhokjes draaiden weg van computerschermen toen ze voorbijliepen; achter hen werden hoofden uit de hokjes gestoken.

Ze kwamen bij nummer drieëntwintig, een klein hokje, nauwelijks twee bij twee meter; twee volwassenen konden er niet tegelijkertijd in, omdat de meeste ruimte in beslag genomen werd door een computer op een smalle tafel, een paar ladeblokken en dozen die op de vloer stonden opgestapeld. De wanden van het hokje waren bedekt met gele plakbriefjes, bedrijfsmemo's en foto's van Jennings en zijn vrouw die glimlachten, elkaar kusten en elkaar omhelsden – en een van Jennings die zijn hand op haar bolle buik legde. Hij maakte niet de indruk een psychologische tijdbom te zijn. Op een van de foto's droeg hij een zwarte honkbalpet.

'Stevens,' zei Devereaux, 'jij neemt zijn werkplek. Zoek uit of Jennings via zijn computer contact met Gracie heeft gehad of hiervandaan kinderpornosites heeft bezocht, en doe dan zijn persoonlijke bezittingen in een doos.' Tegen de vader: 'Personeelsdossiers.'

De vader ging Devereaux en Jorgenson zwijgend voor naar de afdeling ZUIVEL.

17.33 uur

Elizabeth richtte de afstandsbediening op de tv en zette het geluid harder. De verslaggever zei: 'Een veroordeelde zedendelinquent zit deze dinsdagavond in de gevangenis, na vanochtend vroeg gearresteerd te zijn vanwege de ontvoering van Gracie Ann Brice afgelopen vrijdag. Gary Jennings werkte bij het bedrijf van de vader van het slachtoffer, waar hij Gracie kennelijk leerde kennen. In de week vóór haar ontvoering heeft hij negen keer naar Gracies nummer gebeld. Gracies voetbalshirt is aangetroffen in zijn pick-up, evenals kinderporno. Hoewel dat nog niet bevestigd is, melden bronnen ons dat er ook bloedsporen in zijn pick-up zijn aangetroffen. DNA-tests zullen moeten bepalen of het bloed afkomstig is van Gracie. Jennings zal in staat van beschuldiging worden gesteld wegens ontvoering, moord en het bezit van kinderporno. Terwijl de mensen hier blijven hopen, geven de autoriteiten onder vier ogen toe dat men ervan uitgaat dat Gracie Ann Brice niet meer in leven is.'

20.05 uur

Ze leeft nog.

Hun band was niet verbroken.

Ze was tot hem gekomen. Ze wees hem de weg. Ze is in het noorden, waar het koud is. Waar sneeuw ligt. Waar hoge bomen groeien.

Maar waar in het noorden?

Ben had zijn toevlucht genomen tot het weerkanaal op de tv in het tuinhuisje bij het zwembad. Het hele noorden van het land was bedekt met een witte deken na een late sneeuwstorm. Was Gracie in Washington of Montana of Minnesota of Michigan of Maine? Hij had geen tijd om in het wilde weg vijfduizend kilometer rond te gaan rijden. Iemand moest hem de juiste richting wijzen. Ben hoopte dat de uitdraai met binnengekomen tips van de FBI-computer daarvoor zou zorgen. Nadat hij teruggekeerd was van het politiebureau, had hij de rest van de dag besteed aan het doornemen van 3316 tips van getuigen die meldden een blond meisje te hebben gezien. Geen van de meldingen leek veelbelovend. Alle waarnemingen waren gedaan in Texas, Louisiana, Arkansas, Oklahoma, Arizona, New Mexico en Mexico, waar begin april geen sneeuw lag en waar ook geen bosbouwgebied was. Op naar waarneming 3317: Idaho Falls, Idaho.

Clayton Lee Tucker was net klaar met de wiellagers toen de telefoon ging. Nou, die moest dan maar even blijven rinkelen. Dat deed hij ook. Tien, vijftien, twintig keer – de beller was niet van plan om op te hangen. Tucker was nog laat aan het werk, zoals gewoonlijk. Sinds zijn vrouw overleden was, had hij niet veel anders te doen. De telefoon bleef maar rinkelen. Verdomme, misschien was het wel een oud dametje dat ergens met pech stond. Clayton Lee Tucker had nog nooit een oud dametje in de kou laten staan dat in dit deel van Idaho met autopech te kampen kreeg.

Langzaam duwde Clayton zijn vijfenzeventigjarige lijf omhoog van de koude betonnen vloer, keek om zich heen op zoek naar een lap, gaf het op en veegde zijn vette handen af aan de pijpen van zijn gevoerde overall. Hij strompelde de zes meter van de werkplaats naar het kantoortje; zijn artritis speelde op door de kou. Hij nam de telefoon op.

'Benzinestation.'

'Ik ben op zoek naar Clayton Lee Tucker.'

'Daar spreekt u mee.'

'Meneer Tucker, ik bel over het meisje.'

'Ogenblikje, dan veeg ik even mijn handen af.'

Clayton legde de hoorn op het bureau en liep naar de wastafel. Hij spoot reinigingsmiddel op zijn gekloofde handen en waste ze onder het stromende water. Na vijftig jaar lang auto's te hebben gerepareerd, zagen zijn handen eruit als wegenkaarten; de zwarte smeer vulde elk huidplooitje. Ze zouden nooit meer echt schoon worden. Hij droogde zijn handen af en pakte de hoorn weer op.

'Sorry, hoor. Bent u van de FBI?'

'Nee, meneer. Ik ben de grootvader van het meisje. Ben Brice.'

'Ik heb zelf drie kleinkinderen, daarom heb ik het nummer van de FBI gebeld.'

'U hebt het meisje zondag gezien, in het gezelschap van twee mannen?'

'Ja, ze kwamen hier rond acht uur, halfnegen aansukkelen, olie lekkend alsof er een pijplijn gesprongen was. Ik ben de enige idioot die op zondagavond open is. Ik heb nou eenmaal niet veel beters te doen.'

'Kunt u haar beschrijven?'

'Lichtblond haar, kort, piekerig – ik dacht eerst dat het een jongen was, maar daar was haar gezichtje te knap voor. En ze droeg roze.'

'Waarom denkt u dat zij het was?'

'Ik had haar foto op de computer gezien.'

'Hebt u gebeld vanwege de beloning?'

'Ik wil jullie geld niet, Ben. Ik heb gebeld omdat het meisje op de foto leek en omdat ze eruitzag alsof ze bang was en het koud had.'

'Hoe is het weer daar?'

'Het vriest dat het kraakt. In het noorden ligt bijna een meter sneeuw.'

'In wat voor auto reden ze?'

'Een Blazer, model '90, vierwielaandrijving, 350 V-8, wit, smerig. Ze waren al een tijd onderweg, zeiden dat ze op weg waren naar het noorden. Ze hadden veel haast, wilden dat ik 's nachts door zou werken. Ik heb ze gezegd dat het vervangen van een koppakking nou eenmaal de nodige tijd kost. Gisteravond, maandag, rond een uur of negen had ik het karwei geklaard en liep de wagen weer heel behoorlijk. Ik moet alles alleen doen, dus sneller ging het niet. Die grote kerel kwam hem vanochtend vroeg ophalen. Betaalde contant. Nadat ze vertrokken waren, wilde ik op de computer mijn bankrekening bekijken en toen zag ik een opsporingsbericht op mijn homepage, met haar foto. Toen heb ik gebeld.'

'Kunt u die twee mannen beschrijven?'

'De bestuurder heb ik niet goed kunnen zien. Hij bleef in de auto bij het meisje.'

'En die andere man?'

'Zag eruit als die gouverneur van Californië, Arnold Schwarzenberger, één bonk spieren. Gemillimeterd grijs haar, camouflagekleding, legerlaarzen. Dat soort figuren zien we hier regelmatig, militiejongens die soldaatje willen spelen.'

'Hebt u het kenteken genoteerd?'

'Nee. Maar het was een nummerbord uit Idaho.'

'Verder nog iets?'

'Nou, ik ben niet zo'n liplezer, maar ik zou gezworen hebben dat ze "help me" zei.'

'Meneer Tucker, worden er in het noorden van Idaho kerstbomen gekweekt?'

'Dat is daar de voornaamste bron van inkomsten.'

'Meneer Tucker, ik stel het zeer op prijs dat u… Hoe wist u eigenlijk dat die tweede man zo gespierd was?'

Clayton grinnikte. 'Het was ongeveer min tien buiten, en hij droeg alleen maar een zwart T-shirt.'

'Had hij blote armen?'

'Yep… en de vreemdste tatoeage die ik ooit gezien heb.'

175

21.16 uur

John zat met een lepel te eten: een stuk of tien in melk geweekte Oreo-koekjes. Dat was zijn lievelingskostje, maar hij proefde niets.

Omdat hij niet langer leefde. Hij deed alleen maar alsof, net als zo'n voortbrengsel in het Laboratorium voor Menselijke Robotica van MIT. Hij had zich de hele dag beziggehouden met op het oog menselijke activiteiten – eten, lopen, de FBI ontvangen in zijn bedrijf – maar dat was maar schijn. Er zat geen bewuste menselijke gedachte achter zijn handelingen.

Hij dacht alleen maar aan Gracie.

Hij spuugde een mondvol van de papperige chocoladekoekjes in de gootsteen, een onbestemde donkere klodder. Net als zijn leven.

'Wilt u er dubbelgebakken bonen bij?'

Coach Wally had die dinsdag late avonddienst aan het drive-inloket van Taco House aan de autosnelweg. Hij stond in het kleine hokje en nam bestellingen op van automobilisten die trek hadden in een snelle burrito, *chalupa* of taco, pakte de bestellingen in, gaf wisselgeld terug en stelde elke klant dezelfde vraag: *Wilt u er dubbelgebakken bonen bij?*

Over de intercom: 'Nee!'

In de intercom: 'Dat is dan zeven dollar drieëntwintig. Rijdt u alstublieft door naar het loket.'

Wally Fagan klikte het zendknopje van de intercom uit, pakte een zak en liep terug naar de keuken.

'Hé, Wally, uit de kunst, man!' zei Juaquin Jaramillo, de avondkok. 'Dat je die kinderverkrachter achter de tralies hebt gekregen, hartstikke goed, man.'

Juaquin gebaarde naar Wally met een grote lepel, en de dubbelgebakken bonen dropen op de cementvloer.

'Man, als de een of andere motherfucker zou proberen zijn pik in een van mijn dochters te steken...'

Juaquin bleef maar doorratelen in een soort raprritme terwijl hij dubbelgebakken bonen op twee tortilla's schepte, er een handje geraspte cheddar overheen strooide, de onderkanten omsloeg en ze vervolgens in het pakpapier van Taco House wikkelde.

'... er verdomme een burrito van maken, er Spaanse peper overheen strooien en hem aan mijn hond opvoeren, man.'

Dat vond Juaquin vreselijk grappig.

'Hoe vind je die, man?'

Wally knikte naar Juaquin en stopte de twee bonen-met-kaas-burri-to's, frites, salsa en twee Dr. Peppers in de zak. Hij liep terug naar het drive-inloket en stak zijn arm uit het raampje om het geld in ontvangst te nemen; hij gaf wisselgeld terug aan de klanten, een man achter het stuur en een vrouwelijke passagier die zich opzij boog en naar hem op-keek.

'U bent toch Gracies coach?'

Wally knikte. 'Ja.'

'Prima gedaan, dat u die smeerlap hebt laten oppakken,' zei ze.

De man stak zijn duim naar hem op.

Wally reikte hun de zak met voedsel aan. Ze pakten hem aan, zwaai-den en reden weg; ze hadden Gracies opsporingsbericht met plakband tegen hun achterruit bevestigd. Wally zwaaide hen zonder al te veel en-thousiasme na. Hij voelde zich een beetje misselijk, en niet omdat hij als avondeten drie van Juaquins burrito's gegeten had, maar omdat hij ver-teerd werd door twijfel. Er was iets met Gary Jennings wat niet klopte. Hij wist alleen niet precies wát.

Wally had die vrijdagavond keer op keer de revue laten passeren, om te proberen erachter te komen waarom zijn identificatie van Jennings hem niet lekker zat: *Hij staat na de wedstrijd met het elftal bij de kantine, neemt een hap van zijn kersenijsje... Gracie komt langshollen, verdwijnt achter de kantine... De man, blond haar, blauwe ogen, zwarte pet, geruit overhemd, komt naar hem toe en zegt: 'Ik ben Gracies oom. Haar moeder, mijn zus, heeft me gevraagd om haar op te halen. Haar oma heeft een be-roerte gehad. Waar is ze?' Wally antwoordt: 'Achter de kantine.' 'Die kant op?' vraagt de man, en hij wijst met zijn rechterhand, zijn vingers...*

Door de intercom klonk de bestelling van een volgende drive-in-klant. Wally stak zijn rechterarm uit en met zijn rechterwijsvinger klik-te hij de zendknop aan en vroeg: 'Wilt u er dubbelgebakken bonen bij?'

En toen verstijfde hij plotseling.

'Dat is het!'

21.35 uur

Vic Neal, sinds zes jaar werkzaam bij Crane McWhorter, een prestigieus advocatenkantoor met negentienhonderd medewerkers en een hoofdkantoor op Wall Street, en onlangs overgeplaatst naar het kantoor in Dallas, keek naar zijn nieuwste cliënt, die in foetushouding op de brits in de gevangeniscel lag, met zijn gezicht naar de betonnen muur.

'Jennings,' zei de cipier. 'Je advocaat is er.'

Jennings verroerde zich niet. De cipier haalde zijn schouders op, maakte de celdeur open, liet Vic binnen en deed de deur weer op slot. Vic trok de metalen stoel naar de brits, ging zitten, legde zijn aktetas op zijn schoot, maakte hem open en haalde er een blocnote en een pen uit. Hij deed de aktetas weer dicht en schreef boven aan de blocnote: *Gary Jennings/Staat Texas v. Gary Jennings/99999.9909.* De naam van de cliënt, de zaak waar het om ging en het declaratienummer van de cliënt, in dit geval het nummer van het kantoor. Dat was een gewoonte die er vanaf zijn eerste dag op het kantoor in gestampt was; een advocaat van Crane McWhorter ging nog niet naar de wc zonder eerst het declaratienummer van een cliënt genoteerd te hebben.

Natuurlijk zou deze cliënt nooit een rekening krijgen. Het kantoor werkte in deze zaak pro Deo. Maar het was natuurlijk wel uitstekende reclame voor Crane McWhorter. Een met veel publiciteit omgeven rechtszaak waarin de doodstraf kon worden geëist, garandeerde onschatbare publiciteit voor het kantoor en voor de advocaat die de zaak behandelde. Zoals de oude McWhorter meer dan eens had gezegd: 'Cliënten kunnen je niet inhuren als ze je niet kennen.' En aangezien het aantal advocaten dat tussen Washington en Los Angeles op zoek was naar cliënten inmiddels meer dan drie miljoen bedroeg, had de behoefte om bekendheid te verwerven epidemische proporties aangenomen onder de geachte leden van de orde der advocaten.

Dus tegenwoordig kun je je kont niet keren zonder op te botsen tegen een advocaat die op zoek is naar naamsbekendheid. Met het oog op klantenwerving werken advocaten zich naar binnen in en bij elke gemeenteraad, districtscommissie, bestuurscommissie, liefdadigheidsinstelling, kerk, club, conflict, crisis, ophef, commotie, wandelgang of *cause célèbre.* Vic Neal had voor de causes célèbres gekozen, met name zaken waarin de doodstraf een reële optie was; hij was onlangs overgestapt naar het kantoor in Dallas omdat Texas gevangenen sneller executeerde dan Saddam Hoessein in zijn beste dagen. Toen hij vanavond het telefoontje had gekregen, had hij met beide handen de gelegenheid aangegrepen om een zedendelinquent te verdedigen die de doodstraf door middel van een dodelijke injectie tegemoet kon zien.

Een jaar nadat Vic bij het kantoor was komen werken, begon Crane McWhorter, op advies van zijn marketing-consultant, zaken aan te nemen waarin de doodstraf tot de reële mogelijkheden behoorde. Aanvankelijk namen ze alleen zaken in hoger beroep aan, de opgeschoonde versie van de misdaad. Het lezen van de processtukken over een gruwelijke moord was aanzienlijk minder aangrijpend dan het lezen van een rechtbankthriller, en de advocaten van het kantoor, opgeleid aan de meest prestigieuze universiteiten, hoefden een gewetenloze moordenaar niet persoonlijk te ontmoeten. Gerechtshoven houden zich uitsluitend bezig met juridische haarkloverij, niet met de vraag of de beklaagden werkelijk schuldig waren, wat natuurlijk altijd het geval was. Maar tot ontzetting van het kantoor brachten zaken in hoger beroep slechts heel weinig publiciteit met zich mee; niet zo verrassend aangezien die zaken pas een jaar of twee na het vonnis voorkwamen, lang nadat het grote publiek het slachtoffer alweer vergeten was. De tijd om de volledige publiciteitswaarde van een geruchtmakende moord te oogsten was tijdens het proces, als de emoties en de mediabelangstelling op hun hoogtepunt waren. En dus nam het kantoor voortaan ook zaken aan die voor het eerst voor de rechter kwamen.

Vic had vier jaar geleden zijn eerste doodstrafzaak gedaan en vorige zomer zijn zesde, een zwarte man die ervan beschuldigd werd een blanke vrouw te hebben verkracht en vermoord in Marfa, Texas – in het godverlaten West Texas. Het proces had tien dagen geduurd: tien dagen waarin het tegen de veertig graden liep, tien dagen maagtabletten slikken na Tex-Mexlunches en een overdaad aan gefrituurde kip, tien dagen van persbriefings op het bordes van het gerechtsgebouw van Presidio County na elke zitting, tientallen verslaggevers en tv-camera's – zelfs de BBC – en alle aandacht gericht op Vic Neal, verdediger van de verdrukten!

Hij had vooral genoten van de reportages van de BBC, waarvan de correspondent altijd begon met iets als: 'Ian Smythe vanuit Marfa, Texas, een desolate plek in een uitgestrekt woestijnlandschap dat be-

179

kendstaat als West Texas, een stoffige locatie die er zich alleen op kan be-
roemen dat Elizabeth Taylor en Rock Hudson de Amerikaanse film *Gi-
ant* hier hebben opgenomen in 1955. Nu, vijftig jaar later, voltrekt zich
opnieuw een Amerikaans drama hier in de rechtszaal van Presidio
County, met in de hoofdrol een kranige jonge Amerikaanse advocaat
uit New York, Vic Neal, die alles in het werk stelt om te voorkomen dat
de staat Texas alweer een arme zwarte man terechtstelt…' Die zaak had
van Vic Neal een 'vooraanstaand' strafpleiter gemaakt! De beklaagde –
hoe heette hij ook alweer? – was vorig jaar veroordeeld en terechtgesteld.

'Gary.' Geen reactie. 'Gary, ik ben Vic Neal, je advocaat. Het hof heeft
me aan jou toegewezen.'

Jennings draaide zich langzaam om en ging overeind zitten.

'Jezus, wat is er met je gezicht gebeurd? Heeft de politie je afgetuigd?'

Jennings schudde zijn hoofd.

'De FBI? Dat zou nog beter zijn.'

Jennings schudde nogmaals zijn hoofd. 'De moeder,' zei hij.

'De *moeder*? Heeft Elizabeth Brice je zo toegetakeld?'

Jennings knikte. 'Ze heeft me ook een knietje in mijn kruis gegeven.'
'Au.'

Vic had van Elizabeth Brice gehoord – raadsvrouw van witteboordencriminelen, spijkerhard, grote bek, fantastisch lijf. Pleiten in strafza-
ken was eigenlijk mannenwerk, maar zij paste prima in dat wereldje.

'Tja, ik denk dat we daar niets mee kunnen.' Vic bladerde door zijn
aantekeningen. 'Had je echt aandelenopties ter waarde van een miljoen
dollar?'

Jennings knikte.

'En die heb je vergooid voor seks met het tienjarige dochtertje van je
baas? Wat dacht je ervan om het op ontoerekeningsvatbaarheid te gooi-
en?'

Een beetje galgenhumor om het ijs te breken. Vic grinnikte; Jennings
niet.

'Ons doel, Gary, is je uit de dodencel te houden. Om dat voor elkaar
te krijgen, moet je berouw tonen. Dat stellen jury's op prijs. En daar kun
je mee beginnen door de politie te vertellen wat je met het lijk van het
meisje hebt gedaan.'

'Ik heb dat meisje niet ontvoerd!'

Vic leunde achterover en zuchtte. Hoe vaak had hij dat al niet gehoord? Elke doodstrafkandidaat die hij had verdedigd was volkomen onschuldig – *ik ben erin geluisd!* – tot op het moment dat ze hem op de brancard vastsnoerden en de naald inbrachten, dan smeekte hij God om vergiffenis voor de brute moord op een gezin van vier personen omdat hij een nieuwe stereo-installatie had gewild.

'Weet je, Gary, als je liegt tegen je advocaat, kan ik je niet helpen. Je moet goed begrijpen dat het in deze zaak geen kwestie is van vrijspraak of veroordeling, maar van leven of dood. Jouw leven of jouw dood. Levenslang zonder mogelijkheid tot strafvermindering zou al een grote overwinning zijn, gezien de overstelpende hoeveelheid bewijsmateriaal tegen je.'

'Ik wil een leugendetectortest!'

'Oké, Gary, dat zou je kunnen doen. En als die negatief uitvalt en de officier van justitie maakt dat bekend, dan krijg je zéker de doodstraf, omdat ieder jurylid al vóór het begin van het proces zal weten dat je schuldig bent. Dan kunnen we het wel vergeten dat ook maar één jurylid het medeleven kan opbrengen om te pleiten voor levenslang.'

'Maar ik heb het niet gedaan! Ik ben erin geluisd! Waarom zoekt u niet uit wie die foto in mijn auto heeft gelegd, en haar voetbalshirt, en wie die telefoontjes heeft gepleegd? Ik ben onschuldig!'

'Er is bloed van haar aangetroffen in jouw auto, maar jij bent onschuldig?'

'Gracies bloed?'

Vic knikte. 'De FBI heeft aan de hand van DNA-tests bevestigd dat het haar bloed is. De media zijn al op de hoogte, maar het wordt pas morgenochtend officieel bekendgemaakt, vlak voordat je voorgeleid wordt. Dus borgtocht kun je gerust uit je hoofd zetten.'

'Maar hoe is Gracies bloed in mijn wagen terechtgekomen?'

Wat kon die knaap een onschuldig gezicht opzetten! Vic moest lachen, of hij wilde of niet.

'Bewaar die O.J. Simpson-imitatie nou maar voor het proces, Gary. Niemand heeft bloedsporen in O.J.'s witte Bronco aangebracht en niemand heeft bloedsporen in jouw zwarte pick-up aangebracht.'

Vic keek op zijn horloge en stond op.

'Hoor eens, ik moet er nu vandoor, ik zie je weer bij de voorgeleiding. Ik ben te gast in *Nightline,* waar ik een gloedvol betoog tegen de doodstraf zal houden. Tegen de tijd dat ik uitgesproken ben, zal dat mens van McFadden janken als een baby die een flesje wil.'

22.38 uur

De televisieprogramma's die avond hadden veel weg van een verkiezingsavond, alle aandacht ging slechts uit naar één onderwerp: Grace Ann Brice. *Vreemden ontvoeren kinderen voor de seks. Een kind dat door een onbekende ontvoerd is, heeft een levensverwachting van drie uur. Graces bloed in Jennings' pick-up. Vermoedelijk niet meer in leven.* Op elke zender dezelfde woorden, steeds weer opnieuw. Elizabeth lag in bed te huilen toen John de slaapkamer binnenkwam. Ze zette de tv zachter en veegde snel de tranen van haar gezicht.

John verdween zonder een woord te zeggen in de badkamer. Ze zette het geluid weer harder en zapte langs de kanalen. Bij *Nightline* bleef ze hangen. Jennings' door het hof toegewezen advocaat beweerde niet dat zijn cliënt onschuldig was, alleen dat de doodstraf barbaars was. Hoe kan hij een schuldige pedofiel verdedigen? Haar schuldige cliënten hadden alleen maar geld achterovergedrukt, geen kind vermoord.

Een kwartier later verscheen John weer, in zijn pyjama; zijn natte haar was achterovergekamd. Met zijn zwarte bril had hij wel wat weg van een magere Clark Kent. Ze zette de tv weer zachter. Hij kwam naar het bed gelopen en bleef even staan alsof hij iets wilde zeggen, bedacht zich toen en liep naar de deur.

Hij had de eerste twee nachten in Grace' kamer geslapen; Elizabeth had hem gisteravond hun slaapkamer uit gezet nadat ze hem eerst de afstandsbediening naar het hoofd had gesmeten. De razernij. Nu was ze bang en alleen en iedereen ging ervan uit dat haar kind dood was – *god, haar bloed in zijn auto! –* en ze had behoefte aan een paar armen om zich heen, maar ze kon zich er niet toe brengen dat aan haar echtgenoot te vragen, niet na wat ze hem had aangedaan. Wat haar razernij hem had aangedaan.

Als ze het hem vroeg, zou hij zijn armen om haar heen slaan. Hij zou zeggen dat hij van haar hield. Hij zou het haar vergeven. Hij vergaf het haar altijd. Als ze ooit het verleden kon loslaten – *Loslaten? Als ze ooit aan het verleden kon ontsnappen –* dan kon ze misschien net zo veel van John houden als hij van haar. Hij had behoefte aan haar liefde, en dikwijls voelde ze dat ze ook van hem wilde houden. Er was iets binnen in John R. Brice, achter die façade van de intelligente nerd, dat het waard was om van te houden. Maar ze kon niet van hem houden zolang ze zichzelf haatte. Haar verleden verhinderde dat.

John bleef staan bij de deur en draaide zich om. 'Ze was ook mijn dochter. Ik hield net zo veel van haar als jij.' Hij liep de slaapkamer uit en deed de deur achter zich dicht.

23.11 uur

Ben stond bij de deur van de commandopost. Devereaux was verdwenen, evenals de meeste andere agenten. De jonge vrouwelijke FBI-agent met wie hij kennis had gemaakt – Jorgenson, meende hij zich te herinneren – zat achter een van de computers met een headset op te praten en te tikken. Maar de nerveuze spanning in de commandopost was merkbaar afgenomen, alsof de strijd gestreden was.

Ben legde het meldingsformulier op Devereauxs bureau, tip nummer 3317, Idaho Falls, Idaho, en schreef in de kantlijn: *Heb die Clayton Lee Tucker gesproken. Zei dat hij zondagavond bij zijn benzinestation een blond meisje heeft gezien in het gezelschap van twee mannen, een met een tatoeage, gespierd, met een zwart T-shirt aan. Als dat Gracie was, hebben jullie de verkeerde opgesloten.*

De verkeerde man zat in de gevangenis en Gracie was in Idaho, waar het koud was en waar hoge bomen groeiden en waar de grond bedekt was met sneeuw – een witte deken van sneeuw. Niet dat de FBI Jennings zou vrijlaten op basis van Bens droom. Maar als Clayton Tucker eenmaal de man of de tatoeage of Gracie identificeerde aan de hand van de FBI-foto's, zouden ze Jennings laten gaan. En anders toch zeker wel nadat hij een advocaat toegewezen had gekregen en met goed gevolg een leugendetectortest had ondergaan.

Ben Brice had een halfjaar doorgebracht in een krijgsgevangenenkamp; hij ging ervan uit dat de jongen niet dood zou gaan van één nachtje in de cel.

'Jezus, jongen, ze heeft je behoorlijk te pakken gehad!'

Jim Bob Basham, de nachtcipier, keek door de stalen tralies naar de gestoorde smeerlap. Die zat onderuitgezakt op de brits in zijn cel, zijn gezicht verborgen in zijn handen, en hij huilde. Het verhaal van de aanval van de moeder op Jennings had inmiddels de ronde gedaan.

'Hoe is het met je ballen? Je zou het liefste je ingewanden eruit kotsen, hè, als je een knietje in je ballen krijgt? Shit, ik moet zelf al bijna kotsen als ik er alleen maar aan denk.'

Geen reactie. Jim Bob dacht bij zichzelf: ik lijk wel gek dat ik vriendelijk tegen hem doe.

'Jennings, als ik jou was, zou ik hopen dat ze me de doodstraf geven, en dat meen ik.'

De smeerlap keek op.

'Ja, want dan zetten ze je in een dodencel, gescheiden van de andere gevangenen – de groepsverkrachters, de neonazi's, de latino's, de zwarten. Die zouden niets liever willen dan je eens flink te grazen nemen, en dan bedoel ik niet wat de moeder met je heeft gedaan.'

Een niet-begrijpende blik op Jennings' gezicht; de sukkel had geen idee waar Jim Bob het over had. Jim Bob besloot om nog iets duidelijker te zijn, misschien dat het dan tot hem door zou dringen.

'Die gasten zullen je vijf keer per dag in je kont neuken, meid. Tegen de tijd dat ze met je klaar zijn, heeft je anus de doorsnee van een rioolpijp.'

Jim Bob liep grinnikend door de lege cellengang. *Rioolpijp, dat was een goeie.*

'Yep,' riep hij over zijn schouder, 'ze zijn gék op kinderverkrachters.'

Het enige licht dat tot de cel van Gary Jennings doordrong, was de vage rode gloed van het lampje boven de nooduitgang.

Er was acht jaar voor nodig geweest, de dood van zijn vader, een verhuizing naar een andere stad, een huwelijk met Debbie, en het vinden van een baan om dat incident in zijn studententijd te boven te komen. Tenminste, dat had hij gedacht. Nu wist hij dat hij het nooit te boven zou komen. En dit zou hij ook nooit meer te boven komen.

De volgende ochtend zou hij langs een batterij camera's naar de rechtszaal worden gebracht om formeel in staat van beschuldiging te worden gesteld wegens het ontvoeren, verkrachten en vermoorden van Gracie Ann Brice. Zijn gezicht zou opnieuw op tv te zien zijn: Gary Jennings, zedendelinquent, kinderverkrachter, moordenaar. En Debbie – arme, lieve Debbie, dit verdiende ze niet. Maar evengoed zouden ze de camera's op haar richten en haar zien als de vrouw van de zedendelin-

184

quent, kinderverkrachter en moordenaar, in verwachting van hun kind, dat voor altijd gebrandmerkt zou zijn als de dochter van de zedendelinquent, kinderverkrachter en moordenaar. Ze zou in hetzelfde schuitje zitten als de dochter van Lee Harvey Oswald.

Hij had Debbie nooit verteld over zijn veroordeling – wat moest ze nu wel niet van haar fijne echtgenoot denken? En wat moest zijn dochter wel niet van haar vader denken als ze dit alles te weten kwam? Er zou geen studiefonds voor haar zijn. Geen uitgeoefende aandelenopties ter waarde van een miljoen dollar. Geen huis voor Debbie. Geen eigen bedrijf voor hemzelf. Geen toekomst. Hij zou voor altijd te schande zijn gemaakt. En dat gold ook voor Debbie. 'Verwoest' was een beter woord. Ze zouden opnieuw naar een andere stad moeten verhuizen – als Debbie hem al geloofde. *Als* hij vrijgesproken werd.

Maar hoe kon hij ooit worden vrijgesproken? Gracies bloed in zijn pick-up. Kinderporno en haar voetbalshirt. Telefoontjes vanaf zijn mobieltje. De trainer die hem in de rechtszaal zou aanwijzen. *Overstelpende hoeveelheid bewijsmateriaal*, had de advocaat gezegd. Wie zou hem in godsnaam geloven?

Gary's enige eerdere ervaring met justitie acht jaar geleden had hem geleerd dat het in het Amerikaanse strafrecht om van alles en nog wat ging, behalve om de waarheid en gerechtigheid. Daarom was hij er, op advies van zijn advocaat, mee akkoord gegaan schuld te bekennen aan een minder zware aanklacht, zodat hij er met een voorwaardelijke straf van af zou komen.

'Gary,' had zijn advocaat tegen hem gezegd, 'als je bereid bent je leven in handen te leggen van twaalf burgers die niet eens slim genoeg zijn om zich te onttrekken aan de juryplicht en die veel liever zouden profiteren van de uitverkoop bij Wal-Mart dan in die jurybankjes te zitten om over jouw lot te beslissen, dan moeten we het gooien op ontoerekeningsvatbaarheid, want dan ben je hartstikke gek!'

Gary Jennings zou zonder enige twijfel schuldig bevonden worden. En dan? Tien jaar lang wachten in de dodencel, om vervolgens gedood te worden door middel van een injectie? Of levenslang zonder de mogelijkheid tot strafvermindering, wachtend op de volgende gedetineerde die zijn cel binnenkwam om hem te verkrachten, waarbij hij op een gegeven moment aids zou oplopen en een langzame, pijnlijke dood zou sterven? Debbie zou zich van hem laten scheiden en zijn dochter zou hem nooit kennen, en dat ook niet willen. Zijn ouders waren dood, hij had geen broers of zussen, en spoedig zou hij helemaal niemand meer hebben. Hij was voorbestemd om als loser in alle eenzaamheid te sterven.

Duisternis nam bezit van zijn geest terwijl de hete tranen over zijn wangen liepen. Hij voelde zich moederziel alleen, helemaal leeg, zonder geloof, hoop of een toekomst. Zijn leven was voorbij. Dat hij nog steeds ademde was alleen maar een technisch detail. Hij keek omhoog. Er zat maar één ding op.

Gary Jennings trok de ritssluiting van zijn witte gevangenisbroek open.

DAG ZES

06.02 uur

Toen Paul Ryan de afgelopen nacht wakker had gelegen, was hij bekropen door twijfels met betrekking tot de verdachte. Had Gary Jennings werkelijk Gracie Ann Brice ontvoerd en vermoord? Al het bewijsmateriaal zei van wel: het voetbalshirt, de pornografische foto, de telefoontjes, het eerder gepleegde strafbare feit, de identificatie door de trainer, en nu haar bloedsporen, maar toch... hij had het gevoel dat er iets scheef zat. Het klopte allemaal net een beetje te goed. Al het bewijsmateriaal wees naar Jennings, terwijl dat niet zo zou moeten zijn. Een ontwikkelde werknemer van een computerbedrijf die de dochter van zijn baas stalkte? Die met zijn eigen mobieltje belde vanaf zijn werkplek, zonder een poging om zijn sporen uit te wissen? Die haar voetbalshirt in zijn pick-up liet liggen? Kinderporno onder de vloermat? Was Jennings echt zo stom? En als die sukkel van een Eddie erachter was gekomen dat Jennings zijn pick-up niet afgesloten had, wie kon er dan nog meer tot diezelfde ontdekking zijn gekomen?

Een grondig onderzoek van zijn pick-up door de experts van de FBI had slechts één klein bloedvlekje opgeleverd, verder geen enkele aanwijzing dat Gracie erin had gezeten, geen haren of vingerafdrukken of vezels van haar kleren of gras van het voetbalveld of bladeren uit het bos. En de identificatie door de trainer was nou ook niet bepaald overtuigend, ook al voldeed Jennings min of meer aan het signalement van de verdachte.

Natuurlijk stonden Jennings' foto en adres op de zedendelinquenten-website van de staat; iedereen die op zoek was naar een blonde, blauwogige veroordeelde zedendelinquent, kon die zonder probleem vinden. Maar eentje die voor de vader van het slachtoffer werkte? Hoe groot was die kans? En waarom zou iemand dat willen? Om een zedendelinquent erin te luizen? Dat was onwaarschijnlijk. Hij overwoog de voor- en nadelen van een nader onderzoek en kwam al snel tot de conclusie dat er geen voordelen waren, althans niet voor Paul Ryan.

Op zijn tweeënvijftigste kon hij een andere baan bij de politie wel vergeten. Dit was zijn eindstation. 75.000 dollar per jaar en goede secundaire arbeidsvoorwaarden. Over acht jaar kon hij met pensioen. Genoeg om met zijn vrouw in een huisje in Sun City te gaan wonen. Een goed leven, of in elk geval goed genoeg. Was hij bereid om dat alles in de waagschaal te stellen voor die loser van een Jennings? Jezus, misschien kon zijn dure advocaat wel aantonen dat hij onschuldig was. Niet waarschijnlijk in een met veel publiciteit omgeven geval van kinderontvoering – de doodstraf door middel van een dodelijke injectie, dat was wat deze knaap te wachten stond. Maar dat was niet Ryans schuld; zo was de wet nu eenmaal! Waarom zou Paul Ryan zijn financiële zekerheid in de waagschaal stellen voor deze knul? Voor de kleine kans dat Jennings niet de ontvoerder was? Zelfs een stap in die richting zou Ryan zijn baan kosten – de burgemeester zou het bepaald niet op prijs stellen – en wat moest hij dan? Zonder werk en geen uitzicht op een fatsoenlijke baan. Geen ziektekostenverzekering. Geen pensioen. Een baantje bij Wal-Mart. Hij kon geen enkele goede reden bedenken om nog verder te spitten.

Behalve dan dat het de juiste handelwijze was.

En dan was er nog de baby. De baby, Sarah, lag in kritieke toestand op de afdeling neonatologie, bijna twee maanden te vroeg geboren. Kwam dat voor rekening van Paul Ryan? Verdomme, de aanwezigheid van het bloed en het voetbalshirt in Jennings' pick-up viel hém toch niet aan te rekenen! Híj had niet negen keer naar het nummer van het slachtoffer gebeld! Hij had Jennings' zwangere vrouw niet naar het bureau gehaald!

Maar hij had haar wel de pornofoto laten zien.

Omdat hij een bekentenis nodig had om zijn baan te behouden, zou er een baby kunnen sterven. En dus voelde Paul Ryan zich schuldig – een schuldgevoel dat hem de hele nacht wakker had gehouden; hij had door het huis lopen ijsberen totdat hij overmand werd door schaamte: baby Sarah.

Tegen vier uur 's ochtends, of het nu voortkwam uit een behoefte om met zichzelf in het reine te komen of alleen maar uit slaapgebrek, had Paul Ryan een besluit genomen dat zijn leven zou veranderen: hij zou doen wat juist was.

Tegen zes uur 's ochtends was Jennings hem voor geweest.

Ryan stond voor Gary Jennings' cel en keek naar zijn levenloze lichaam dat daar hing, één pijp van zijn witte gevangenisbroek om zijn hals geknoopt, de andere vastgebonden aan de buizen van de nieuwe sprinklerinstallatie die vorige maand geïnstalleerd was om aan de veiligheidsvoorschriften te voldoen.

Onschuldige verdachten plegen geen zelfmoord.

06.30 uur

Het was woensdagochtend en coach Wally liep fluitend naar de ingang van het stadhuis van Post Oak. In tegenstelling tot de meeste bezoekers die vandaag langs zouden komen om hun bekeuringen te betalen, was Wally Fagan een gelukkig mens. Gelukkig en een beetje trots op zichzelf – wat heet, hij voelde zich zo door en door vaderlandslievend dat hij zin had om te salueren voor zijn spiegelbeeld in de glazen deur.

Hij was hiernaartoe gekomen om een onschuldig man te bevrijden. Bij de ingang bleef Wally even staan om zichzelf te bekijken en hij trok de veiligheidsstropdas recht die hij bij zijn overhemd met korte mouwen droeg voor het geval er camera's aanwezig zouden zijn. Stel je voor, misschien zou hij wel op het landelijke nieuws komen, misschien zelfs wel geïnterviewd worden door Katie Couric van cbs. Misschien zouden ze hem zelfs wel een held noemen.

Hij trok de deur open en ging het gebouw binnen. Vlak achter de deur was een controlepoortje met een metaaldetector, net als op het vliegveld, bemand door een agent in uniform. Wally begon de inhoud van zijn zakken in een plastic bakje te deponeren, maar keek op toen een andere agent gehaast aan kwam lopen met een grijns op zijn gezicht alsof hij zojuist een leven lang gratis donuts had gewonnen.

'Die gozer heeft zich van kant gemaakt!'

De mond van de andere agent viel open. 'Je meent het!'

'Yep.' De grijnzende agent sloeg zijn handen om zijn hals, stak zijn tong uit de zijkant van zijn mond en maakte een kokhalzend geluid. 'Heeft zich gisteravond in zijn cel opgehangen. Het kan natuurlijk ook zijn dat hij een of ander pervers seksspelletje met zichzelf heeft gespeeld.'

De twee agenten lachten vrolijk, maar Wally werd niet goed. Hij wilde het niet vragen, maar hij moest het weten.

'Wie?'

De grijnzende agent keek hem aan en zei: 'Jennings. Die kerel die Gracie ontvoerd heeft.'

'Is hij… *dood*?'

'Zo dood als een pier. Daar heeft hij de wereld een dienst mee bewezen. Geen proces, geen hoger beroep, geen dodelijke injectie. Zaak gesloten.'

Op dat moment vlogen de klapdeuren achter Wally open en opgewonden verslaggevers en cameralieden holden naar binnen en drongen zich langs Wally heen.

'Is het waar?' riepen ze. 'Heeft Jennings zelfmoord gepleegd?'

'Yep,' zei de eerste agent, die gebaarde dat ze door konden lopen zonder gecontroleerd te worden. 'Heeft zichzelf de doodstraf gegeven.'

In een fractie van een seconde zag Wally Fagan voor zijn geestesoog twee verschillende levenspaden waartussen hij moest kiezen, net zo duidelijk alsof hij naar een film over zijn eigen leven zat te kijken, een keus waarvan hij wist dat die zijn verdere leven zou bepalen. Het eerste pad voerde hem verder het gebouw in, rechtstreeks naar het kantoor van de politiechef, waar de media zich verzameld hadden; daar zou hij voor de microfoons en de camera's plaatsnemen en de wereld vertellen wat hij wist, wat hem gisteravond tijdens zijn werk te binnen geschoten was: de blonde man met de zwarte pet en het geruite overhemd die na de wedstrijd naar Gracie had gevraagd, miste zijn rechterwijsvinger. Bij Gary Jennings was dat niet het geval. Die had al zijn vingers nog. Jennings was niet de ontvoerder. Hij was onschuldig. Maar nu was hij dood. En dat was Wally's schuld. Dat zouden ze zeggen – de politiechef, de pers, de FBI, Jennings's zwangere vrouw, de hele wereld. Wally Fagan zou inderdaad het landelijke nieuws halen, maar ze zouden hem geen held noemen. Ze zouden hem de schuld geven van de dood van een onschuldig man.

Iemand krijgt altijd de schuld.

Wally koos voor het tweede pad. Hij pakte zijn spulletjes weer uit het plastic bakje, stopte ze in zijn zakken en liep het gebouw uit, terwijl hij zichzelf bezwoer dat hij zijn geheim mee het graf in zou nemen.

07.00 uur

Om zeven uur 's ochtends in Texas, acht uur op de beursvloer van de NASDAQ in New York, slechts anderhalf uur voordat de handel in de aandelen BriceWare.com van start zou gaan – dat wil zeggen, op de dag dat al zijn dromen in vervulling zouden gaan – lag oprichter, directeur en creatief genie van het bedrijf, John R. Brice, met een doctoraal algoritmen van MIT en een IQ van 190, uitgeteld op de bank in zijn kantoor aan huis onder een souvenirdeken van de Boston Red Sox. Zijn jongensachtige gezicht lag tegen de dikke plooien zacht leer op de plek waar de rugleuning en de zitting van de bank bij elkaar kwamen. Hij vroeg zich af waarom zijn vrouw niet van hem hield.

En hij wist zeker dat ze niet van hem hield.

Ze hadden exact 249 keer gemeenschap gehad – twee keer per maand gedurende de tien jaar en vier maanden dat ze getrouwd waren, plus één keer vóór het huwelijk. Dat klonk als heel wat seks als je het hardop zei, veel meer dan waarop hij ooit gehoopt had op MIT, eens in de vijftien dagen. Aan de andere kant, pitchers in de major league staan om de vijf dagen op de werpheuvel. Om maar eens iets te noemen: in diezelfde periode had Roger Clemens 302 wedstrijden geworpen!

Hij geloofde niet dat Elizabeth seks met hem prettig vond, laat staan dat ze klaarkwam. Maar hij durfde het haar niet te vragen. Little Johnny Brice had zijn enige andere sekspartner, een soldatendochter van zestien die het vóór hem met elke soldatenzoon in Fort Bragg gedaan had, gevraagd of ze was klaargekomen; ze had hem in zijn gezicht uitgelachen en gezegd: 'Daar heb ik wel iets langer dan vijf seconden voor nodig, dekhengst.'

Seks was geen kwestie van plug-and-play.

Voor hem was seks meer een kwestie plug-and-*pray*, God zegene de greep, met zoiets gecompliceerds als het vrouwelijk orgasme, met hardware die opgestart moest worden en software die bewerkt moest worden voor een optimaal resultaat. Geen aanklikmogelijkheid voor de diverse onderdelen van de vrouwelijke architectuur. Geen Helptoets. Geen Progasm Wizard om hem door de procedure te leiden. En dus was hij op zoek gegaan naar technische oplossingen, had zelfs een handleiding gekocht – *Het vrouwelijk orgasme* – en was tot de onthutsende conclusie gekomen dat het schrijven van 25.000 regels programmeertaal een makkie was vergeleken bij het bevredigen van een volwassen vrouw. Maar John R. Brice was uitermate vastberaden; hij had zijn aanzienlijke intelligentie aangewend om zich de geheimen van het vrouwelijk orgasme eigen te maken, want hij was ervan overtuigd dat als hij Elizabeth één keer kon laten klaarkomen – *één keertje maar, verdomme!* – haar onverschillige houding jegens hem ogenblikkelijk zou omslaan in extreme liefde.

Ook nerds hebben liefde nodig.

Hij had de in de handleiding aanbevolen technieken bestudeerd alsof het een tentamen aan MIT betrof, en om de twee weken een nieuwe uitgeprobeerd tot hij ze allemaal had gehad; hij voerde zelfs ingewikkelde algoritmen uit in zijn hoofd om een voortijdige zaadlozing te voorkomen. In de hackerswereld stond dat bekend als de bruut-geweldmethode, waarbij je elke denkbare oplossing voor een probleem uitprobeerde tot je er een vond die werkte. Hij had die methode talloze malen in zijn werk toegepast, en met groot succes. Maar niet bij Elizabeth. Hij was ervan overtuigd dat de oorzaak een gebruikersfout was, dat hij eenvoudigweg niet berekend was voor de manhaftige taak om een mooie en gecompliceerde vrouw als Elizabeth tot glorieuze orgasmes te brengen – zoals ze zeggen bij de helpdesk als de klant er geen lor van snapt: PZTTS (Probleem Zit Tussen Toetsenbord en Stoel). John R. Brice snapte er geen lor van.

En de weinige keren dat hij had gedacht dat de technieken haar mogelijk niet onberoerd lieten, toen hij gevoeld had dat haar lichaam reageerde op zijn hardware, net op het moment dat hij dacht dat er misschien iets van een hartstochtelijke reactie aan zat te komen, leek ze te verstijven, alsof hij een ongeldige bewerking had uitgevoerd en haar bedieningspaneel haar programma had afgesloten. Hij had zijn content gedownload en zijn floppy eruit gehaald; ze was uit bed gestapt, in de badkamer verdwenen en had hem achtergelaten om zich te wentelen in het zoveelste onverklaarde fiasco. *Waarom hadden vrouwen verdomme geen foutmeldingsvenster?*

Hij was nooit haar verjaardag, hun trouwdag, Valentijnsdag of Moederdag vergeten, en liet altijd bloemen en cadeautjes op haar kantoor bezorgen. Hij had zich zelfs aangemeld bij de fitnessinstructeur van het bedrijf en elke dag aan zijn figuur gewerkt. Maar zijn inspanningen hadden geen waarneembaar romantisch effect gehad. Hij had Gracies advies moeten opvolgen: zijn graphics upgraden, coole kleren aanschaffen, zich een modieus kapsel laten aanmeten, zijn bril wegdoen en zijn ogen laten laseren. Ze had gezegd dat hij dan vet strak zou zijn. Wat hem als compliment bedoeld leek.

Ach, als vet strak hem dan in elk geval Elizabeth' liefde zou hebben opgeleverd…

Maar hij had het tien jaar lang zonder haar liefde moeten stellen en tien jaar lang had hij daarmee kunnen leven, vanaf het moment dat hij op de kraamafdeling van het ziekenhuis Gracie voor het eerst had gezien. Het deed er niet toe dat hij meer van Elizabeth hield dan zij van hem, omdat Gracies liefde dat verschil ruimschoots compenseerde. En nu was Gracies liefde verdwenen. En voor het eerst in tien jaar voelde hij het verschil, een leegte vanbinnen die door geen beursgang opgevuld kon worden.

Iemand kwam naast hem op de bank zitten en legde een hand op zijn schouder. Hij hoopte vurig dat het Elizabeth was, dat ze naar hem toe gekomen was om hem te zeggen dat ze het samen wel zouden redden zonder Gracie, om te vragen of ze naast hem mocht komen liggen en haar armen om hem heen slaan, om te fluisteren dat ze heel veel van hem hield.

Ben zat naast John op de bank, met zijn hand op de schouder van zijn enige zoon. Hij herinnerde zich de dag in 1969 dat ze John mee naar huis hadden genomen, gewikkeld in een legerdeken. De jongen had behoefte gehad aan een vader, maar hij had alleen maar een moeder gekregen. Een maand later was luitenant Ben Brice teruggekeerd naar Vietnam om de verdrukten te bevrijden.

Hij had gefaald.

Tegen de tijd dat Ben voorgoed uit Vietnam was teruggekeerd, was John al vertrokken op zijn levenslange reis die wegvoerde van Ben Brice, twee gewonde zielen die hun eigen demonen bevochten. Het leven op de legerbases was John zwaar gevallen; hij had geen aansluiting gevonden bij de andere kinderen van militairen op de bases waar ze in de loop van de volgende tien jaar gestationeerd waren geweest terwijl het leger had geprobeerd de meest gedecoreerde soldaat van de Vietnamoorlog weg te moffelen – had geprobeerd een manier te vinden om een oorlog en degenen die daarin gevochten hadden, te vergeten. Ben had het liefst ontslag genomen bij het leger, maar dat kon hij niet; hij had twintig dienstjaren nodig om in aanmerking te komen voor een pensioen waarmee hij zijn gezin kon onderhouden. En in de privésector was er nu eenmaal weinig vraag naar de speciale vaardigheden van kolonel Ben Brice.

John kon eindelijk zijn eigen leven gaan leiden toen hij Fort Bragg en North Carolina verruilde voor Boston en MIT, met een tien voor het toelatingsexamen en een volledige studiebeurs op zak, in hetzelfde jaar dat Ben zonder ceremonieel met pensioen was gegaan. Maar Ben zou nooit een eigen leven kunnen gaan leiden; in het leven van een krijgsman blijft oorlog altijd een voorname plaats innemen.

John draaide zich om. Uit zijn ogen sprak onmiskenbare teleurstelling, alsof Ben Brice de laatste persoon op aarde was die hij op dat moment wilde zien. Vader en zoon keken elkaar even zwijgend aan. Toen zei John: 'Waarom ben je gekomen, Ben? Ik ben opgegroeid zonder jou. Je kwam alleen maar naar huis om naar een andere basis te verhuizen, een andere school, een ander stel pestkoppen om me af te tuigen. En je hebt die mensen niet bevrijd – jullie hebben je roemruchte oorlog verloren. Je was een Amerikaanse held, en wat heeft dat je opgeleverd? Je woont samen met een hond.' Hij ging overeind zitten. 'Je was er niet toen ik je nodig had. Nu heb ik je niet meer nodig.'

De woorden van zijn zoon troffen Ben als een mokerslag. Hij klemde zijn kaken op elkaar om zijn emoties in bedwang te houden.

'Ik weet dat je me niet nodig hebt, jongen. Ik ben tekortgeschoten ten opzichte van jou en dat spijt me. Misschien komt er ooit een dag dat je me kunt vergeven.' Hij stond op. 'Maar het gaat nu niet om ons, John. Het gaat om Gracie. Zij heeft me nodig, en ik zal haar niet óók in de steek laten. Ik vertrek morgenochtend naar Idaho.'

'*Idaho?* Hoezo Idaho?'

'Omdat Gracie daar is.'

'Ben…'

'Ze leeft nog.'

'Jennings niet.'
Kate stond in de deuropening.

07.47 uur

De Lexus kwam met gierende banden abrupt tot stilstand op de invalidenparkeerplaats vlak voor het stadhuis. De vrouw die uitstapte droeg
een nylon joggingpak en gymschoenen; ze had zich niet opgemaakt en
haar zwarte haar was achter haar oren geduwd, maar verder had ze deze
ochtend niets aan haar kapsel gedaan. Als een van de verbaasde politieagenten die op het trottoir toekeken haar had gevraagd of ze wist dat ze
daar niet mocht parkeren, had ze nee kunnen zeggen en met goed gevolg een leugendetectortest kunnen doorstaan.

De vrouw holde het trottoir over en het gebouw in en draafde zonder
vaart te minderen door het metaaldetectiepoortje, waarop een alarm
luid begon te rinkelen. De agent die het poortje bediende wilde haar tegenhouden, maar toen hij haar herkende, deed hij een stap achteruit en
volgde haar op respectabele afstand. Ze vervolgde haar weg door de hal
en ging het kantoor van de politiechef binnen; die zat alleen achter zijn
bureau.

'Ik wil hem zien,' zei de vrouw op gebiedende toon.

Paul Ryan nam de vrouw aandachtig op – ze zag er beroerd uit –
zuchtte toen en knikte langzaam. Hij gebaarde naar de agent die haar
gevolgd was dat hij weer kon vertrekken. Hij stond op en ging de vrouw
voor door gangen en veiligheidsdeuren naar het kleine cellencomplex;
geen van beiden zeiden ze iets terwijl stadhuismedewerkers die ze onderweg tegenkwamen haar herkenden maar snel hun blik afwendden.
Vanaf het begin van de cellengang kon de vrouw verscheidene politiemensen en FBI-agenten bij een open celdeur zien staan; een fotograaf
maakte foto's vanuit diverse hoeken. Even later werd ze geconfronteerd
met datgene wat de fotograaf aan het vastleggen was: het lijk van Gary
Jennings dat slap aan de buizen van de sprinklerinstallatie hing.

De agenten keken naar de vrouw en toen vragend naar hun chef. Hij
maakte een hoofdgebaar; de agenten stapten opzij zodat de vrouw de
cel binnen kon gaan.

Ze liep naar binnen en ging vlak voor Jennings staan die daar in zijn witte ondergoed hing. Zijn ogen puilden uit, zijn gezicht was bleek en zijn blote benen waren opgezwollen door het bloed dat zich daar verzameld had. Terwijl ze omhoogstaarde naar de man die haar enige dochter had ontvoerd, verkracht en vermoord, voelde de vrouw zich jaloers. Zijn demonen waren nu verdwenen, maar die van haar zouden haar nooit meer met rust laten. Omdat ze het nu nooit zou weten. Elizabeth Brice gaf het lijk een stomp, waardoor het zachtjes heen en weer begon te zwaaien.

'Godverdomme! Je hebt haar mee het graf in genomen!'

09.47 uur

'Is de boef dood?' vroeg Sam aan Kate met een mondvol cornflakes.

'Ja.'

'Heeft de politie hem doodgeschoten?'

'Nee. Hij… hij is gewoon doodgegaan.'

'Hoe kan hij Gracie nou vrijlaten als hij dood is?'

'Ik weet het niet.'

'Heeft hij haar ergens verstopt?'

'Ik weet het niet.'

'Heeft hij haar vastgebonden?'

'Ik weet het niet.'

'Wanneer komt ze weer thuis?'

Kate liep naar de tafel waar Sam zat. Ze ging naast hem zitten en nam zijn gezichtje tussen haar handen. Hoe kon ze hem vertellen dat Gracie nooit meer thuis zou komen?

'Oma, waarom huil je?'

'Omdat ik niet weet hoe het met Gracie is.'

Nu begon Sam ook te huilen.

'Maar je weet toch wel dat ze niet dood is of zo, hè? Toch, oma?'

14.55 uur

'Ik wil mijn dochter begraven,' zei de moeder zachtjes.

FBI-agent Eugene Devereaux zat achter zijn bureau in de commandopost, met tegenover zich de familie van het slachtoffer. De laatste bijeenkomst met de familie was altijd moeilijk, vooral als het lichaam van het slachtoffer niet gevonden was en waarschijnlijk ook nooit gevonden zou worden. Families hadden behoefte aan de afsluiting die het begraven van hun kind met zich meebracht. Als vader respecteerde hij hun smart omdat ze niet de mogelijkheid hadden gehad om afscheid te nemen van hun kind; maar als FBI-agent moest hij verder naar de volgende zaak. Anders zouden de dode kinderen hem tot krankzinnigheid drijven.

'We hebben het gebied rond Jennings' flat doorzocht. Niets. Het spijt me.'

'Dus dat is het dan?'

'Mevrouw Brice, Chief Ryan heeft de zaak voor gesloten verklaard – en het is zijn zaak. Ik heb niet de bevoegdheid om het onderzoek voort te zetten. En de middelen van de FBI zijn niet onbeperkt.' Ze sloeg haar ogen neer. 'Mevrouw, we hebben de meest omvangrijke zoektocht gehouden in al mijn jaren bij de FBI. En met uw beloning, de landelijke publiciteit – normaal gesproken zou iemand haar gezien moeten hebben. Gewoonlijk vinden we het lichaam terug op aanwijzingen van de ontvoerder. Nu Jennings dood is, is het niet waarschijnlijk dat we haar ooit nog zullen vinden. Het spijt me.'

Hij vertelde mevrouw Brice niet dat het lijk van haar dochter mogelijk op een dag gevonden zou worden, misschien over een jaar, door een wandelaar, een jager, een boer of een ploeg wegwerkers; tegen die tijd zou haar lijk tot ontbinding zijn overgegaan en niet meer herkenbaar zijn als Gracie Ann Brice.

'En al die tips dan?' vroeg de moeder.

'Mevrouw Brice, voordat u die beloning uitloofde, hadden we nul tips. In de twee dagen erna hebben we er meer dan vijfduizend binnengekregen. We hebben er duizend nagetrokken. De overige waren totaal ongeloofwaardig.'

Kolonel Brice zei: 'En hoe zit het met Clayton Lee Tucker in Idaho? Hij maakte een geloofwaardige indruk. Gaat u daar niet achteraan?'

Devereaux voelde zich in zijn wiek geschoten door de suggestie dat hij niet al het mogelijke had gedaan om Gracie te vinden.

'Kolonel, een dergelijke aanwijzing zou ik nooit negeren. We hebben Gracies foto en de uitvergrotingen van die twee mannen bij de wedstrijd naar ons kantoor in Boise gemaild. Ik heb om vijf uur vanochtend plaatselijke tijd een agent uit zijn bed gebeld om hem naar Idaho Falls te laten vliegen en Tucker te ondervragen.' Hij zette zijn leesbril op en sloeg een dossier op zijn bureau open. 'Agent Dan Curry heeft zojuist zijn rapport aan ons gefaxt. De heer Tucker was niet in staat Gracie of de mannen te identificeren of...' Hij stond op het punt om 'de tatoeage' te zeggen, maar hij herinnerde zich zijn belofte aan de kolonel. En die tatoeage deed nu toch niet meer ter zake. 'Of wat dan ook.'

Er verscheen een niet-begrijpende uitdrukking op het gezicht van de kolonel.

'Kolonel, het rapport van agent Curry vermeldt ook dat de heer Tucker begon over UFO's in Idaho; hij zei dat hij die voortdurend ziet en dat de regering daar iets aan zou moeten doen. En het rapport vermeldt eveneens dat de heer Tucker toegaf dat hij veel drinkt sinds de dood van zijn vrouw.' Hij schudde zijn hoofd. 'Dat is het probleem met hoge beloningen, die trekken allerlei halvegaren aan.'

'Waarom heeft hij tegen mij iets anders gezegd over de telefoon?'

'Dat gebeurt zo vaak. Als een agent zich meldt en zijn legitimatie laat zien, besluiten ze plotseling de waarheid te vertellen in plaats van een of ander verhaal om een deel van de beloning op te strijken.'

De kolonel leek niet overtuigd, dus stak Devereaux hem het rapport van agent Curry toe. Hij pakte het aan en liet zijn blik over de tekst glijden. Hij schudde langzaam het hoofd.

'Kolonel, zedendelinquenten reizen niet het halve land door om een kind te ontvoeren. En ze ontvoeren geen kind om dat vervolgens het halve land door te slepen. Kinderontvoeringen zijn lokale misdaden, begaan door lokale zedendelinquenten met lokale kinderen als slachtoffer. Gracies lichaam bevindt zich binnen enkele kilometers van het park, dat garandeer ik u.'

De kolonel liet Curry's rapport op het bureau vallen.

'Het spijt me, kolonel, maar er is geen sprake van een mysterie – Jennings is de dader. Dat is de enige plausibele verklaring voor het voetbalshirt, de pornofoto, de telefoontjes, de identificatie door de trainer, en vooral het bloed – de DNA-test toont aan dat Gracie in zijn truck heeft gezeten.'

'Misschien is het het bloed van iemand anders.'

'Kolonel, de kans dat het bloed niet van Gracie is – en dat heb ik nagevraagd – is één op vijfentwintig *quadriljoen,* en ik weet niet eens wat een quadriljoen is.'

De vader: 'Een miljoen tot de vierde macht.'

'Meneer, ik weet dat het moeilijk te accepteren is, maar zedendelinquenten beramen hun plannen niet zorgvuldig van tevoren en ze luizen er niet iemand anders in om aan arrestatie te ontkomen… en onschuldige mensen die opgepakt zijn voor een misdaad die ze niet gepleegd hebben, hangen zichzelf niet op. Die nemen een advocaat in de arm.'

'Hij paste niet in jullie profiel.'

'Nee, dat klopt, meneer. Op geen stukken na.' Hij haalde zijn schouders op. 'Een uitzondering. Of de profilers zitten er volkomen naast. Hoe dan ook, het doet er niet meer toe.'

De moeder maakte een gebaar dat het hele vertrek omvatte. De agenten waren de apparatuur aan het inpakken.

'Dus u geeft het op?'

'Mevrouw Brice, we geven het nooit op totdat het lichaam gevonden is. We zullen altijd onmiddellijk reageren op elke eventuele nieuwe aanwijzing of informatie, dat beloof ik u. Maar we kunnen niet voor onbepaalde tijd vanuit uw huis blijven opereren, dat heb ik u al gezegd toen ik ermee instemde de commandopost hier in te richten. We verplaatsen de zaak naar het kantoor in Dallas. Agent Jorgenson kan me altijd bereiken in Des Moines…'

'*Des Moines?*'

'Er is een vijfjarig jongetje ontvoerd…'

'U vertrékt?'

'Ja, mevrouw. Er loopt daar een bekende pedofiel vrij rond en er wordt een kind vermist. Ze hebben me daar nu nodig.' *God, wat was dit moeilijk.* 'Ik weet dat dit niet de afloop is waarop u zo vurig hebt gehoopt. Ik weet dat niet alle puzzelstukjes in elkaar passen, dat is nooit het geval. Sommige dingen kunnen gewoon niet verklaard worden. We krijgen nooit antwoord op alle vragen. Zo is het nu eenmaal.' Hij stond op. 'Het spijt me verschrikkelijk van Gracie. Ze moet een prachtkind zijn geweest. Maar het is voorbij.'

Devereaux keek de familieleden een voor een aan. Allemaal sloegen ze hun ogen neer, behalve kolonel Brice.

'Nee, agent Devereaux – het is nog maar net begonnen.'

15.18 uur

Nadat de familie de commandopost verlaten had, stond FBI-agent Jan Jorgenson op van haar werkplek en liep naar haar chef. Devereauxs ogen stonden treurig en vermoeid. Hij liet zich in zijn stoel vallen en zuchtte diep.

'Als ik ooit nog eens een kind levend terugvind,' zei hij, 'dan hou ik er meteen mee op. Dan gooi ik het bijltje erbij neer.'

Ze knikte. 'Ik heb informatie ingewonnen bij justitie, over de moeder.'

'Zeg het maar.' Toen voegde hij eraan toe: 'Niet dat het er nog iets toe doet.'

Jan wierp een blik op haar aantekeningen. 'Haar afdelingschef was een advocaat-generaal genaamd Raul Garcia…'

Agent Devereaux wreef over zijn gezicht.

'En wat had de heer Garcia te melden over mevrouw Brice?'

'Niets. Hij is ook dood.'

Devereaux hield op met over zijn gezicht te wrijven.

'*Allebei* haar superieuren op justitie zijn dood?'

'Inderdaad. Garcia is twee jaar geleden om het leven gekomen, in Denver, neergeschoten bij een autokaping.'

'Jezus.' Devereaux stond op. 'Een hoog sterftecijfer bij justitie de laatste tijd.'

'En ik heb de landmacht gebeld om te proberen achter de namen van die SOG-soldaten te komen. Alle SOG-archieven zijn in '72 vernietigd.'

'Logisch.' Agent Devereaux pakte zijn aktetas op. 'Jorgenson, het is nu jouw zaak. Ik neem het vliegtuig naar Des Moines.'

Op weg naar de luchthaven kon Devereaux alleen maar aan Gracie Ann Brice denken. Alweer een leven waaraan een eind was gekomen voordat het goed en wel begonnen was. Alweer een gezin kapotgemaakt door een zedendelinquent. Alweer een fiasco voor FBI-agent Eugene Devereaux. Wat had hij hier nou helemaal voor nuttigs gedaan?

Hij was nu zesenvijftig. Hij had zich de laatste tien jaar uitsluitend met ontvoeringszaken beziggehouden. Dat was hem niet in zijn kouwe kleren gaan zitten. Zijn vrouw had hem gesmeekt om overplaatsing aan te vragen naar de eenheid Overheidscorruptie: 'Wat kan er nou leuker zijn dan onderzoek doen naar corrupte politici?' had ze gezegd. Misschien had ze wel gelijk. Misschien was het inderdaad tijd om het bijltje erbij neer te gooien, na honderdachtentwintig dode kinderen. *Grote god, honderdachtentwintig dode kinderen!* En hij zou ook niet zoveel meer hoeven reizen; er waren meer dan genoeg corrupte politici in Texas. Hij zou meer tijd met zijn gezin kunnen doorbrengen. En misschien dat hij te zijner tijd de gezichten van de honderdachtentwintig dode kinderen niet meer zou zien als hij 's avonds naar bed ging en zijn ogen dichtdeed.

Jorgenson stopte voor de terminal van American Airlines en draaide zich naar hem toe. 'Agent Devereaux…'

'Zeg maar Eugene.'

'Eugene… Je hebt me een heleboel geleerd. Bedankt.'

Hij knikte. 'Je hebt het prima gedaan, Jan.'

'Weet je, de meeste agenten met wie ik werk op het kantoor in Dallas zijn nogal verwaand, alsof het dragen van een FBI-badge hen tot iets speciaals maakt. Jij bent niet zo. Jij bent anders.'

'Het verschil is, Jan, dat ik drieënnegentig dode kinderen van dichtbij heb gezien. Dan leer je die verwaandheid heel snel af.'

Devereaux stapte uit de auto, deed het voorportier dicht, pakte zijn weekendtas en zijn aktetas van de achterbank, boog zich toen voorover door het open raampje voorin en zei tegen Jan: 'Verzamel al het materiaal dat we hebben en stel een eindrapport op. Ik lees het wel zodra ik klaar ben in Des Moines. Je hebt mijn mobiele nummer, bel me maar als je me nodig hebt.'

Hij stond op het punt zich om te draaien toen Jan zei: 'Geloof je echt dat Jennings Gracie heeft ontvoerd?'

'Ik weet het niet… maar ik weet wel dat ze dood is.'

'Als we de jurisdictie hadden, zou je dan de zaak ook afgesloten hebben?'

FBI-agent Eugene Devereaux rechtte zijn rug, staarde even naar de blauwe hemel en boog zich toen weer voorover door het raampje.

'Nee.'

21.45 uur

Het leven is geen sprookje.

Maar dat had Katherine McCullough in 1968 niet geweten. Ze was getrouwd met de man van haar dromen, om hem vervolgens weer kwijt te raken aan de nachtmerrie van de oorlog. Ben Brice had zijn ziel en zaligheid aan het leger en die verdomde oorlog gegeven, en het resultaat was dat zijn hart gebroken, zijn ziel onherstelbaar beschadigd en de oorlog verloren was. Nadat hij teruggekeerd was uit Vietnam, had hij gemoedsrust gezocht in de fles. En hij was nooit meer opgehouden met zoeken.

Het leger probeerde de oorlog en degenen die daarin hadden gevochten achter zich te laten en zich te ontwikkelen tot een krijgsmacht in vredestijd. De legerleiding kon moeilijk de meest gedecoreerde soldaat uit de oorlog degraderen, maar ze hoefden hem ook geen commando meer te geven. Ben zei dat je nou eenmaal geen parade krijgt als je een footballwedstrijd of een oorlog verliest.

Na zijn pensionering was Kate met Ben meegegaan naar de blokhut die hij had gebouwd. Ze had gehoopt dat zijn pensionering een bevrijding voor Ben zou betekenen; maar hij had de oorlog met zich meegenomen naar Taos. Na een paar jaar was ze op een ochtend wakker geworden en had de waarheid onder ogen gezien: voor Ben Brice zou de oorlog nooit voorbij zijn. Hij zou geen vrede vinden totdat hij zijn laatste adem uitgeblazen had. En gezien zijn alcoholgebruik zou die dag niet lang meer op zich laten wachten.

Kate Brice had geweigerd die dag af te wachten. Ze kon haar echtgenoot niet behoeden voor zichzelf. En dus was ze bij hem weggegaan. Nu, terwijl ze door haar kamer ijsbeerde, voelde ze zich als een tienermeisje dat zich klaarmaakt voor haar eerste afspraakje; ze was bezig voldoende moed te verzamelen om naar hem toe te gaan. Ze had er behoefte aan naast hem te liggen en zijn armen om haar heen te voelen, nog één keer voordat hij haar verliet. Hij had haar vele malen verlaten, maar ze wist dat het deze keer anders was.

Ze wist dat Ben Brice deze keer niet meer terug zou komen.

'Wanneer kom je weer terug, opa?'

Sam keek naar hem op, zijn gezichtje een en al onschuld. Ben Brice was niet van plan iets te zeggen wat daar verandering in zou brengen.

'Gauw.'

Sam schudde zijn hoofd. 'Echt een grotemensenantwoord – vaag.'

Ben glimlachte. Het was alsof hij met John praatte op die leeftijd. Hij ging op de rand van Sams bed zitten.

'Ik ben niet vaag. Ik weet het alleen niet precies.'

'Maar je komt wel terug?'

Ben dacht even na. Hij kon zich er moeilijk wéér met een vaag antwoord van afmaken. Hij gaf het antwoord waar de jongen behoefte aan had.

'Ja.'

Little Johnny Brice was klein, zwak, verlegen en briljant. Hij werd gepest en bespot, getreiterd en geslagen. Hij was in zichzelf gekeerd en eenzaam, met geen andere vrienden dan zijn moeder en een Apple-computer. Hij was een moederskindje omdat zijn vader oorlog aan het voeren was. Hij had de pest aan zijn leven tot op de dag dat hij aankwam op het Massachusetts Institute of Technology, waar iedereen een Little Johnny Brice was. Hij had een IQ van 190, hij behaalde zijn doctoraal in algoritmen aan het Laboratory for Computer Sciences, en direct na zijn afstuderen richtte hij zijn eigen bedrijf op en ging aan de slag om een killerapplicatie te schrijven. Vandaag, tien jaar later, was hij miljardair geworden: om 09.30 uur Eastern time werd BriceWare.com op de beurs geïntroduceerd tegen een koers van 30 dollar per aandeel; bij het sluiten van de beurs om 16.00 uur was de koers gestegen tot 60 dollar.

John R. Brice was twee miljard dollar waard.

Dit was de dag waarvan hij al zo lang hij zich kon herinneren had gedroomd, als een tienerknaap die verlangde naar de dag waarop hij zijn maagdelijkheid zou verliezen, de dag waarop hij een man zou worden. Dit zou voor John. R. Brice die dag zijn. Maar nu hij in de grote badkamer van zijn villa van drie miljoen dollar in de spiegel naar zichzelf stond te staren, zag hij nog steeds Little Johnny Brice.

Hij had zijn mannelijkheid niet op Wall Street gevonden; misschien dat hij die in Idaho zou vinden.

Hij had geprobeerd zich een leven zonder Gracie voor te stellen. Hij kon het niet. Dat was niet het leven dat hij geleid had of het leven dat hij wilde leiden. En het zou een leven zonder Elizabeth zijn. De geboorte van Gracie had hen bij elkaar gebracht; haar dood zou hen uit elkaar drijven. Elizabeth zou bij hem weggaan, en ze zou Sam meenemen. Zijn gezin, zijn dunne lijntje met de werkelijke wereld, zou verdwenen zijn, en hij zou er elke dollar van zijn nieuw verworven fortuin voor over-hebben om zijn gezin bij elkaar te houden.

Maar hij wist dat zijn geld zijn gezin niet in stand kon houden. Hij wist dat zijn enige hoop bij een alcoholist lag. Ben Brice bood hoop. Hoop dat op de een of andere manier, ergens, Gracie nog in leven was. Hoop dat ze op een dag zou thuiskomen. Hoop dat haar vader weer haar volmaakte gezichtje tussen zijn handen kon nemen en kon beden-ken hoe geweldig ze was. Hij wist dat het nergens op sloeg. Hij wist dat de logica ontbrak. Er was alleen maar emotie. En hoop. John had gele-zen over mensen met terminale kanker die naar Mexico gingen voor klysma's en andere vormen van kwakzalverij, hopend op een wonder. Hij had zich afgevraagd hoe wanhopig iemand moest zijn om zoiets te doen, om duizenden kilometers te reizen in de hoop op een wonder. Nu wist hij dat.

En dus zou John R. Brice de stekker uit zijn beschermde virtuele we-reld van cyberspace en computers en programmeertaal trekken en zich in de echte wereld wagen, losgekoppeld van zijn technologie als een as-tronaut die zich loskoppelt van het moederschip, op zoek naar Bens droom en zijn dochter. Op hoop van zegen.

Voor het eerst in zijn leven zou John Brice zijn vader volgen.

De grote villa was donker en stil, alsof het huis in de rouw was. De FBI was vertrokken, met medeneming van alle apparatuur. Iedereen had zich teruggetrokken op zijn eigen kamer om na te denken over het leven zonder Gracie. Iedereen behalve Elizabeth.

Ze zat in de tv-kamer naar het late avondnieuws te kijken. Er was een kidnapper gestorven. Hij zou morgen begraven worden. Het leven zou verdergaan. Maar niet Grace' leven. Of dat van haar moeder.

Haar dochter was dood.

Het kwaad had opnieuw overwonnen.

23.07 uur

Ben lag in bed; het enige licht was afkomstig van buiten. Hij had zijn handen achter zijn hoofd ineengeslagen en de vragen spookten door zijn hoofd: Waarom kon Clayton Lee Tucker Gracie of de mannen of de tatoeage niet identificeren? Was hij echt een halvegare? En waarom was zijn telefoon dag en nacht in gesprek? Waarom hadden de twee mannen Gracie meegenomen naar Idaho? En de meest verontrustende vraag van allemaal voor Ben Brice was zijn verleden teruggekeerd om zich op Gracie te wreken?

De deur van het tuinhuisje ging open en Kate stak haar hoofd naar binnen.

'Ben?'

'Ja.'

Kate kwam binnen en ging op de rand van het bed zitten; ze staarde naar haar handen en frunnikte aan de ceintuur van haar badjas. Hij gaf haar alle tijd om te zeggen wat ze wilde zeggen.

'Ben, heb je een andere vrouw gehad?'

'Nee, Kate, alleen maar een andere fles.'

Kate stond op, maakte de ceintuur van haar badjas los en liet die op de vloer vallen. Ze sloeg de deken terug en ging naast hem liggen, met haar hoofd op zijn borst. En zo lag ze nog steeds toen hij de volgende ochtend wakker werd.

DAG ZEVEN

04.59 uur

Toen Ben Brice zijn ogen opendeed, zag hij niet een hond die nodig naar buiten moest om te piesen, maar zijn vrouw die voor het eerst in vijf jaar naast hem lag te slapen. De warmte van haar huid tegen de zijne bracht een gevoel van spijt bij hem teweeg over al die verloren jaren.

Het liep tegen de ochtend en hij zou eigenlijk moeten vertrekken, maar hij bleef doodstil liggen; hij wilde het moment nog even rekken. Toen hij jong en nog niet door het leven getekend was, had hij dergelijke momenten vaak genoeg laten voorbijgaan, ervan overtuigd dat er nog vele zouden volgen; nu koesterde hij elk moment zo lang mogelijk. Hij sloeg zijn armen nog een laatste keer om zijn vrouw heen.

Ben dacht terug aan de eerste keer dat Katherine McCullough bij hem in bed had gelegen, op 6 juni 1968, hun huwelijksnacht. Hij was tweeëntwintig en tweede luitenant; zij was twintig en nog maagd. Toen ze die avond bij hem kwam en haar nachthemd van haar schouders liet glijden en op de vloer liet vallen, wist hij dat hij nooit meer een andere vrouw zou willen.

Maar het was allemaal anders gelopen dan Ben zich had voorgesteld.

Ze was bij hem weggegaan en nu moest hij haar verlaten. Hij liet haar los en stond op, voorzichtig om haar niet wakker te maken. Hij had zich aangekleed en zijn spullen gepakt toen ze zich bewoog. Hij liep naar haar toe, ging op de rand van het bed zitten en streek wat verdwaalde rode haarlokken uit haar gezicht. Ze deed haar ogen open en staarde in de zijne alsof ze probeerde zijn gedachten te lezen. Na een tijdje zei ze: 'Ze is echt nog in leven.'

Hij knikte.

'Waarom? Waarom hebben ze haar ontvoerd?'

Ben verbrak het oogcontact. 'Ik weet het niet.'

'Echt niet?'

Kate stapte uit bed, trok haar badjas aan en knoopte de ceintuur dicht.

'Heeft het soms iets te maken met die tatoeage?'

'Je bedoelt met de oorlog?'

'Ja, met die vervloekte oorlog.'

Ben stond op en pakte zijn plunjezak op. 'Kate, alles heeft met die oorlog te maken.'

Elizabeth spuugde het laatste restje gal in de wc-pot en trok weer door. De smaak brandde in haar keel; die voelde rauw aan van al dat braken 's ochtends. Nog steeds op haar knieën pakte ze de fles met groen mondwater die ze nu naast het toilet had staan, nam een slok, spoelde en spuwde het uit in het toilet. Ze liet zich op de vloer zakken; het marmer voelde koel aan tegen haar blote benen. Ze legde haar hoofd op de wc-bril.

Toen ze wakker was geworden, had haar geest onmiddellijk misbruik gemaakt van het vroege tijdstip, waarop ze het meest kwetsbaar was, en haar opnieuw gekweld met nog meer gruwelijke beelden van haar dochter: Grace' dode, in staat van ontbinding verkerende lichaam, gedumpt in een greppel, met mieren en maden die uit haar zwijgende open mond en over haar bleke lippen kropen, gieren die in haar blauwe ogen pikten en ratten die aan haar mooie gezichtje knaagden, vechtend om haar vlees...

Ze voelde dat ze weer op het punt stond te gaan braken.

Zeven ochtenden geleden had Elizabeth zich in deze badkamer met zorg gekleed voor haar slotpleidooi; die dag was begonnen als elke andere, maar was geëindigd met Grace die uit haar leven was verdwenen. Hoe kan zoiets gebeuren? Hoe kan het leven zich in een fractie van een seconde tegen ons keren? Hoe kan het leven zo oneerlijk zijn? Zo hardvochtig? Zo wreed? Zo kwaadaardig? Tien jaar geleden had ze zichzelf diezelfde vragen gesteld. Toen had ze geen antwoorden gehad; ze had ook nu geen antwoorden. Maar indertijd had ze Grace gehad. Nu was Grace verdwenen.

'Ik ga.'

John stond in de deuropening. Ze wist dat hij wilde dat ze naar hem toe zou lopen en haar armen om hem heen zou slaan en 'Ik hou van je' tegen hem zou zeggen. Daar had hij behoefte aan, en zij wilde het ook. Ze probeerde zichzelf van de vloer omhoog te duwen, maar de kracht ontbrak haar. Hij maakte aanstalten om weg te lopen.

'John, ik...'

Hij draaide zich om. Ze had die woorden nog nooit kunnen uitspreken. En dat kon ze ook nu niet. Het kwaad had dat soort liefde uit haar leven weggenomen. John liep weg.

Ze boog zich over de toiletpot en braakte weer.

Toen Ben en Kate het tuinhuisje uit liepen, zagen ze John naast een glanzende rode Range Rover staan. Hij droeg sportschoenen, een spijkerbroek en een MIT-sweatshirt. Hij leek geen dag ouder dan de dag waarop hij naar MIT vertrokken was.

'Ik ga met je mee, Ben.'

Ben stak zijn arm uit en kneep zijn zoon in zijn schouder. 'Ik begrijp dat je dat wilt, jongen, maar dit is niet jouw soort werk.'

Ben draaide zich om, maar John pakte hem bij de arm. 'Dat weet ik, Ben. Dit is mannenwerk, en als man stel ik niet veel voor. Maar Gracie is mijn dochter. En als ze nog in leven is, wil ik haar terug.'

Ben wilde John duidelijk maken dat hij toch echt beter thuis kon blijven, maar hij zag in Johns ogen dezelfde waarheid die hij in zijn hart voelde: Gracie vinden was een kwestie van leven of dood, voor haar en voor hem.

'Oké, jongen. We doen dit samen.'

Ben liep naar de passagierskant van de auto. Kate kwam naar John toe en omhelsde hem. 'Wees voorzichtig,' zei ze. Toen, zachter, opdat Ben het niet zou horen: 'Doe precies wat Ben zegt, misschien dat we dan Gracie terugkrijgen. Voor dit soort werk is hij opgeleid.'

08.23 uur

Het landschap onder hen was kaal en oneindig. Het was donderdag en ze vlogen ergens boven West Texas. Het plan was om naar Albuquerque te vliegen, naar Bens blokhut buiten Taos te rijden, zijn spullen op te halen – het soort dat je niet mee kunt nemen aan boord van een vliegtuig, had hij gezegd – en in één ruk door te rijden naar Idaho Falls om daar met Clayton Lee Tucker te praten, de laatste persoon die Gracie in leven had gezien.

Bens handen lagen gevouwen in zijn schoot, hij had zijn ogen dicht en zijn ademhaling was traag en regelmatig. De stewardess keek John vragend aan toen Ben niet reageerde op haar aanbod van koffie, thee of vruchtensap.

'Allebei zwarte koffie, graag,' zei John tegen haar.

Hij klapte Bens tafeltje omlaag en daarna dat van hemzelf. De stewardess zette kopjes koffie neer. John dronk van de zijne, in de veronderstelling dat er niet gepraat zou worden tijdens de vlucht, maar Ben deed zijn ogen open en zei: 'Bedankt dat je Gracie bij me op bezoek liet komen. Ze zei dat Elizabeth ertegen was, maar dat jij voet bij stuk hield.'

Dat was de enige keer dat John R. Brice het tegen zijn vrouw opgenomen had.

'De laatste keer dat ze op bezoek kwam,' zei Ben, 'zijn we naar Santa Fe gereden om een tafel af te leveren. Toen we daar aankwamen, droeg ik de tafel de galerie in. Zij bleef buiten om te kijken naar de indianen die hun producten op de Plaza verkochten. Toen ik weer buiten kwam, stond ze aan de andere kant van het plein naast een oude Navajo alsof ze dikke maatjes waren.' Een flauwe glimlach. 'Ze droeg een indianenhoofdtooi. Ze lachte en zwaaide naar me. Ik zal haar gezicht die dag nooit vergeten.' Ben keek John aan; zijn ogen waren vochtig. 'Herinner jij je de laatste keer dat je haar gezicht hebt gezien?'

John leunde achterover in zijn stoel. Die herinnerde hij zich maar al te goed.

Gracie blijft staan en laat ook Brenda en Sally abrupt stoppen. Plotseling is het heel belangrijk dat ze omkijkt naar haar vader. Datzelfde slechte voorgevoel bekruipt haar weer, als een nachtmerrie terwijl ze nog wakker is. Het gevoel dat er elk moment iets verschrikkelijks met haar kan gebeuren. Hetzelfde gevoel dat haar nu al meer dan een week bekruipt, telkens als ze in de pauze buiten op de speelplaats is, of tijdens de voetbaltraining of op weg van school naar huis. Alsof iemand haar in de gaten houdt. Op haar wacht.

Ze heeft kippenvel over haar hele lijf.

De zon schijnt in haar ogen; ze knijpt ze tot spleetjes. Ze ziet haar vader, die haar vanaf het voetbalveld nakijkt. Meestal als het slechte voorgevoel opdook, zorgde ze ervoor dat ze in de buurt van een volwassene was en dan ging het wel weer weg. Maar vandaag niet. Nu niet. Eigenlijk wil ze het liefst terughollen naar haar vader.

'Kom op, Gracie,' zegt Brenda, en ze trekt aan haar arm. 'Als we niet opschieten, zijn de bananenijsjes op.'

Ze besluit dat ze zich gewoon aanstelt, iets waarvan mama altijd zei dat dat in haar huis niet was toegestaan. Ze is samen met een heleboel andere mensen in het park na een voetbalwedstrijd. Het slechte voorgevoel kan haar hier niets maken. Er kan haar niets gebeuren. Ze glimlacht en zwaait naar haar vader. Hij zwaait terug met zijn mobiele telefoon in zijn hand. Het kippenvel is verdwenen.

Ze komen bij de kantine. Hand in hand banen ze zich een weg door de menigte kinderen en volwassenen. Sally krijgt haar ijsje het eerst en daarna is Brenda aan de beurt.

'Slipjescontrole!'

Gracie draait zich snel om naar het verwaande wicht dat anderhalve meter bij haar vandaan staat en haar beschimpt zonder dat er volwassenen in de buurt zijn. Knap stom. Het wicht ziet haar vergissing in. Ze kijkt naar Gracies handen, inmiddels omgedoopt tot mevrouw Vuist en · haar tweelingzus. De spottende grijns verdwijnt van haar gezicht en maakt plaats voor angst. Het wicht doet een paar stappen achteruit, draait zich dan om en begint te hollen, maar Gracie heeft haar bij de haren te pakken nog voordat ze achter de kantine zijn, alleen, zonder die stomme hufter van een footballvader met zijn grote bek om haar te redden. Mevrouw Vuist, mag ik u voorstellen aan de neus van het wicht. Het wicht zakt als een blokkentoren in elkaar.

Wat een doetje! En ze is nota bene al elf!

Het wicht houdt haar handen voor haar neus en begint te huilen als een baby. Ze kijkt met grote angstige ogen omhoog. Maar haar blik is niet gericht op Gracie, het is niet Gracie voor wie ze bang is, maar…

Het kippenvel is weer terug. Het slechte voorgevoel is terug. Het omvat Gracie nu volkomen, verstikkend als een dikke deken op een warme dag. Het is achter haar. Het ademt op haar. Ze draait zich om.

Er wordt iets nats tegen haar gezicht gedrukt. Ze probeert het weg te trekken, maar ze ruikt iets vreemds. Elke zenuw in haar lijf begint te tintelen en nu wordt ze duizelig; alle kracht vloeit weg uit haar armen, haar benen worden slap, haar ogen vallen dicht. Ze zweeft nu, zachtjes deinend. Nee, ze zweeft niet; ze wordt gedragen. Ze hoort knisperende geluiden onder zich, alsof er iemand op verdorde bladeren stapt.

Het slechte voorgevoel draagt haar door het bos.

Gracie verliest langzaam het bewustzijn; wanhopig probeert ze een manier te bedenken om zichzelf te redden. Ze denkt aan Ben. Ze roept hem, maar er komen geen woorden uit haar mond.

Ben.

Met haar laatste restje energie en wilskracht brengt Gracie haar arm omhoog, pakt haar halskettinkje beet en geeft er een harde ruk aan. Ze laat haar arm weer vallen. Haar hand laat het kettinkje los. Bens Silver Star.

Red me, Ben…

… Een harde bons doet haar wakker schrikken, maar ze kan haar ogen nauwelijks open krijgen, net ver genoeg om te zien dat het donker is. Ze hoort het ronken van een automotor en het zoevende geluid van banden op de weg onder haar.

Het slechte voorgevoel brengt haar ver, ver weg.

Ondanks haar wilskracht kan ze haar ogen niet meer openhouden. Ze dommelt weer weg in die donkere wereld…

… En komt weer bij. Maar ze is groggy, alsof ze niet helemaal wakker kan worden. Ze hoort stemmen. Ze ruikt sigarettenrook en fastfood en zweetlucht. Ze voelt zich misselijk, alsof ze elk moment kan overgeven. Haar mond is droog, maar ze likt niet over haar lippen. Ze blijft doodstil liggen. Ze opent alleen haar ogen tot spleetjes.

Het is ochtend. Ze ligt op de achterbank van een auto onder een dunne groene deken. Voorin zitten twee mannen. De chauffeur heeft blond haar onder een zwarte pet; hij draagt een geruit overhemd. De andere man is groter, met gemillimeterd haar, net als mevrouw Blake, de gymlerares, alleen is zijn haar grijs. Zijn linkerarm ligt over de rugleuning van de voorbank. Het is een enorme arm. Met iets erop wat ze eerder heeft gezien.

Het grote hoofd van de grote man keert zich naar de blonde man en hij zegt: 'Die nerd wordt miljardair.' Er bungelt een sigaret aan zijn onderlip. 'Misschien moeten we losgeld vragen voor dit lekkertje. Ik durf te wedden dat hij er wel een miljoen voor over zou hebben om haar terug te krijgen.'

'Ik zou haar voor geen geld ter wereld laten gaan,' zegt de blonde man. 'Wij horen bij elkaar.'

De grote man schudt zijn hoofd en blaast een rookwolk uit. 'Dat jij met haar samen wilt zijn, betekent nog niet dat zij ook met jou samen wil zijn. Heb je daar wel eens over nagedacht?'

'Ja, daar heb ik over nagedacht,' zegt de blonde man. 'Ze zal leren om van me te houden.'

'Welk meisje niet? Maar het gekke met vrouwen is dat ze soms van die koppige ideeën hebben over het leren houden van een man die ze ontvoerd heeft.'

De blonde man kijkt de grote man aan. 'Het is al eerder gebeurd.'

De grote man knikt. 'Dat is waar. Ik zeg alleen maar dat je geen enkele ervaring met vrouwen hebt – de hoeren bij Rusty's tellen niet mee. En ik zal je zeggen, jongen, een ontevreden vrouw... *nou, berg je maar.* Er zijn maar twee dingen die je met een ontevreden vrouw kunt doen: het haar naar de zin maken of haar van kant maken. Neem maar van mij aan dat het heel wat eenvoudiger is om haar van kant te maken.'

Dat vindt hij grappig.

De motor maakt vreemde geluiden en stinkt verschrikkelijk. Ze ziet de daken van andere auto's en vrachtwagencombinaties die hen passeren. Ze rijden over de snelweg. De zon schijnt de rechterkant van de auto binnen. Dat betekent dat ze naar het noorden rijden. Dat moet de reden zijn waarom ze het nu een beetje koud begint te krijgen, vooral omdat...

Zonder haar hoofd te bewegen, inspecteert Gracie zichzelf. Haar witte voetbalschoen zit aan haar linkervoet, maar haar rechterschoen ontbreekt; ze heeft nog steeds de blauwe voetbalkousen en de scheenbeschermers aan. Ze tast rond onder de deken en... haar voetbaltenue is verdwenen! Haar shirt, haar broekje – het enige wat ze aanheeft is haar Under Armour-ondergoed! Waarom hebben ze haar voetbaltenue uitgetrokken? En het antwoord komt bij haar op: *O, god, ze hebben me verkracht!* Ze bijt op haar tong om haar gevoelens te onderdrukken en knijpt haar ogen stijf dicht om de tranen tegen te houden. Maar één traan ontsnapt en rolt over haar wang, komt op de zitting terecht en verdwijnt in een plooi van het gebarsten vinyl.

Gracie wist niet precies wat verkrachting inhield, maar ze wist wel dat het betekende dat een man zonder toestemming zijn penis bij een meisje tussen haar benen naar binnen stak (hoewel ze zich niet kon voorstellen dat ze ooit een jongen toestemming zou geven om dát te doen). Moeder praatte nooit met haar over seks of dat soort dingen; wat ze wist, had ze geleerd van mevrouw Boyd in de lessen verzorging. Mevrouw Boyd vertelde de meisjes dat als een jongen ongewenste fysieke toenadering zocht, ze hun vinger naar hem moesten uitsteken en vastberaden 'Nee! En als ik nee zeg, bedoel ik ook nee!' moesten zeggen. De jongens en meisjes volgden gescheiden lessen seksuele voorlichting; de meisjes giechelden bij de tekeningen van penissen in het boek. De enige echte die ze had gezien waren die van Sam, die heel klein was en een meisje van haar leeftijd geen pijn kon doen, en die van haar vader, toen ze op een keer de badkamer was binnengekomen. Hij had zich vreselijk gegeneerd en snel zijn handen voor zijn kruis geslagen, maar ze had hem goed kunnen zien. Haar vaders penis was groot genoeg om een meisje van haar leeftijd pijn te kunnen doen.

Maar ze voelt daar beneden geen pijn. Ze voelt zich helemaal niet anders. Misschien hebben de twee mannen kleine penissen zoals die van Sam en heeft ze daarom geen pijn. Of misschien hebben ze haar niet verkracht.

Of misschien… Ze doet haar ogen dicht en valt weer in slaap…

… Tot ze wakker wordt van een portier dat dichtgeslagen wordt.

Ze doet haar ogen open. De blonde man is verdwenen. De grote man draait zich naar haar om; ze doet snel haar ogen weer dicht. Ze voelt zijn lompe hand op de deken; ruw schudt hij haar been heen en weer.

'Wakker worden,' zegt hij.

Ze doet alsof ze slaapt, maar ze hoort hem zijn adem uitblazen en ze weet dat er sigarettenrook haar richting uit komt. Ze houdt haar adem in, maar de giftige dampen dringen haar neus binnen. Ze hoest. Ze kan nu niet meer doen alsof ze slaapt. Ze doet haar ogen open. De grote man kijkt naar haar, en niet bepaald vriendelijk.

Wat een oerlelijke vent.

Zijn neus is breed en plat, alsof hij tegen een stenen muur aan is geklapt. Een langwerpig litteken zigzagt over de linkerkant van zijn gezicht. Eén oog ziet er niet helemaal goed uit. De huid van zijn gezicht is vlekkerig en leerachtig en pokdalig, net als bij die jongen bij BriceWare. (Haar vader zei dat hij als kind veel last van acne heeft gehad.) Hij heeft een sigaret tussen zijn lippen en bij elke ademhaling komt er rook uit zijn mond. Hij is de grootste man die ze ooit gezien heeft, en hij ziet er echt angstaanjagend uit. Gracie merkt dat ze trilt van angst. Maar haar moeders advies klinkt in haar oren als een song op haar iPod: *Mannen zijn net honden. Ze ruiken het als een vrouw bang is. Laat ze nooit je angst ruiken. Zorg dat ze je nooit zien huilen. Hou je altijd flink, ook al voel je je niet zo.* En dus houdt Gracie zich flink. 'Wil je die sigaret uitmaken?' zegt ze. 'Meeroken is gevaarlijk voor de gezondheid van een kind.'

De grote man snuift als een stier en er komt een stroom rook uit allebei zijn neusgaten. 'Niet zo gevaarlijk als ik, als ik de pest in krijg dat ik niet kan roken.'

Daar zit wat in, denkt Gracie bij zichzelf.

Hij gooit een cakeje naar de achterbank, dat op de groene deken terechtkomt. Getver, het zit niet eens in de verpakking! Waarschijnlijk zit het onder de viezigheid.

Maar ze heeft honger.

Ze gaat overeind zitten, waarbij ze ervoor zorgt dat de deken om haar heen gewikkeld blijft, ook al heeft ze het Under Armour-broekje en T-shirt aan.

Haar hoofd voelt zwaar aan. Ze zit in een suv, een oud barrel: geen luxueuze leren stoelen of kersenhouten accenten, geen Harmon Kardon-stereo-installatie of vloerbedekking in de kleur van de carrosserie, geen in het dashboard ingebouwd tv-schermpje zoals in haar vaders nieuwe Range Rover, en geen cd-speler. Deze suv is oud en heeft banken in plaats van kuipstoelen, er liggen platgedrukte bierblikjes en sigarettenpeuken en verfrommelde fastfoodverpakkingen op de kale metalen vloer, de dakbekleding hangt op sommige plekken naar beneden en hij heeft in elk geval geen verwarming die werkt.

Ze kijkt naar buiten. Ze staan op het parkeerterrein van een Wal-Mart, ver van huis. Ze herkent de gele nummerborden op de andere auto's, dezelfde borden als op Bens Jeep.

Ze zijn in New Mexico.

Gracie pakt het cakeje op en realiseert zich dat ze niet vastgebonden is. Haar armen en benen zijn vrij. Ze schrokt het cakeje in drie grote happen naar binnen.

'Eh, hebt u er misschien nog een?' vraagt ze aan de grote man voordat ze de laatste hap heeft doorgeslikt.

Hij draait zich om en buigt zich voorover. Gracie duikt naar het portier en rukt wanhopig aan de portiergreep. Niets. Het andere portier. Niets. De grote man draait zich weer naar haar om en gooit haar nog een cakeje toe.

'Doe maar geen moeite, schat. De portieren gaan niet van binnenuit open. We zijn niet gek.'

Gracie overweegt even om daarover met hem in discussie te gaan, maar ziet daar toch maar van af. Ze kijkt naar de geparkeerde auto's. Misschien kan ze iemands aandacht trekken, op het raam bonzen en om hulp schreeuwen. Maar er is niemand… behalve de blonde man, die met een bruine papieren zak op weg is naar zijn gammele suv met het ontvoerde meisje erin.

Hij ziet er niet veel ouder uit dan de jongens van het footballteam. Haar vader heeft haar en Sam vorig seizoen meegenomen naar de grote wedstrijd ter gelegenheid van de jaarlijkse reünie van oud-leerlingen; de blonde man is knap genoeg om reünist van het jaar te zijn, alleen draagt hij een overhemd met eenzelfde soort ruitje als een van de pyjama's van haar vader. Reünisten van het jaar dragen geen overhemden met pyjamaruitjes.

Hij loopt naar de voorkant van de auto en doet de motorkap open. Er kolkt rook naar buiten. Hij stapt achteruit en wappert met zijn handen naar de rook zoals haar vader als hij probeert te barbecuen. Dan duikt hij onder de motorkap. Even later slaat hij de motorkap dicht en gooit een kleine gele plastic jerrycan weg. Nou zeg, die ruimt zijn afval niet eens op!

De blonde man veegt zijn handen af aan zijn overhemd, stapt met de papieren zak in de auto en zegt: 'Tien liter olie en we zijn verdomme nog niet eens halverwege.' Hij steekt de grote man een pakje sigaretten toe en die valt er onmiddellijk op aan, als haar vader op een nieuw pak chocoladekoekjes. Daarna geeft hij de zak aan Gracie. Een van zijn vingers is niet meer dan een stompje. Ze laat de inhoud van de zak op de bank glijden: een roze joggingpak.

Ze zucht. 'Nou, mij ontvoeren is al erg genoeg, maar nu zal mijn moeder pas echt pissig op jullie zijn.'

'Hoe dat zo?' vraagt de blonde man.

'Omdat jullie me kleren van Wal-Mart laten dragen.'

De blonde man grinnikt terwijl hij schakelt, het parkeerterrein af rijdt en zijn weg vervolgt over Highway 666 North, volgens het bord.

'Tussen haakjes – hebben jullie me, eh... verkracht of zo?'

De auto zwenkt plotseling van de weg af de berm in zonder vaart te minderen, waardoor de sigaretten van de grote man door de auto vliegen – 'Jezus christus!' zegt hij – en Gracie opzij valt op de achterbank. De blonde man gaat op de rem staan, brengt de auto tot stilstand en klimt bijna over de rugleuning van de voorbank. Zijn gezicht is rood. Met de drie vingers van zijn rechterhand wijst hij naar haar.

'Denk je nou echt dat ik zoiets met je zou doen? Denk je dat ik iemand anders zoiets met je zou laten doen? Je bent rein en je zult rein blijven! Als iemand probeert vuiligheid met je uit te halen, vermoord ik hem!'

Ze ging weer rechtop zitten. 'Je hebt mijn voetbaltenue uitgetrokken.'

'Maar ik heb niet gekeken! En je draagt van dat rare ondergoed, waardoor je toch niks kunt zien. Ik heb heel snel die deken om je heen geslagen.'

'Maar waarom dan?'

'Om de FBI op een dwaalspoor te brengen. Ze zullen je nooit meer terugvinden, Patty.'

'*Patty*? Ik heet Gracie. Jullie gaan me toch niet vertellen dat jullie sukkels de verkeerde hebben ontvoerd?'

'Nee hoor, we hebben het goeie meisje,' zegt de blonde man terwijl hij zich weer omdraait. 'Zo heet je voortaan.'

En Gracie vraagt zich af waarom...

... De oude man bij het benzinestation kijkt enigszins bevreemd naar hun auto. Hij heeft een vriendelijk gezicht. Hij staat aan de andere kant van de benzinepompen, schudt zijn hoofd, gebaart naar hun auto en zegt iets tegen de grote man, die rookt ondanks het bordje waarop staat dat dat verboden is. De motorkap van de SUV staat open. De motor moet nu echt bijna in brand staan, want er hangt een nog grotere wolk zwarte rook in de lucht onder de felle tl-buizen. Gracie draagt inmiddels het roze joggingpak. Langzaam tilt ze haar hoofd op. Ze wil schreeuwen: *Help!*

'Liggen blijven,' zegt de blonde man.

Gracie laat zich weer zakken. Maar de oude man heeft haar gezien. En zij heeft hem gezien.

Ze zijn in Idaho…

… En haar hoofd voelt weer zwaar aan, donkere beelden en geluiden overal om haar heen, en de wolk sigarettenrook die haar verstikt. Een bed in een kamer, maar niet haar eigen bed en niet haar eigen kamer. Ze herinnert zich dat ze werd gedragen met de deken om zich heen, en dezelfde vreemde natte geur en dezelfde duizeligheid en weer dat slappe gevoel, waardoor ze zich niet kon verzetten toen haar handen en voeten weer werden vastgebonden. En slapen en dromen en heen en weer zweven tussen licht en donker, dagenlang naar haar gevoel, terwijl de tv non-stop stond te schetteren en daardoorheen mannenstemmen en de geur van… *taco's?* – en ze zich afvroeg of ze ooit naar bed zouden gaan.

'Ik zou nooit van mijn leven een miljoen winnen, die vragen zijn echt hartstikke moeilijk.'

'Dat komt omdat je nooit tv-kijkt, jongen.'

'Die grote gozer daar, die ze Hoss noemen…'

'*Bonanza?*'

'Waarom hebben ze zoveel Mexicaanse zenders in Idaho?'

'Ga nou maar slapen.'

Gelach.

'Die Elmo, die is echt grappig!'

'Hou je kop.'

'Gilligan maakt er altijd een puinhoop van en…'

'Hou je kop nou toch eens!'

'Die gozer daar, die is dokter en hij is met haar getrouwd, maar hij doet het met die blonde, en…'

'Soaps? Jezus, je lijkt wel een kind met een nieuw speeltje.'

'Hé, Patty is op het nieuws!'

'In dit programma zetten ze mensen op een onbewoond eiland en dan stemmen ze er elke week eentje weg. De laatste die overblijft wint een hoop poen. Als ik daar zat, zou ik tegen die klootzakken zeggen dat ik ze van kant maakte als ze mij zouden wegstemmen.'

'Wat ben je toch een sympathieke gozer.'

'In de krant staat dat ze Jennings gisteren hebben gearresteerd.'

'Mooi zo. De auto is klaar, we kunnen weer op weg.'

Nu zitten ze weer in de gammele suv en Gracie ligt op de achterbank en haar ogen vallen dicht…

… Als ze haar ogen weer opendoet, ziet ze een man die zijn vette gezicht tegen het raampje heeft gedrukt en naar haar grijnst; er ontbreken verscheidene tanden aan zijn gebit.

'Wat een snoepje,' zegt hij.

'Laad het spul nou maar in, Dirt,' zegt de blonde man.

Als de man die Dirt wordt genoemd wegloopt, laat zijn gezicht een grote vetvlek op het raampje achter. De achterklep gaat open en de mannen schuiven groene metalen kisten met langwerpige glimmende bakken erin naar binnen. Op de zijkanten staan letters – usaf – en een woord dat ze nooit eerder heeft gezien – napalm. De kisten worden af gedekt met een zwaar dekzeil.

'En de hoge omes zich maar afvragen hoe het komt dat de inventaris nooit klopt,' zegt de man met de ontbrekende tanden.

Ze lachen allemaal alsof hij een goeie grap heeft verteld…

… En nu ligt ze op een klein bed in een kleine kamer in een klein huis. De lakens stinken naar zweet. Ze zal een week onder de douche moeten staan om die lucht te verdrijven. Ze denken dat ze slaapt. Ze staat op, loopt op haar tenen naar de deur en gluurt naar buiten. De twee mannen zitten in de grote kamer met een andere man, met rood haar, die een lang zwart geweer met een telescoopvizier vasthoudt en het streelt alsof het zijn vriendin is. Ze drinken bier en roken en lachen.

De grote man zegt: 'Met dat rooie haar gelooft niemand dat je een moslimterrorist bent.'

'Maakt niet uit,' zegt de man met het rode haar. 'De fbi vindt me toch nooit. Die kunnen met beide handen hun eigen reet nog niet vinden.'

De grote man wijst met zijn duim naar haar kamer en zegt: 'Wat vindt het meisje ervan, Junior? "Vet gaaf", zeker?'

Allemaal lachen ze weer; daarna blijft het een tijdje stil, totdat de grote man zegt: 'Eerste paasdag, Rooie. Zorg dat je het niet verkloot.'

Gracie gaat weer op het bed liggen en denkt: *Is het komende zondag geen Pasen…?*

… Ze ziet een bord met daarop CHEYENNE, WYOMING.

Ze ligt weer op de achterbank van de auto; de twee mannen voorin zijn kennelijk in hun nopjes.

De grote man zegt: 'Je houdt het toch niet voor mogelijk dat die eikel zichzelf heeft opgeknoopt? Shit, man, we zitten gebeiteld, ons kan niks meer gebeuren!'

'Kunnen we dan via Yellowstone gaan?' vraagt de blonde man. 'Dat zou leuk zijn voor Patty.'

'Ja, natuurlijk, Junior. En daarna nemen we haar mee naar Disneyland.' De grote man kijkt de blonde man die hij Junior noemt aan alsof die niet goed wijs is; hij blaast rook uit en zegt: 'Dit is verdomme geen gezinsuitje!'

Gezin? Heeft die Junior haar soms ontvoerd omdat hij behoefte heeft aan een…

… Gracie heeft het koud. Ze rilt aan één stuk door. Ze is helemaal alleen. En zo verschrikkelijk bang. Ze begint te huilen. Ze kan het niet langer tegenhouden. Maar net als ze op het punt staat om helemaal hysterisch te worden, ziet ze hem, hoog in de lucht, zwevend onder een witte parachute. En hij ziet haar. Hij komt steeds dichterbij, de groene baret, het uniform, de medailles glinsterend in het heldere zonlicht, net als op de foto op haar bureau.

Red me, Ben.

Hij komt. En voor het eerst sinds ze ontvoerd is, is ze niet meer bang…

08.51 uur

Toen Gracie wakker werd, huiverde ze. Ze had de dunne groene deken van zich af geschopt. Ze ging rechtop zitten, pakte de deken van de vloer en trok die op tot aan haar kin. Ze waren weer op de snelweg, maar de auto maakte geen vreemde geluiden meer. De blonde man reed; de grote man zat te roken en de krant te lezen. Buiten lag er sneeuw. In de verte rezen bergen op, hoger dan die in Taos. Haar hoofd was eindelijk weer helder.

'Waar zijn we?' vroeg ze. 'Wat voor dag is het?'

'Goeiemorgen, slaapkop,' zei de blonde man die Junior genoemd werd. 'We zijn in Montana, Patty. Het is donderdag.'

'Oké, even dat je het weet: dat Patty-gedoe begint me behoorlijk te irriteren.'

In de achteruitkijkspiegel zag ze een flauw glimlachje op Juniors gezicht verschijnen. Ze hoestte. De auto hing vol sigarettenrook. (Blijft die grote man aan één stuk door roken?) Ze probeerde haar raampje open te draaien, maar er zat geen beweging in. Ze wapperde met haar hand om de rook te verdrijven zodat ze kon ademen. Ze zei tegen de grote man: 'Die kankerstokjes zijn hartstikke slecht voor je. Die kunnen je dood worden.'

Zonder om te kijken zei de grote man: 'Dat geldt ook voor een vittend wijf.'

Ze staarde naar zijn achterhoofd. 'Nou, je wordt bedankt, hoor!' In de achteruitkijkspiegel zag ze dat Junior weer glimlachte. Ze reden een tijdje in stilte totdat ze zei: 'Hij komt me halen.'

De grote man gooide zijn krant naar haar toe. 'Niemand komt je halen, meissie. Het onderzoek is afgesloten.'

Gracie pakte de krant en sloeg hem open op haar schoot, net als thuis als ze na school de sportpagina's las. Haar foto stond op de voorpagina; ernaast stond de foto van een blonde man. Hij keek treurig.

'Ik ken hem. Hij werkt voor mijn vader.'

'Nu niet meer.'

Ze las over haar ontvoering, de zoektocht en de beloning die haar moeder had uitgeloofd. 'Jullie twee Einsteins laten vijfentwintig miljoen dollar schieten om *mij* te houden? Dat lijkt me knap stom.'

'Dat kun je wel zeggen, ja,' zei de grote man. Junior wierp hem een snelle blik toe.

Gracie las verder over haar zaak, het onderzoek – *hé, papa's beursgang is erdoor!* – de arrestatie van de ontvoerder, zijn zelfmoord en haar voetbalbroekje.

'Hebben jullie mijn voetbalbroekje in het bos achtergelaten? Zodat iedereen denkt dat ik in mijn onderbroek rondloop? Dat is echt hartstikke walgelijk.'

'Iedereen denkt dat je dood bent,' zei de grote man.

Gracie las verder. 'Ze hebben mijn voetbalshirt in de pick-up van die kerel gevonden? En mijn bloed?'

'Van je ellebogen,' zei Junior. 'Slim, hè? Dat heb ik zelf bedacht.'

'O, ja, bijzonder slim. Die man heeft zelfmoord gepleegd.'

'Dat was pure mazzel. We hebben hem er behoorlijk ingeluisd, maar we hoopten eigenlijk alleen maar op een paar dagen voorsprong. We hadden niet gedacht dat hij zichzelf zou opknopen. Nu zitten we gebeiteld.'

In het artikel stond dat Jennings zich in zijn cel had opgehangen, en dat de politie haar zaak had afgesloten. Men ging ervan uit dat Gracie Ann Brice dood was. Haar lichaam zou waarschijnlijk nooit gevonden worden nu de ontvoerder zelfmoord had gepleegd. Gracie snapte het niet: waarom had Jennings niet gewoon tegen de politie gezegd dat hij haar niet ontvoerd had? Waarom zou hij zelfmoord plegen? Ze begreep het allemaal niet zo goed, maar het deed niets af aan wat ze wist.

'Vergeet het maar. Hij komt eraan.'

Junior schudde zijn hoofd. 'Dat watje komt je heus niet redden, zoals hij ook niets heeft gedaan toen die stomme hufter tijdens de wedstrijd "slipjescontrole" naar je riep. Als ik hem was, had ik die klootzak doodgeschoten. Het scheelde trouwens ook maar weinig of ik had het gedaan.'

Ze balde haar vuisten. Gracie wilde Junior op zijn gezicht timmeren, net zoals ze bij dat verwaande wicht had gedaan. 'Ten eerste, droogkloot' – ze wist niet precies wat dat woord betekende, maar ze had het een jongen op school tegen een andere jongen horen roepen en die vond het helemaal niet leuk – 'noem mijn vader geen watje. Hij mag dan misschien een nerd zijn, maar hij is geniaal, slimmer dan jullie twee dombo's samen. En ten tweede: hij had die grote griezel niet eens gehoord. Hij was aan het multitasken. En ten derde: vinden jullie dat gepast taalgebruik in het bijzijn van een meisje?'

'O shit, sorry, liefje,' zei Junior alsof hij het werkelijk meende. 'Ik zal dat soort woorden niet meer gebruiken.'

De grote man draaide zich om en keek Gracie aan. Hij glimlachte niet. 'Maar ik wel. Luister, wijffie. Als die knaap die zich je vader noemt slim is genoeg is om tot de conclusie te komen dat Jennings je niet heeft ontvoerd en stom genoeg om je te komen zoeken, dan pak ik mijn bowiemes' – hij hield iets omhoog wat eruitzag als een groot uitgevallen steakmes – 'en snij dat magere lijf van hem open van zijn pik tot aan zijn strot en gebruik zijn ingewanden als aas voor een berenklem, begrepen?

Dus geniet nou maar lekker van de rit en hou verdomme je kop!'

Hij was groot en lelijk en angstaanjagend en hij stonk. Gracies kin begon te trillen en de tranen sprongen haar in de ogen. Net toen ze op het punt stond in huilen uit te barsten, dacht ze aan haar moeder, de flinkste, sterkste, stoerste persoon die ze kende. Gracie was niet zoals haar moeder, maar het zat wel in haar genen – ze kon zo zijn als het nodig was. Ze herinnerde zich nog meer goede raad van haar moeder: vloeken. Door onverwachte vuilbekkerij van een vrouw, had ze gezegd, raken mannen geïntimideerd. Gracie herinnerde zich de uitdrukking die haar moeder dikwijls gebruikte als ze dacht dat Gracie niet in de buurt was, en soms zelfs als ze dat wel was. Ze stak haar kin naar voren, boog zich voorover naar de grote, lelijke, angstaanjagende man en zei, duidelijk articulerend, zodat juf Bradley trots op haar geweest zou zijn:

'Fuck you.'

De grote man wierp haar een dreigende blik toe, alsof hij haar het liefst een flinke mep zou willen geven, maar Gracie bleef hem recht in de ogen kijken; plotseling begon hij hard te lachen.

'Van wie heb je zulk taalgebruik geleerd, meissie?'

'Van mijn moeder. Die is advocaat.'

De twee mannen keken elkaar aan en haalden hun schouders op. 'O.'

'En even voor alle duidelijkheid, stuk onbenul…'

De grote man schudde alleen maar zijn hoofd. 'Je bent me een fraai portret, meissie. Ik ben blij dat ik zelf geen koters heb – behalve misschien bij een paar hoeren in Saigon.'

Dat vond hij zelf heel erg grappig.

'Hoe dan ook, ik heb het niet over mijn vader. Ik heb het over Ben.'

'En wie mag Ben dan wel wezen?'

'Mijn opa.'

De grote man lachte nu nog harder en sloeg Junior op zijn arm. 'Haar opa.' Hij zoog aan zijn sigaret zoals Sam aan een Slush Puppie zoog, en toen begon hij rook uit te hoesten alsof hij erin stikte, en zijn gezicht liep helemaal rood aan. 'Verdomde angina.' Hij boog zich voorover, rommelde in het dashboardkastje en haalde een potje pillen tevoorschijn. Hij stopte er een van in zijn mond.

Junior zei: 'Niemand komt je halen, Patty. Je bent dood.'

'Ben weet dat ik nog leef.'

'Hoe dan wel?'

'Dat weet hij gewoon.'

Na een paar minuten trok de rode kleur weg uit het gezicht van de grote man. Hij legde zijn linkerarm weer over de rugleuning van de voorbank en zei: 'Jeetje, Junior, opa komt ons allemaal van kant maken en haar redden. We kunnen haar maar net zo goed nu meteen laten gaan.'

Op strenge toon, in haar beste imitatie van Elizabeth A. Brice, de razende raadsvrouwe: 'Ja, dat zou ik maar doen. Want hij is op dit moment onderweg. En als jullie idioten ook maar een greintje gezond verstand hadden, zouden jullie me uit de auto zetten zodat hij jullie nooit te pakken krijgt.'

'Nou, liefje, zei de grote man, 'ik lig er echt niet wakker van dat je opa achter me aan komt.'

'Dat zou je maar beter wel kunnen doen. Hij heeft er ook zo een.'

'Zo'n wat?'

Zijn ogen volgden haar hand toen ze die uitstak en naar de tatoeage van de grote man wees, waarbij ze bijna zijn wanstaltige arm aanraakte.

'Zo een.'

De grote man fronste zijn voorhoofd. 'Je opa heeft een tatoeage met het woord "viper"?'

'Yep, reken maar.' Ze wees met haar duim over haar schouder. 'En hij is op dit moment daar ergens, en hij haalt jullie snel in.'

De ogen van de grote man vlogen naar de achterruit van de auto, alsof Ben hun op de hielen zat. Zijn gezicht stond nu anders.

Omdat Ben eraan kwam.

09.28 uur

'Met deze barrel komen we nooit in Idaho!'

'Probeer het nog eens!' riep Ben van onder de open motorkap van de Jeep. John draaide het contactsleuteltje om en trapte het gaspedaal in, waardoor het onder de motorkap nog doordringender naar benzine begon te stinken; het beeld van een met napalm doordrenkt Vietnamees kind flitste door Bens hoofd.

Het vliegtuig was om 09.00 uur plaatselijke tijd in Albuquerque geland. Ze hadden hun bagage van de band gehaald en de oude Jeep op het parkeerterrein opgezocht. Maar het kreng wilde niet starten. Ben stond onder de motorkap wat aan de carburateur te frutselen, wat nog wel eens wilde helpen. John zat achter het stuur en begon steeds ongeduldiger en geïrriteerder te raken.

Ben gooide de motorkap dicht en liep naar de bestuurderskant. John schoof door naar de passagiersstoel. Ben stapte in, draaide het contactsleuteltje om en drukte het gaspedaal tot op de bodem in.

'Kom op, klote…'

De motor kuchte en gierde als iemand die twee pakjes per dag rookt en sloeg toen aan. Ben schakelde snel; de Jeep reed schokkend achteruit de parkeerplek af. Toen sloeg de motor af.

'Jezus!' vanaf de passagiersstoel.

Ben trapte het gaspedaal opnieuw in; de motor sloeg weer aan. Hij ramde de pook in de eerste versnelling en trok op voordat de Jeep van gedachten kon veranderen. Het voertuig ging op weg naar de uitgang van het parkeerterrein, een wolk zwarte rook uitbrakend.

Toen ze op de oprit naar de snelweg reden, keek Ben opzij naar zijn passagier. John leek op zijn moeder – dezelfde scherpe gelaatstrekken, dezelfde zwarte krullen, hetzelfde slanke postuur, dezelfde briljante geest. Hij leek totaal niet op zijn vader. Bens gedachten gingen terug naar die nacht toen… 'Stop!' riep John.

Ben ging op de rem staan. 'Wat?'

John wees. 'Daar moeten we zijn.' Toen begon hij driftig toetsen van zijn mobieltje in te drukken.

'Hallo, met Gracie. Ik kan op dit moment de telefoon niet opnemen omdat ik op stap ben met Orlando Bloom – *was het maar waar!* Nee hoor, ik ben op school of op voetbaltraining of op taekwondoles of ik zit E.T. achterna door het huis. Hoe dan ook, ik ben er niet om mijn telefoon op te nemen, *duh*, dus spreek een boodschap in of wat dan ook. Doei.' Het toestel bracht een piepje ten gehore.

Elizabeth zat in Grace' stoel aan Grace' bureau in Grace' kamer te luisteren naar Grace' stem. Dat was het enige wat ze nog van haar dochter had. Ze drukte op de afspeeltoets en luisterde nogmaals naar de stem van haar dode dochter.

Gracie zei: 'Ben Brice was een held.'

De grote man schudde langzaam het hoofd zoals mama deed als Sam zich weer eens gedroeg als een ettertje. 'Ben Brice,' zei hij met zachte stem, bijna alsof hij het over iemand had die allang dood was. 'Dat hou je toch niet voor mogelijk, Junior? We rijden het halve land door om dit meisje te ontvoeren, blijkt ze de kleindochter van Ben Brice te zijn. Gods wegen zijn ondoorgrondelijk. Met hetzelfde gebaar geeft Hij jou het meisje en mij Ben Brice.'

Junior keek de grote man aan alsof hij van een andere planeet kwam. 'Waar heb je het in godsnaam over, Jacko?'

De grote man die Jacko heette zei: 'De majoor zei altijd dat het geen toeval is dat de olievoorraad van de wereld zich in het Midden-Oosten bevindt, waar ook de drie wereldgodsdiensten zijn ontstaan. Hij zei: "God heeft die olie daar in de grond gestopt, Jacko, omdat die op een dag de joden, moslims en christenen terug naar het Midden-Oosten zal brengen voor de beslissende strijd. Armageddon in de woestijn. Gods meesterplan.'

'Wat heeft dat met haar te maken?'

'Zij is mijn olie, Junior.' Jacko keek Junior aan maar wees met een knoestige duim naar Gracie. 'Zij zal Ben Brice naar me toe brengen voor de eindafrekening.'

'Wie is Ben Brice in vredesnaam?'

Gracie zei nogmaals: 'Hij was een held.'

Jacko blies rook uit door zijn neusgaten. 'Hij was een vuile verrader. De verrader die ons voor de krijgsraad heeft gebracht.'

Junior keek hem aan en fronste zijn voorhoofd. 'Je bedoelt…'

'Ja, dat bedoel ik. Hij is degene die de majoor verraden heeft.'

Junior sperde zijn ogen open, zoals oma die keer dat ze vier getallen goed had in de lotto en zeshonderd dollar won. Hij zei: 'Hij is er geweest.'

'Nog niet,' zei Jacko. 'Maar dat zal niet lang meer duren.'

'Maar hoe vinden we hem?'

'We hoeven hem niet te vinden. Hij vindt ons wel.'

'Hij vindt ons nooit op die berg.'

'Jawel, Junior, dat doet hij wel. Ik weet niet hoe, maar hij zal ons vinden. Omdat we iets van hem hebben afgepakt.'

09.44 uur

'Laat dit maar aan mij over,' zei John toen hij met Ben de Range Rover-showroom binnenging. Een glimlachende verkoper in een overhemd met korte mouwen en een veiligheidsstropdas verscheen nog voordat de glazen deuren zich achter hen gesloten hadden.

'Goedemorgen, heren. Ik ben Bob.'

Een Range Rover-dealer was als een tweede huis voor John R. Brice. Toen hij het bedrijf vanuit de Jeep in het oog had gekregen, had zich een juichstemming van hem meester gemaakt, als bij een kind op de ochtend van zijn verjaardag: een nieuwe Rover zou hen probleemloos naar Idaho brengen! John liep naar een zwarte Land Rover in de showroom en deed het portier open – alpacabeige interieur. Hij had genoeg gezien. Hij wendde zich tot Bob.

'Hoeveel?'

'Zevenenvijftig,' zei Bob. 'Dat is een koopje voor dit prachtexemplaar.'

Bob hoefde John R. Brice echt niks te vertellen over de prijs van een Land Rover. Zoals de meeste techno-nerds beschikte John nauwelijks over praktische vaardigheden op lichamelijk of sociaal gebied; hij kon geen dakpannen leggen of olie verversen of een lekkende kraan repareren (om maar helemaal te zwijgen van huishoudelijke apparaten) of op effectieve wijze communiceren met de onderwijzers van zijn kinderen of met zijn huwelijkspartner. Maar hij was prima op de hoogte van alle voor zijn generatie belangrijke zaken in het leven: hij kon programmeren, spullen aanschaffen via internet; hij wist hoe hij intellectueel eigendom om kon zetten in een miljard dollar, hij wist hoe hij gsm-abonnementen moest vergelijken en hij kende de specificaties van een Land Rover.

'Land Rover LR3-serie, HSE-pakket. Vier-komma-vier liter V-8 motor met Bosch Motronic Engine Management System. Bekrachtigde tandheugelbesturing, vierwielaandrijving met elektronische tractieregeling, elektronisch luchtveringssysteem en ABS. Terrain Response, actieve kantelbegrenzing en dynamische stabiliteitscontrole. 550-watt Harmon Kardon Logic 7 surround sound stereo-installatie met dertien speakers en actieve subwoofer. 19-inch lichtmetalen velgen. Cold Climate Pack, leren stoelen, zonnedak, Bi-Xenon-koplampen en het Urban Jungle-accessoirepakket, hoewel ik eigenlijk de voorkeur geef aan het Safaripakket. Totaalprijs zesenvijftighalf. Plus transportkosten, kosten rijklaar maken en administratiekosten, zevenenvijftighalf. Als ik op internet ga rondshoppen, betaal ik hooguit negenenveertighalf voor deze wagen. Omdat ik haast heb, ben ik bereid eenenvijftig te betalen, boter bij de vis.'

Bob had met open mond staan luisteren naar Johns monoloog. 'Maar voor die prijs geef ik hem weg. Weet u wat, ik zak naar zesenvijftig.'

'Vergeet het maar, vriend! Tweeënvijftig, of we zijn weg.'

'Vijfenvijftig?'

'Drieënvijftig, en dat is mijn laatste bod.'

'Vierenvijftig.' John draaide zich om. Voordat hij twee stappen gedaan had: 'Oké, oké, drieënvijftig.'

'Deal.' John bracht zijn mobieltje naar zijn oor. 'Carol, ben je daar nog? Maak telegrafisch drieënvijftigduizend dollar over naar...'

'Plus btw, tenaamstelling en kentekenplaten,' zei Bob.

'Hoeveel?'

Bob ging in de weer met zijn zakrekenmachine. 'De tenaamstelling is tweehonderdvijftig, kentekenplaten honderdvijftig, btw is zes komma vijfenzeventig procent van drieënvijftigduizend...'

Tegen Carol aan de telefoon: 'Plus negenendertighonderdzevenenzeventig dollar en vijftig cent naar...'

John stak zijn mobieltje uit naar Bob, die nog steeds met zijn rekenmachine in de weer was.

'... dat is drieduizend negenhonderdzevenenzeventig...'

'Ja, dat weten we,' zei John. 'Geef haar jullie bankrekeningnummer maar. Ik heb die wagen nu nodig.' Hij wees naar buiten. 'En ik wil die ouwe barrel hier laten staan.'

Bob haastte zich weg met het mobieltje. John keek Ben aan.

'Zo doe je dat dus.'

10.36 uur

'Hè, verdomme,' zei Jan Jorgenson. Ze smeet de uitgedroogde viltstift in de prullenbak.

Ze was die ochtend voor het eerst sinds de ontvoering naar kantoor gekomen en probeerde zich te concentreren op de lange lijst met jonge mannen van Arabische afkomst die in Texas woonden, maar haar gedachten konden het meisje op die videoband van de voetbalwedstrijd niet loslaten. Het beeld achtervolgde haar. Ze had het gevoel alsof ze Gracie Ann Brice in de steek liet. Maar ze was niet iemand die het zomaar opgaf. Het lopen van marathons had haar geleerd nooit op te geven. Na tweeëndertig kilometer loop je in een roes, je lichaam functioneert op de automatische piloot, je hebt geen gevoel meer in je voeten, je bent de controle over je darmen kwijt en je gaat helemaal kapot – maar je geeft niet op; je geeft nooit op. Als je opgeeft, kom je nooit de waarheid over jezelf te weten.

FBI-agent (in haar proeftijd) Jan Jorgenson was vastbesloten om de waarheid over Gracie Ann Brice te weten te komen.

Dus in plaats van tien kilometer hard te lopen, zoals ze normaal gesproken deed tijdens haar lunchpauze, noteerde ze de belangrijkste gegevens in de zaak-Brice op het grote whiteboard in haar kantoortje in het centrum van Dallas. Bovenaan had ze GRACIE ANN BRICE geschreven, en daaronder vijf subkoppen: GARY JENNINGS ... JOHN BRICE ... ELIZABETH BRICE ... KOL. BEN BRICE ... DNA.

Onder GARY JENNINGS had ze geschreven: *BriceWare, bloed in pick-up, voetbalshirt in pick-up, negen telefoontjes, identificatie door de trainer* en *kinderporno*. Vernietigend bewijsmateriaal. Maar evengoed had de technische recherche van de FBI geen enkele hoofdhaar van Gracie in Jennings' wagen of in zijn flat of op zijn kleren aangetroffen; of haar vingerafdrukken in zijn wagen of op de pornofoto; of kinderporno in zijn flat of op zijn computers. Hij voldeed totaal niet aan het profiel van de zedendelinquent. Niets in de trant van een kinderontvoering in zijn verleden, en een vrouw en een baby en een miljoen dollar in het verschiet, maar dat zou hij allemaal vergooien om het tienjarige dochtertje van zijn baas te verkrachten en te vermoorden?

Zoals de jongelui tegenwoordig zeggen: ik dacht het niet.

Onder JOHN BRICE had ze genoteerd: *afgestudeerd* MIT... *trouwt met Elizabeth Austin ... verhuist naar Dallas ... BriceWare ... beursgang*. Afgezien van zijn vermogen van twee miljard dollar na de beursgang van gisteren, een mogelijk motief voor een ontvoering met het oog op losgeld, was er niets aan de achtergrond van de vader dat haar belangstelling wekte. Waarom zou iemand het kind van John Brice ontvoeren?

Onder ELIZABETH BRICE had ze genoteerd: *Geboren New York ... Smith College ... rechtenstudie Harvard ... ministerie van Justitie ... neemt ontslag bij justitie, trouwt met John Brice, verhuist naar Dallas ... strafpleiter voor witteboordencriminelen.* Waarom zou iemand het kind van Elizabeth Brice ontvoeren?

Nu vulde ze het leven in van KOL. BEN BRICE: *West Point ... Vietnam ... Groene Baret ... Kolonel ... Medal of Honor ... geheime missies ... Viper-tatoeage.* Waarom zou iemand het kleinkind van kolonel Brice ontvoeren?

Waarom zou iemand deze misdaad plegen?

Wat waren de mogelijke motieven?

Ze ging weer aan haar bureau zitten, dat vol lag met informatie over kolonel Brice die door de researchafdeling verzameld was uit openbare bronnen, kopieën van kranten- en tijdschriftartikelen, gerangschikt in omgekeerde chronologische volgorde. Research had in alle artikelen de naam van de kolonel gemarkeerd met gele viltstift. Ze nam verscheidene van de artikelen door. Een ervan was gedateerd 30 april 1975 en ging over de val van Saigon, met een foto van een Amerikaanse helikopter die opsteeg van het dak van de Amerikaanse ambassade; een soldaat stond op het onderstel als een brandweerman op een bluswagen en hield iets kleins in zijn arm.

Een ander artikel was gedateerd 7 augustus 1972, met een foto erbij van president Nixon die kolonel Brice tijdens een ceremonie in de East Room van het Witte Huis de Medal of Honor omhing, een onderscheiding die hem was toegekend omdat Brice in zijn eentje honderd Amerikaanse piloten had bevrijd uit een krijgsgevangenenkamp; de echtgenote van de kolonel stond naast hem.

Jan las vluchtig enkele artikelen uit *Stars & Stripes,* de militaire krant, en kwam toen bij een voorpagina-artikel van de *Washington Herald* van 12 november 1969. Op de bijbehorende foto werd een grimmig kijkende kolonel Brice belaagd door verslaggevers voor een kazerne, alleen was hij toen nog geen kolonel, maar een jonge luitenant. Haar ogen vlogen over het artikel: iets over een zitting van de krijgsraad naar aanleiding van een bloedbad in Vietnam. Jan Jorgenson was geboren in 1980, dus de Vietnamoorlog zei haar net zoveel als de Amerikaanse Burgeroorlog. Ze stond op het punt om verder te gaan naar het volgende artikel, toen haar oog viel op een woord in de vijfde alinea van het verhaal: Viper.

De adrenaline spoot Jan door de aderen: kolonel Brice heeft een Viper-tatoeage. De onbekende man in het park had een Viper-tatoeage. De soldaten die voor de krijgsraad waren verschenen, hadden deel uitgemaakt van een *special operations unit* met de codenaam Viper. Ze las verder.

SOG-team Viper, onder commando van majoor Charles Woodrow Walker, had op 17 december 1968 tweeënveertig Vietnamese burgers afgeslacht in een dorpje in de Zuid-Vietnamese provincie Quang Tri. Luitenant Ben Brice rapporteerde de slachting. Zodra de media er lucht van kregen, werd Quang Tri een politieke kwestie. Tegenstanders van de oorlog in het Congres eisten dat majoor Walker voor de krijgsraad gebracht zou worden. Het leger verzette zich daartegen: Charles Woodrow Walker was een levende legende. Maar toen een groep senatoren dreigde de geldkraan dicht te draaien, haalde het leger bakzeil en stelde Walker en zijn manschappen in staat van beschuldiging op grond van artikel 118 van het Wetboek van Militair Strafrecht, te weten moord.

Luitenant Ben Brice was de enige getuige à charge bij de zitting van de krijgsraad; hij getuigde dat Walker de aanzet had gegeven tot de slachting en in koelen bloede een jong meisje had vermoord. Majoor Walker hoefde slechts in de getuigenbank plaats te nemen en het bloedbad te ontkennen. Zaak gesloten. Een luitenant legt het te allen tijde af tegen een levende legende.

In de afgeladen rechtszaal heerste een verwachtingsvolle stilte toen de achtendertigjarige landmachtmajoor, een opvallend knappe verschijning, te oordelen naar de foto waar Jan naar keek, in zijn uniform in de getuigenbank plaatsnam, zijn borst vol onderscheidingen, en hij met kaarsrechte rug de leden van het militaire tribunaal toesprak.

'Sterven, mijne heren, is onlosmakelijk verbonden met een oorlog. Er sterven mensen tijdens een oorlog. Mannen, vrouwen, en kinderen. Soldaten en burgers. Vijanden en bondgenoten. En Amerikanen. Communistische strijdkrachten hebben in Vietnam veertigduizend Amerikaanse soldaten gedood – *veertigduizend,* mijne heren! En het leger brengt mij voor de krijgsraad vanwege tweeënveertig dode spleetogen?'

De majoor snuift als een bloedhond die een geurspoor oppikt.

'Ik ruik in deze rechtszaal de corrupte stank van de politiek.'

Degene die hem heeft aangeklaagd staart naar de majoor, het proto-type van een Groene Baret: één meter negentig, honderd kilo zonder een grammetje overtollig vet, gemillimeterd blond haar, gebruind ge-zicht en donderende stem. En dan die ogen, ogen als blauw kristal die recht je ziel binnen kunnen kijken; als hij je met die ogen aanstaart, is het alsof je naar Jezus Christus in eigen persoon kijkt, zeggen zijn man-schappen. Ze noemen zich zijn discipelen.

De majoor richt zijn blik op de leden van de krijgsraad.

'Toen we tijdens de Tweede Wereldoorlog Duitsland tot puin bom-bardeerden, doodden we vijfendertigduizend Duitse burgers in Dres-den alleen al. Toen we Hiroshima en Nagasaki bombardeerden, dood-den we driehonderdduizend Japanse burgers. Maar we zeurden niet over die doden. We brachten de piloten die de bommen gooiden of de generaals die opdracht gaven tot de bombardementen niet voor de krijgsraad. We eerden hen als helden. We gaven hun onderscheidingen en parades. We kozen een generaal in het Witte Huis.

Maar ik heb begrepen dat deze oorlog anders is. Deze oorlog is niet populair bij de bevolking. Waarop ik zeg: en wat dan nog, verdomme? Sinds wanneer laat de krijgsmacht zich ook maar iets gelegen liggen aan de burgers? Kan het u iets schelen wat dat zootje ongeregeld dat buiten de hekken van deze legerbasis protesteert en de Amerikaanse vlag ver-brandt, de vlag die u en ik gezworen hebben te verdedigen, ervan vindt? De soldaten die op dit moment in Vietnam vechten en sneuvelen, vech-ten niet voor die búrgers. Ze vechten voor dit lánd! En ik ben niet van plan om me door een zootje dienstplichtontduikende drugsgebruikers te laten vertellen wanneer en waar en wie ik mag doden om dit land te verdedigen!

En men heeft me ook te verstaan gegeven dat deze oorlog immoreel, smerig, wreed en slecht is. En daarop zeg ik: ja, dat klopt. Net als elke an-dere oorlog die dit land ooit heeft gevoerd. Oorlog, mijne heren, is geen smakelijke of gezellige of humane kost, geschikt voor het avondnieuws. Oorlog is smerig. Wreed. Inhumaan. Slecht. En noodzakelijk voor het voortbestaan van de Vrije Wereld!'

Hij wijst naar het raam.

'Dat zootje ongeregeld wil dat Amerika verliest in Vietnam. Dat zootje ongeregeld wil het Amerikaanse leger vernederen. Wij – u en ik en deze krijgsmacht – kunnen dat niet laten gebeuren! We mógen dat niet laten gebeuren! Want als we dat doen, als we dat zootje ongeregeld dit leger kapot laten maken, zal de wereld Amerika niet langer vrezen. We kunnen leven in een wereld die niet van Amerika houdt. We kunnen zelfs leven in een wereld die Amerika haat. Maar, mijne heren, we kunnen niet leven in een wereld die Amerika niet vreest. We kunnen niet leven in een wereld die denkt dat ze een loopje met Amerika kan nemen. Want zodra de eerste de beste onbeduidende dictator, opstandeling, krijgsheer of terrorist denkt dat hij een loopje met Amerika kan nemen, zal hij dat ook doen! Mijne heren, ik sta hier terecht, maar het is niet de toekomst van majoor Charles Woodrow Walker die vandaag op het spel staat. Het is de toekomst van de krijgsmacht van de Verenigde Staten. Het is de toekomst van Amerika.

Ik word beschuldigd van moord door een leger dat buigt voor politici, politici die nog nooit zelf in een oorlog hebben gevochten maar die wel profiteren van de vrijheid die ze aan de oorlog te danken hebben – *de vrijheid die wij hun geven!* – politici die een verkiezing proberen te winnen door dat zootje ongeregeld te vriend te houden. Ik, mijne heren, probeer een oorlog te winnen! Het communisme te verslaan en vrede en voorspoed te behouden voor de Verenigde Staten van Amerika!'

De majoor trekt zijn uniformjasje uit. Hij maakt de manchetknoop van zijn linkermouw los. Hij rolt de mouw op. Hij toont de leden van de krijgsraad de Viper-tatoeage op zijn biceps. En hij vertaalt de Vietnamese woorden voor hen: '"Wij doden voor de vrede." Ik zeg u, als dit land vrede en voorspoed wil, dan moeten we ook bereid zijn om daarvoor te doden!'

Nu wijst de majoor naar degene die hem in staat van beschuldiging heeft gesteld.

'Sinds Truman MacArthur verried, weet elke militair op West Point dat politici de krijgsmacht altijd zullen verraden. Dat verwachten we ook. Maar we verwachten niet dat we verraden worden door iemand uit ons midden, door een lid van het Korps. Zoals Jezus Christus Judas Iskarioth had, zo heb ik luitenant Ben Brice. Hij heeft me verraden. Hij heeft u verraden. Hij heeft zijn leger verraden. Hij heeft zijn land verraden.

Hebben wij die spleetogen gedood? Nou en of! En ik zal desnoods elke spleetoog in Vietnam doden als dat nodig is om deze oorlog te winnen! Om het communisme te verslaan! God is mijn getuige dat ik er geen spijt van heb dat we die tweeënveertig spleetogen hebben gedood! Het enige waar ik spijt van heb, is dat ik luitenant Brice niet ook een kogel door zijn kop heb gejaagd!'

'Dat zou een motief kunnen zijn – wraak.'

Agent Jan Jorgenson was bij de laatste pagina van het artikel beland. Majoor Walker en de negen andere Groene Baretten waren vrijgesproken van moord maar schuldig bevonden aan gedrag dat een officier onwaardig was, gedegradeerd en oneervol ontslagen uit het leger.

Had Walker Gracie Ann Brice ontvoerd om wraak te nemen op kolonel Brice? En wie was majoor Charles Woodrow Walker? En waar was hij nu?

11.05 uur

De grote man die Jacko heette, zei: 'Ik herinner me een keer dat de majoor en ik twee Vietcongs in de helikopter hadden, honderdvijftig meter boven de grond. De majoor ondervroeg ze – waar is jullie basiskamp, hoeveel manschappen, enzovoorts. Een van die spleetogen bleef steeds maar herhalen: "Doo Mommie," wat in het Vietnamees "neuk je moeder" betekent. Enfin, op een gegeven moment was de majoor het zat, dus hij pakte die gozer bij kop en kont en flikkerde hem naar buiten. We hoorden hem schreeuwen totdat hij te pletter viel. Toen greep de majoor die andere gozer bij zijn lurven – die klootzak piste in zijn broek. En hij sloeg door, gaf ons de coördinaten van hun basiskamp. De volgende ochtend lieten we de B-52's komen. Die vaagden dat kamp en ongeveer vijfhonderd spleetogen van de aardbodem weg.'

Jacko glimlachte alsof hij aan zijn laatste verjaardagsfeest terugdacht. 'Dat waren nog eens tijden.'

Junior zei: 'Wat hebben jullie met die andere spleetoog gedaan?'

'O, die hebben we ook naar buiten geflikkerd. Honderdvijftig meter boven een rijstveld.'

Jacko had nu een dromerige blik in zijn ogen, net als Sylvia als ze over haar vaderland praatte.

'De beste jaren van mijn leven. God allemachtig, doden, drinken en neuken – voor een plattelandsjongen uit Henryetta was Vietnam geen oorlog, het was verdomme gewoon vakantie.' Hij schudde zijn hoofd. 'De politici hebben een oorlog waar niks mis mee was naar de kloten geholpen.'

Ze zaten bij een McDonald's-drive-in op hun bestelling te wachten. Gracie zat te luisteren. Junior zette grote ogen op.

'Goh, ik ben gek op dat soort verhalen,' zei hij.

Jacko zei: 'Maar ja, toen McNamara en Johnson dienstplichtigen naar Vietnam begonnen te sturen en de oorlog thuis een verdomde tv-show werd, wist ik dat mijn oosterse vakantie zijn langste tijd had gehad. Maar ik wist niet dat mijn militaire carrière de langste tijd had gehad toen we die dag in '68 met het Viper-team de provincie Quang Tri binnentrokken. Ik volgde gewoon de majoor en tussen de bedrijven door ruimden we wat spleetogen uit de weg. Gewoon een doorsneedag in het paradijs. Maar het leger offerde het Viper-team op aan dat politieke tuig.' Hij nam een trek van zijn sigaret, blies rook uit en zei: 'Omdat luitenant Ben Brice zo nodig zijn mond open moest doen.'

'Waarom heeft de majoor Brice niet van kant gemaakt nadat hij jullie had verlinkt?'

'Na de zitting van de krijgsraad huurde de CIA ons in voor geheime missies in Cambodja – de CIA laat zich niks gelegen liggen aan de politiek.' Hij grinnikte. 'Voorheen bracht de majoor verslag uit aan de president. Bij de CIA hoefde hij aan niemand verslag uit te brengen. Hoe dan ook, Brice was tegen die tijd een halve inboorling geworden die met de Yards in de jungle leefde. Na de oorlog is hij gewoon verdwenen.'

Junior stak Gracie een witte zak toe. Ze had een Big Mac, friet en melk besteld. Van haar moeder mocht ze nooit fastfood eten.

Jacko vroeg aan haar: 'Waar woont je opa?'

Gracie bedacht dat ze, als ze de waarheid zei, misschien zouden omkeren en naar Taos rijden, wat in elk geval beter zou zijn dan waar ze nu heen gingen. En ze wist dat Ben sowieso niet in de blokhut was.

'Taos.'

'Wat doet hij in godsnaam in Taos?'

'Hij maakt meubels – schommelstoelen, tafels, bureaus. Echt prachtig. Filmsterren kopen zijn spullen.'

Dat vond Jacko grappig. 'Een Groene Baret die schommelstoelen maakt voor filmsterren.'

'Welke sterren dan?' vroeg Junior.

Gracie gaf geen antwoord. In plaats daarvan zei ze: 'Als we naar Taos gaan, breng ik jullie naar zijn blokhut.'

Jacko snoof. 'Ik denk dat ik maar liever wacht tot hij naar mij toe komt.'

'Bang, hè? Weet je, jullie kunnen me maar beter laten gaan voordat hij jullie te pakken krijgt.'

'Hou je kop, kleine slet die je bent!'

Gracie wist niet precies wat dat woord betekende, maar ze was er tamelijk zeker van dat het geen compliment was. Voor ze zich kon verdedigen, sprong Junior voor haar in de bres.

'Noem haar niet zo! Ze is geen slet!'

Junior keek Jacko heel vuil aan, net als Ronnie van verderop in de straat haar had aangekeken die dag dat ze hem op zijn gezicht had geslagen.

'Zij is begonnen! Zeg dan dat ze haar kop houdt! Dat krijg je ervan als je zo nodig een vrouw in je leven wilt hebben – een mond die geen moment meer stilstaat!'

Gracie haalde haar middageten uit de zak en begon te zingen: 'Moeders, laat je zoons niet opgroeien tot imbecielen...'

Jacko wees met een frietje naar haar en zei: 'Zie je? Zie je nou wat ik bedoel?'

Gracie haalde de melk uit de zak en zag haar foto op het pakje staan onder de tekst KIND VERMIST.

11.47 uur

De terreinbanden hadden geen enkele moeite met de onverharde weg en de V-8-motor dreef de Land Rover de steile helling op terwijl het elektronische luchtveringssysteem en de luxueuze leren stoelen de schokken voor de inzittenden opvingen. Wat terreincapaciteiten betrof moest elke andere suv het afleggen tegen een product van Range Rover. De Range Rover die John thuis had staan was een sportief rood exemplaar met vierwielaandrijving, een leuk snufje, ook al was de gedachte om met een voertuig van 75.000 dollar daadwerkelijk de gebaande paden te verlaten nog nooit bij John Brice opgekomen. Dus toen ze de top van de heuvel bereikten, liet hij opgelucht zijn adem ontsnappen en zijn handen, met spierwitte knokkels, lieten hun krampachtige greep op het stuur los toen hij de Land Rover tot stilstand bracht voor een kleine blokhut. Het was bijna twaalf uur 's middags op de zevende dag van Gracies ontvoering.

Nog voordat hij goed en wel uitgestapt was, werd Ben enthousiast verwelkomd door een hond. Ben knielde neer en aaide de hond; het dier likte zijn gezicht alsof het een ijsje was. 'Hoe is het ermee, Buddy?' Als een hond kan huilen, dan deed Buddy dat. Ben kwam overeind en liep de blokhut in. Vervolgens begroette de hond John, kwijlend over diens spijkerbroek en Nikes.

'Ga weg, stom beest!'

John was geen hondenliefhebber; als jongen had hij een tijdje een hond gehad, maar dat mormel had hem gebeten wanneer hij maar kon. Buddy liet John eindelijk met rust toen hij een rat of iets dergelijks zag en daarachteraan stoof in het kreupelhout dat de blokhut omgaf. John veegde zijn spijkerbroek af en nam Bens onderkomen in ogenschouw; het was kleiner dan de garage voor vier auto's op Magnolia Lane 6, maar evengoed was het een aardige blokhut.

Aan weerskanten van het verandatrapje was een perkje aangelegd; kleine twijgjes staken uit boven keurig aangeharkte zwarte aarde. Langs de veranda liep een balustrade waarlangs cactussen in fleurige potten, merkwaardig gevormde keien en beschilderd houtsnijwerk in de vorm van coyotes en paarden waren gerangschikt. John liep over de veranda naar de achterkant van de blokhut en keek uit over het bruine landschap, dat zich uitstrekte tot aan de bergen in de verte, waarvan de witte toppen scherp afstaken tegen de diepblauwe hemel. Nergens waren mensen of andere huizen te zien. Dit was geen exclusieve besloten woongemeenschap die was opgezet om het gewone volk buiten te houden. Dit was geen zorgvuldig geplande nieuwbouwwijk met een actieve vereniging van eigenaren. Dit was geen plek waar je heen ging voor de sociale contacten. Dit was een plek waar je kwam om de rest van de wereld achter je te laten.

Aan de westkant van de veranda stonden twee houten schommelstoelen; een ervan was op halve grootte, met de naam GRACIE in de rug-

241

leuning uitgesneden. John ging in haar stoel zitten en stelde zich voor hoe Ben en Gracie daar hadden zitten praten, en hij vroeg zich af wat ze over haar vader gezegd had. Hij zuchtte. Hij had met haar mee moeten gaan, zoals ze altijd had gevraagd, en in een schommelstoel met JOHN in de rugleuning moeten zitten en met zijn vader moeten praten. Maar hij was altijd zo verknipt geweest over het verleden – een vader die er niet was om Little Johnny Brice tegen de pestkoppen te beschermen – en zo geconcentreerd op de toekomst – een beursgang die het leven van John R. Brice volmaakt zou maken – dat hij nooit de aanleiding of de tijd had gevonden om te vergeven of te vergeten.

Hij hoopte dat Gracie haar vader vergeven had.

Hij stond op en liep naar achteren. Achter de blokhut was een moestuin, en een kleiner bouwsel waar een stenen pad naartoe liep. De deur kraakte toen John Bens werkplaats binnenging; onafgemaakte meubelstukken en gereedschappen stonden op de vloer en langs de wanden. Johns oog viel op een schommelstoel. Hij liet zijn handen over de sierlijke houten armleuningen en de gebogen rugleuning glijden. Hij ging in de stoel zitten en leunde achterover. John was ervan uitgegaan dat de houten meubels die zijn vader maakte heel primitief zouden zijn, geen kunstwerken zoals deze stoel. Net zoals hij ervan uitgegaan was dat een alcoholist zou leven als een alcoholist, slodderig en vuil. Maar de blokhut en de tuin en deze werkplaats waren keurig onderhouden, alsof Ben een Sylvia Milanevic in dienst had.

John Brice kende zijn eigen vader niet.

'Die is voor een of andere filmster in Santa Fe.'

Ben stond in de deuropening.

'Ik ga naar de stad om boodschappen te doen,' zei hij. 'Binnen ligt eten als je honger krijgt. Zodra ik terug ben, laden we de boel in en dan gaan we op weg.' Hij hield zijn hand op. 'Aangezien je mijn Jeep hebt ingeruild, zal ik jouw wagen moeten lenen.'

John wierp Ben de sleuteltjes toe. 'Hij is van jou.'

12.19 uur

Nadat de Land Rover de heuvel af was gereden en uit het zicht was verdwenen, ging John de blokhut binnen. Hij stierf van de honger; het enige wat hij die dag gegeten had, was zijn gebruikelijke ontbijt van een handje verkruimelde chocoladekoekjes in een glas melk en de zwarte koffie tijdens de vlucht.

Hij liep naar de keuken aan de ene kant van de woonkamer en rook een sterke whiskylucht. Vijf lege whiskyflessen stonden ondersteboven in de gootsteen. Bij de aanblik van die flessen was John ervan overtuigd dat hij met een alcoholist aan een vruchteloze onderneming begonnen was, maar hij kon nu niet meer terug naar huis en naar Elizabeth. Hij bracht de flessen naar buiten en gooide ze in de afvalbak.

Toen hij terugkwam, ging hij in de keukenkastjes op zoek naar iets eetbaars, maar het enige wat hij vond waren biologische mueslirepen, biologische havervlokken, biologische pasta, biologische pindakaas, vitaminen en voedingssupplementen. *Een alcoholist die goed voor zichzelf zorgt?* Hij deed de koelkast open: grapefruitsap, sinaasappelsap, yoghurt, fruit, kaas en een zak bonen-*tamales*. Niets waar hij zin in had. Wat eigenlijk maar goed was ook, want toen hij de deur van de koelkast dichtdeed en de foto's van Gracie zag die er met magneetjes op bevestigd waren, had hij helemaal geen trek meer.

Hij scharrelde wat rond door de woonkamer en vond op een bureau in de hoek een stapeltje kranten- en tijdschriftenknipsels over BriceWare.com en de geniale oprichter ervan. Op een tafeltje naast een oude leren fauteuil bij de open haard lag het nummer van *Fortune* met Johns foto op het omslag, opengeslagen bij de gezinsfoto en Gracies vrolijke lach. Ben had zijn zoon al die tijd gevolgd. Maar zijn zoon had nooit zijn telefoontjes beantwoord of hem opgezocht, ervan overtuigd dat hij op zijn leeftijd geen vader meer nodig had.

Hij had het mis gehad.

De blokhut had twee kleine slaapkamers, elk met een badkamertje. Een ervan was Gracies kamer: haar kleren in de kast, haar spulletjes door de kamer verspreid, een indianenhoofdtooi op het bed, een kleurrijke totempaal in de hoek, en in het hoofdeinde van het bed in sierlijke letters uitgesneden de naam Gracie. Hij liep de kamer rond en raakte haar spullen aan.

De andere slaapkamer was spartaans, alleen een bed, een houten kist in de hoek en een nachtkastje. Het bed was keurig opgemaakt; het laken strak ingestopt. Het was een legerbed, net als het bed waarin John had geslapen tot de dag dat hij naar MIT was vertrokken. Hij had daarna nooit meer zijn bed opgemaakt.

In de kleine kast hingen spijkerbroeken, corduroy en flanellen overhemden, een winterjas en in een doorzichtige zak het uitgaanstenue van een kolonel van de U.S. Army. Op de vloer stonden loopschoenen en laarzen. Op de plank bovenin lagen diverse hoeden en petten en een in plastic verpakte groene baret.

Op het nachtkastje: een ouderwetse telefoon met draaischijf, een zwanenhalslamp, een kleine ingelijste foto van zijn moeder en een stapeltje brieven van Gracie. Een oude telefoon, ouderwetse brieven, slakkenpost, geen computer in de blokhut: zijn vader leefde in alle opzichten in het verleden. John pakte de bovenste envelop op; Gracie had smileys langs de randen getekend. John ging op het bed zitten en staarde ernaar; hij zag Gracies vrolijke gezichtje. Zou ze werkelijk nog in leven kunnen zijn?

Dus iedereen thuis dacht dat ze dood was.

Gracie vroeg zich af of ze voor haar een rouwdienst zouden houden, net als voor het jongetje bij haar in de buurt dat een jaar geleden was overleden aan de een of andere aangeboren ziekte. Het altaar zou versierd zijn met prachtige bloemen, Father Randy zou zijn mooie misgewaad dragen en het koor zou 'Amazing Grace' zingen. Mama zou er prachtig uitzien in een zwarte jurk en papa zou… Had hij eigenlijk wel een zwart pak?

Terwijl ze zich hen samen voorstelde bij haar begrafenis, de beauty en de nerd, vroeg Gracie zich voor de zoveelste keer af hoe die twee elkaar ooit gevonden hadden… en of ze van elkaar hielden. Papa hield van mama, dat was wel duidelijk. In haar aanwezigheid gedroeg hij zich als een puppy die haar schoenen likte. Maar hield zij van hem? Gracie dacht van niet. Ze had het een keer aan oma gevraagd, maar oma had gezegd: 'Natuurlijk houdt ze van hem, maar soms spelen er bij volwassenen kwesties die voor een verwijdering zorgen.' Ze had oma gevraagd welke kwesties er bij haar en Ben speelden, maar toen was oma gaan huilen en dus had ze er nooit meer naar gevraagd. Maar terug naar de begrafenis. Iedereen zou de kerk binnengaan, oude dametjes zouden huilen, kinderen zouden met elkaar klieren en hun ouders zouden tegen hen zeggen dat ze zich moesten gedragen; de mis zou beginnen en Father Randy en de misdienaars zouden door het middenpad lopen naar de plek waar haar lege witte lijkkist – ja, ze wilde een witte kist – vlak voor het altaar zou staan met een foto van haar in haar voetbaltenue erop, omdat iedereen zich haar zo wilde herinneren.

Goh, het zou een fantastische begrafenis zijn. Iedereen zou er zijn, mama en papa, oma en Sam, Sylvia en Hilda, haar ploeggenootjes, coach Wally, haar klasgenootjes – waarschijnlijk bleef de school die dag dicht – haar onderwijzers en het hoofd van de school; iedereen zou huilen en bidden voor het dode meisje. Het klonk zo gaaf dat ze bijna zou willen dat ze erbij kon zijn. Maar ze zou er niet bij zijn, en Ben ook niet. Omdat ze niet dood was, en hij haar kwam redden.

Kolonel, u hebt mijn leven gered. Toen ik in die cel in San Bie lag, was ik ervan overtuigd dat ik mijn vrouw en kinderen nooit meer zou zien, maar u hebt mijn vrouw haar echtgenoot en mijn kinderen hun vader teruggegeven. Ik heb mijn leven aan u te danken. God zegene u.

John had de dozen in de houten kist gevonden; in de eerste doos had hij nog tientallen andere brieven aangetroffen, maar die brieven waren niet van Gracie. Die waren van luchtmachtpiloten die hun leven aan Johns vader te danken hadden.

Hij kende zijn eigen vader niet.

Hij stopte de brieven terug in de eerste doos. Toen maakte hij de tweede doos open. Hij haalde er Bens ingelijste diploma van West Point uit, militaire certificaten en een gevoerde doos met daarin de onderscheidingen van een oorlogsheld: acht Purple Hearts; vijf Silver Stars met nog een lege plek voor een zesde; vier Bronze Stars; twee Soldier's Medals; een Distinguished Service Cross; de Legion of Merit; en in een speciaal etui de Medal of Honor, een ronde gouden medaille met een adelaar boven het woord 'moed' en een gouden ster met een Romeinse centurion in het midden gegraveerd. John raakte de medaille aan met een eerbied die hij nooit eerder had gevoeld. Hij had Ben nooit als held beschouwd. De helden van John R. Brice waren Tim Paterson, de uitvinder van DOS, Ray Tomlinson, de uitvinder van e-mail, en Tim Berners-Lee, de uitvinder van de HTML, HTTP en URL-conventies die het World Wide Web mogelijk maakten, briljante mannen die het internet-winkelen mogelijk hadden gemaakt, niet mannen die veertig jaar gele-den hadden gevochten in een oorlog waar niemand zich druk om maakte.

Hoe was Ben in die tijd geweest, toen hij nog in de kracht van zijn le-ven was? Wat waren zijn dromen geweest? Op wat voor soort leven had-den hij en ma gehoopt? Waren ze ooit gelukkig geweest? Waardoor was hij aan de drank geraakt?

John vond de antwoorden in de derde doos. Er zaten foto's in: een portretfoto van Ben ter gelegenheid van zijn afstuderen aan West Point, in zijn uitgaanstenue met de hoge boord, met eronder het motto van de Academie – *Plicht, Eer, Vaderland*; Ben en Kate, hij in een wit uniform en ma in een bruidsjurk, buiten voor een kerk, waar ze gebukt onder een boog van sabels doorliepen die vastgehouden werden door andere militairen in witte uniformen; en andere trouwfoto's met een getuige van de bruidegom en een eerste bruidmeisje wier uiterlijk Johns aan-dacht trok. De vrouw, met haar zwarte krullen en tengere gestalte, kwam hem op een merkwaardige manier bekend voor. Op een andere foto stond dezelfde man naast dezelfde vrouw, die in een ziekenhuisbed een baby in haar armen hield; Kate en Ben bogen zich van achteren over het bed heen. Iedereen glimlachte alsof ze net een geslaagde beursgang achter de rug hadden.

John vond nog meer foto's: Ben en de andere man die zojuist in Viet-nam waren gearriveerd, jong en gretig in hun onberispelijke uniform; een groepsfoto van hen beiden samen met andere soldaten, met eron-der de handgeschreven woorden *SOG-team Viper, 2 dec '68*; Ben in een tuig bungelend aan een touw onder een helikopter die boven een dich-te jungle vloog; Ben die op de grond lag, zijn broek opengescheurd en een hospik die zijn bloederige been verbond; Ben in een hospitaalbed, een knappe verpleegster in een wit uniform naast hem, en aan de ande-re kant van het bed een generaal die een Purple Heart op Bens kussen speldde; Ben in de jungle met een lang zwart geweer met telescoopvizier in zijn hand, zijn laars op een dode Aziatische soldaat in een zwarte py-jama, met de woorden *1000 meter* onder op de foto geschreven; Ben, wiens glimlach inmiddels had plaatsgemaakt voor een hardheid die John nog nooit op het gezicht van zijn vader had gezien, camouflagekleuren op zijn gezicht gesmeerd, zijn uniform niet langer onberispelijk maar smerig en afgedragen en met afgeknipte mouwen, zodat zijn gespierde armen en die tatoeage te zien waren. Hij stond tussen een groepje inboorlingen in.

Hij was niet dezelfde man.

John realiseerde zich dat hij vrijwel niets van zijn vader af wist. Ben Brice was een held geweest, dat wist hij, maar Ben had nooit over de oorlog gepraat en John had er nooit naar gevraagd. Zijn vader was een loser. Een alcoholist. Dat was eigenlijk het enige wat hij ooit geweten had over Ben Brice.

John legde de foto's een voor een terug in de doos, behalve de ziekenhuisfoto van de man en de vrouw met de baby. Diezelfde man stond samen met Ben op de vroege foto's, maar op geen van de latere. Terwijl hij naar die man en die vrouw keek, bekroop John een vreemd gevoel, een soort déjà vu. Hij raakte de afbeelding van de vrouw zachtjes aan. John wist niet hoe lang hij naar de foto had zitten staren toen hij opkeek en Ben over hem heen gebogen zag staan. John hield de foto omhoog.

'Wie zijn die mensen?' vroeg hij.

Ben zweeg een tijdje. Hij wreef met zijn handen over zijn gezicht en door zijn haar. Toen zei hij: 'Je vader en moeder.'

13.43 uur

'Mijn vader zegt dat het leven uit toeval bestaat,' zei Gracie.

'Wat?' vroeg Jacko zonder zijn hoofd om te draaien.

'Toeval. Je weet wel, dat dingen gebeuren zonder bepaalde reden. Hij zegt dat het leven nergens op slaat en dat dat ook niet de bedoeling is. Mijn moeder zegt dat het leven een klerezooi is, maar er zit haar van alles dwars.'

'Waar heb je het in godsnaam over?' De woorden en de sigarettenrook kwamen gelijktijdig uit zijn mond.

Ze zuchtte. 'Ik heb het erover dat jullie sufkoppen mij ontvoeren zonder zelfs maar te weten dat Ben mijn opa is, en lang geleden tijdens Bens oorlog hebben jullie iets fouts gedaan en Ben heeft jullie aangegeven en toen zijn jullie in de problemen geraakt.'

'Hoe weet je dat wij iets fouts hebben gedaan?'

'Omdat ik weet dat Ben dat niet gedaan heeft. En nu komt Ben me zoeken en hij zal erachter komen dat jij me ontvoerd hebt, dezelfde vent die hij aangegeven heeft. Ik bedoel, hoe toevallig kan iets zijn? Mijn vader – hij is een wiskundegenie – zou het gewoon stom toeval, of pech of geluk noemen. Maar dat geloof ik niet. Ik denk dat het zo heeft moeten zijn.'

'Het lot?'

'Gods plan. Weet je, mijn oma gaat zo'n beetje elke dag naar de kerk. Ze zegt altijd: "God heeft een plan voor jou, Gracie Ann Brice. God heeft een plan voor ons allemaal." Ze zegt dat er niet zoiets als toeval bestaat, dat alles wat er in ons leven gebeurt ook moet gebeuren omdat het allemaal deel uitmaakt van Gods plan. Dus dat jullie mij ontvoerd hebben en dat Ben me komt bevrijden, dat is geen toeval. Dat maakt deel uit van Gods plan.'

Jacko blies rook uit door beide neusgaten.

'Nou, liefje, ik weet niet wat Gods plan is, maar mijn plan is om je opa naar de andere wereld te helpen.'

'Roger Dalton was de broer die ik nooit gehad heb,' zei Ben. 'We hebben samen op West Point gezeten en zijn samen naar Vietnam gegaan.' Hij zweeg even. 'De docenten op de Academie zeiden dat het ons grote avontuur zou worden. Dat was het niet.'

John hield zijn blik op de foto van zijn vader en moeder gericht; zijn moeder hield hem vast en zijn vader zag er heel sterk en mannelijk uit. Mannelijkheid moest dus toch ergens in de genen van John Brice zitten.

'Jij bent geboren een week voordat we uitgezonden werden. Tijdens de vlucht naar Saigon zei Roger: 'Als mij iets mocht overkomen, wil ik dat jij als een vader voor mijn zoon bent.' Twee weken later sneuvelde hij.'

'Hoe is hij gestorven?'

'Een soldatendood.'

Bens stem brak. John wilde meer weten, maar hij besloot dat dit niet het juiste moment was.

'Wat is er met mijn moeder gebeurd?'

'Mary was net zo intelligent als jij. Maar toen Roger gesneuveld was, was het alsof haar geest dat niet aankon. Ze was gewoon te kwetsbaar voor deze wereld.'

'Net als ik.'

'Ze is gestorven toen je een halfjaar oud was. Wij hebben je geadopteerd.'

'John Roger Brice.' Ben knikte. 'Waar zijn ze begraven?'

'Iowa. Waar ze vandaan kwamen.'

'Als dit achter de rug is, denk ik dat ik naar Iowa ga. Staat zijn naam op de Muur in Washington?'

'Ik neem aan van wel. Ik heb het nooit kunnen opbrengen om erheen te gaan.'

'Misschien ga ik wel naar Iowa en daarna naar de Muur. Misschien wil je wel met me mee.'

'Misschien.'

John keek weer naar de foto. 'Ik heb altijd gedacht dat Gracie haar ogen en haar haar van jou had.'

Zou ze haar dochter zoeken in elk blond meisje met blauwe ogen dat ze op straat, in het winkelcentrum, in restaurants zag? Zou ze zich afvragen hoe haar dochter er met het verstrijken der jaren uit zou zien, zoals bij die fotobewerkingen die ze had gezien op de website voor kinderen die al vijf of tien of vijftien jaar vermist werden? Zou ze altijd hoop houden dat haar dochter nog in leven was, ergens? Zou ze een van die deerniswekkende moeders van vermiste kinderen worden die ze op tv had gezien, en helemaal niets aan Grace' kamer veranderen, er nog steeds van overtuigd dat ze op zekere dag zou terugkeren naar die kamer?

De deurbel ging.

Elizabeth zat in haar badjas in de kamer van haar dochter, ten prooi aan een maalstroom van gedachten terwijl ze zich een leven zonder Gracie probeerde voor te stellen.

De deurbel ging opnieuw.

Haar hart haperde even, begon toen te bonzen; haar ademhaling versnelde. Ze stond op. Ze wist het.

Zij is het! Het is Grace! Ze is thuisgekomen!

Elizabeth holde de slaapkamer uit, de lange gang door, de trap af naar de benedenverdieping en de hal door naar de voordeur, die ze opentrok om haar dochter in haar armen te sluiten en haar vast te houden en samen met haar te huilen en haar nooit meer los te laten.

Maar jij bent Grace niet.

Voor de deur stond een jonge vrouw in een zwarte jurk; haar gekwelde gezicht kwam Elizabeth vaag bekend voor. Het duurde even voor ze het kon thuisbrengen. De vrouw van Gary Jennings.

Elizabeth zocht steun bij de deurstijl. Ze was er zo zeker van geweest dat het Grace was. Nu, voor het eerst sinds de ontvoering, dacht ze dat ze misschien wel langzaam krankzinnig aan het worden was, drijvend op een vlot over een traag stromende rivier, gestaag en onverbiddelijk op weg naar een stroomversnelling waar ze tegen de rotsen zou slaan en over de rand van een loodrechte waterval gesmeten zou worden, diep in het duister daar beneden zou verdwijnen, om nooit meer boven te komen. De gedachte was aanlokkelijk.

'Mevrouw Brice, ik vind het heel erg wat er met Gracie is gebeurd. Maar mijn man heeft haar niet ontvoerd. Gary zou nooit zoiets doen.'

Ze wilde weglopen, maar ze bleef staan toen Elizabeth zei: 'Uw baby.'

Ze draaide zich weer om en zei: 'De artsen zeggen dat het allemaal in orde komt.'

Ze liep naar een wachtende auto, stapte in en reed weg. De straat was stil en leeg; een paar roze linten die aan brievenbussen waren gebonden, fladderden in het briesje en verscheidene flyers met de afbeelding van Gracie dwarrelden over de grond als hinkelende kinderen. De tv-wagens en politieauto's en camera's en verslaggevers en nieuwsgierige toeschouwers waren verdwenen, terug naar hun eigen levens alsof de wereld zeven dagen geleden niet onherroepelijk veranderd was; vaders en carrièremoeders waren teruggekeerd naar hun kantoren, huisvrouwen naar fitnessclubs en winkelcentra, kinderen naar school, verslaggevers naar nieuwe verhalen, en de tv-ploegen naar New York. Het circus was verder getrokken.

Elizabeth draaide zich om en deed de deur naar het leven dicht.

14.38 uur

John keek toe hoe Ben het luik van een ruimte onder de vloer van de werkplaats opende, neerknielde en met een zaklantaarn in de donkere ruimte eronder scheen.

'Ik haat ratten,' zei hij.

Gerustgesteld liet hij zich in het gat zakken. Zijn hoofd verdween onder het vloeroppervlak. Hij gaf John drie langwerpige metalen bakken aan. Daarna hees hij zichzelf weer naar boven.

Ben veegde met een doek het stof van een van de bakken. Hij maakte de sluiting open en haalde het deksel eraf. De bak bevatte, in voorgevormde uitsparingen, een zwart geweer, dozen ammunitie, twee telescoopvizieren – een van normaal formaat, het ander extra groot – een zwart cilindervormig voorwerp waarvan John wist dat het een geluiddemper was, een leren schouderriem, twee magazijnen en een primitieve geelkoperen armband.

Ben schoof de armband om zijn linkerpols, haalde het geweer uit de bak en monteerde het kleinste telescoopvizier en de geluiddemper. Hij vulde een magazijn, klikte dat vast aan de onderkant van het geweer en maakte de riem aan het geweer vast. Hij kwam overeind en liep naar buiten. John liep achter hem aan.

Ben knielde neer, bracht het geweer naar zijn schouder, pakte de onderkant van de lade met zijn linkerhand beet, bewoog zijn rechterarm van zijn lichaam af en tuurde met zijn rechteroog door het vizier. Het geluid van het schot klonk gedempt. Ben gromde, stelde het telescoopvizier bij, richtte en vuurde nogmaals. Weer een aanpassing en weer een schot.

'Waar mik je op?'

'Chollacactus, vijfhonderd meter verderop.'

John tuurde in de aangegeven richting, maar tevergeefs. 'Ik kan hem niet eens zien.'

'Binnen, in een van de andere bakken, zit een verrekijker.' John liep terug naar de werkplaats en maakte de andere bakken open. In een ervan lagen een mes met *Viper* in het glanzende lemmet gegraveerd, twee identiteitsplaatjes, een voor *Ben Brice* en het andere voor *Roger Dalton*, een kleine pistoolmitrailleur met schouderriem en de verrekijker. John pakte het identiteitsplaatje van zijn vader en hing dat om zijn nek. Daarna pakte hij de verrekijker en holde weer naar buiten.

Ben zei: 'Recht langs de loop, een hoopje stenen.'

John tuurde door de verrekijker, stelde het beeld scherp en kreeg het hoopje stenen in zicht. 'Hebbes.'

'Een eindje verderop, een cactus.'

'Met de gele bloem?'

'Ja.'

Terwijl hij achter Ben stond, schatte John de theoretische kans om die bloem te raken op een afstand van vijfhonderd meter in als ongeveer één op de miljoen, zelfs onder deze volmaakt windstille omstandigheden, zeker als de schutter een zestigjarige... *de gedachte bekroop John onwillekeurig...* alcoholist was. Het schot ging af; de gele bloem vloog in zijn geheel van de cactus af.

'Jezus, Ben, dat is niet te geloven! Je moet een eersteklas scherpschutter zijn geweest!'

Bens gezichtsuitdrukking maakte John duidelijk dat hij precies het verkeerde had gezegd. Ben liep naar een groot rotsblok en ging zitten; een tijdlang staarde hij naar de grond. Ten slotte deed hij zijn mond open.

'Noord-Vietnamese officieren droegen geen onderscheidingstekens. Je kon een gewoon soldaat niet van een generaal onderscheiden, dus nam je een positie in buiten hun kamp, op een afstand van misschien een kilometer, en observeerde ze door je verrekijker totdat je de hoogste officier eruit pikte, soms alleen maar omdat hij meer sigaretten in zijn borstzakje had. Je wachtte tot hij zat te eten, en dan nam je hem op de korrel. Op zulke momenten speelde je voor God. Jij besloot dat hij zijn vrouw en kinderen nooit meer zou zien, dat hij de volgende dag niet meer zou zien, dat hij, omdat hij in Hanoi geboren was en niet in Houston, een kogel in zijn hoofd verdiende. Je observeerde de laatste momenten van zijn leven, de laatste glimlach op zijn gezicht, de laatste trek van zijn sigaret, en je haalde de trekker over. En dan was zijn leven voorbij.'

Hij keek op naar John.

'Ik heb niet gedood voor God of vaderland, of voor die onderscheidingen, zelfs niet om het communisme te verslaan. Nou ja, in eerste instantie wel, maar tegen het eind, toen ik wist dat de oorlog verloren was, doodde ik zodat er minder Amerikaanse jongens in een lijkenzak naar huis zouden komen. Zoals jouw vader. Daarom ben ik daar gebleven, John. Daarom was ik er niet voor jou.'

John keek uit over New Mexico en voelde de tranen in zijn ogen prikken. 'Ik had er voor Gracie moeten zijn. Ik had het gesprek met Lou moeten afbreken en met haar mee naar de kantine moeten gaan. Ik had haar moeten beschermen.' Hij schudde langzaam het hoofd. 'Ben, ik heb haar gewoon in de steek gelaten.'

'Nee, jongen, je hebt haar niet in de steek gelaten. Ze is ontvoerd.' Ben kwam overeind en was weer de kolonel op de foto's. 'En wij gaan haar terughalen.'

Na hun eindexamen van de middelbare school gaan de jongens in Henryetta, Oklahoma, ofwel studeren met een footballbeurs, of ze worden boer zoals hun vader, of ze gaan het leger in. Jack Odell Smith was groot en sterk en speelde football voor Henryetta High, maar hij werd meestal het veld uit gestuurd wegens onsportief gedrag. En een leven als boer zag hij niet zitten. En dus had Jack O. Smith, nauwelijks een maand nadat hij als een van de slechtsten van zijn klas zijn diploma had gehaald, dienst genomen in de U.S. Army.

Jacko was niet bepaald een leiderstype. Maar hij was een loyale volgeling en hij hield zijn mond dicht, karaktertrekken die hogelijk gewaardeerd werden in het leger. Diezelfde eigenschappen, samen met zijn lichaamskracht, onverstoorbaarheid en het vermogen om zonder wroeging te doden, hadden hem een plaats opgeleverd in de Special Forces Training Group in Fort Bragg. Daar had hij majoor Charles Woodrow Walker ontmoet.

Jack Odell Smith had zijn plek in het leven gevonden.

Majoor Charles Woodrow Walker had altijd gedacht dat zijn plek in het leven het Witte Huis zou zijn. 'Jacko,' had de majoor gezegd, 'het Amerikaanse volk is net een kudde schapen. In vredestijd willen ze alleen maar lekker grazen en zich voldaan en tevreden voelen. Maar als de wolven te dichtbij komen, willen ze veiligheid. *Make love not war* klinkt goed als de oorlog zich aan de andere kant van de wereld afspeelt. Maar als de oorlog naar Amerika komt, en dat zal gebeuren, zal het Amerikaanse volk een beroep doen op een oorlogsheld die ervoor kan zorgen dat ze zich veilig voelen. Ze zullen een beroep doen op mij.'

Maar toen werd het vonnis uitgesproken: schuldig. Oorlogsmisdadigers worden geen president.

Jack Odell Smith zou zichzelf geen denker noemen. Het denken had hij altijd overgelaten aan de majoor. Maar nu, terwijl ze terugreden naar hun kamp in de bergen met de kleindochter van Ben Brice op de achterbank, zat hij erover na te denken hoe één gebeurtenis de loop van de geschiedenis kon veranderen: Stel dat luitenant Ben Brice zich aan de militaire code had gehouden?

Dan zou het Viper-team zijn geheime operaties in Laos en Cambodja en Noord-Vietnam hebben voortgezet. De oorlog zou gewonnen zijn door beroepssoldaten. Soldaten zouden thuis een heldenwelkom hebben gekregen. Er zou geen haan gekraaid hebben naar Quang Tri, omdat niemand Quang Tri overleefd had. En majoor Charles Woodrow Walker zou nu in het Witte Huis zitten, omdat op elf september de oorlog naar Amerika gekomen was.

En nu kwam luitenant Ben Brice naar het Viper-team.

Gracie had Bens tatoeage al vaak gezien, en ze had hem zelfs mogen aanraken, maar hij wilde haar nooit vertellen waarom hij hem had of wat de vreemde woorden betekenden. Hij had haar alleen verteld dat het Vietnamees was. Nu ze naar diezelfde woorden op Jacko's tatoeage keek, zag ze haar kans schoon.

'Wat betekenen die Vietnamese woorden op je tatoeage?'

Jacko blies rook uit en zei: 'Wij doden voor de vrede.'

Gracie had Ben dikwijls naar zijn oorlog gevraagd – ze wilde weten waarom hij alcoholist was – maar hij weigerde erover te praten. 'Liefje,' zei hij dan altijd, 'de dag komt gauw genoeg dat je geconfronteerd zult worden met de minder leuke dingen in het leven. Het is nergens voor nodig dat ik je daar nu al mee lastigval.'

Ze zuchtte. Die dag was nu aangebroken.

'Heeft Ben in de oorlog mensen gedood?'

'Nou en of. Hij was sluipschutter.' Jacko nam een trek van zijn sigaret, blies de rook uit en zei: 'Je opa mocht dan een verrader zijn, hij was ook een fantastische schutter. Hij kon vanaf een kilometer afstand een spleetoog een kogel tussen zijn ogen schieten.'

Gracie zweeg. Omdat ze nu iets wist wat ze liever niet had geweten, zoals wanneer ze in een boek vooruit had gelezen en al wist hoe het afliep. Ze wist wat Ben te doen stond, en dat stemde haar droevig. Ze had bedacht dat hij zijn whisky dronk om zijn oorlog te vergeten; nu wist ze dat hij dronk om te vergeten dat hij in zijn oorlog mensen had gedood. Ze wilde niet dat hij vanwege haar nog meer whisky zou drinken.

Jacko zei: 'Yep, doodzonde dat hij zijn team verraden heeft en dat ik hem nu zal moeten doden.'

Gracies stem klonk vreemd, zelfs in haar eigen oren, toen ze zei: 'Nee, je gaat Ben niet doden. Hij gaat jou doden. En Junior ook.'

De twee mannen zeiden geruime tijd geen woord meer.

'Ik zat nog op de opleiding tot reserveofficier toen die rottigheid in Quang Tri in de publiciteit kwam.'

FBI-agent Jan Jorgenson had zojuist haar laatste bevindingen over de zaak-Gracie Ann Brice aan haar leidinggevende gerapporteerd. Agent Devereaux zat nog steeds in Des Moines. Het jongetje dat daar ontvoerd was, was dood aangetroffen. Er was een klopjacht ingezet op zijn ontvoerder, een veroordeelde kinderverkrachter die voorwaardelijk in vrijheid was gesteld. Voor de derde keer.

'Ik ben momenteel op zoek naar gegevens over majoor Walker,' zei Jan.

'Waarom?'

'Omdat kolonel Brice onder Walker heeft gediend in het Viper-team. Omdat hij een Viper-tatoeage heeft en de man in het park ook. Omdat die soldaten een massaslachting hebben aangericht, Brice tegen hen heeft getuigd en Walker heeft gezegd dat hij Brice had moeten doden. Omdat jij laatst zei dat je de zaak niet afgesloten zou hebben.'

'Dat weet ik wel, Jan, maar denk je dat Walker bijna veertig jaar heeft gewacht om wraak te nemen op kolonel Ben Brice? En dat hij zijn kleindochter weet te vinden die in een besloten woongemeenschap in Post Oak, Texas, woont, haar ontvoert, Jennings ervoor laat opdraaien en haar meeneemt, god weet waarnaartoe?'

Nu ze haar theorie hardop hoorde uitspreken, klonk die inderdaad tamelijk belachelijk.

'En zelfs als Walker wraak zou willen nemen op kolonel Brice, hoe zou hij dan het verband kunnen leggen tussen hem en Gracie en hoe zou hij haar moeten vinden? En als hij wraak wilde nemen, zou hij dan niet gewoon kolonel Brice vermoorden? Waarom zou hij zijn kleindochter ontvoeren?'

'Tja, ik neem aan dat je gelijk hebt, Eugene, maar die Viper-connectie, dat is toch wel heel erg toevallig.'

John had Ben niet uitgenodigd voor zijn afstuderen aan MIT vanwege die verdomde Viper-tatoeage. Hij was bang dat iemand die belangrijk kon zijn voor zijn toekomstige carrière de tatoeage misschien zou zien en zo te weten zou komen dat zijn vader in het leger had gediend en in Vietnam had gevochten; indertijd was de heersende gedachte onder professoren aan elitaire universiteiten in het noordoosten van de VS dat alleen arme blanken uit de zuidelijke staten, minderheden en losers naar Vietnam waren gegaan. Hij was bang geweest dat, omdat zijn vader een loser was, men misschien zou denken dat John R. Brice ook een loser was. Hij had nooit met iemand over Ben gesproken, zelfs niet met Elizabeth. Hij had haar nooit over die verdomde tatoeage verteld. Maar ze wist dat Ben Brice een loser was, en haar echtgenoot eveneens.

Terwijl John R. Brice, miljardair, een met wapentuig volgestouwde nieuwe Land Rover van 53.000 dollar door het Navajo-reservaat in noordwest-Mexico reed, waar de rode rotsen hoog opdoemden in het maanlicht, wierp hij een blik op de slapende Ben in de passagiersstoel en realiseerde zich dat die professoren het helemaal mis hadden gehad. Net als hijzelf. Net als zijn vrouw.

Ben Brice was geen loser.

Tweeduizend kilometer noordelijker bracht Junior de Blazer tot stilstand voor zijn blokhut op Red Ridge Mountain in Idaho. Hij zou er alles voor overhebben als de majoor die deur uit zou komen lopen en Patty zou zien. Ze lag te slapen op de achterbank.

'Ik heb haar,' zei Junior.

Jacko gromde iets en verdween in het donker, op weg naar zijn eigen blokhut. Junior deed het achterportier open en boog zich naar binnen. Hij schoof zijn armen onder Patty, tilde haar op en deed een paar passen naar achteren.

'Ik loop zelf wel,' zei Patty met slaperige stem, en ze wreef in haar ogen.

Junior bukte voorzichtig tot haar voeten de grond raakten. Hij hield haar lichtjes bij haar schouders om te voorkomen dat ze om zou vallen.

'Ben je wakker genoeg?'

'Ik denk het wel,' zei ze. Toen gaf ze hem een stomp op zijn neus en ging ervandoor, het donker in. Verdomme, ze was snel voor een meisje. En ze sloeg hard.

Junior ging niet achter haar aan, omdat ze recht op Jacko's blokhut af ging. En inderdaad hoorde hij even later een gil. Kort daarop verscheen Patty weer, gedragen door Jacko die haar als een zak kunstmest over zijn schouder had gegooid. Hij zette haar vlak voor Junior neer.

Junior zuchtte. 'Patty, je zou nog voor de ochtend doodgevroren zijn. Als je nog eens wegloopt, zal ik je een lesje moeten leren dat je niet leuk zult vinden. Dat wil ik liever niet doen, maar het is voor je eigen bestwil. Dit is nu je thuis, Patty, daar zul je je bij neer moeten leggen. We zijn voortaan altijd samen.'

Patty keek naar Junior op.

'Dat had je gedroomd, hillbilly,' zei ze.

Kate werd wakker. Ze voelde iemand naast zich woelen. Sam.

'Oma, ik kan weer niet slapen.'

'Weer een nare droom?'

'Hm-hm. Over Gracie.'

'Heb je Barney bij je?'

'Ja.'

Hij stopte de Barney-knuffel tussen hen in en kroop dicht tegen haar aan. Even later dacht ze dat hij in slaap was gevallen, maar zijn stemmetje verbrak de stilte.

'Oma, er komt toch geen man die mij ook meeneemt, hè?'

Ze richtte zich op één elleboog op en raakte zijn gave gezichtje aan. 'Nee, Sam. Dat gebeurt niet. Dat beloof ik je.'

'Gelukkig.'

Hij deed zijn ogen dicht.

DAG ACHT

07.10 uur

Gracie deed haar ogen open. Ze lag in een warm bed met een deken tot haar kin opgetrokken, niet die dunne groene deken uit de suv, maar een dikke zachte die splinternieuw aanvoelde. De lakens waren van flanel en roken schoon en fris. Het hoofdkussen was stevig. Het plafond was laag en er was geen ventilator met grappige lichtjes of hemelsblauwe verf met witte wolken of fraai lijstwerk zoals in haar slaapkamer thuis. De wanden en het plafond bestonden uit houten planken met witte metselspecie in de spleten, net zoals in Bens blokhut.

Het bed stond tegen een van de wanden van de kleine kamer. In de muur boven het bed zat een raampje; een bundel zonlicht viel de kamer binnen. In de hoek gloeide een gaskachel blauw op. Er was geen kast, alleen een hangrek met wat winterkleren. Aan het voeteneind van het bed stond een metalen tafeltje met een kerosinelamp erop, net zo een als haar vader vorige zomer had gekocht voor het eerste jaarlijkse kampeertochtje van het gezin. Maar toen had haar moeder een rechtszaak gekregen en haar vader de beursgang, dus de lamp en de tent en de rest van de kampeeruitrusting lagen ergens in een hoek achter in de garage. Op het tafeltje lag ook een nieuwe barbiepop, nog in de doos.

Dit begon haar nu toch echt op de zenuwen te werken.

Er waren twee deuren; een ervan gaf toegang tot een badkamer. Ze zag een toilet, maar het leek niet op het marmeren toilet met bijpassend bidet in haar badkamer thuis. Dit was een laag exemplaar en er zat een bak onder – een chemisch toilet.

De andere deur was dicht.

Haar kleerkast thuis was groter dan deze slaapkamer. Maar het was wel knus, net als haar kamertje in Bens blokhut. Ze zou willen dat ze daar nu was, veilig bij Ben, met het vooruitzicht van een dag in de werkplaats, een lange wandeling door de heuvels of een rit naar het stadje om daar te gaan eten. Ze zou willen dat ze veilig bij Ben was. Ze zou het liefst willen huilen, maar ze weigerde de tranen te laten komen.

In plaats daarvan duwde ze de deken van zich af en schreeuwde het bijna uit: ze droeg een roze flanellen pyjama. *Nou ja, zeg, roze! Wat heeft die knaap met roze?* Ze herinnerde zich vaag dat ze de pyjama aangetrokken had, maar niet de dikke groene wollen sokken. Ze ging op haar knieën zitten, veegde de condens van het raam en drukte haar gezicht tegen het glas; dat was koud. Buiten was de grond bedekt met sneeuw en er hingen ijspegels aan de takken van de hoge bomen, maar dat waren heel andere bomen dan thuis. Het waren kerstbomen. In de verte zag ze tussen de bomen iets bewegen… en toen een kop… en een – wauw, een hert dat voorzichtig door de sneeuw trippelde! *Bambi!* Ach, wat een schatje, misschien dat ze het later kon voeren en –

Bambi sidderde plotseling, zakte door zijn pootjes en viel neer. *O, nee!* Gracie hoorde een echo, een harde knal. Bambi lag daar doodstil. Toen kleurde de sneeuw rond Bambi rood; het rood breidde zich uit en vormde een stroompje dat de sneeuw doorkliefde en heuvelafwaarts liep. Haar blik volgde het rode stroompje totdat een grote laars er middenin stapte en het rood in het rond deed spatten, zoals Sam die in een modderpoel stampte. Twee mannen met lange geweren liepen naar Bambi toe; een grote dikke man tilde de kop van het hert op en liet die toen weer vallen. Hij grijnsde. Gracie liet zich op het bed vallen en dook onder de deken. *Ik moet ontsnappen voordat ze mij ook doodschieten!*

'Patty?' Er werd op de deur geklopt. 'Ben je wakker?'

Junior.

Ze stak haar hoofd onder de deken vandaan. 'Nee, maar Gracie wel.'

'Ik heb warm water voor je bad. Ben je aangekleed?'

'Het is maar wat je aangekleed noemt. Pff, een roze pyjama!'

De deur ging open en Junior kwam binnen; hij droeg twee grote emmers stomend water en hij had weer een geruit overhemd aan.

'Heb je die soms gekocht bij een uitverkoop van geruite overhemden?' vroeg ze.

'Wat?'

'Laat maar.'

'We hebben hier geen stromend water of elektriciteit,' zei hij, terwijl hij de badkamer in liep, 'maar ik zal ervoor zorgen dat je elke week een warm bad kunt nemen.'

Ze hoorde hoe het warme water in een badkuip werd gegoten.

'Elke *week*? Ik ga elke dag in bad.'

Junior verscheen in de deuropening met een brede glimlach op zijn gezicht. 'Net als mijn moeder. Ik haalde vroeger elke ochtend warm water voor haar. Die badkuip was helemaal voor haar. Net als al die meisjesspullen daar binnen.' Hij zweeg even alsof hij een prettige herinnering koesterde. Toen zei hij: 'Dat is nu allemaal van jou. Het ontbijt staat op tafel tegen de tijd dat je klaar bent. En ik heb een grote verrassing voor je.'

'Groter dan ontvoerd te worden?'

'Kom nou, Patty, daar moet je niet meer over zeuren. Gedane zaken nemen geen keer.' Hij gebaarde in het rond. 'Wat vind je van je kamer? Ik heb hem ingericht vlak voordat we je gingen halen. Alles is nieuw, lakens, dekens... Hé, hoe vind je die barbiepop? Die heb ik speciaal voor jou besteld.'

'Ik speel niet met poppen.'

Hij gebaarde naar het kledingrek. 'Ik heb ook wat winterkleren voor je gekocht.'

'Hoe wist je mijn maat?'

'Ik weet alles over je, Patty.'

'Behalve mijn naam. Ik heet Gracie Ann Brice.'

Zijn eerste strenge blik van de dag. 'Nee. Je heet Patty... Patty Walker. Net als mijn moeder.' Toen glimlachte hij plotseling weer. 'Maak maar een lijstje van alles wat je verder nog nodig hebt. Dan haal ik dat volgende week als ik naar de stad ga.'

'Ik heb ook een verrassing voor jou – ik ben vandaag ongesteld geworden. Ik heb tampons nodig.'

Junior bloosde net zoals haar vader die keer dat ze de badkamer binnen was gekomen en hem daar in zijn blootje had zien staan. 'Eh, oké, ik zal, eh, er een paar meenemen. Hoe... eh... hoeveel heb je er nodig – een, twee?'

'Hal-*lo*! Een heel doosje. En ik heb ze vandaag nog nodig, tenzij je wilt dat ik door het hele huis ga lopen lekken!'

'O, shit, alsjeblieft niet! Oké, ik zal, eh, ik zal ze vandaag gaan halen. Eh, schrijf het maar op, zodat ik weet waarnaar ik moet vragen.' Hij liep hoofdschuddend naar buiten en mompelde in zichzelf: 'Jezus, waarom heb ik daar nou niet aan gedacht?'

Tjonge, over beperkte verstandelijke vermogens gesproken. Natuurlijk was ze nog niet ongesteld geworden. Onderwerpen als ongesteldheid en tampons en al dat soort dingen waren aan de orde gekomen tijdens de lessen verzorging, maar volgens mevrouw Boyd zou haar eerste menstruatie waarschijnlijk nog wel twee jaar op zich laten wachten. Maar hoe kon die hillbilly dat nou weten? Zonder elektriciteit kon hij niet naar Discovery Channel kijken. En ze wilde dat hij vandaag naar de stad zou gaan.

Omdat Ben daar vandaag misschien ook zou zijn.

07.13 uur

Negenhonderd kilometer naar het zuiden reed de Land Rover met 110 kilometer per uur over de I-15 North.

Bens handen trilden. Hij kneep hard in het met leer beklede stuur en deed een beroep op de innerlijke kracht die hem in San Bie had geholpen de afranselingen met de ventilatorriem door de Grote Lelijkerd te doorstaan. Hij mocht Gracie niet in de steek laten.

Het was vrijdagochtend; hij had om vier uur het stuur overgenomen. John was op de achterbank gekropen en in slaap gevallen. Dat was meer dan drie uur geleden, genoeg tijd om een leven te herleven dat Ben Brice van West Texas naar West Point had gebracht, van Plicht, Eer, Vaderland naar Quang Tri en het porseleinen poppetje. Over ongeveer een uur zouden ze in Idaho Falls arriveren, om met Clayton Lee Tucker van het tankstation te praten. Hij was de laatste die Gracie levend gezien had.

Johns mobieltje ging. Na drie keer rinkelen werd John wakker, diepte het toestel op uit zijn zak en nam het gesprek aan. 'Ja… Met wie…? Lou…? Jezus, hoe laat is het…? O ja, in New York is het later… Wat…? Utah, denk ik…'

'Idaho,' zei Ben.

'O, Idaho,' zei John, terwijl hij rechtop ging zitten en over zijn gezicht wreef. 'Ik weet het niet, Lou, zo lang als nodig is... Wat...? Hóéveel is de koers gestegen...? Man, ik kan je bijna niet verstaan, we zitten hier kennelijk in een soort zwart gat... Wat...? Drie miljard...? Lou, ik kan je niet verstaan... Lou...? Lou...?' John keek met gefronst voorhoofd naar het toestel en verbrak toen de verbinding. 'Dat ding doet het niet meer.'

Hij stopte het mobieltje weer in zijn zak en zette zijn bril op. Hij klauterde naar de passagiersstoel voorin, bukte en graaide in de zak snoep die hij had gekocht toen ze de laatste keer hadden getankt.

'Lou, mijn investeringsbankier van de beursgang. Hij zegt dat de aandelen momenteel negentig dollar doen. Ik ben drievoudig miljardair.' Hij kwam weer naar boven met een chocoladekoekje in zijn mond. 'Waarom voel ik me dan nog steeds geen echte man?'

De badkuip stond op pootjes, net als die in Bens blokhut. Gracie stapte erin, ging zitten en liet zich onderuit zakken tot haar kin het water raakte. Het warme water voelde heerlijk aan; haar huid tintelde. Ze kon zich haar laatste bad niet meer herinneren. Ze deed haar ogen dicht en ging helemaal kopje-onder. Toen ze weer bovenkwam, streek ze met haar vingers haar haar achterover. Ze moest het nodig wassen.

Naast de badkuip stond een houten tafeltje met schone handdoeken en washandjes en een zilverkleurig emmertje zoals dat in Sams zandbak, alleen was dit gevuld met zeepjes en zakjes shampoo met *Best Western Inn* en *Motel 6* op het etiket. Gracie deed haar ogen dicht en probeerde zich die motels voor de geest te halen, maar het enige wat ze zich kon herinneren waren vage beelden van vreemde kamers.

Ze kneep een van de zakjes shampoo leeg in haar hand. De geur deed haar denken aan de badkamer van haar moeder; ze hadden hun enige moeder-dochtergesprek gehad toen mama op een avond na een vonnis in de grote jacuzzi zat. Mama had een hele fles ontspannend badzout in het water leeggegooid en al gauw rook de hele badkamer naar eucalyptus. Gracie zat op de vloer terwijl mama haar hoofd op een kussen liet rusten, haar ogen dichtdeed en haar dochter van moederlijk advies voorzag: 'Grace, mannen zijn net honden. Ze ruiken het als een vrouw bang is. Laat ze nooit je angst ruiken. Zorg dat ze je nooit zien huilen. Hou je altijd flink, ook al voel je je niet zo. Vloek. Altijd met gelijke munt terugbetalen. Als een jongen geen nee accepteert, dan trap je hem in zijn kruis.' Maar ze had haar geen advies gegeven voor het geval ze ontvoerd zou worden door een gestoorde hillbilly die haar meenam naar een blokhut ergens in Idaho.

Gracie bleef in bad liggen tot het water af begon te koelen. Toen stapte ze eruit en droogde zich af. Op de kleine toilettafel lagen een zilverkleurige kam en haarborstel met bijpassende haarspeld, een tandenborstel en een tube tandpasta, en een klein busje talkpoeder.

Talkpoeder had nog nooit zo heerlijk aangevoeld.

Toen ze de deur van de badkamer opendeed, sloeg de kou haar tegemoet. Ze sloeg haar armen om zichzelf heen, haastte zich naar het kledingrek en kleedde zich snel aan. Het was zo vreemd. Alle kleren waren haar maat: lang ondergoed, dikke corduroy broeken, geruite flanellen overhemden, wollen sokken en hoge wandelschoenen. Ze zag er waarschijnlijk níét uit, maar de schoenen hadden wel wat.

Ze strikte de veters en kwam overeind. *Hillbillymeisje.* Ze liep naar de deur, legde haar vingers om de deurknop en draaide die langzaam om. Er zat geen slot op de deur. Ze deed hem op een kier open en rook ontbijtgeuren. Ze wilde dat ze weer thuis was en dat Sylvia in de keuken het ontbijt stond klaar te maken. Toen ze vanuit de slaapkamer een lange, rechthoekige ruimte in stapte, wist ze dat dat niet het geval was.

Tafels en stoelen stonden verspreid door de grote ruimte, aan de wanden hingen kaarten en plattegronden, grote metalen kisten met het opschrift US ARMY op de zijkant stonden hoog opgestapeld tegen een van de muren, midden in het vertrek stond een sjofele oude bank. Een deur aan de andere kant van het vertrek ging open en Junior verscheen. Hij deed de deur zachtjes achter zich dicht, draaide zich toen om en zag haar.

'Goh, zie jij er even mooi uit!'

'Wat zit er in die legerkisten?'

'Oorlogsmateriaal. Waarom heb je zulk kort haar? Je lijkt wel een jongen.'

'Voetbalseizoen. Wat is dat?'

Junior liep naar het keukengedeelte. 'Wat is wát?'

'Oorlogsmateriaal.'

'O – granaatwerpers, explosieven, ammunitie, ontstekers, napalm, dat soort spul. Het ontbijt is klaar.'

Junior had op een klaptafeltje voor twee personen gedekt met weg-werpborden, plastic vorken, messen en kopjes, en servetten. Hij kookte op een gasstelletje; precies zo'n zelfde exemplaar, maar dan spiksplin-ternieuw, stond in een hoek achter in de garage thuis. Hij pakte met een pannenlap een zwarte koekenpan van het gasstel en schoof roerei en een plak vlees op haar bord. Ze had echt honger.

'Mama heeft me leren koken,' zei hij.

Ze ging zitten en nam een hap roerei. Niet slecht, voor een jongen. Junior kwam bij haar aan tafel zitten. Ze had haar mond vol roerei toen Junior zijn hoofd boog en zijn handen vouwde.

'Heer, dank u voor deze spijzen. En dank u dat u Patty hierheen hebt gebracht.' Hij keek naar haar op. 'Eet ze.'

Ze slikte. 'God heeft me niet hierheen gebracht.'

'Nou en of.'

'Hal-*lo*, is daar iemand? God ontvoert geen kinderen.'

'Nee, dat klopt. Hij heeft ons alleen de weg gewezen.' Hij at met open mond. 'God wil dat wij samen zijn.'

Hij stak glimlachend zijn arm uit en legde zijn hand op de hare; ze voelde iets wat ze niet wilde voelen. Ze rukte haar hand weg.

'Denk je dat echt?'

'Yep, dat denk ik echt.'

Gracie sneed een stukje vlees af en stak het in haar mond.

'Dus jullie hebben me vorige week de hele week in de gaten gehou-den?'

Hij grijnsde. 'Yep.'

'Ook tijdens de schoolpauzes en de voetbaltraining?'

'Yep.'

'En jij hebt me gebeld, hè?'

'Yep.'

'En elke keer opgehangen?'

'Yep.'

'Dus je wachtte alleen maar op een kans om me te pakken?'

'Yep.'

'Waarom na de wedstrijd?'

'Omdat je moeder er niet was.' Hij wees met zijn vork naar het vlees. 'Lekker, hè?'

Ze knikte. 'Wat is het?'

'Wildbraad.'
'Wat is dat?'
'Hertenvlees.'
Gracie spuugde de hap vlees uit.

08.09 uur

Clayton Lee Tucker spuugde een straaltje bruin sap in een koperen kwispedoor. Zijn wang puilde uit van een grote prop pruimtabak en zijn gezicht was gerimpeld als gebruikte aluminiumfolie. Zijn huid was door de smeerolie donkerder geworden; zijn zwarte bril stond scheef op zijn vlezige neus; zijn handen waren knoestig. Ben wist hoe een drinker er 's ochtends uitzag; Tucker voldeed niet aan dat beeld. En hij zag er ook niet uit als iemand die regelmatig ufo's meende te zien in het uitspansel boven Idaho. Hij bestudeerde de vergrotingen en de foto van Gracie.

Het Tucker Service Station, gelegen aan Interstate 15 in Idaho Falls, was een vervallen zaak die rook naar benzine en smeerolie, een herinnering aan de tijd dat je je auto nog bij een benzinestation kon laten repareren en het geen halve dollar kostte om je banden op spanning te brengen. Buiten stond een bestelauto van een telefoonmaatschappij geparkeerd.

Tucker keek op en spuwde weer. 'Geen twijfel mogelijk,' zei hij. 'Dat is ze.'

John liet zich op een stoel vallen. Ben vroeg: 'En die mannen?'

'Dat kan ik niet met zekerheid zeggen, niet aan de hand van die foto's,' zei Tucker. 'Maar die tatoeage, daar ben ik wél zeker van.'

Ben trok zijn jack uit en rolde de linkermouw van zijn shirt op om zijn Viper-tatoeage te laten zien. 'Deze?'

Tucker spuwde en hield toen zijn hoofd licht achterover om de tatoeage door zijn dubbelfocusbril te bekijken. 'Hoe komt het dat u dezelfde hebt?'

'Meneer Tucker, waarom hebt u dat niet aan de FBI verteld?'

'Die hebben nooit gebeld.'

'Nee, ik bedoel de FBI-agent die hier woensdagochtend is geweest en die u deze foto's heeft laten zien.'

'Er is hier niemand van de FBI geweest. Ik zie die foto's nu voor het eerst.'

'Er is hier geen FBI-agent geweest om naar die mannen en het meisje te informeren? U hebt niet met hem gesproken over ufo's? U hebt hem niet verteld dat u dronk?'

Tucker was duidelijk onaangenaam verrast. Hij spuwde. 'De enige keer dat ik met iemand over dat meisje heb gepraat, was toen u me belde. Trouwens, sinds die tijd doet mijn telefoon het niet meer.' Hij nam de hoorn van de haak en stak hem Ben toe. Er klonk geen kiestoon. Tucker gebaarde naar buiten. 'De telefoonmaatschappij is de zaak nu aan het repareren, ze zeiden dat de draad doorgesneden was. Vermoedelijk kwajongenswerk.'

'Hebben de mannen gezegd waar ze heen gingen?'

'Naar het noorden. Hun auto verbruikte olie als een raffinaderij, ze vroegen me of ze er nog achthonderd kilometer mee konden rijden. Vergeet het maar, zei ik, de koppakkingen zijn naar zijn mallemoer, je hebt geluk gehad dat je er nog zo ver mee gekomen bent. Als er olie in de verbrandingskamer komt, heb je een groot probleem. Ik heb ze naar het motel even verderop verwezen.' Hij gebaarde naar de oprit naar de snelweg. 'Daar zijn ze naartoe gereden, en die grote kerel kwam even later terug en heeft de wagen hier achtergelaten. De volgende dag – dat was maandag – ben ik om zes uur 's ochtends begonnen de motor uit elkaar te halen en 's avonds laat was ie klaar. Die grote kerel heeft hem de volgende ochtend opgehaald – dat was dus dinsdag. Betaalde contant.'

'Idaho-kenteken?'

'Yep.'

'Achthonderd kilometer naar het noorden, maar nog wel in Idaho?'

'Dat zou dan vlak bij de Canadese grens zijn.'

'Waar ze kerstbomen kweken?'

'Yep.'

'Waar het sneeuwt?'

'Yep.'

'Ik heb een wegenkaart,' zei Ben.

Hij spreidde de kaart van Idaho uit op de balie. Tucker zei: 'Ik heb wel eens iets op tv gezien over die milities en Ku Klux Klan- en nazitypes die kampen hebben in de bergen in het noorden.'

'Ergens in het bijzonder?'

Tucker boog zich over de kaart, legde een vinger op Idaho Falls en ging daarna met zijn vinger in noordelijke richting via Interstate 15 en vervolgens Interstate 90, helemaal tot aan Coeur d'Alene; zijn vinger liet een licht smeerspoor op de kaart achter. Toen ging hij er nog verder mee naar het noorden, over *state highway* 95, helemaal tot aan…

'Bonners Ferry,' zei hij en hij tikte op de kaart.

08.34 uur

'Ze leeft nog, Ben!'

Terwijl ze weer op de snelweg reden, flitsten er beelden van zijn dochter door Johns hoofd alsof er een dvd versneld werd afgespeeld; zijn hart probeerde door zijn ribbenkast heen te breken.

'Ik moet Elizabeth bellen!'

Hij haalde zijn mobieltje uit zijn zak.

'Jongen, we moeten nu niet aangehouden worden door de verkeerspolitie, niet met wat we allemaal achterin hebben liggen.'

'Wat?' John wierp een blik op de kilometerteller. 'Shit.' Ze reden 145. Hij haalde zijn voet van het gaspedaal. Toen zowel de snelheid van de Rover als zijn hartslag gedaald was tot 120, keek John opzij naar Ben. 'Je had gelijk.'

Ben knikte alleen maar en stak zijn hand uit. 'Geef maar.'

John overhandigde Ben zijn mobieltje. 'Het nummer staat in het geheugen, je hoeft alleen maar…'

Ben deed zijn portierraampje open en gooide het apparaat naar buiten. In de achteruitkijkspiegel zag John het op het wegdek kletteren en in stukken uiteenspatten.

'Jezus, Ben! Waarom doe je dat nou?'

'Omdat we van nu af aan niet naar huis bellen; we bellen de FBI niet, we bellen helemaal niemand.'

'Waarom niet? We moeten ze toch laten weten dat ze nog leeft!'

'Dat weten ze al.'

'Hoe dan? We hebben nog maar net met Tucker gepraat.'

'John, Tucker hoefde me niet te vertellen dat ze nog leeft. Dat wist ik al. Maar hij heeft me wel iets verteld wat ik nog niet wist.' Hij keek John aan. 'De FBI heeft gelogen dat ze iemand hebben gestuurd om met hem te praten.'

'En wat wil dat zeggen?'

'Dat wil zeggen dat ze weten dat ze hier is.'

'Waarom zou de FBI liegen over het feit dat Gracie nog in leven is en zich in Idaho bevindt?'

'Omdat ze niet willen dat wij hun hier voor de voeten gaan lopen. Daarom hebben ze Tuckers telefoondraad doorgesneden. Ze zitten achter de mannen aan die Gracie ontvoerd hebben, maar om een andere reden. En ze zijn bereid haar op te offeren om die mannen te pakken te krijgen.'

'Haar *op te offeren*? Je bedoelt... *Jezus*... Wat zouden die mannen in godsnaam kunnen uitspoken dat zo erg is dat de FBI bereid zou zijn Gracie op te offeren om hen te pakken te krijgen?'

Zeshonderdvijftig kilometer verder noordwaarts zei Junior: 'Laat me even de ontbijtboel opruimen, dan zal ik je daarna je grote verrassing laten zien. En daarna laat ik je mijn berg zien, voor ik naar de stad ga om je, eh, meisjesspul te halen.' Met een brede glimlach: 'Ik bedoel, ónze berg.'

Gracie wierp hem een flauw glimlachje toe en begon het vertrek door te drentelen; ze probeerde erachter te komen waar ze nu precies aan toe was.

Dit was toch wel heel vreemd. Hillbilly had haar ontvoerd, maar hij behandelde haar hartstikke goed. Knusse slaapkamer, warm bad, nieuwe kleren, een goed ontbijt – nou ja, behalve dan dat ze Bambi op haar bord had gekregen.

Gracie wees naar de deur waardoor Junior eerder binnengekomen was. 'Wat is er achter die deur?'

Hij glimlachte. 'Je grote verrassing.'

O jee, dacht Gracie. De bruidssuite. Snel vervolgde ze haar inspectieronde. Aan de korte wand bij de keuken hingen foto's van een vrouw, een meisje nog eigenlijk, met een oudere man die leek op Junior en een klein jongetje: Junior zelf.

'Dat is mijn mama,' zei Junior vanuit de keuken.

'Wauw, wat was ze mooi.'

'Yep. Ze is heel onverwacht gestorven toen ik nog maar een kind was. Ze ligt hierachter begraven.'

'Je hebt je moeder in de achtertuin begraven?'

'*Nee… dat heeft de majoor gedaan.*'

Ze ging de hoek om en liep langs de lange wand: nog meer foto's, een van de man op wie Junior leek, met onderscheidingen op zijn uniformjasje en een groene baret op, net als de foto van Ben op haar bureau. Op zijn naamplaatje stond WALKER. En foto's van soldaten in een jungle en in een stad, met knappe vrouwen die leken op mevrouw Wang, een van haar onderwijzeressen; ze glimlachten, maar hun ogen stonden droevig.

En Junior was heel attent, voor een jongen. Hij klopte zelfs op de deur van haar slaapkamer voor hij binnenkwam! Dat gebeurde thuis nooit. Haar moeder kwam gewoon binnenvallen als ze daar zin in had.

Naast de foto's hingen er grote messen aan de wand, en een sierzwaard en een leren veter volgeregen met verschrompelde… *oren? Getverderrie!* Ze wendde haar blik van de oren af en keek naar de kaart van de Verenigde Staten die ernaast aan de wand hing. Verscheidene plaatsen waren zwart omcirkeld en voorzien van data en namen: Kelly, Epstein, Goldburg, Garcia, Young, Ellis, McCoy.

En Junior had gezworen dat hij haar niet had aangeraakt of naar haar gekeken had en hij had gezegd dat hij iedereen zou vermoorden die dat zou proberen. Wat haar vreemd leek voor een kidnapper. Want als hij haar niet dáárvoor had ontvoerd en ook niet voor het geld, waarom dan wél?

Naast de kaart van de VS hing een luchtfoto, net zo'n soort foto als haar vader haar had laten zien van hun buurt – *Catoctin Mountain Park,* luidde het onderschrift – waarop alles aangegeven stond: de ingang, een groot jachthuis genaamd Aspen, kleinere blokhutten, stallen, zwembad, kleiduivenbaan, bowlingbaan, sportzaal met sauna, kapel, heliport, wandel- en ruiterpaden, controleposten van de beveiligingsdienst. Dat zou nog eens een leuke plek zijn om te gaan kamperen. Misschien konden ze daar hun uitgestelde eerste jaarlijkse kampeertochtje met het gezin houden. Vanaf elke controlepost liepen zwarte lijnen naar kleinere foto's, die met punaises aan de wand waren geprikt, foto's van gebouwtjes en soldaten met geweren en aangelijnde honden. *Zo, ze nemen daar geen halve maatregelen om ervoor te zorgen dat iedereen zijn staangeld betaalt!* Er hing ook een foto van de ingang van het complex, met een groot metalen hek en de naam in witte letters op een bord dat tussen twee palen hing: CAMP DAVID.

Dit was allemaal nogal vreemd, maar evengoed kwam het bij haar op dat Junior misschien toch niet zo'n slechte kerel was. Onze berg, had hij gezegd.

Ze besefte dat hij naast haar stond. Als hij glimlachte, was hij eigenlijk best knap, alleen moest er het nodige aan zijn gebit worden gedaan. Hij sloeg zijn arm om haar schouders en ze duwde hem niet weg.

Ze wees naar de leren veter aan de wand. 'Zijn dat…'

'Oren. Die heeft de majoor afgesneden van dode spleetogen. Die heeft hij me voor Kerstmis gegeven, toen ik ongeveer net zo oud was als jij.'

'En ik maar hopen dat ik nieuwe voetbalschoenen zou krijgen.' Ze gebaarde naar de kaarten aan de wand. 'Wat moet dat allemaal voorstellen?'

Junior wees naar een rode vlag met een hamer en sikkel en het gezicht van een man met een pluizig sikje, en hij zei: 'De communistische vlag van Noord-Vietnam. Dat is Ho Chi Minh in hoogsteigen persoon. En dat daar is een Noord-Vietnamese legerhelm, en die zwarte pyjama, dat is wat de Vietcong droeg. Daar zie je het bowiemes van de majoor en zijn Colt .45's.'

'En al die foto's, en die plattegrond van Camp David?' Ze wees. 'McCoy, die naam ken ik. Waar is dat allemaal voor?'

'O… we gaan de president vermoorden.'

08.57 uur

Vijfhonderd kilometer naar het zuiden sloeg John zo hard op het stuur dat het pijn deed.

'Hoe kunnen we haar redden, Ben? Hoe kunnen we haar vinden zonder hulp van de FBI?'

'Ze hebben zich in de bergen verschanst,' zei Ben.

'Hoe weet je dat?'

'Dat is wat een goed soldaat zou doen.'

'Een *soldáát*?'

Ben knikte. 'John, ik weet niet waarom de FBI achter die mannen aan zit – misschien zijn het racisten of nazi's of gewoon gekken – maar ik weet waarom die mannen het op Gracie voorzien hebben. Ik wist het pas zeker toen Tucker die tatoeage herkende.' Hij zweeg even. 'Het heeft te maken met de oorlog.'

'De *óórlog?*' John moest bijna lachen. 'Ben, je moet die oorlog toch echt eens loslaten.'

'Dat heb ik geprobeerd. De oorlog laat mij niet los.'

'Oké, maar wat heeft Gracie nou met jouw oorlog te maken?'

Ben staarde een poosje zwijgend voor zich uit. Toen zei hij: 'Er heeft een slachting plaatsgevonden, in '68, in de Zuid-Vietnamese provincie Quang Tri. Amerikaanse soldaten hebben daar tweeënveertig burgers vermoord.'

'En?'

'Ik was daarbij.'

'Jij hebt toch niet…'

'Nee.'

'Mijn vader?'

'Nee. Maar onze eenheid wel. Het Viper-team. Die grote man in het park had een Viper-tatoeage – hij was er ook bij. Hij heeft die mensen vermoord.'

'*Jij kende die kerel?*'

'Ja, ik kende hem.'

'Waarom heb je dat niet aan de FBI verteld?'

'Omdat ik wist dat als hij Gracie had, de FBI hem niet zou kunnen tegenhouden. Niemand kan een Groene Baret tegenhouden… alleen een andere Groene Baret.'

'Maar je hebt het niet aan de FBI verteld, en dus hebben ze de zaak afgesloten.'

'Dat is alleen maar gunstig, John.'

'*Waarom?*'

'Omdat de mannen die Gracie ontvoerd hebben mij niet zullen verwachten.'

John dacht daar even over na.

'Oké, dus die kerel heeft lang geleden in Vietnam een stel mensen vermoord – wat heeft dat met Gracie te maken?'

'Ik heb het gerapporteerd… die slachting.'

'Wat is er toen gebeurd?'

'Die soldaten zijn op grond van mijn getuigenis voor de krijgsraad gebracht en veroordeeld.'

'En?'

'En nu nemen ze wraak.'

Nu lachte John. '*Wát?* Veertig jaar na dato komen ze wraak nemen? Dat is wel een heel lange tijd om een wrok te blijven koesteren, Ben.'

'Hoe lang ben jij een wrok blijven koesteren tegen de pestkoppen die het op jou gemunt hadden?'

Beide mannen zwegen geruime tijd, totdat John zei: 'Is mijn vader daar omgekomen?'

'Ja.'

'Hoe?'

'John, soms kun je het verleden maar beter laten rusten.'

'Maar dat verleden is er de oorzaak van dat mijn dochter acht dagen geleden ontvoerd is.' Hij wachtte op Bens reactie, maar die kwam niet. Hij keek Ben aan. 'Ik heb er recht op het te weten, Ben.'

Terwijl de avond valt over Indochina op 17 december '68, daalt het sog-team Vipcr, twaalf Groene Baretten die net terugkeren van een succesvolle geheime operatie in Laos, de kalkstenen helling van Co Roc Mountain af en steekt de Xe Kong-rivier over naar Zuid-Vietnamees grondgebied; ze bevinden zich vijf kilometer ten zuiden van de gedemilitariseerde zone in de provincie Quang Tri. Rapporten van de inlichtingendienst wijzen erop dat communistische troepen Zuid-Vietnam nu rechtstreeks via de tweeëntwintig kilometer brede gedemilitariseerde zone binnenkomen. Het sog-team Viper heeft opdracht gekregen om de vijandelijke aanvoerlijnen op de zeventiende breedtegraad af te snijden. Het is een gebied waar de Vietnamese communisten het voor het zeggen hebben en waar de reguliere troepen zich niet wagen. Er is natuurlijk niets reguliers aan het sog-team Viper; ze gaan op weg door de donkere nacht. Maar, zoals ze in Vietnam zeggen, de nacht behoort toe aan Charlie.*

De majoor loopt voorop en leidt zijn team zo geruisloos mogelijk in ganzenmars door de jungle, als zijn stem plotseling de stilte verbreekt.

'Hinderlaag!'

De soldaten werpen zich op de grond, een fractie van een seconde

---

* Charlie = Victor Charlie = de Vietcong

voordat de hel losbreekt en ze van alle kanten onder vuur worden genomen. Ze zijn recht in een hinderlaag gelopen van een vijand die veruit in de meerderheid is. Ze zitten vast in een kruisvuur waaraan geen ontsnappen mogelijk lijkt. Zonder het goed ontwikkelde instinct en dito reukvermogen van de majoor – hij heeft de scherpe geur geroken van een Cambodjaanse sigaret die populair is bij de Vietcong – zou de VC nog twaalf Amerikanen hebben kunnen toevoegen aan het dagelijkse rapport van het aantal gesneuvelde vijanden aan Hanoi.

Plat op hun rug, terwijl de salvo's van de AK-47's over hen heen gieren en bladeren vallen als confetti, legen de Groene Baretten om beurten hun patroonmagazijnen in de richting van de vijand, alleen maar om de VC te laten weten dat ze nog leven en om de majoor de tijd te geven een rampenplan te bedenken.

En dat doet hij.

'Op mijn teken,' zegt de majoor tegen zijn mannen, met een scherp handgebaar in westelijke richting. 'Jacko, Ace – dek de aftocht met claymore-mijnen.'

Kapitein Jack O. Smith, die nooit ver van de zijde van de majoor wijkt, en kapitein Tony 'Ace' Gregory kruipen weg in noordoostelijke en zuidoostelijke richting. De majoor kruipt dichter naar zijn jongste discipelen, pas zeventien dagen in in de jungle, en zegt: 'Brice, Dalton, als ik ga, plakken jullie als aambeien aan mijn reet.' En hij glimlacht. Ze liggen in een donkere jungle in Zuidoost-Azië zwaar onder vijandelijk vuur, hun laatste uur heeft mogelijk geslagen en toch glimlacht majoor Charles Woodrow Walker. Zijn jonge discipelen denken: *Daarom is hij een levende legende.*

En ze weten hoe het geweest moet zijn om ten strijde te trekken onder aanvoering van de grote generaals die ze op West Point bestudeerd hebben – Lee, Grant, Patton, MacArthur of Eisenhower. De majoor is altijd de eerste die uit de helikopter springt als ze in vijandelijk gebied gedropt worden, en de laatste die weer aan boord komt als ze vertrekken; op patrouille loopt hij altijd voorop, de gevaarlijkste positie; hij zou zijn leven geven voor zijn mannen, en zij zouden hun leven voor hem geven. Hij heeft meer dan honderd geheime operaties in Laos en Cambodja en Noord-Vietnam overleefd; de meeste SOG-teamleiders halen de tien amper. Voor zijn mannen is hij een halfgod.

Tegen Ben zegt hij: 'Laat dit een les voor je zijn, luitenant. We hadden die oude vrouw moeten uitschakelen voor ze de kans kreeg ons te verraden aan de plaatselijke VC.' Een halfuur geleden hebben ze aan de oever van de rivier een eenzame gestalte in het oog gekregen, en de gestalte zag hen ook. 'Schakel hem uit,' zei de majoor tegen luitenant Brice, de scherpschutter van het team. Ben richtte zijn geweer met telescoopvizier op de gestalte en zag dat het een oude vrouw was die waterkruiken aan het vullen was. Dat zei hij tegen de majoor. 'Dan schakel je *haar* uit,' zei de majoor. 'Maar, majoor, het is een non-combattant. Ze is zo oud dat ze waarschijnlijk niet eens kan zien dat we Amerikanen zijn.' De majoor keek hem aan, schudde zijn hoofd en zei: 'Voorwaarts.' Een halfuur geleden had Ben Brice een voldaan gevoel omdat hij het leven van de oude vrouw had gered.

De twee kapiteins komen terug. 'Charlie krijgt het voor zijn kiezen,' zegt kapitein Smith grijnzend. De kapiteins hebben claymore-mijnen geplaatst om hun aftocht te dekken; als de VC hen achternakomt, zullen ze de claymores op hun weg vinden. De M18A1-claymore-antipersoneelsmijn, een kleine rechthoekige gietijzeren constructie, met aan de voorkant het opschrift DEZE KANT RICHTING VIJAND om te voorkomen dat de een of andere sufgeblowde dienstplichtige zijn complete eigen peloton naar de andere wereld helpt, is een bijzonder effectief moordwapen; als hij tot ontploffing wordt gebracht door middel van afstandsbediening of een struikeldraad, sproeit hij zevenhonderd stalen kogeltjes in een patroon van zestig graden, waardoor iedereen binnen een afstand van vijftig meter gedood wordt. De kogeltjes kunnen de gemiddelde broodmagere Vietnamese communist letterlijk doormidden klieven.

De majoor klikt volle magazijnen in zijn twee identieke .45's. De veteranen van het team pakken ieder twee handgranaten. Terwijl lichtspoormunitie het duister boven hun hoofden doorklieft als een vuurwerkshow, kijken Brice en Dalton elkaar aan en knikken nerveus.

'Tijd om een paar spleetogen naar de andere wereld te helpen,' zegt de majoor. Hij werpt twee granaten. De anderen volgen zijn voorbeeld. Het lawaai van de exploderende granaten is oorverdovend; de omringende jungle is plotseling gehuld in witte rook. Elke tweede granaat was een Willie Pete, een witte-fosforgranaat. Tijdens de opleiding zijn ze gewaarschuwd voor het gooien van fosforgranaten op plekken waar de verstikkende rook hen zou kunnen insluiten, maar kennelijk geldt dat niet als je omsingeld bent door de vijand.

Het volgende moment rennen de Groene Baretten zo snel ze kunnen in westelijke richting, recht op de VC af, die hen niet kan zien aankomen; majoor Charles Woodrow Walker leidt de aanval met een .45 in elke hand en met Brice en Dalton vlak achter zich. Als ze de vijandelijke linie bereiken, schieten ze hun magazijnen leeg op de verraste VC; de majoor vuurt gelijktijdig met beide .45's. Ben schiet met zijn reservewapen, de uzi. Achter zich horen ze de explosies van de claymores en de doodskreten van de Vietcong.

Niemand kijkt achterom. De Amerikanen hollen door de donkere nacht, waar ze nauwelijks de man vóór zich kunnen zien en alleen het geluid van hijgende ademhaling en stampende laarzen volgen. Ze hollen een kwartier aan één stuk door.

'Halt!'

De stem van de majoor doorklieft het donker. Hij grijpt Ben beet en rukt hem opzij, zodat de anderen niet tegen hem op botsen. De anderen arriveren en zoeken dekking. Niemand lacht; niemand zegt iets. Ben dankt in stilte God voor de majoor, en dan slaat zijn hart over: waar is Roger?

De majoor denkt kennelijk hetzelfde. 'Waar is Dalton?' fluistert hij tegen Ben.

'Hij was vlak achter me.'

'Jacko,' zegt de majoor, 'ga poolshoogte nemen.'

Kapitein Smith knikt en verdwijnt in de nacht. Een halfuur later komt hij terug.

'Ze hebben hem te pakken, majoor. Ze trekken in noordelijke richting.'

'Godverdomme!' De majoor komt overeind. 'In de hoeven.'

Ze lopen terug naar de plek van de hinderlaag, ieders gedachten bij de consequentie van het negeren van een van de drie grondregels die elk lid van een sog-team vanaf de allereerste dag ingestampt krijgt: laat je nooit gevangennemen door de VC.

Ze volgen het spoor van de VC door de jungle en komen bij een dorpje, niet veel meer dan een gehucht. Als ze het dorpje betreden, is het duidelijk dat de VC hier geweest is; de angst staat nog duidelijk te lezen op de gezichten van de dorpelingen. De Amerikanen zoeken in elke hut en elke bergplaats naar sporen van Dalton of de VC. De dorpelingen staan op een kluitje bij elkaar; moeders drukken hun kinderen tegen zich aan. Ze zijn behulpzaam maar gespannen, zoals te verwachten valt als je geconfronteerd wordt met elf uit de kluiten gewassen en zwaarbewapende Amerikaanse soldaten midden in VC-gebied.

'Geen VC! Geen Yank!'

In het midden van het dorpje staat een oude man naast een grote pot die boven open vuur hangt te pruttelen; het is de gezamenlijke pot *nuoc mam*, een pikante vissaus die de Vietnamezen over hun rijst gieten. Hij roert in de saus met een langwerpig stuk houten keukengerei. Hij maakt een doodsbange indruk. De Amerikanen vinden noch Dalton noch VC.

Dan klinkt de stem van kapitein Smith. Hij heeft de sporen van de VC gevonden die het dorpje uit voeren, de aangrenzende jungle in. De Groene Baretten volgen het spoor, zich ervan bewust dat ze vermoedelijk weer geconfronteerd zullen worden met een volgende hinderlaag of booby traps of...

'Jezus christus!' Dalton. Ben Brice, die de achterhoede vormt, ziet zijn kameraden schouder aan schouder staan, met hun ruggen naar hem toe gekeerd. Er speelt maar één gedachte door zijn hoofd: het moet Roger zijn. Hij bereidt zich voor op een nieuwe confrontatie met de dood en baant zich een weg naar voren. En op dat moment verandert zijn leven voorgoed. Zijn romantische West Point-ideeën over oorlog en soldaten zijn definitief verleden tijd. Zijn kinderlijke opvatting over goed en kwaad heeft voorgoed afgedaan. Hij is zijn onschuld kwijtgeraakt. Zo gaat dat als je geconfronteerd wordt met het kwaad in de mens.

Luitenant Roger Dalton, Groene Baret in het Amerikaanse leger, hangt aan zijn enkels aan een boom, naakt en met opengereten buik, zijn ingewanden bungelend in het vuurtje dat de VC heeft aangelegd opdat de Amerikanen het goed kunnen zien. Zijn geslachtsdelen ontbreken. Evenals zijn hoofd. Het enige geluid is dat van het vuur dat sist bij elke druppel van zijn lichaamsvocht. Ze weten dat het Dalton is door de Viper-tatoeage op zijn linkerarm en het identiteitsplaatje dat bevestigd is aan de veters van de laarzen die onder het lijk staan, een gebruikelijke voorzorgsmaatregel voor het geval je op een landmijn stapte en een been kwijtraakte; het identiteitsplaatje stelde de hospikken in staat man en been te herenigen, zo niet letterlijk, dan toch in elk geval voor de lijkenzak. Maar het was geen voorzorgsmaatregel tegen onthoofding door de VC.

Het gezicht van de majoor staat grimmig. 'Dat is de reden waarom we die spleetogen van kant maken.'

Na een lange stilte vraagt adjudant Nunn met zijn lijzige zuidelijke accent: 'Maar waar is zijn hoofd, majoor?'

De gezichtsuitdrukking van de majoor verandert, alsof hij plotseling een visioen heeft gehad.

'Godverdomme!'

Hij draait zich met een ruk om en holt terug naar het dorpje. Zijn mannen kijken elkaar even niet-begrijpend aan en hollen dan achter hun leider aan. Ben Brice werpt nog een blik op wat er over is van zijn beste vriend en geeft over.

De majoor en negen woedende, gewapende, opgefokte Groene Baretten arriveren weer bij het dorpje en hollen rechtstreeks naar de oude man bij de gemeenschappelijke pot *nuoc mam*. Hij heeft ze horen aankomen; hij huilt, want hij weet wat hem te wachten staat. De majoor duwt de oude man opzij en pakt het houten stuk keukengerei. Hij roert in de pot en gebruikt dan het stuk hout en zijn vlijmscherpe bowiemes om er iets uit te vissen: Roger Daltons hoofd, zijn ogen wijd open, zijn mond nog wijder, volgepropt met zijn genitaliën.

Het gezicht van de majoor is verwrongen van woede en hij slaakt een dierlijke kreet, die weerkaatst tegen de groene wanden van de jungle die het dorpje omringt. Dan wendt hij zich tot de oude man en schreeuwt: 'Geen VC? Geen VC?' Zijn hand flitst langs het gezicht van de oude man, alsof hij hem een klap wilde geven maar miste. Op het gezicht van de oude man verschijnt een verbaasde blik, dan welt er bloed op uit een dunne streep over zijn hals. Hij valt neer. De majoor heeft de keel van de oude man doorgesneden met zijn bowiemes.

Luitenant Ben Brice gebruikt zijn bowiemes om het lichaam van zijn beste vriend los te snijden. Hij geeft zichzelf de schuld – als hij het bevel van de majoor had opgevolgd en de oude vrouw had uitgeschakeld, zou Roger nog in leven zijn. Dan hoort hij geweervuur uit het dorpje. Het is alsof God hem iets heeft ingefluisterd: hij beseft onmiddellijk wat er aan de hand is.

Hij laat zijn vriend achter en holt door de dampende jungle terug naar het dorpje, waar hij geconfronteerd wordt met een slachting die hij niet kan stoppen en een porseleinen poppetje dat hij niet kan redden.

Johns tranen vormden vlekken op de gladde alpacabeige leren bekleding van de wagen.

Kort nadat Ben was begonnen met zijn verslag van de slachting in Quang Tri, had hij de Land Rover langs de kant van de weg gezet. Nu rustte zijn voorhoofd op het stuur.

'De majoor was de meest fantastische man die ik ooit gekend heb,' zei Ben. 'Briljant, een geboren leider, totaal geen angst voor zijn eigen hachje, een rotsvaste overtuiging dat Amerika voorbestemd was om het communisme in de wereld te verslaan. Hij had een van de grootste militaire leiders uit de geschiedenis kunnen zijn.'

Een diepe zucht.

'Als een man zoveel jaren lang elke dag het kwaad bestrijdt, misschien dat het kwaad dan bezit van hem neemt. Misschien dat een man niet zo lang met zoveel haat geconfronteerd kan worden zonder zelf te gaan haten. Ik heb gevochten tegen de haat. De majoor... hij werd verteerd door de haat. Hij werd het kwaad dat hij bestreed.'

'Waar is hij nu, de majoor?'

'Hij is dood.'

'We kregen het bevel om oorlog te voeren, maar we mochten de oorlog niet winnen. We kregen het bevel om te doden, maar we werden voor de krijgsraad gebracht omdat we gedood hadden. We kregen het bevel om het communisme in Zuidoost-Azië te verslaan, maar we zagen het communisme in ons eigen land overwinnen.

Dertig jaar communistische overheersing in Amerika, en wat is er van onze ooit zo grootse natie geworden? Een immorele samenleving die haar krijgsmacht onwaardig is. Burgers die vrijheid eisen zonder bereid te zijn daar iets tegenover te stellen. Politici die vrede en voorspoed beloven zonder dat daar een tegenprestatie voor geleverd hoeft te worden. Een luxeleventje, gewijd aan de jacht op geluk. Politici die weigerden hun plicht te doen, maar nu een beroep doen op de strijdkrachten om buitenlandse oorlogen te voeren als hun politieke ambities daarmee gediend zijn. Dat is het Amerika van vandaag de dag.

Ieder van ons – soldaten in het leger van de Verenigde Staten – heeft een eed gezworen om deze natie te verdedigen tegen alle buitenlandse en binnenlandse vijanden. En dat hebben we ook gedaan – de Koude Oorlog is voorbij, het Rijk van het Kwaad bestaat niet meer, het communisme is verslagen. Maar nu komt de bedreiging van Amerika van binnenuit. Van binnenlandse vijanden. Van diegenen onder ons die een Amerika willen dat ondergeschikt is aan de Verenigde Naties, dat zich dient te houden aan internationale wetten en zich moet verantwoorden voor internationale gerechtshoven, die het Amerikaanse leger willen ontmantelen – omdat wij de laatste verdedigingslinie van Amerika vormen. Dat mogen we niet laten gebeuren. Ik zal het niet toestaan. Niet zolang ik de trekker nog kan overhalen.'

Seven Days in May, met in de hoofdrol majoor Charles Woodrow Walker.

FBI-agent Jan Jorgenson bekeek een oude korrelige videoband van de door de krijgsraad veroordeelde oorlogsmisdadiger majoor Charles Woodrow Walker. Het was een knappe man, een charismatisch spreker, de leider van een complot om de regering van de Verenigde Staten omver te werpen. Hij voerde het bevel over een privéleger van ex-militairen. Hij opereerde in betrekkelijke anonimiteit in de jaren voorafgaand aan elf september, toen het binnenlandse radarscherm van de FBI nog niet gevuld was met islamitische extremisten maar met inheemse haatgroeperingen – Aryan Nation, National Alliance, de Ku Klux Klan, skinheads, de extreem-rechtse militiebeweging: een stel achterlijke blanke mannen die zo de pest hadden aan zwarten en joden dat ze zich teruggetrokken hadden in de bergen van Idaho en Montana om daar te leven zonder elektriciteit of stromend water of zwarten of joden. Maar terwijl de FBI zich bezighield met weekendsoldaten die hun eigen gemeenteraad nog niet omver zouden kunnen werpen als hun leven ervan afhing, was er niemand die zich bekommerde om Walker en zijn mannen, echte soldaten die door de regering van de Verenigde Staten waren getraind om de regeringen van andere landen omver te werpen. Walker vormde een duidelijk gevaar voor Amerika: een pisnijdige Groene Baret kan de ergste nachtmerrie van een land zijn.

· En de FBI zou misschien pas lucht hebben gekregen van Walkers complot wanneer de militaire coup eenmaal een feit was, als twaalf jaar geleden deze videoband niet aan het Bureau was opgestuurd samen met een anoniem handgeschreven briefje met de tekst: *Patty Walker heeft gezegd dat als ik haar drie maanden lang niet zie, de majoor haar van kant*

heeft gemaakt, en dat ik dit dan op moet sturen. Dat doe ik dus bij dezen.
Het pakje was afgestempeld in Bonners Ferry, Idaho. De FBI stationeerde een team in Bonners Ferry. Ze alarmeerden de plaatselijke politie en de ziekenhuizen in de regio. Ze gingen op zoek naar Walkers geheime bergkampement, maar zonder succes. En dus wachtten ze tot het geluk hun een keer zou toelachen. Twee jaar later was het zover.

Walker kwam het ziekenhuis in Bonners Ferry binnen met zijn doodzieke zoontje in zijn armen. Het ziekenhuis behandelde de jongen en belde de FBI; de FBI arresteerde Walker zonder problemen en vervoerde hem per vliegtuig naar de extra beveiligde gevangenis in Leavenworth, Kansas, om daar zijn proces wegens verraad af te wachten.

Een proces dat nooit plaatshad.

Walkers mannen gijzelden een hooggeplaatste overheidsfunctionaris en dreigden die in stukjes terug te sturen als Walker niet vrijgelaten werd. FBI-directeur Laurence McCoy weigerde – tot hij de eerste zending ontving. McCoy gelastte Walkers vrijlating, en vervolgens verdween Walker naar Mexico. En daar kwam er een eind aan zijn leven. Drie weken later overleed majoor Charles Woodrow Walker aan een hartaanval.

Washington had het complete dossier over majoor Walker 's nachts aan haar doorgestuurd – de videoband, foto's en achtergrondinformatie over Walker en zijn volgelingen. Gegevens over hun militaire carrières ontbraken, net als in het geval van kolonel Brice. Er werd geen gewag gemaakt van een Viper-team of een Viper-tatoeage. Het laatste document in het dossier was een kopie van zijn overlijdensbericht in *The New York Times*. Jan leunde achterover. Haar wraaktheorie ging niet op.

Majoor Charles Woodrow Walker was al tien jaar dood.

16.05 uur

Bonners Ferry in Idaho, 2600 zielen, ligt aan de zuidelijke oever van de Kootenai-rivier, zo'n veertig kilometer van de Canadese grens, 540 meter boven de zeespiegel, ingenesteld tussen drie bergketens met toppen tot 2400 meter. De oorspronkelijke bewoners van de 'Nijl van het Noorden,' zoals dit vruchtbare rivierdal bekendstond, behoorden tot de

Kootenai Nation, een stam die zich daar al in prehistorische tijden gevestigd had. De blanke man kwam naar dit deel van Idaho op weg naar Canada tijdens de goudkoorts van 1863; hij bleef er om de hoge bomen te kappen die negentig procent van het land bedekten. Anderhalve eeuw later bezitten de Kootenai het enige casino van het stadje, de afstammelingen van de goudzoekers kweken kerstbomen, en noordelijk Idaho is een toevluchtsoord geworden voor racisten, neonazi's, en rechtse antiregeringszeloten.

Alleen dat laatste feit was Ben bekend toen hij de Land Rover voor het gerechtsgebouw van Boundary County parkeerde. John en hij stapten door de halfgesmolten sneeuw en gingen het drie verdiepingen tellende witte gebouw binnen. Ze begaven zich naar het kantoor van de sheriff, waar een mollige vrouw van middelbare leeftijd aan een bureau zat achter een houten afscheiding van ongeveer een meter hoog. Achter haar bureau was een deur met daarop de vermelding SHERIFF J.D. JOHNSON. Aan de muur naast de deur hingen ingelijste foto's van een lange, robuuste man met steeds minder en grijzer wordend haar – en één foto waarop de man nog een dikke zwarte haardos had, op een locatie die Ben maar al te goed kende.

'Komt u een boete betalen?' vroeg de vrouw.

'Nee,' zei Ben, 'we komen…'

'Een klacht indienen?'

'Nee…'

'Dagvaarding?'

John legde zijn handen op de afscheiding en leunde eroverheen. 'Jezus, dame, we zijn op zoek naar de verrekte nazi's die mijn dochter hebben ontvoerd!'

De vrouw staarde hem over haar bril heen aan. 'O-ké.'

De deur achter haar ging open en de man van de foto's verscheen. Hij droeg zijn uniform alsof hij zijn leven lang niets anders had gedragen.

'Louann,' zei de man, 'ik ben vanavond *occupado*. Zeg maar tegen Cody dat hij de leiding heeft.'

Hij zag Ben en John staan en keek de vrouw vragend aan.

'Sheriff, deze heren zijn hier vanwege een paar nazi's,' zei ze, alsof het de gewoonste zaak van de wereld was.

De sheriff wierp Ben en John een onderzoekende blik toe – waarschijnlijk zagen ze er enigszins sjofel uit na bijna vierentwintig uur in de auto te hebben gezeten – en liep toen om de afscheiding heen. Hij liep enigszins mank. Ben stak zijn hand uit.

'Sheriff, Ben Brice. En mijn zoon John.'

Het haar van de sheriff was keurig gekamd en hij rook naar aftershave, alsof hij zich zojuist in zijn kantoor opgefrist had. Hij schudde Ben en John de hand.

'J.D. Johnson. Wat is dat precies met die nazi's?'

Ben stak hem Gracies foto toe. 'Mijn kleindochter is ontvoerd.'

De sheriff bekeek de foto aandachtig. 'Dat meisje uit Texas.' Toen beantwoordde hij Bens onuitgesproken vraag. 'Nationaal opsporingsregister.'

'We denken dat ze zich hier ergens bevindt,' zei Ben.

'Ik dacht dat de ontvoerder zich had opgehangen?'

'Dat was de verkeerde man.'

'De FBI schijnt te denken dat hij de dader was.'

'Ze hebben het mis.'

'Aha.'

De sheriff krabde zich over zijn vierkante kin; zijn nagels maakten het geluid van schuurpapier over zijn baard van een dag.

'En u denkt dat een of ander nazitype haar hiernaartoe heeft gebracht?'

'We hebben begrepen dat er nogal wat van die lui in deze regio wonen.'

De sheriff zuchtte. 'Dat kunt u wel zeggen.'

'Ze was zondagavond in Idaho Falls, daar is ze door iemand herkend, samen met twee mannen in camouflagetenue. Ze waren in een witte SUV met Idaho-kenteken op weg naar het noorden, en ze hadden op dat moment nog zo'n achthonderd kilometer te gaan.'

'Tja, dan zouden ze inderdaad ergens hier in de buurt moeten zitten, hè?'

'Als u misschien een paar minuten tijd voor ons hebt, sheriff, een paar foto's zou willen bekijken…'

De sheriff haalde zijn schouders op. 'Best, meneer Brice. Morgenochtend bent u de eerste.'

'Zou het misschien nu kunnen, sheriff? Er is nogal haast bij.'

'Het is vandaag onze trouwdag. Ik ga met mijn vrouw uit eten, en ik moet de armband nog ophalen die ik voor haar gekocht heb…' Hij liep naar de deur. 'Morgenochtend zes uur, meneer Brice.'

Hij had zijn hand op de deurklink toen Ben zei: 'U bent toch helikopterpiloot geweest in Da Krong?'

De sheriff bleef even roerloos staan en keek Ben toen vragend aan.

'De foto's aan de muur,' zei Ben.

De sheriff liep naar de muur en lichtte een ingelijste foto van het haakje. 'Dat ben ik samen met mijn adjudant. Hij is naar huis gekomen in een lijkenzak.' Hij keek zwijgend naar de foto; voorzichtig veegden zijn ruwe vingers stof van het glas. Hij schraapte zijn keel en keek Ben weer aan. 'J.D. Johnson. Kapitein, Korps Mariniers.'

'Ben Brice. Kolonel, Groene Baretten.'

12 februari 1971. Kapitein J.D. Johnson vliegt met zijn UH-1D helikopter zeven mariniers naar een gevechtszone bij de grens van Laos in de Da Krong-vallei. Hij vliegt in de punt van een V-formatie met vier andere toestellen. Zijn .45 revolver hangt tussen zijn benen om zijn geslachtsdelen te beschermen tegen vijandelijk grondvuur. Hij vliegt met een snelheid van zestig knopen op een hoogte van 350 meter. Hij heeft dit al honderden keren gedaan en hij is altijd veilig teruggekeerd.

Hij ziet de groene rook die de landingszone markeert. Hij zet een scherpe daling in en hoort hoe de begeleidende gevechtshelikopters met raketten de omringende bomen onder vuur nemen; ze vliegen in cirkels boven de landingszone, zodat er tijdens het afzetten van de mariniers constant sprake is van dekkingsvuur.

Er komt vijandelijk vuur vanaf de grond.

Hij ziet lichtspoormunitie op zijn toestel afkomen. Zijn boordschutter opent het vuur met de M-60. Dertig seconden om de mariniers af te zetten en te maken dat hij wegkomt. Hij vliegt snel aan, brengt de neus van de Huey omhoog om snelheid te minderen en blijft een meter boven de grond hangen terwijl de mariniers aan weerskanten uit de helikopter springen; er zitten geen deuren in de Huey. Even later is iedereen eruit en kan hij weer vertrekken. Als hij net boven de bomen is, explodeert de helikopter. Als hij bijkomt, hoort hij Vietnamese stemmen.

Kapitein J.D. Johnson is krijgsgevangene.

De nacht is gevallen over Zuid-Vietnam en hij vraagt zich af of zijn adjudant het overleefd heeft. Hij zit geboeid in een hoek van een in de heuvelhelling uitgegraven aarden bunker; hij heeft een kogelwond in zijn linkerbeen. Uit zijn beperkte kennis van het Vietnamees maakt hij op dat een peloton de gevangengenomen Amerikaan morgen naar een basiskamp van het Noord-Vietnamese leger in Laos zal brengen.

De volgende nacht is hij in Laos; het is de eerste nacht van een driedaagse mars naar het basiskamp. Hij zit rechtop tegen een boom; zijn handen zijn achter hem vastgebonden. Zijn been is gebroken en de wond is ontstoken. Hij transpireert hevig van de koorts en kan niet helder meer denken. Afgezien van de bewaker die een meter of wat verderop zit, liggen de mensen die hem gevangen hebben genomen te slapen in hutjes en in hangmatten die ze tussen de bomen hebben gespannen. Ze maken zich totaal geen zorgen dat hun Amerikaanse gevangene zou kunnen proberen te ontsnappen.

J.D. Johnson, uit Bonners Ferry in Idaho, had nooit gedacht dat hij zou sterven in de een of andere godvergeten jungle in Laos.

Plotseling zakt de bewaker geluidloos voorover; bloed stroomt uit zijn keel. J.D.'s handen vallen omlaag; zijn boeien zijn doorgesneden. Er verschijnt een gezicht voor hem – *Jezus! Een indiaan!* Hij wordt opgetild alsof hij vijfentwintig kilo weegt in plaats van vijfentachtig, en over een blote schouder gegooid. Ze lopen geruisloos tussen twee Noord-Vietnamese soldaten door die in hangmatten liggen te snurken.

Ze lopen de hele nacht, zijn hoofd knikkebollend in een gelijkmatig ritme, en het enige wat hij ziet is het pad onder de blote voeten van de indiaan terwijl ze door de jungle trekken; door de hoge koorts zakt hij regelmatig weg in een toestand van bewusteloosheid.

Als hij weer wakker wordt, breekt de dageraad aan. De lucht breekt open. Een stukje blauw boven zijn hoofd. En een Amerikaanse stem naast hem die om een ambulancehelikopter verzoekt: 'Ik herhaal, Johnson, J.D., marinier…'

Hij kan niet scherp meer zien; hij schudt zijn hoofd, maar de koorts heeft hem in zijn greep. Wie zijn deze mensen? Hij probeert zich te concentreren op de Amerikaan. Het is een soldaat. Hij verliest opnieuw het bewustzijn.

Hij komt weer bij, het zwiepende geluid van de rotorbladen van een helikopter die uit een gat in het wolkendek komt, met een rood kruis op een wit vierkant op de neus van het toestel: een ambulancehelikopter van het Amerikaanse leger. Hij krijgt tranen in zijn ogen. J.D. Johnson zal niet sterven in de een of andere godvergeten jungle in Laos, althans niet vandaag.

Hij wordt van de grond getild en het geluid van de helikopter wordt luider. Zijn gezicht rust niet tegen de blote bruine borst van de indiaan maar tegen het gevechtstenue van de Amerikaan. Hij ziet de rotorbladen boven zich ronddraaien en hij hoort nog meer Amerikaanse stemmen...

'Godver, u bent degene over wie ze het altijd hebben! Een kolonel van de Groene Baretten die tussen de inboorlingen in de jungle leeft! U bent een levende legende!'

... en hij wordt de helikopter in getild. Hij grijpt het tenue van de Amerikaan beet, en met zijn laatste krachten brengt hij zijn gezicht naar de borst van de soldaat, naar zijn naamstrookje, en hij leest een naam die hij nooit meer zal vergeten: BRICE.

16.33 uur

'Als je blank bent en een wrok tegen de wereld koestert, is er een goeie kans dat je in Idaho woont.'

De sheriff leunde achterover in een krakende draaistoel achter zijn metalen bureau; hij was van gedachten veranderd en had besloten hen nu te woord te staan. Ben en John zaten op metalen stoelen aan de andere kant van het bureau.

'Deze staat is een waar mekka geworden voor dat soort lieden – aanhangers van het idee van de blanke suprematie, skinheads, milities, neonazi's – elke malloot in het land verhuist naar Idaho, gaat op een berg wonen en haat iedereen die er anders uitziet.' Hij schudde het hoofd. 'Vroeger kwamen de mensen hier om te vissen.'

Hij gaf de foto's terug aan Ben.

'Er wonen hier nogal wat van dergelijke figuren, kolonel, maar deze twee heb ik nog nooit gezien. Ze houden zich het grootste deel van de tijd op in de bergen. Als ze ons niet lastigvallen, laten we hen ook met rust.'

Ben wees naar de kaart van Boundary County aan de wand achter de sheriff.

'Hebt u enig idee waar hun kampen zich bevinden?'

De sheriff stond op en liep naar de kaart.

'Dertien, veertien jaar geleden, voordat ze met echte terroristen te maken kregen, voerde de FBI fanatiek strijd tegen die gasten. Ze zetten hier een commandopost op en voerden verkenningsvluchten uit boven de bergen op zoek naar hun kampen. Boundary County beslaat tweeduizend vierkante kilometer, plek genoeg om je schuil te houden. De FBI heeft vier kampen gelokaliseerd ten oosten van de stad, zeven ten westen, allemaal uitsluitend bereikbaar via onverharde wegen. In deze tijd van het jaar, met al die gesmolten sneeuw, heb je op die modderpaden een wagen met vierwielaandrijving nodig. En zelfs als je boven komt, zul je van de weg af weinig zien. De kampen bevinden zich hoog in de bergen, aan het zicht onttrokken door de bomen. Als het meisje in een van die kampen wordt vastgehouden, zal het niet gemakkelijk zijn om haar te vinden. En haar veilig beneden krijgen is vrijwel onmogelijk.'

De sheriff legde een vinger op de kaart.

'In '92 probeerde de FBI een van die gasten op Ruby Ridge op te pakken. Daarbij is een agent om het leven gekomen. Ze zetten het gijzelingsteam in, ook al was er helemaal geen sprake van een gijzeling, en posteerden elf scherpschutters op die berg met de opdracht om te schieten op alles wat bewoog. Dat deden ze ook. Ze hebben de vrouw van die kerel door het hoofd geschoten terwijl ze haar baby in haar armen hield. Het eind van het liedje was dat de regering hem drie miljoen dollar moest betalen.'

'Is er een bepaalde plek waar ze zich ophouden als ze naar de stad komen?'

'Een zaak even ten zuiden van het stadje, Rusty's Tavern and Grill, maar je kunt er beter niet eten. Er wordt voornamelijk bier gezopen. Een paar meiden. Een ruige tent, maar we laten ze met rust zolang ze elkaar niet overhoopschieten.'

Ben stond op. 'Sheriff, bedankt voor uw tijd. Brengt u mijn verontschuldigingen over aan uw vrouw.'

'Na vierendertig jaar is ze er wel aan gewend dat ik te laat kom.'

De twee mannen van middelbare leeftijd, soldaten in een vergeten oorlog, schudden elkaar de hand; ze overwogen even om elkaar te omarmen, maar zagen daar toch maar van af. Ben en John waren al bij de deur toen de sheriff zei: 'Kolonel, neemt u me niet kwalijk dat ik het vraag, maar wat zouden twee nazitypes uit Idaho met uw kleindochter willen?'

Ben zweeg even en zei toen: 'Een oude rekening vereffenen.'

De sheriff keek Ben nadenkend aan; hij knikte. 'Nog één ding, kolonel. De meesten van die gasten zijn achterlijke blanke knapen die het woord kat nog niet kunnen spellen als je ze de k en de t cadeau geeft, en die al in hun handen mogen knijpen als ze in het donker de weg naar huis weten te vinden. Maar er zijn er een paar die niet alleen maar soldaatje spelen. Als u op zoek gaat naar uw kleindochter, zorg dan dat u op alles voorbereid bent.'

'Dat ben ik.'

Een flauw glimlachje van de sheriff. 'Dat geloof ik graag. En kolonel... nog bedankt. Voor toen.'

Ben knikte. Toen bedacht hij plotseling iets. 'Sheriff, is er hier in de buurt toevallig ergens een helikopter te huur?'

'Nou u het zegt, een knaap in de buurt van Naples heeft er een. Dicky, we maken van zijn diensten gebruik voor zoek- en reddingsoperaties als er een toerist in de bossen is verdwaald. Ik bel hem wel even.' Hij stak zijn hand uit naar de telefoon, maar bedacht zich toen. 'Weet u wat, als jullie hier morgenochtend om zes uur zijn, rijden we er samen heen. Ik heb wel zin in een rondje luchtverkenning.'

'Zes uur,' zei Ben. 'We zullen er zijn.'

'Houdt u wel rekening met het tijdsverschil, kolonel. We hebben hier Pacific time.'

De sheriff stond op, liep naar de deur en hield die open.

'U moet maar denken, kolonel, het heeft ook een voordeel dat u op zoek gaat naar uw kleindochter zonder de hulp van de FBI.'

'En dat is?'

'Dat u niet bang hoeft te zijn dat ze door hun toedoen om het leven komt.'

16.52 uur

'U hebt hem net gemist,' zei de eigenaar van de winkel. 'Hij was hier nog geen halfuur geleden. De knul kon nog geen tampon van een rol toffees onderscheiden.'

Hij lachte om zijn eigen woorden. Het supermarktje in de hoofdstraat van Bonners Ferry was al meer dan vijftig jaar in handen van zijn familie. Het was het soort winkel waar je etenswaren, kunstmest, kleding en tampons kon kopen.

'Net een joch dat om condooms vraagt. Geeft me een papiertje met de naam van het artikel erop…' De eigenaar dook onder de toonbank; Ben hoorde hem in een prullenbak rommelen. 'Yep, hier heb ik het.'

Hij stootte zijn hoofd tegen de onderkant van de toonbank, en toen hij weer tevoorschijn kwam, wreef hij met zijn ene hand over zijn kale schedel en hield in de andere een stukje papier. Er stonden twee woorden op geschreven – *Tampax tampons* – en daaronder was een smiley getekend.

'Dat is haar handschrift,' zei Ben.

'En haar smiley,' zei John.

De winkelier boog zijn hoofd een beetje en zei: 'Bloed ik?'

Ben schudde zijn hoofd. 'Kunt u hem beschrijven?'

'Blond haar, blauwe ogen, ongeveer even lang als u maar dikker, een jaar of vijfentwintig. Ik zie hem misschien vijf, zes keer per jaar. Een vreemde vogel.'

'Hoe dat zo?'

'Wat hij koopt. Meisjeskleren, een roze pyjama, een barbiepop…'

'Gracie speelt niet met poppen,' zei Ben.

Met opeengeklemde kaken zei John: 'Stuk onbenul.'

'Trouwens, dat schiet me nu opeens te binnen. Een paar maanden geleden kocht hij de *Fortune*. Dat herinner ik me omdat hij er niet bepaald uitzag als een investeerder. Misschien heb ik dat nummer nog.' Hij bukte zich weer en rommelde even onder de toonbank. 'Ja, hier heb ik het.' Hij kwam weer naar boven met een exemplaar van het tijdschrift. Hij keek naar de omslagfoto van John en toen naar John. 'Hé, die lijkt precies op u.' Hij keek weer naar het omslag. 'Dat bént u.' Hij bladerde door naar het verhaal met het bijbehorende familieportret. 'Ik stond hier dat verhaal over u te lezen toen hij het zomaar uit mijn handen griste.'

'Hebt u gezien in welke richting hij wegreed?'

'Naar het noorden. Hij stond op dezelfde plek geparkeerd als u. Hij reed weg in noordelijke richting. Zeker weten.'

Ben bedankte de winkelier en John en hij draaiden zich om en liepen naar de uitgang.

'O, nog één ding,' zei de eigenaar. Ze draaiden zich weer om. 'Hij mist een vinger, deze.' De eigenaar stak de wijsvinger van zijn rechterhand omhoog.

Ben en John liepen naar buiten. Dit was de vierde winkel in de hoofdstraat waar ze navraag hadden gedaan en de foto's hadden laten zien.

Ben zei: 'Hij heeft geen tampons gekocht voor een dood meisje.'

'Tampons,' zei John. 'Ik wist niet dat ze daar al aan toe was.'

'Dat is ze ook niet. Ze wilde alleen maar dat hij naar de stad zou gaan.'

'Waarom?'

'Omdat ze wist dat ik… dat wij naar haar op zoek zouden zijn. Het is een slimme meid, John.' Ben keek in noordelijke richting; de gloed van de zonsondergang vervaagde langzaam. 'En ze is dáár ergens.'

17.01 uur

Gracie had al urenlang geen geluiden uit de andere kamer meer gehoord, sinds het moment dat Junior op de deur van haar slaapkamer had geklopt en haar had gesmeekt om naar buiten te komen zodat hij kon uitleggen waarom ze de president moesten vermoorden. Ze had geweigerd, en even later had hij gezegd dat hij naar de stad ging om haar 'meisjesspullen' te kopen. Ze had de wagen met brullende motor horen wegrijden. Junior was weg. Dit was haar kans om te ontsnappen. Als het haar lukte, zou Ben niet nog meer whisky hoeven drinken om te kunnen vergeten dat hij Junior en Jacko had moeten doden.

Ze schoof alles weg waarmee ze haar slaapkamerdeur gebarricadeerd had, opende de deur op een kier en gluurde naar buiten. Het grote vertrek was leeg. Langzaam kwam ze haar kamer uit.

'Hallo, liefje.'

Gracie schrok zich een ongeluk van de stem achter haar. Ze draaide zich snel om. Een grote, dikke, lelijke kerel stond nu tussen haar en de deur van haar slaapkamer: de man die Bambi doodgeschoten had. Zijn adem rook naar alcohol; je kon tegen zijn zweetlucht aan leunen.

'Heb je wel eens zoiets in je hand gehad?' vroeg de dikke kerel.

Gracie keek naar zijn handen, die hij bij zijn kruis hield. Hij had zijn penis vast. Die was niet gerimpeld en slap zoals die van haar vader die dag in de badkamer; hij was paarsrood en gezwollen alsof hij op het punt stond open te barsten. Hij was in elk geval meer dan groot genoeg om een meisje van haar leeftijd pijn te doen. Ze herinnerde zich dat mevrouw Boyd iets gezegd had over erecties, dat de penis van een jongen hard wordt om bij een meisje naar binnen te kunnen in haar…

'Als je me aanraakt, vermoordt Junior je!'

'Maar Junior is er nu niet, hè?'

Nu herinnerde ze zich mevrouw Boyds advies uit de lessen seksuele voorlichting. Ze priemde haar wijsvinger naar de man en zei: 'Nee! En als ik nee zeg, bedoel ik ook nee!'

Hij lachte alleen maar. 'Je meent het.'

Ze nam zich voor om mevrouw Boyd te vertellen dat 'als ik nee zeg, bedoel ik ook nee' niet zo goed werkte bij grote, dikke, lelijke kerels op een berg in Idaho. Toen herinnerde ze zich het advies van haar moeder: *Als een jongen geen nee accepteert, dan trap je hem in zijn kruis.* Gracie nam aan dat dat ook van toepassing was op grote, dikke, lelijke kerels. En dus schopte ze hem in zijn kruis, haar beste taekwondotrap met de wandelschoenen – maar de grote kerel gaf alleen maar een brul en wapperde woest met zijn handen. Te oordelen naar de blik die hij haar toewierp, was ze er alleen maar in geslaagd om hem pisnijdig te maken. Er zat maar één ding op.

Rennen.

De koude lucht benam haar even de adem toen ze de buitendeur openrukte. De dikke kerel zou haar nooit te pakken hebben gekregen als ze niet was uitgegleden op het ijs. Zijn hete adem blies in haar nek als een haardroger. Hij tilde haar op. Haar voeten bungelden boven de grond.

'Kom maar weer naar binnen, liefje. Bubba heeft al een hele tijd geen maagd meer…'

Ze hoorde een doffe klap en de dikke man kreunde. Hij liet haar los en ze viel op de grond. Toen ze opkeek, zag ze Junior met een schop zwaaien en de dikke man opnieuw op het hoofd raken.

'Bubba, vuile klootzak die je bent!'

Bubba viel op zijn knieën; zijn ogen stonden glazig en zijn hoofd bloedde. Juniors gezicht stond verwilderd; hij haalde opnieuw uit met de schop, toen Jacko die van achteren vastgreep.

'Help nou niet onze enige munitie-expert naar de andere wereld, Junior,' zei Jacko. 'Hij is gewoon dronken.'

'Hij kan opsodemieteren!' schreeuwde Junior. Hij gaf de dikke man die Bubba heette een trap in zijn maag. 'Maak dat je van mijn berg af komt!' Junior gooide een sleutelring met autosleuteltjes naar Bubba.

Bubba pakte de sleutels, kroop een eindje weg tot hij buiten bereik van Junior was, krabbelde overeind en strompelde naar een oude pick-up. Hij stapte in en reed snel de berg af.

17.11 uur

'O, Junior, je hebt me gered!'

Patty sloeg haar armen om hem heen en drukte zich tegen hem aan. Er stonden tranen in haar mooie blauwe ogen. Al vanaf het moment dat Junior haar foto had gezien in dat tijdschrift, wist hij dat ze bij elkaar moesten zijn. En nu was het zover.

'Ik was zo bang! Ik dacht: o, god, hij gaat me verkrachten, waar is Junior? En daar was je – je was fantastisch!' Ze veegde haar ogen af aan de mouw van haar shirt.

Ze keek op naar Junior zoals die Mary Ann opkeek naar de professor in de aflevering van *Gilligan* waar hij in het motel naar had gekeken. Toen zei ze vier woorden waarvan Junior tranen in zijn ogen kreeg.

'Je bent mijn held.'

Ze sloeg opnieuw haar armen om hem heen en drukte haar gezicht tegen zijn borst. Juniors hart bonkte tegen zijn ribbenkast, zo gelukkig was hij. Dat zij hem omhelsde, woog ruimschoots op tegen het verlies van Bubba en zijn deskundigheid op het gebied van explosieven. Patty deed een stapje achteruit en kneep in zijn spierballen.

'Wauw, je bent echt een kanjer, Junior. Mega-macho. Hé, het spijt me echt van vanochtend, dat ik zo kwaad werd en zo. Ik bedoel, je moet niet denken dat we Republikeinen zijn of zo. Jullie zullen vast wel een heel goeie reden hebben om de president te vermoorden.'

'Hij heeft het bevel gegeven om de majoor te vermoorden.'

'De majoor was jouw vader?'

'Yep.'

'Nou, zie je wel. Dat is een uitstekende reden. Ik bedoel, wie zou het je kwalijk kunnen nemen dat je daar een beetje de pest over in hebt?'

294

'En nu gaan we hem met gelijke munt terugbetalen.'

'Mijn oma zegt altijd: gelijke monniken, gelijke kappen. Ik weet alleen niet precies wat dat betekent.'

Hij pakte haar handen. 'Patty, ben je klaar voor je grote verrassing?'

Hij keek naar de slaapkamerdeur naast de keuken; ze volgde zijn blik en keek toen snel hem weer aan.

'Eh, ja, natuurlijk, maar eh, waarom laat je me die niet straks zien, na het eten misschien. Laat me eerst je berg maar eens zien. Ik bedoel, *ónze* berg. Voor het donker wordt.'

'Ach ja, ik neem aan dat het nog wel even kan wachten.'

'Natuurlijk.'

Hij glimlachte; ze had *ónze* berg gezegd. 'Oké dan.'

Er verscheen een merkwaardige blik op Patty's gezicht. 'O jee. Heb je mijn tampons meegebracht?'

'Jazeker.'

Junior liep naar de keukentafel en kwam terug met het doosje Tampax. 'Alsjeblieft.'

Patty nam het doosje aan en zei: 'Ik ben zo terug.'

Ze verdween in haar kamer. Het feit dat ze zo openlijk over die meisjeszaken praatte – *ongesteldheid, tampons, bloeden* – bezorgde Junior een heel onbehaaglijk gevoel. Hij had nooit gedacht dat dat een normaal gespreksonderwerp zou zijn; hij hoopte maar dat dat niet het geval was. Een paar minuten later kwam ze weer uit haar kamer tevoorschijn.

'Zo, dat is ook weer opgelost. En sorry dat ik je onderweg een drogkloot heb genoemd.'

'Ach, dat geeft niks, liefje, ik ben wel voor ergere dingen uitgemaakt.'

Junior boog zich voorover en nam haar knappe gezichtje tussen zijn handen. Toen kuste hij haar op het voorhoofd.

'Patty, ik heb over deze dag gedroomd…'

'Ja, mevrouw Boyd heeft ons in de lessen seksuele voorlichting over dat soort dromen verteld.'

'Hè? O, nee, dat bedoelde ik niet.'

'Doet er niet toe. Laten we *onze* berg gaan bekijken.'

Ze wierp hem een stralende glimlach toe, en tegen de tijd dat ze de deur uit liepen, was hij de tamponpraatjes alweer vergeten.

'Eens even kijken,' zei hij. Hij zette zijn handen in zijn zij en keek alle kanten op terwijl hij nadacht over de beste plek om de rondleiding over *hun* berg te beginnen. Wat zou de meeste indruk op Patty maken? 'O, ik weet het al, ik zal je eerst het beekje laten zien. Dat vind ik het allermooiste plekje van de hele wereld. Hé, heb je wel eens echte berensporen gezien?'

Toen hij zich omdraaide, was ze verdwenen.

Tot kijk! Wat een sukkel! Denkt hij nou echt dat ik met hem ga trouwen? De bruidssuite – dat is zijn grote verrassing? Vergeet dat maar rustig!

Gracie holde de berg af alsof ze op een voetbalveld op het doel van de tegenstander af ging; ze hield de tampons vast alsof het estafettestokjes waren. Af en toe dreigde ze uit te glijden over modderige stukken op het onverharde pad die ze pas op het laatste moment zag, maar steeds slaagde ze erin om op de been te blijven. De zon was ondergegaan; het begon donker te worden en het werd moeilijker om het pad te zien dat zich tussen de bomen door bergafwaarts kronkelde. Ze ving een glimp op van de grote weg beneden; ze was er al aardig dichtbij. Ze zag een auto voorbijrijden.

'Help!'

Bij het geluid van haar ademhaling voegde zich nu een ander geluid – een truck. Junior kwam achter haar aan. Ze moest de grote weg zien te bereiken… Het geluid van de truck kwam steeds dichterbij… Ze deed er nog een schepje bovenop, riskant als je bergafwaarts holde… *Wat is dat daar op de weg…?* Een of andere metalen plaat, zoals ze gebruiken als ze bij ons het wegdek repareren… Het geluid van de truck klonk nu heel dichtbij… Ze keek snel even achterom en haar voet bleef ergens achter haken en…

Ze struikelde en de tampons vlogen uit haar hand; ze sloeg hard tegen de grond en rolde naar beneden tot haar hoofd iets raakte. Toen werd alles zwart.

Toen Gracie haar ogen opendeed had ze hoofdpijn, ze had het koud en ze bevond zich op een nieuwe plek. Een heel krappe plek. In een kist. Boven zich zag ze bomen. Er verscheen een gezicht boven haar. Junior.

Toen besefte ze wat hij van plan was.

'Alsjeblieft, Junior! Het spijt me echt! Ik zal niet meer weglopen, dat beloof ik je! Niet doen, *alsjeblieft!*'

Juniors gezicht stond hard.

'Het spijt mij ook, Patty, want je hebt mijn grote verrassing bedorven. Nu zal ik je een lesje moeten leren. Een nachtje of twee hier en je loopt nooit meer weg. De majoor stopte me hierin als ik even goed over mijn zonden moest nadenken, en ik heb er niets aan overgehouden.'

'O, nee, je hebt er niets aan overgehouden – je bent verdomme gewoon een psychopaat!'

Toen was het donker.

20.36 uur

Het zakencentrum van Dallas was na vijven uitgestorven, vooral op vrijdagavond. De advocaten en bankiers hadden zich voor de duur van het weekend gevoegd bij moeder de vrouw en de kinderen in de voorsteden. Op FBI-agent Jan Jorgenson wachtte slechts een leeg appartement, dus holde ze door de verlaten straten van het centrum, voor de meeste joggers geen raadzame locatie. Maar de meeste joggers hebben ook geen semi-automatisch .40 Glock-pistool in hun heuptasje – hoewel, dit was Texas, je wist maar nooit.

Deze week had ze nog geen enkele keer tijdens de lunchpauze kunnen hardlopen. Ze had behoefte aan lichaamsbeweging. Hardlopen zorgde ervoor dat ze beter kon nadenken. Tot dusver had dat nadenken haar nog geen steek verder gebracht.

De wraaktheorie hield gewoon geen steek. Jawel, kolonel Brice had een Viper-tatoeage. Jawel, de man in het park had een Viper-tatoeage. Jawel, Brice had deel uitgemaakt van het Viper-team onder commando van majoor Walker. Jawel, Brice had tegen Walker en de andere soldaten van het Viper-team getuigd. Maar dat was bijna veertig jaar geleden. En majoor Walker was dood. Ze moest de feiten onder ogen zien: er bestond gewoon geen verband tussen majoor Charles Woodrow Walker en kolonel Ben Brice en de ontvoering van Gracie Ann Brice. Er was slechts sprake van toevalligheden – toevalligheden ter grootte van een walvis weliswaar, maar evengoed toevalligheden.

Zes kilometer en haar lijf voelde weer lekker aan. Nadat ze het FBI-kantoor aan de westelijke kant van het centrum achter zich had gelaten, had ze Main Street in oostelijke richting genomen, ze had haar tempo vertraagd om de etalages van Neiman Marcus te bekijken in het laatste daglicht – als kind had ze het altijd heerlijk gevonden om met haar moeder te winkelen in de Mall of America – en was daarna richting snelweg gegaan. Ze sloeg af naar Ross Avenue, holde langs het door I.M. Pei ontworpen concertgebouw en het museum, vervolgens een paar blokken in zuidelijke richting, toen door Elm Street in westelijke richting, langs een wolkenkrabber in de vorm van een raket en een andere met een gat in het midden – *waar is dat nou toch goed voor?* – en nu Dealy Plaza op, langs het schoolboekenmagazijn en naar het met gras begroeide heuveltje, niets veranderd in veertig jaar, naar de exacte plek waar een Amerikaanse president was vermoord...

Plotseling bleef ze staan.

Ze draaide zich om en keek naar het raam op de vijfde verdieping van het schoolboekenmagazijn. Vanuit dat raam – een veel grotere afstand dan ze zich had gerealiseerd – had Lee Harvey Oswald een grendelgeweer gericht op een bewegend doel en in zes seconden drie schoten afgevuurd, waarbij twee kogels binnen een diameter van drieëntwintig centimeter doel hadden getroffen, een in Kennedy's nek, de derde kogel in zijn hoofd. Nu ze hier stond en zag wat een nauwkeurig schot daarvoor nodig was geweest – drie schoten maar liefst – schudde ze haar hoofd. Onmogelijk. De FBI had voor de gemakkelijkste weg gekozen. Ze hadden nooit verder gekeken dan de voor de hand liggende conclusie...

En toen drong het plotseling tot haar door: zij had zich aan dezelfde fout bezondigd.

Binnen vijf minuten was Jan terug op het FBI-kantoor. Ze holde langs de balie met een snelle hoofdknik naar Red, de nachtwaker – ze voelde zijn blik op haar achterste gericht – nam de lift naar de tweede verdieping en holde de stille gang door; haar voetstappen en het bonzen van haar hart waren de enige geluiden. Ze maakte de deur van haar kamer open, deed het licht aan, liep naar haar bureau, sloeg het dossier-Walker open, bladerde het snel door... haar ogen zochten gehaast de bladzijden af op zoek naar namen... namen van officieren van justitie... aanklagers in het Walker-proces tien jaar geleden...

'O god.'

Ze vond een naam: Raul Garcia. En nog een: James Kelly. En een derde: Elizabeth Austin.

23.21 uur

Elizabeth zat in de schemerdonkere werkkamer van haar villa aan de sterke drank. Ze kon nu begrip opbrengen voor Ben Brice.

Kate had gezegd dat hij dronk om aan het verleden te ontsnappen. Om te vergeten, zodat hij kon slapen. Hoeveel zou ze moeten drinken om aan haar eigen verleden te ontsnappen? Om te kunnen slapen? Om niet te hoeven denken aan het verleden dat haar tot dit heden had gebracht? Tot deze dag. Tot dit leven. Een leven zonder Grace.

Tien jaar geleden was ze in Dallas gearriveerd met niet méér dan indrukwekkende aanbevelingsbrieven van het hoofd van het ministerie van Justitie en de directeur van de FBI, die getuigden van Elizabeth Austins uitzonderlijke juridische begaafdheid, ongelooflijke vastberadenheid en opmerkelijke persoonlijke moed onder extreme omstandigheden. Ze was dertig jaar oud, pas getrouwd, twee maanden zwanger en op de vlucht voor haar verleden, zo snel en zo ver mogelijk. Dallas had haar ver genoeg geleken.

Vijf jaar daarvoor was ze net afgestudeerd aan de rechtenfaculteit van Harvard; ze had de aanbiedingen van de grote financiële instellingen op Wall Street afgeslagen voor een baan op het ministerie van Justitie. Ze wilde aan de goede kant van de wet staan. Ze wilde de slechteriken achter de tralies krijgen. Ze wilde het recht gebruiken om de wereld veiliger te maken, zodat geen enkel meisje van tien ooit nog mee hoefde te maken dat haar vader werd vermoord.

Maar zelf was ze niet veilig geweest.

Haar dochter was niet veilig geweest.

Niemand was veilig.

Het kwaad houdt zich niet aan rechtsregels. Het kwaad volgt zijn eigen regels.

DAG NEGEN

06.15 uur

'*N*ằm yên! Nằm yên!' Hij schreeuwt in het Vietnamees – Laag blijven! Laag blijven! – zodat ze niet onthoofd worden door de rondzwiepende rotorbladen. Ze staan samengedrongen op het dak van de ambassade, waar de Huey klaarstaat om te vertrekken, en ze zijn in paniek omdat ze de Noord-Vietnamese tanks in de buitenwijken van de stad horen en het geweervuur van de strijd tussen de communisten en de laatste Zuid-Vietnamese troepen op de luchthaven Tan Son Nhut. Een Noord-Vietnamese raket giert over hun hoofden heen en slaat in op Thong Nhat Boulevard, vlak buiten de muren van de ambassade, en de paniek neemt hysterische vormen aan. Zes verdiepingen lager staan nog duizenden Zuid-Vietnamese burgers samengedrongen op het ambassadeterrein; nog eens honderden anderen proberen over de hoge betonnen muur te klimmen die de ambassade omgeeft, om vervolgens verstrikt te raken in het prikkeldraad. Allen zijn verbonden door het wanhopige verlangen hun ineenstortende land te ontvluchten, en door het naïeve geloof dat de Amerikanen hen zullen redden. Het einde is nabij, en ze weten het. Wat ze niet weten, is dat deze Huey de allerlaatste Amerikaanse helikopter is die uit Vietnam zal vertrekken.

Woensdag 30 april 1975: de val van Saigon.

Hij staat al sinds middernacht op het dak van de Amerikaanse ambassade in het centrum van Saigon en heeft duizenden vluchtelingen aan boord geholpen van een gestage stroom marinehelikopters, die hen evacueren naar de schepen van de Zevende Vloot, die voor anker ligt in de Zuid-Chinese Zee – Operatie Frequent Wind, zijn laatste missie in Vietnam. Het is nu ochtend en de tijd begint te dringen. Deze helikopter komt van de USS *Midway*, om de laatste Amerikaanse soldaten en de Amerikaanse vlag die boven de ambassade wappert op te halen. 'Geen burgers! Dat zijn mijn orders!' zei de piloot, maar hij had op zijn strepen gestaan en zijn pistool getrokken om zijn argumenten kracht bij te zetten. En dus zit de helikopter tjokvol vluchtelingen voor het communisme die alles wat ze bezitten achterlaten, omdat bezittingen niets betekenen zonder vrijheid; de motor begint toeren te maken, kinderen huilen, vrouwen jammeren, sirenes janken en buiten de ambassade verlaat een stroom vluchtelingen Saigon met vrachtwagens, bussen, scooters en fietsen; het plunderen is al begonnen. Er slaat weer een raket in, nog dichterbij ditmaal, en de marinepiloot schreeuwt tegen de laatste Amerikaanse soldaat in Vietnam dat hij als de sodemieter aan boord moet komen. In plaats daarvan geeft hij de laatste plek in de helikopter aan een tienermeisje dat alleen is, ongetwijfeld wees geworden door de oorlog; hij gaat wel op het onderstel staan tijdens de vlucht naar de *Midway*. Hij tilt haar aan boord, haar blote voeten voegen zich bij vier andere die uit de deuropening bungelen, en voor zijn geestesoog ziet hij beelden van kinderen die achter op pick-ups meerijden thuis in West Texas, en hij vraagt zich af of ze dat nog steeds doen.

Hij draait zich om en schreeuwt: '*Thôi! Dừ rời!*' – Meer niet! We zitten vol! – naar de volgenden in de rij, een jonge vrouw en haar baby, een meisje, aan haar gezichtje te zien een Amerikaans-Aziatisch halfbloedje dat door haar Amerikaanse vader in de steek is gelaten. De vrouw is van het type dat favoriet was bij de Amerikaanse soldaten, slank en met een gladde huid, zachte bruine ogen en volle lippen, nu een gevallen engel; ze heeft een kettinkje met een zilveren kruisje om haar hals. Ze kijken elkaar aan en de vrouw ziet de waarheid in zijn ogen: de Amerikanen komen niet meer terug om haar familie te redden. Aan hun vrijheid komt vandaag een einde. Terwijl de rotorbladen van de Huey steeds sneller rondzwiepen en het toestel op het punt staat zijn menselijke vracht de lucht in te tillen, kust de vrouw haar baby en steekt hem het kind toe.

Hij aarzelt even en pakt het kind dan aan. Met zijn vrije hand rukt hij het naamstrookje los dat op zijn gevechtstenue zit genaaid, en het insigne met de zilveren adelaar van een kolonel in de U.S. Army, en hij drukt beide in de tengere hand van de vrouw, zodat ze haar kind kan terugvinden als ze dit overleeft of kan sterven in de wetenschap dat haar kind in vrijheid in Amerika zal leven. Hij stapt op het onderstel en steekt zijn vrije arm naar binnen om zich vast te houden; in zijn andere arm heeft hij de baby. Haar kleine vingertjes grijpen zijn uniform, haar wijdopen bruine oogjes staren naar hem omhoog, haar hoofdje ligt tegen zijn borst.

Als de helikopter opstijgt van het dak, laat zijn blik de vrouw geen moment los; tranen rollen over haar gezicht, één gezicht tussen de duizenden die achterblijven op het ambassadeterrein, hun armen uitgestrekt naar de Amerikanen, naar God zelf, smekend om gered te worden, wetend welk lot hun te wachten staat onder de communisten, hun lot omdat ze op de Amerikanen hebben vertrouwd, omdat ze katholiek zijn, omdat ze in God geloven. Terwijl hij neerkijkt op die wanhopige mensen die nu door Amerika en God in de steek worden gelaten, vullen zijn ogen zich met tranen. Ben Brice is naar hun land gekomen om de verdrukten te bevrijden. Hij heeft gefaald. Hij doet zijn ogen dicht omdat hij zich schaamt – voor zichzelf, zijn land en zijn God.

'Kolonel!'

Ben deed zijn ogen open. Hij keek niet neer op de Vietnamese moeder, maar op Misty, Dicky's mollige vriendin met haar strakke sweatshirt, die hen met een brede glimlach uitzwaaide terwijl de helikopter zich van de grond verhief. De sheriff had woord gehouden. Om zes uur 's ochtends had hij hen staan opwachten. en ze waren naar een open veld ten zuiden van het stadje gereden, waar ze Dicky met een spiegelende zonnebril op en een Caterpillar-pet achterstevoren op zijn hoofd en Misty in haar sweatshirt aantroffen naast een oude helikopter. Bens zoon de miljardair had Dicky en zijn helikopter voor de hele ochtend ingehuurd.

'Roept herinneringen op, hè, kolonel?'

De sheriff draaide zich om naar Ben vanaf de voorstoel van de helikopter; hij moest schreeuwen om zich boven het lawaai van de motor uit verstaanbaar te maken. Ben knikte vanaf zijn plek achterin; John zat naast hem.

De sheriff lachte. 'Alleen zit je nu niet op je helm om te voorkomen dat je geslachtsdelen aan flarden worden geschoten!'

De AK-47-patronen van de Vietcong hadden moeiteloos de aluminium romp van een Huey doorboord; de Vietcong had er een sport van gemaakt om op overvliegende Amerikaanse helikopters te schieten. En dus was het verstandig om tijdens een luchtmobiele aanval in Vietnam in de helikopter op je helm te gaan zitten, wilde je op de landings-plek arriveren met je geslachtsdelen intact. 'Pikpantser' werd dat ge-noemd.

De sheriff gaf Ben een kaart aan en zei: 'We hebben de kampen ge-nummerd!'

Dicky bracht de neus van de helikopter omlaag om snelheid te win-nen. Spoedig vlogen ze over het schitterende landschap van noordelijk Idaho. Ben keek naar John; John zag eruit alsof hij misselijk was. Hij zei: 'Ik geloof dat ik moet overgeven.'

FBI-agent Jan Jorgenson voelde zich hondsberoerd.

Ze was deze zaterdag vroeg naar kantoor gekomen om in databestan-den op zoek te gaan naar iedereen die tien jaar geleden betrokken was geweest bij het proces tegen Walker – de rechter, de aanklagers en FBI-agenten – en was erachter gekomen dat de meesten dood waren. Rech-ter bij de federale rechtbank Bernard Epstein, tweeënzeventig, was drie jaar geleden verdronken toen zijn bootje was omgeslagen terwijl hij in zijn eentje aan het vissen was op een meertje in de buurt van het huis waar hij na zijn pensionering was gaan wonen in het noorden van Mi-chigan.

Hoofdofficier van justitie James Kelly, zevenenvijftig, de hoofdaan-klager bij het proces tegen Walker, was in datzelfde jaar om het leven ge-komen toen hij 's ochtends vroeg tijdens het joggen in zijn woonwijk in L.A. was aangereden door een automobilist die na het ongeval was doorgereden. De auto bleek later gestolen te zijn. Er werd nooit een ar-restatie verricht.

Advocaat-generaal Raul Garcia, achtenveertig, de tweede man van het team aanklagers, was twee jaar geleden doodgeschoten tijdens een vermoedelijk geval van autokaping even buiten Denver. Geen getuigen. Geen verdachten.

Officier van justitie William Goldburg, veertig, had vier jaar geleden zelfmoord gepleegd in Cleveland, Ohio. Schotwond in het hoofd. Hij was net begonnen aan een nieuwe baan bij een advocatenkantoor. Zijn vrouw was in verwachting van hun eerste kind.

Voormalig FBI-onderdirecteur Todd Young, eenenzestig, hoofd van de afdeling Binnenlands Terrorisme, was vijf jaar geleden omgekomen bij een ski-ongeluk. Young, een ervaren skiër op een hem vertrouwde helling, het Suicide Six-skigebied in Vermont, was bij een afdaling tijdens zware sneeuwval uit de koers geraakt. Twee dagen later was hij gevonden; zijn schedel was verbrijzeld, ogenschijnlijk ten gevolge van een botsing tegen een boom.

FBI-agent Theodore Ellis, vijfenvijftig, was drie jaar geleden om het leven gekomen bij een jachtongeluk in Macon, Georgia. Hij had de leiding gehad over de jacht op Walker.

FBI-agenten, officieren van justitie en een rechter, zes in totaal – allemaal waren ze dood. Verschillende locaties, verschillende doodsoorzaken, slechts één gemeenschappelijke factor die deze mensen met elkaar verbond: majoor Charles Woodrow Walker. Die zelf ook dood was. Tien jaar na Walkers dood was iedere hooggeplaatste overheidsfunctionaris in deze zaak ook dood – behalve voormalig FBI-directeur Laurence McCoy, inmiddels president Laurence McCoy, en officier van justitie Elizabeth Austin, tegenwoordig Elizabeth Brice.

Zijn hand glijdt van achteren over haar lichaam en omvat haar borst. Elizabeth' eerste gedachte is: *Is het alweer twee weken geleden?*

Ja, realiseert ze zich, het is alweer twee weken geleden dat ze hem voor het laatst zijn gang heeft laten gaan; hij houdt de data vast bij op zijn BlackBerry. Ze heeft geen zin, maar hij is een goede vader voor de kinderen en ze wil niet dat hij op zoek gaat naar seks met een of ander nerd-meisje op het werk dat (a) hem misschien iets méér zou bezorgen dan een verzetje, of (b) zou kunnen besluiten dat het krijgen van een liefdesbaby van een toekomstig miljardair wel eens financieel aantrekkelijker kon zijn dan het bedrijfsspaarplan, of (c) hem weg zou lokken van de kinderen.

En dus legt ze de processtukken die ze aan het bestuderen is op het nachtkastje, trekt haar slipje uit en drukt haar blote billen tegen hem aan. Hij doet het graag achterlangs, tegen haar stevige achterwerk aan gedrukt. In die positie houdt hij het nooit lang vol. Ze doet haar ogen dicht en stelt zich voor dat ze over hooguit twee minuten weer verder kan lezen, afgaand op haar ervaringen in het verleden.

Maar ditmaal dringt hij niet meteen bij haar naar binnen. Hij schuift zijn andere arm onder haar door en zijn been tussen haar benen. Ze liggen verstrengeld tussen de zijden lakens. Een hand glijdt over haar heup en haar dij; zijn hand is zacht als die van een vrouw. Zijn andere hand liefkoost zachtjes haar borst. Gewoonlijk draait hij aan haar tepels alsof hij de stereo-installatie van de Range Rover aan het afstellen is; vanavond streelt hij haar alsof hij weet wat hij doet. Heeft iemand haar puppy soms nieuwe kunstjes bijgebracht?

De hand glijdt nu naar de binnenkant van haar dij en kruipt heel langzaam onhoog. Haar geslachtsdelen trekken zich onwillekeurig samen, in afwachting van zijn gebruikelijke frontale aanval: over haar clitoris wrijven alsof hij een vuurtje probeert te maken met twee stokjes en dan zijn vinger naar binnen duwen met alle romantiek van een monteur die het oliepeil van een auto controleert. Ze is verbaasd als er een zacht gekreun aan haar lippen ontsnapt. Vanavond voert hij geen aanval uit op haar clitoris. In plaats daarvan strelen zijn vingers eroverheen als een zacht lentebriesje. Nu cirkelen ze lichtjes over haar onderbuik en komen terug voor een volgende streling, waarbij ze zich onwillekeurig tegen zijn hand aan drukt. Warmte golft door haar lichaam, door haar lendenen, haar buik en borsten, naar haar hals en hersenen. Ze likt over haar lippen.

Zijn tong glijdt lichtjes over haar hals, niet zijn gebruikelijke imitatie van een labrador die haar aflebbert, maar zachtjes en plagerig. Ze zou hem willen vragen: *Van wie heb je dat in godsnaam geleerd?* Maar ze wil niet dat hij ophoudt. Ze steekt haar arm naar achteren en legt haar hand op zijn billen, die steviger zijn dan ze zich herinnerde. Zijn hele lichaam is stevig, een beter lijf dan je zou verwachten; traint haar kleine nerd soms in de fitnessruimte van zijn bedrijf?

Haar hand tast naar zijn penis. Hij is er helemaal klaar voor. Tot haar grote verbazing is zij er ook klaar voor. Ze leidt hem naar binnen; ditmaal ontsnapt haar een diep gekreun. Ze draait zich op haar buik en trekt haar benen onder zich op. Hij knielt achter haar en stoot naar binnen, trekt zich terug, stoot weer naar binnen, steeds krachtiger en dieper, en ze voelt hoe de spanning zich in haar opbouwt en de warmte door haar heen golft en haar zenuwuiteinden in brand staan en het staat op het punt te gebeuren, o, god, ze staat op het punt een geweldig orgasme te krijgen voor het eerst sinds…

En dan keert haar verleden terug en verjaagt het heden, maakt zich meester van haar geest en haar lichaam. Het is over voor haar. Er zal vanavond geen orgasme zijn, er zal voor haar nooit meer een orgasme zijn.

Het verleden heeft haar in zijn greep.

Toen Elizabeth wakker werd, liepen de tranen over haar gezicht. Ze begon onbedaarlijk te huilen. Grace was verdwenen, en daar had ze John de schuld van gegeven. Nu was John ook verdwenen. John, die zoveel van Grace hield dat hij een alcoholist was gevolgd naar Idaho, tegen beter weten in hopend dat ze nog in leven zou zijn. Hij had een miljard dollar achtergelaten om op zoek te gaan naar zijn dochter. Hij had alles voor haar op het spel gezet. Hij had gedaan wat een man hoorde te doen. Ze had John Brice nooit de waardering gegeven die hij als man verdiende, noch de liefde die hij als haar echtgenoot verdiende.

Hij verdiende beter.

Ze waren elkaar tien jaar geleden op het ministerie van Justitie tegen het lijf gelopen. Letterlijk. Hij was met gebogen hoofd een hoek om gekomen en tegen haar op gebotst, waardoor ze gevallen was en haar dossiers alle kanten op waren gevlogen. Ze had één blik op hem geworpen en was ervan uitgegaan dat hij een van de manusje-van-alles was, studenten die het ministerie inhuurde voor allerlei klusjes. Nee, had hij gezegd, ik ben doctoraalstudent aan MIT, algoritmen, Laboratorium voor Computerwetenschappen. Hij was in Washington in verband met een of ander overheidsproject, iets met het computersysteem van het ministerie. Hij maakte op haar een excentrieke maar ongevaarlijke indruk.

Toen begon hij haar te bestoken met e-mails. De volgende dag en elke dag daarna was er als ze op kantoor kwam een nieuwe e-mail van hem. Om de een of andere reden eiste ze niet dat hij daarmee ophield. Om de een of andere reden begon ze er zelfs naar uit te kijken. Zijn bewoordingen hadden iets wat haar aantrok.

Toen kruiste het kwaad haar pad.

Naderhand was ze ten prooi gevallen aan diepe wanhoop en gedachten aan moord en zelfmoord. Haar katholieke geloof – zelfs al had ze er al twintig jaar niets meer aan gedaan – stond geen van beide ontsnappingsroutes toe: voor een katholiek zou de eerste optie leiden tot een leven lang schuldgevoelens, de tweede tot eeuwigdurende verdoemenis. Net toen ze alle hoop had opgegeven, stond hij daar in de deuropening van haar kantoor. Ze nam John Brice mee uit eten, voerde hem dronken en ging met hem naar bed. En ze was zwanger toen ze hem ten huwelijk vroeg.

Hij had meer van het kind gehouden dan van het leven zelf.

Elizabeth Brice droogde haar tranen en nam een besluit: ze zou van haar echtgenoot houden. Maar ze kon niet van hem houden zolang het verleden haar in zijn greep hield. Ze ging rechtop zitten. Er is maar één plek waar je heen kunt gaan als je bezeten bent door het kwaad.

07.10 uur

'Idaho!' riep de sheriff. 'Al die mafkezen komen naar Idaho!'

Ze cirkelden boven het volgende kamp. De eerste drie kampen ten westen van het stadje waren al lang geleden verlaten. Ben boog zich door de open deur naar buiten en inspecteerde het kamp door zijn verrekijker: zes blokhutten, een paar oude auto's en een uitgewoonde bus die op cementblokken stond, een stapel brandhout, een sjofele zitbank voor een van de blokhutten en een leunstoel voor een andere; rooksliertjes die opstegen van een hert dat geroosterd werd boven een open vuur, en drie mannen, vijf vrouwen en vier kinderen, die allemaal weggelopen leken uit *Deliverance.*

Maar geen witte SUV.

Ben wilde de boel nader bestuderen, dus pakte hij het ART-telescoopvizier dat hij van zijn geweer had gehaald en in zijn rugzak had gestopt. Met behulp van dat krachtige optische instrument kon hij zien of een man zich die ochtend met een mes of met een elektrisch scheerapparaat geschoren had; de mannen in dit kamp hadden zich helemaal niet geschoren. Ze hadden baarden en onverzorgde haardossen, geen gemillimeterd of blond haar, en droegen spijkerbroeken en flanellen overhemden, geen camouflagekleding. Er was nergens een wapen of wat voor militair materieel dan ook te bekennen. Dit waren geen ex-militairen, laat staan voormalige Groene Baretten.

De bewoners van het kamp kregen de helikopter in de gaten. De kinderen wezen omhoog, en iedereen staarde met open mond naar de lucht alsof ze getuige waren van een zonsverduistering. Door het vizier zag Ben vervuilde kinderen, afgetobde vrouwen, en gebitten met ontbrekende tanden. Ze maakten een straatarme indruk. Een vlag van de Zuidelijke Confederatie wapperde lui aan de hoge paal die boven het kamp uitstak. Een van de mannen knoopte zijn jack en vervolgens zijn hemd open; zijn enorme pens was bedekt met tatoeages, en op zijn borst, op de plek waar Superman zijn S had, stonden drie grote letters in een fantasielettertype: KKK. Hij was waarschijnlijk de *grand wizard* van deze kleine clan.

Dicky riep over zijn schouder: 'Die lui doen me denken aan een mop die ik in de stad heb gehoord: als een man en zijn vrouw van Alabama naar Idaho verhuizen, zijn ze voor de wet dan nog steeds broer en zus?'

'Hoe lang ben je van plan haar daar te laten liggen?'

Jacko had Junior aan tafel aangetroffen met een gezicht alsof zijn hond overreden was.

'Lang genoeg om haar mak te maken.'

'Ze is geen paard.' Hij nam een trek van zijn sigaret, blies de rook uit en schudde het hoofd. 'Wat verwachtte je nou eigenlijk, dat ze van je zou gaan houden en hier nog lang en gelukkig zou leven?'

Jacko zuchtte. De zoon is op geen stukken na de man die zijn vader was. Misschien was Junior anders geworden als hij een moeder had gehad om hem op te voeden; ze had plotseling het leven gelaten toen Junior nog maar een kind was. Jacko had zich altijd min of meer verantwoordelijk voor hem gevoeld. In opdracht van de majoor had hij haar een kogel door het hoofd gejaagd en haar achter het kamp begraven omdat ze een veiligheidsrisico was geworden. Jacko's eigen moeder was bij hen weggegaan toen hij nog maar vijf was omdat zijn vader altijd dronken was en haar dan in elkaar sloeg, maar daar had hij verder niets aan overgehouden.

'Hoor eens, er ligt voor vijfentwintig miljoen dollar in die kist. Als je van plan bent om haar daar te laten creperen, zorg dan in elk geval dat je dat geld krijgt!'

Junior keek hem alleen maar nijdig aan. Krijg de klere, dacht Jacko. Het geld zou leuk zijn, maar het belangrijkste was dat het meisje, dood of levend, Ben Brice naar hem toe zou lokken. Voor een man van Jacko's leeftijd was het vereffenen van oude rekeningen heel wat bevredigender dan geld. Hij pakte de sleutels van de Blazer van een spijker in de muur naast de deur.

'Ik ga naar Creston.'

Jacko liep naar buiten en controleerde of er geen militair materieel meer achter in de Blazer lag. Het laatste wat hij kon gebruiken was een

Canadese Mountie bij de grens die het voertuig doorzocht en een napalmcontainer aantrof: *Shit, agent, die napalm is niet van mij!*

Hij stapte in, startte de motor en reed de berg af. Eenmaal per maand reed hij de veertig kilometer naar Canada. Hij had angina pectoris; te veel drank en rood vlees en tabak, zei de dokter. Maar hij was niet van plan om met een van die gewoontes te stoppen. En dus nam hij nitroglycerinetabletten als de angina de kop opstak, wat bijna elke dag het geval was. Die tabletten kostten hem honderd dollar per maand, maar in Canada waren ze de helft goedkoper. Daarom kocht hij zijn nitro over de grens. Een terroristische groepering die plannen beraamt om de president te vermoorden heeft nou eenmaal geen collectieve ziektekostenverzekering.

'Dr. Vernon?'

'Ja, mevrouw Jorgenson, ik heb het dossier nu voor me liggen.'

Er bestond een verband tussen majoor Charles Woodrow Walker en Elizabeth Brice en de ontvoering van Gracie Ann Brice, daar was FBI-agent Jan Jorgenson van overtuigd. Maar Walker was dood. En nog maar twee personen die destijds op justitie betrokken waren geweest bij het proces tegen Walker waren nog in leven: Elizabeth Brice – Jan zou later een persoonlijk gesprek met haar hebben – en president McCoy. Ze ging er niet van uit dat ze hem te spreken zou krijgen. Daarom had ze het ziekenhuis in Idaho gebeld waar Walker tien jaar geleden zijn zoon naartoe had gebracht. Dr. Henry Vernon was nog steeds hoofd van de afdeling Spoedeisende Hulp, en de enige andere persoon van wie ze wist dat hij majoor Charles Woodrow Walker in levenden lijve had gezien.

'Het was een dag die ik nooit meer zal vergeten,' zei de dokter. 'De FBI die de meest gezochte man van Amerika op mijn afdeling arresteerde.'

'Kunt u Walker beschrijven?'

'Een grote man, blond haar, blauwe ogen – ik zal nooit zijn ogen vergeten, de manier waarop hij me aankeek. Ik kreeg er kippenvel van. Hij zei dat hij in het buitenland was geweest, bij zijn thuiskomst zijn zoon in die toestand had aangetroffen en meteen met hem naar het ziekenhuis was gekomen.'

'Lag zijn zoon op sterven?'

'Vergiftiging door een geleedpotige. Spinnenbeet. Veldtrechterspin.

312

Mensen verwarren hem altijd met de vioolspin omdat de gevolgen van een beet zo op elkaar lijken, maar vioolspinnen komen hier nauwelijks voor.' Ze hoorde het geritsel van papieren. 'Eens kijken, hier heb ik het: Charles Woodrow Walker jr., blank, van het mannelijk geslacht, symptomen zware hoofdpijn, hoge koorts, koude rillingen, misselijkheid, gewrichtspijn en een necrotische huidbeschadiging die een complete vinger had aangetast en tot in het bot was doorgevreten. Ik had nog nooit zo'n vergevorderd stadium gezien. We hebben de jongen opgenomen, hem aan een infuus gelegd, antibiotica, steroïden en dapsone toegediend, maar de vinger moest geamputeerd worden om te voorkomen dat de necrose zich uitbreidde. Rechterwijsvinger. Het was zo lang onbehandeld gebleven dat ik bang was dat hij het niet zou halen. Nadat de FBI zijn vader had afgevoerd, ging ik een kijkje bij hem nemen. Hij was verdwenen. Ik ging ervan uit dat hij ergens in de bergen zou sterven. Voor zover ons bekend, is hij hier niet meer terug geweest voor behandeling.'

Majoor Walker was dood en zijn zoon waarschijnlijk ook.

'Dokter, hartelijk bedankt voor uw hulp, ik… Dokter, hoe zag die jongen eruit?'

'Groot en fors, net als zijn vader. Hetzelfde blonde haar, dezelfde blauwe ogen.'

07.37 uur

Dicky wees omlaag en schreeuwde over zijn schouder naar zijn passagiers: 'Elk Mountain Farms. Daar verbouwen ze hop voor Budweiser!'

Onder zich zag Ben bouwland met restjes sneeuw aan een rivier die zich door het dal kronkelde. Ze waren over alle zeven bekende kampen ten westen van het stadje gevlogen en vlogen nu in oostelijke richting.

'Beste viswater in het hele land!' riep Dicky. '*Cutthroat*-forel, regenboogforel, baars, witvis! In de bergen kun je jagen op grof wild – elanden, herten, zelfs beren!'

Even later: 'Kootenai National Wildlife Refuge! Honderdtwintig vierkante kilometer, tweehonderd verschillende diersoorten! In de zomer kun je er zeearenden zien!'

De sheriff had een tijdje zwijgend het hoofd zitten schudden. Nu keek hij Dicky aan en zei: 'Dicky, kop houden en vliegen! Je lijkt verdomme de vvv wel! Dit zijn geen toeristen die naar vogels komen kijken! Ze zijn op zoek naar hun kleine meid!'

De telefoon ging. En nog eens. En nog eens.

Elizabeth Austin was de jongste officier van justitie geweest in het proces tegen Walker. Ze was een veelbelovend juriste op justitie en voorbestemd voor een hoge positie op het ministerie, maar toen had ze volkomen onverwacht haar ontslag ingediend, twee weken nadat majoor Walker in Mexico overleden was. Weer twee weken later was ze getrouwd met John Brice en naar Dallas verhuisd. Het was alsof ze op de vlucht was geslagen – maar waarvoor? Of voor wie?

Er begon zich langzaam iets van een antwoord te vormen in het achterhoofd van FBI-agent Jan Jorgenson, maar ze kon het nog niet onder woorden brengen.

Ze moest meer te weten komen over Elizabeth Brice, dus had Jan in het dossier gezocht naar namen van mensen met wie ze had samengewerkt en had ze in het gegevensbestand van justitiemedewerkers het telefoonnummer gevonden van Margie Robbins; die was momenteel werkzaam als juridisch secretaresse op het ministerie van Landbouw en had daarvoor op het ministerie van Justitie gewerkt. Het was zaterdagochtend, dus probeerde Jan haar thuis te bereiken. Nadat de telefoon een keer of tien was overgegaan, nam iemand met een zachte stem op.

'Hallo?'

'Margie Robbins?'

'Ja.'

'Mevrouw Robbins, mijn naam is Jan Jorgenson, ik ben agent bij de FBI. Ik houd me bezig met de ontvoering van Gracie Ann Brice.'

'O, ja, het dochtertje van Elizabeth. Het is afschuwelijk.'

Bingo. 'Kent u Elizabeth Brice?'

'Ze heette Austin toen ik voor haar werkte. Ik realiseerde me pas dat het haar kind was toen ik Elizabeth op televisie zag.'

'Hebt u voor haar gewerkt op justitie?'

'Vijf jaar lang. Ik was haar secretaresse. Hebben ze het lichaam van haar dochter al gevonden?'

'Nee, nog niet.'

'Ik dacht dat de zaak afgesloten was.'

'Ik probeer wat losse eindjes weg te werken. Wat kunt u me vertellen over mevrouw Brice?'

'O, Elizabeth was een fantastische vrouw, nogal serieus en ook een beetje somber, alsof er iets in haar leven ontbrak. Ze praatte er nooit over, maar op een keer liet ze zich ontvallen dat haar vader vermoord is toen ze nog maar een kind was, en ze zei dat ze daarna nooit meer naar de kerk was geweest. Dat herinner ik me nog. Maar ze was een briljant juriste, en zeer welbespraakt. We zeiden allemaal dat ze het ooit nog wel eens tot minister van Justitie zou schoppen. Maar dat was vóór die zaak.'

'Majoor Walker?'

'Inderdaad, de zaak-Walker.'

'Mevrouw Robbins, is het u bekend dat, afgezien van president McCoy en Elizabeth Brice, elk lid van het team aanklagers in de zaak-Walker dood is?' Het bleef stil aan de andere kant van de lijn. 'Mevrouw Robbins?'

'Nee, dat wist ik niet. Ik heb wel iets gelezen over de rechter, een ongeluk met een bootje of zoiets? En meneer Garcia in Denver. Wie nog meer?'

'James Kelly, William Goldburg...'

'Bill? Het laatste wat ik gehoord heb, is dat hij terug was gegaan naar Ohio.'

'Todd Young, Ted Ellis, allebei van de FBI.'

'Zijn die allemaal dood?'

'Inderdaad.'

'Daar moet Walker achter zitten.'

'Hij is ook dood, mevrouw Robbins.'

'Het soort kwaad dat hij vertegenwoordigt, sterft nooit uit.' Een hoorbare zucht. 'Die zaak heeft iedereen kapotgemaakt die ermee in aanraking kwam, vooral Elizabeth. Ze is daarna nooit meer dezelfde geweest.'

'Is ze daarom zo plotseling bij justitie vertrokken?'

'Zou u dat dan niet gedaan hebben? Welke vrouw zou gewoon weer aan het werk kunnen gaan alsof er niets gebeurd was? Toen ze haar terugkregen...'

'*Terugkregen?* Waarvandaan?'

'Van majoor Walker – zij was de gijzelaar.'

08.16 uur

'Een hoogteverschil van honderdvijfendertig meter!' schreeuwde Dicky. 'De mensen komen uit alle windstreken om met een rubbervlot de Moyie af te zakken!'

Ze waren over drie van de vier kampen ten oosten van het stadje gevlogen. Nu waren ze op weg naar het vierde, wat verder naar het noorden. Dickie cirkelde boven een diepe kloof die overspannen werd door een tweebaanshangbrug; in de diepte was snelstromend water zichtbaar waar de rivier zich met geweld een weg baande door de smalle kloof. Ben vond de kloof op de kaart: de Moyie River Bridge. Dicky stuurde de helikopter in oostelijke richting.

Spoedig vlogen ze boven het volgende kamp. Dicky liet de helikopter dalen tot honderd meter boven de bomen en bleef daar hangen. Dit kamp was niet zo groot als sommige van de andere; er waren maar zeven blokhutten, enkele voertuigen, geen witte suv. Maar het kamp was ingericht op een manier die Ben meteen opviel. De blokhutten stonden opgesteld alsof het een kazerne betrof, met de voorkant naar een met grind bedekte parkeerplaats waar de voertuigen stonden opgesteld. Vanuit de lucht was een soort verdedigingslinie tussen de bomen te zien; schansen die zo'n vijftig meter uit elkaar lagen en een halve cirkel vormden, ongeveer honderd meter heuvelafwaarts; de schansen zouden niet zichtbaar zijn voor een eventuele aanvalsmacht die van beneden kwam. En op het onverharde weggetje dat omhoog voerde naar het kamp, lagen hier en daar metalen platen over brede uitgegraven greppels; als die platen weggehaald werden, zouden alle voertuigen vast komen te zitten in de greppels, behalve misschien een Patton-tank. Het graven van dergelijke greppels was een standaard Vietcong-tactiek.

Dit kamp was op alles voorbereid.

Ben bestudeerde het door het telescoopvizier, vervolgens omcirkelde hij de locatie die op de kaart aangegeven stond als 'Red Ridge.' Hij wist dat dit het kamp was dat ze zochten vanwege de ordelijkheid ervan, de verdedigingslinie, de uitgegraven greppels, en een brandijzer.

fbi-agent Jan Jorgenson liep op een drafje het fbi-kantoor in Dallas uit en stak de straat over naar het parkeerterrein waar haar auto stond. Ze zou de rest van haar zaterdag doorbrengen in Post Oak, Texas.

·

Majoor Charles Woodrow Walker was dood. Van zijn zoon werd aangenomen dat hij dood was. Een zoon die nu vierentwintig zou zijn, ongeveer dezelfde leeftijd als de ontvoerder. Een zoon die blond haar en blauwe ogen had, net als de ontvoerder. Een zoon die hetzelfde postuur had als de ontvoerder, volgens het oorspronkelijke signalement van de voetbaltrainer.

Maar er was nog steeds die kwestie van de ontbrekende vinger.

08.52 uur

Ben maakte zijn veiligheidsgordel los en sprong uit de helikopter nog voordat het onderstel de grond raakte. Hij bukte zich voor de rondzwiepende rotorbladen en holde naar de wagen van de sheriff. Hij vouwde de kaart open op de motorkap en legde de verrekijker en het telescoopvizier op de zijkanten om te voorkomen dat hij zou wegwaaien.

De sheriff voegde zich bij hem en zei: 'Ik heb zo'n vizier al eens eerder gezien, op het geweer van een sluipschutter in Vietnam.'

Ben reageerde niet; hij wees naar het kamp op Red Ridge en vroeg: 'Hoe lang is het rijden naar dat kamp?'

'Ongeveer een uur, het hangt er een beetje van af hoe modderig de weg is. Hebt u iets gezien?'

Ben knikte. 'Een brandijzer aan de deur van een van de blokhutten.'

'Een *brandijzer*?'

'Een team Groene Baretten had zo'n zelfde brandijzer bij zich, met de V van Viper.'

'En?'

'De Vietcong waren boeddhisten en confucianen, voorouderaanbidders. Ze geloofden dat ze na hun dood met hun voorouders herenigd zouden worden, maar alleen als ze een fatsoenlijke begrafenis kregen. Als ze niet begraven werden of als hun lijken verminkt waren, kon er van een hereniging geen sprake zijn. Dus sneden teams van de Special Forces hun oren af, verwijderden lichaamsdelen, verminkten hen op de een of andere manier. Het Viper-team brandmerkte hun voorhoofden. Psychologische oorlogvoering.'

De sheriff gromde en zei: 'Godsamme.' En toen: 'Hoe verhitten ze dat brandijzer midden in de jungle?'

'Ze staken een blok C-4-explosief aan. Explodeert niet zonder ontsteker.'

De sheriff leunde tegen zijn auto, zette zijn hoed af en streek met zijn hand over zijn hoofd. 'Ik heb wel geruchten gehoord over dat soort toestanden, maar ik dacht dat het niet meer dan geruchten waren.'

'Het was waar.' Ben keek weer op de kaart. 'Ik maakte deel uit van het Viper-team.'

De sheriff zweeg geruime tijd. Ben voelde de blik van de sheriff op zich gericht. Toen zei de sheriff: 'Maar evengoed, kolonel, heb ik meer nodig dan een brandijzer om een huiszoekingsbevel los te krijgen.'

'Ik heb geen huiszoekingsbevel nodig.'

12.00 uur

Coach Wally zat aan de keukentafel te lunchen met zijn vrouw en dochter voor hij op weg ging naar zijn werk bij Taco House. Vanaf zijn plek aan tafel keek hij door het erkerraam uit op de oprit voor het huis. Hij zag de zwarte auto het pad op rijden. Hij zag de jonge vrouw uitstappen. Hij zag dat ze een nylon jack aantrok om het pistool dat in een holster aan haar heup hing aan het oog te onttrekken. Wally Fagan legde zijn vork neer en schoof zijn bord van zich af. Hij had plotseling geen trek meer.

'Ik ben agent Jan Jorgenson van de FBI,' zei de jonge vrouw die voor de deur stond, en op datzelfde moment wist Wally Fagan dat hij indertijd de verkeerde keuze had gemaakt. Ze was gekomen om de waarheid te horen, en hij zou haar de waarheid vertellen. En zijn leven zou nooit meer hetzelfde zijn.

16.05 uur

'Ben, als je er zeker van bent dat ze daar is, laten we er dan nu meteen op afgaan!'

John zat tegenover Ben aan een tafeltje aan het raam in de plaatselijke cafetaria in Main Street. Ben schudde zijn hoofd.

'John, we kunnen niet zomaar die berg op rijden, aankloppen en met haar wegrijden. Ze geven haar echt niet zomaar aan ons mee. We zullen haar moeten bevrijden. En dat zal 's nachts moeten gebeuren.'

'Dan doen we het zodra het donker is. Laten we nou geen tijd gaan verspillen bij Rusty's!'

'Jongen, we gaan naar Rusty's op de gok dat we op een zaterdagavond mazzel hebben en wat meer over die kerels te weten komen. We gaan na middernacht de berg op, verkennen het kamp, plannen onze aanval, en komen in actie zodra het licht begint te worden. We hebben het verrassingselement nodig – en we kunnen geen verdwaalde kogel riskeren met Gracie daar binnen.'

John leunde achterover en zuchtte. Ben had gelijk; dit was niet zijn stiel. Hij was echt een sukkel als het op mannenwerk aankwam. Hij herinnerde zich de woorden van zijn moeder: *Doe precies wat Ben zegt, misschien dat we dan Gracie terugkrijgen. Voor dit soort werk is hij opgeleid.*

John nam een slok van de smerige koffie – *hebben ze hier nog nooit van Starbucks gehoord?* Buiten wandelden de brave burgers van Bonners Ferry voorbij, onwetend van het feit dat op datzelfde moment zijn dochter gegijzeld werd in de bergen ten noorden van het stadje.

'Ben, denk je dat alles in orde is met Gracie?'

'Ze leeft nog, John.'

'Denk je dat die kerels... je weet wel... denk je dat ze... met Gracie...'

Bens ogen stonden hard. 'Zeg het niet, John. Je mag het niet eens dénken.'

'Ik kan gewoon nergens anders meer aan denken, Ben... ik vraag me steeds af of ze ooit nog dezelfde zal zijn.'

'John, luister. Wat ze ook met Gracie gedaan hebben, wij helpen haar erdoorheen. Haar geest is sterk. We zullen zorgen dat ze weer de oude wordt. Ik neem haar mee naar Taos. Ze kan bij mij wonen tot ze het weer aankan om zich onder de mensen te begeven.'

Bens kaakspieren spanden zich; hij draaide zich opzij en staarde uit het raam.

'Ben, ik wil die kerels vermoorden.'

'Als er gemoord moet worden, dan doe ik dat. Daar ben ik voor opgeleid.'

Ben stond plotseling op en was de deur al uit voordat John zijn mond open kon doen. Hij kwam haastig overeind en legde een biljet van tien dollar op het tafeltje. Buiten keek hij links en rechts om zich heen en zag Ben halverwege de straat lopen. John holde naar hem toe.

'Wat is er aan de hand?' vroeg hij.

'Die man die daar loopt – blond haar, camouflagebroek, één meter tachtig, negentig kilo.'

De blonde man ging een tabakswinkel binnen. John en Ben gingen op een bankje zitten, gewoon twee mannen die genoten van een mooie lentedag, niet een vader en diens vader die op zoek waren naar de mannen die zijn dochter hadden ontvoerd. Tien minuten later kwam de man naar buiten met een sigaar in zijn mond en vervolgde zijn wandeling. Ze volgden hem op enige afstand.

Twee straten verder bleven ze plotseling staan. Twee kleine meisjes holden op de man af; hij bukte zich en tilde de kleinste van de twee op. Er liep een vrouw naar hem toe die hem een kus gaf.

Een huisvader.

'Mama, ik heb nu een gezin.'

Junior stond voor het graf van zijn moeder op de kleine open plek achter de blokhut die hij zorgvuldig bijhield. Hij kwam er bijna elke dag om met zijn moeder te praten. Op sommige dagen praatte ze terug.

'Ja, natuurlijk laat ik haar eruit, mama. Morgenochtend. Twee nachten in de kist, dat zou genoeg moeten zijn om haar het weglopen af te leren. Ze is knap, hè, mama?'

Junior was opgegroeid als een moederskindje dat graag op zijn vader wilde lijken. Maar de majoor had hen regelmatig maanden achtereen alleen gelaten – zaken, had hij gezegd. Junior was nooit naar school gegaan in het stadje; dat wilde de majoor niet. Dus had zijn moeder hem vrijwel alles geleerd wat hij wist, afgezien van wat de majoor hem bijbracht over schieten en jagen en het haten van joden. Vreemd, maar mama leek het gelukkigst als de majoor op zakenreis was. Alleen dan kon ze het stadje in gaan en haar vriendinnen opzoeken; dan nam ze Junior mee en later lachte ze en zong tijdens het koken en dan gingen ze samen onder een boom zitten en las ze hardop gedichten voor. Junior en zijn moeder deden alles samen. Ze was mooi.

En toen was ze er opeens niet meer.
En Junior las nooit meer een gedicht.

'Jij neemt deze. Ik neem die aan de overkant.'

John keek toe hoe Ben wachtte tot er een auto gepasseerd was en toen de straat overstak. John plofte neer op het dichtstbijzijnde bankje. Ze bekeken elke witte suv in Main Street. De drie die ze tot dusver hadden gezien, behoorden toe aan een oude vrouw, een tienermeisje met de strakste spijkerbroek die John ooit had gezien, en een oude knar die tabak pruimde.

Het was bijna vijf uur. De zon zou spoedig achter de bergen verdwijnen, en na de mooie lentedag zou het gedurende de nacht weer winter zijn. Gracie zou het koud hebben.

18.47 uur

Gary Jennings had alle tien zijn vingers nog gehad toen hij een van de pijpen van zijn gevangenisbroek aan de sprinklerleiding in zijn cel bond en de andere om zijn nek en van zijn brits stapte.

Een onschuldig man was dood.

Wat inhield dat Gracie Ann Brice misschien nog in leven was.

fbi-agent Jan Jorgenson wist nu dat Gracies ontvoering niets te maken had met kolonel Brice of met wraak voor iets wat in de Vietnamoorlog had plaatsgevonden. De ontvoering had alles te maken met Elizabeth Brice en een zoon die de dood van zijn vader wilde wreken. Misschien dat Charles Woodrow Walker jr. van mening was dat de federale regering verantwoordelijk was voor de dood van zijn vader, en dat hij daarom alle betrokkenen van kant wilde maken. Maar waarom doodde hij dan niet ook Elizabeth Brice? Waarom ontvoerde hij haar dochter? En was hij iets van plan met de president?

De zaak dreigde Jan Jorgenson boven het hoofd te groeien. Ze had behoefte aan iemand met ervaring. Ze had behoefte aan iemand als Eugene Devereaux. Maar ze kreeg voor de vijfde keer die dag zijn voicemail.

'Eugene, Jan weer. Het is zaterdag, bijna zeven uur plaatselijke tijd. Bel me alsjeblieft zo snel mogelijk. Jennings was onschuldig. En Gracie is misschien nog in leven.'

321

Ze beëindigde het gesprek.

Jan zat op de bank in de studeerkamer van de familie Brice op mevrouw Brice te wachten. Er speelden nog meer vragen door haar hoofd: als de zoon van de majoor de ontvoerder was, waar is hij dan nu? Als Gracie nog in leven is, waar is zij dan nu? De majoor en zijn zoon hadden indertijd in Idaho gewoond; misschien woonde de zoon daar nog steeds. En kolonel Brice dacht dat Gracie zich in Idaho bevond omdat er iemand had gebeld die dacht dat hij haar in Idaho Falls gezien had. Maar agent Curry had persoonlijk met die bron in Idaho gesproken en gerapporteerd dat de betrokkene noch Gracie, noch de mannen, noch de tatoeage kon identificeren. Merkwaardig.

Jan moest met de bron in Idaho praten. Daarvoor had ze de computeruitdraai met aanwijzingen nodig die op haar bureau in Dallas lag, vijfenzestig kilometer ten zuiden van waar ze zich nu bevond. Er was niet veel kans dat er zaterdagavond om deze tijd iemand op kantoor zou zijn – afgezien van de bewaker.

Ze kreeg Red bij haar eerste poging aan de telefoon. Hij zat ongetwijfeld achter zijn bureau in de hal tv te kijken, zoals elke avond de afgelopen week als ze na kantooruren het gebouw verliet. Red was vijftig en eenzaam. Elke avond flirtte hij met haar.

'Red, je spreekt met Jan Jorgenson.'

'Hé, hallo! Ik zag in het logboek dat je vertrokken was.'

'Ik zit hier met een noodgeval. Zou jij me kunnen helpen?'

'Wil je dat ik naar je appartement kom?'

'Eh, nee. Ik zou graag willen dat je even naar mijn kantoor loopt.'

'O. Ik denk dat ik dat zo dadelijk wel even kan doen.'

Ja, zodra Het Rad van Fortuin *afgelopen is.*

Jan Jorgenson had het ronde gezicht, de grote ogen en het stevige figuur dat paste bij een plattelandsmeisje uit Minnesota. Als ze een paard was geweest, zouden ze haar robuust hebben genoemd. De meeste mannen vonden haar aantrekkelijk. Ze had kort haar, was één meter achtenzestig lang, gespierd, en woog negenenvijftig kilo. (Spieren zijn zwaarder dan vet.) Mannen gingen er vaak na één blik op haar van uit dat ze lesbisch was – door haar gespierde benen had ze een iets te mannelijk loopje – maar ze was door en door hetero. Ze had gewoon nog geen man gevonden die het waard was tussen haar benen toegelaten te worden. En Red de beveiligingsman was het ook niet, al zou hij dat wel willen. Jan was niet het type om mannen aan het lijntje te houden, maar ze had die uitdraai nodig.

Ze zette een verleidelijk stemmetje op. 'Weet je, Red, als deze zaak voorbij is, krijg ik weer wat meer vrije tijd, en misschien zouden we eens…'

'Ik ga nu meteen!'

'Je bent een schat. Op mijn bureau ligt een dikke computeruitdraai met een heleboel gele plakbriefjes op de pagina's. Wat ik nodig heb, is een notitie over een telefoontje uit Idaho Falls; je kunt het beste achteraan beginnen. Als je die gevonden hebt, gebruik dan de telefoon op mijn kantoor en bel me op dit nummer.'

Ze gaf Red haar mobiele nummer en hij ging op weg, met waarschijnlijk meer dan een sleutelbos in zijn broek. Ze nam zich voor om een ander nummer te nemen als dit achter de rug was.

Red belde binnen tien minuten terug. Clayton Lee Tucker, Idaho Falls, Idaho. Met een telefoonnummer. Red zei: 'Dag, schat.'

Getver!

Jan ging ervan uit dat de familie Brice zich wel een interlokaal gesprek met Idaho kon permitteren. Ze draaide het nummer, in de hoop dat Tucker zo laat nog aan het werk zou zijn. Een man nam op nadat de telefoon twaalf keer was overgegaan.

'Hallo? Hallo? Doet de telefoon het weer?'

'Clayton Lee Tucker?'

'Yep. Ik wist niet dat mijn telefoon het weer deed.' Toen, tegen iemand anders: 'Ik kom er zo aan!' Weer in de telefoon: 'Ik heb een klant.'

'Meneer Tucker, ik ben agent Jorgenson van de FBI. Ik hou me bezig met de ontvoering van Gracie Ann Brice.'

'Ze zijn gisteren langs geweest.'

'Kolonel Brice en de vader?'

'Yep.'

'Hoe laat?'

'Vlak nadat ik de zaak had geopend, even na achten.'

'Denkt u dat het meisje dat u gezien hebt Gracie was?'

'O, daar ben ik inmiddels zeker van, nadat ik haar foto's heb gezien.'

'Waarom bent u van gedachten veranderd?'

'Hoe bedoelt u?'

'Toen de FBI-agent u die foto's liet zien, kon u haar niet identificeren.'

'Zoals ik ook al tegen hen heb gezegd: er is hier helemaal geen FBI-agent geweest.'

Wat? Terwijl Jan probeerde die informatie te verwerken, zei Tucker: 'Ik heb een klant.'

'Meneer Tucker, waar gingen kolonel Brice en meneer Brice heen nadat ze bij u langs waren geweest?'

'Bonners Ferry, in Boundary County.'

'Hulpsheriff Cody Cox,' antwoordde een stem.

'U spreekt met agent Jan Jorgenson van de FBI, uit Dallas. Ik moet de sheriff spreken.'

'Sheriff Johnson? Die is uit eten met zijn vrouw, het is hun trouwdag. Nou ja, eigenlijk was dat gisteren, maar er kwam iets tussen en…'

'Heeft de sheriff gesproken met een zekere kolonel Ben Brice en zijn zoon John Brice?'

'Jazeker. Ze zijn vanochtend gaan rondvliegen met Dicky in zijn helikopter. De sheriff zei dat hij zijn leven te danken had aan de kolonel.'

'Hoor eens, ik moet de sheriff dringend spreken. Dit is een noodgeval.'

'Geeft u me uw nummer maar – ik zal hem wel opsporen en zeggen dat hij u moet bellen.'

Elizabeth deed de deur van de studeerkamer achter zich dicht. Agent Jorgenson zat op de bank.

'Wat is er zo dringend? Ik ben op weg naar de kerk.'

De jonge vrouw haalde diep adem en zei: 'Vertelt u me eens over majoor Charles Woodrow Walker.'

'Die is dood.'

'Wist u dat hij een zoon had?'

19.30 uur

'Eerwaarde vader, ik heb gezondigd. Mijn laatste biecht is dertig jaar geleden geweest.'

De zaterdagavond voor Pasen kwamen er altijd veel mensen biechten. Tot dusver had Father Randy zo'n vijftig biechten aangehoord van anonieme biechtelingen die aan de andere kant van de biechtstoel knielden in St. Anne's Catholic Church, allemaal standaardzonden waarvoor hij standaardpenitenties had opgelegd: tien onzevaders en tien weesgegroetjes. Maar hij leefde helemaal op bij het horen van de stem van deze biechteling, om twee redenen: dertig jaar was een hele tijd om niet meer gebiecht te hebben en het zou heel goed kunnen dat hier een ongebruikelijke penitentie op zijn plaats was; en de stem van de vrouw kwam hem vaag bekend voor. Haar volgende woorden bevestigden zijn vermoedens.

'Eerwaarde vader, het kwaad heeft mij in zijn macht, en nu heeft het kwaad ook mijn dochter in zijn macht.' Haar stem brak. 'Weet u, Grace is misschien nog in leven!'

Hij had Elizabeth Brice in zijn biechtstoel. Father Randy kende Gracie, het arme kind, en de overige leden van het gezin. Hij zag ze elke zondagochtend in de kerk. Maar Elizabeth Brice had nog nooit een voet in zijn kerk gezet.

'Gracie is misschien nog in leven?'

'Ja!'

'Wat bedoelt u precies als u zegt dat het kwaad haar in zijn macht heeft?'

'Hij heeft haar meegenomen naar Idaho!'

'Idaho? *Wie?*'

'De zoon van de duivel.'

De zoon van de duivel? De arme vrouw was waarschijnlijk ten prooi aan een zenuwinzinking. Hij besloot haar met fluwelen handschoenen aan te pakken.

'Waarom hebt u dertig jaar niet meer gebiecht?'

'Mijn vader is vermoord toen ik pas tien was. Ik verweet het God.'

'Dertig jaar lang?'

'Ja.'

'U bent dertig jaar lang niet naar de mis geweest?'

'Nee.'

'Communie?'

'Nee.'

'U hebt dertig jaar lang zonder het geloof geleefd?'

'Ja.'

'Waarom nu?'

'Ik wil thuiskomen. Ik wil dat mijn dochter thuiskomt. Ik wil dat God ons een tweede kans geeft.'

Het viel vandaag de dag niet mee om een katholieke priester te zijn. Nu er zoveel priesters veroordeeld werden wegens onzedelijke handelingen met kinderen en de katholieke kerk de favoriete zondebok was geworden van advocaten die optraden voor mensen die een klacht hadden ingediend, had hij er al dikwijls over gedacht om eruit te stappen. Wat voor nut had zijn werk nog? Hij was meer tijd kwijt aan het afleggen van beëdigde verklaringen dan aan het verspreiden van het woord Gods via missen, zijn website en de cd's en geluidsbanden en T-shirts. En geloofde er eigenlijk nog wel iemand echt in God? In Satan? Dat er zich in onze zielen werkelijk een dagelijkse strijd afspeelt tussen goed en kwaad? Had hij in vijftien jaar tijd ook maar één ziel gered? Nu bekroop hem een merkwaardig gevoel, en hij wist: God gaf hem zijn kans.

'Het kwaad heeft tien jaar geleden bezit van me genomen,' zei mevrouw Brice. 'Het laat mijn leven niet meer los.'

'Omdat u niet de kracht hebt om het kwaad te bestrijden. Het geloof is onze enige verdediging tegen het kwaad – we bestrijden het kwaad met ons geloof.'

'Maar waarom mijn dochter?'

Father Randy sprak nu woorden die hij zelf niet begreep: 'Omdat Gracie en u een gezamenlijke band hebben, een band met het kwaad die verbroken moet worden.'

'Ja, dat klopt. Hoe kan ik die band verbreken?'

'Dat kunt u niet. Er moet iemand sterven om die band te verbreken.'

'Nee! Neem haar niet van me af!'

De vrouw sprong op, vloog de biechtstoel uit en rukte de deur aan zijn kant open. Ze stortte zich op hem en greep het grote zilveren crucifix beet dat over zijn priestergewaad hing. Haar ogen stonden verwilderd.

'God, neem mij in haar plaats!'

'Patty, kun je me horen?'

Geen antwoord.

Junior hield zijn mond vlak voor de ventilatieopening en hij hield zijn handen er aan weerskanten naast, dus ze kon hem echt wel horen. Ze was gewoon koppig.

'Heb je je lesje geleerd?'

Nog steeds geen antwoord.

'Dus je wilt stommetje spelen? Dat probeerde ik ook bij de majoor als hij me hier opsloot, maar hij trapte er toen niet in en ik trap er nu ook niet in. Hoor je me?'

Stilte.

'Oké, we zullen wel eens zien hoe koppig je bent na nog een nacht daar beneden.'

Junior kwam overeind en liep terug naar de blokhut.

20.29 uur

Toen FBI-agent Jan Jorgenson haar appartement binnenkwam, ging de telefoon. Ze nam op; het was sheriff J.D. Johnson van Boundary County in Idaho. Hij bevestigde dat de kolonel en John Brice in Bonners Ferry waren.

'Ze geloven dat het meisje vastgehouden wordt op een berg. Op een plek die Red Ridge wordt genoemd.'

'Dat denk ik ook.'

'Ik dacht dat de FBI de zaak afgesloten had toen de ontvoerder zichzelf ophing?'

'We zaten ernaast. Sheriff, hebt u ooit gehoord van majoor Charles Woodrow Walker?'

'Nou en of. Jullie hebben hem een jaar of tien geleden in het ziekenhuis hier gearresteerd. Ik weet niet wat er daarna met hem gebeurd is.'

'Hij is overleden in Mexico. Weet u dat hij voor de krijgsraad is gebracht?'

'Vaag, iets over een bloedbad in Vietnam?'

'Inderdaad. In de provincie Quang Tri. Kolonel Brice heeft tegen hem getuigd.'

'U gaat me toch niet vertellen dat die majoor deel uitmaakte van een team met de codenaam Viper?'

'Hij voerde het bevel.'

'Verdomme. Kolonel Brice heeft hun kamp inderdaad gevonden. Hij zei dat het om een oude rekening ging. Ik neem aan dat hij dat bedoelde.'

'De zoon van majoor Walker heeft het meisje ontvoerd, maar dat heeft niets met kolonel Brice te maken. Hij heeft haar ontvoerd omdat haar moeder een van de aanklagers van zijn vader was. De anderen zijn allemaal dood, behalve mevrouw Brice en de president.'

'*De* president?'

'Ja, president McCoy. Hij was indertijd directeur van de FBI.'

'Nou, kolonel Brice heeft die knaap gevonden en dat lijkt me een goede zaak.'

'Hoe dat zo?'

'Omdat hij zich niet aan onze regels hoeft te houden.'

'In de rimboe, luitenant, bepalen we onze eigen regels. Regel één: we trekken ons niks aan van stompzinnige regels van het oppercommando, met name van de gedragscode die bepaalt dat we niet op de vijand mogen schieten tenzij er eerst op ons geschoten wordt. Niemand schiet ongestraft op het Viper-team. We doden hen voordat ze ons doden.

Regel twee: ze lijken allemaal op elkaar, de vijand die we geacht worden te doden en de burgers die we geacht worden te beschermen. Reguliere soldaten van het Noord-Vietnamese leger dragen een uniform. Maar de Vietcong niet. Dat zijn guerilla's, veelal boeren. In de rimboe weet je nooit of een boer je welkom zal heten of je neer zal schieten. Als je twijfelt, knal je de spleetoog neer.

Regel drie: een geweten is gevaarlijk in oorlogstijd. Je geweten kan je fataal worden – dat is jouw zaak. Maar je geweten kan ook je kameraden fataal worden – en dat is míjn zaak. Laat je geweten hier in Saigon achter. Neem het niet mee de rimboe in, daar bestaat geen goed of kwaad. De keuze is simpel: je doodt de vijand of je gaat naar huis in een lijkenzak.'

De majoor eet zijn bord leeg en schuift het van zich af.

'Regel vier, en de belangrijkste regel om te onthouden: je voert deze oorlog niet voor het Amerikaanse volk. Dat geeft geen reet om jou of om deze oorlog of het communistische gevaar. Zij zitten lekker thuis, waar ze jointjes roken en kreten slaken als *make love not war* en profiteren van de vrede en welvaart die wij voor hen mogelijk maken. Verwacht nooit steun van burgers.

Je voert deze oorlog voor je leger. Het West Point-leger. Omdat jouw leger wel degelijk het belang inziet van deze oorlog en het tegenhouden van het communisme bij de zeventiende breedtegraad. Jouw leger begrijpt de dreiging van het communisme. Jouw leger weet dat het Amerikaanse volk pas achter de strijd tegen het internationale communisme zal gaan staan als er Russische atoombommen tot ontploffing komen boven New York. Dan komen ze ons op hun knieën smeken om hen te redden en hun vrede en welvaart in stand te houden en voor hun vrijheid te vechten. En dat zullen we ook doen – dat doen we nu al, alleen beseffen ze dat niet. Maar jouw leger beseft dat wel. Jouw leger zal pal achter je staan, jouw leger zal je niet in de steek laten als het lastig wordt, jouw leger zal je nooit verraden.'

De kristalblauwe ogen van de majoor boren zich in die van Ben.

'En jij, luitenant Brice, mag nooit jouw leger verraden.'

'Begrepen, majoor.'

1 december 1968. Ze zitten in de American Bar in Tu Do Street in Saigon, Zuid-Vietnam, waar rock-'n-rollmuziek en giechelende Aziatische meisjes en dronken Amerikaanse officieren voor het nodige rumoer zorgen. Luitenant Ben Brice is vol ontzag voor de man die tegenover hem aan het tafeltje zit. Charles Woodrow Walker is vijftien jaar eerder dan Ben afgestudeerd aan de Militaire Academie, maar Ben weet alles van hem af, net als iedere cadet die na de majoor op West Point heeft gezeten. Charles Woodrow Walker, zo wordt er gezegd, is de volgende MacArthur.

'Ik wilde jou in mijn team,' zegt de majoor, 'omdat je commandant in Fort Bragg zegt dat je de beste scherpschutter bent die hij ooit heeft meegemaakt. Je hebt je Viper-tatoeage, nu krijg je dit.' De majoor schuift een langwerpig plat pakje over de tafel naar Ben. 'Welkom bij SOG-team Viper.'

Ben maakt het pakje open. Er zit een bowiemes in met in het brede, achtentwintig centimeter lange lemmet het woord VIPER gegraveerd.

'Iedereen in het Viper-team draagt een bowiemes bij zich. Als je dat in de buik van een spleetoog steekt, heeft hij gegarandeerd een klotedag.'

'Jawel, majoor.'

De majoor overhandigt Ben een identiteitskaartje met Bens pasfoto, naam, rang, bloedgroep en legernummer – en in vette letters de tekst:

'Je "Verlaat de gevangenis zonder te betalen"-kaart,' zegt de majoor. 'Wij rapporteren rechtstreeks aan de president. SOG laat niet met zich sollen.'
  'Nee, majoor.'
  De majoor neemt een slok van zijn bier en zegt: 'De Academie, Brice, is een fantastische opleiding. Maar vergeet alles wat je daar geleerd hebt. De oorlogen die je hebt bestudeerd, de Eerste Wereldoorlog, de Tweede Wereldoorlog, Korea, lijken in niets op deze oorlog. Alles wat je daar geleerd hebt, is hier volstrekt waardeloos. In deze oorlog is napalm je beste vriend.'
  Een Amerikaanse officier van middelbare leeftijd met aan elke arm een Vietnamees animeermeisje blijft bij hun tafeltje staan. Ben ziet drie zilveren sterren, springt overeind en salueert voor de luitenant-generaal. De majoor kijkt even op en richt zijn aandacht dan weer op zijn glas.
  'De beruchte majoor Charles Woodrow Walker,' zegt de generaal met dubbele tong. 'Een levende legende, volgens hemzelf.'
  De majoor neemt een slok van zijn bier en zegt dan tegen Ben: 'De vorige keer dat een Saigon-commando me stoorde onder het eten, heb ik hem een ongelooflijk pak op zijn flikker gegeven.'
  De meisjes giechelen en het gezicht van de generaal loopt rood aan: 'Sta op en salueer, godverdomme! Ik ben hoger in rang dan jij!'
  De majoor richt nu zijn volle aandacht op de generaal, die een stapje achteruit doet.
  'Ten eerste, generaal, salueer ik niet voor achterhoede-officieren wier enige contact met de communistische vijand bestaat uit het neuken van Vietminh-meisjes. En ten tweede: zolang ik in Vietnam ben, is alleen de president hoger in rang dan ik. Als u daar een probleem mee hebt, belt u hem maar.'
  De generaal wekt de indruk dat hij elk moment kan ontploffen, maar hij zegt niets en beent woedend weg.
  'Amerikaanse soldaten sneuvelen op dit moment in de strijd tegen de

communisten. En die generaal zit hier in Saigon tegenover de pers te liegen over het aantal gesneuvelden en maakt zich meer zorgen om Walter Cronkite dan om Ho Chi Minh.'

Hij schudt minachtend het hoofd.

'We vertrekken bij dageraad, nemen een helikopter naar Dak To, waar we ons aansluiten bij het team. Dan naar Lang Vei om onze uitrusting op te halen, en de volgende dag trekken we Laos binnen. Tchepone, dertig kilometer de rimboe in. Volgens de Inlichtingendienst is er een groot konvooi onderweg over de Ho Chi Minh-route. Dat gaan we tegenhouden.'

Ben is te opgewonden om te eten. De majoor heeft meer dan honderd missies op vijandelijk grondgebied achter de rug. Meer dan honderd! En Ben Brice zal deelnemen aan de volgende. Het grote avontuur begint.

'Dat is de oorlog waarvoor je vijftienduizend kilometer gevlogen hebt.' Hij glimlacht, alsof hij een mop heeft verteld. 'Wat denk je ervan, luitenant? Dit is je laatste kans om van gedachten te veranderen, om hier in Saigon te blijven en van het goede leven te genieten.'

De majoor steekt zijn arm uit, pakt een mooi jong Vietnamees meisje beet dat langs hun tafeltje loopt en trekt haar op schoot.

'Zoals Ling hier. De mooiste vrouwen ter wereld, de Vietnamese. Wil je er eentje? Ik trakteer.'

De eigenares van de bar, Madame Le, elegant gekleed en mooi, en voorafgegaan door een parfumlucht die bedwelmender is dan de whisky, komt voor de tweede keer die avond naar hun tafeltje toe, legt haar sierlijke hand met de verzorgde rode nagels op Bens schouder en zegt in het Engels dat ze op de beste *finishing schools* in Frankrijk heeft geleerd:

'Ik heb jullie hier nooit eerder gezien, cowboys.'

Ben knipperde een paar keer met zijn ogen om de majoor en de American Bar, de Aziatische meisjes en Saigon uit zijn hoofd te verdrijven; toen hij weer scherp zag, keek hij naar een vrouwenhand op zijn schouder, allesbehalve sierlijk en met nagels die tot op het bot waren afgekloven. Hij sloeg zijn ogen op naar het gezicht van de vrouw; ze had de huidkleur van een alcoholiste en een rimpel voor elk jaar van haar leven. Ze rook naar tabak en goedkope whisky. Ze was geen Madame Le.

'Hebben jullie soms behoefte aan gezelschap?' Ze draaide een stevige heup hun kant uit – 'Ik heb een speciale zaterdagavondaanbieding voor twee' – en glimlachte zo zedig als maar mogelijk was met een ontbre-kende voortand.

'Nee, bedankt,' zei Ben. De vrouw keek beledigd. Dus dwong hij zich-zelf te glimlachen en voegde eraan toe: 'Het is niet persoonlijk bedoeld.'

Ze fronste haar voorhoofd en keek van Ben naar John en toen weer naar Ben.

'We zijn gay,' flapte John eruit. 'We zijn, eh, we zitten in de filmbusi-ness.'

'O,' zei de vrouw. Ze leek tevredengesteld en liep weg.

Ben keek John aan. 'We zijn *gay*?'

John haalde zijn schouders op. 'Nou ja, we zijn in elk geval van haar af.'

Ze zaten al meer dan een uur op een barkruk in Rusty's. Het was een tent van niks. De jukebox speelde countrymuziek. Er lag zaagsel op de houten vloer. Boven de bar hingen neonlampen en achter de bar stond een tv'tje met het geluid uit. Achterin stonden een paar poolbiljarts. De klandizie bestond uit een paar ruw uitziende mannen en nog ruwer uit-ziende vrouwen.

Ben zag in de spiegel achter de bar dat de vrouw nu bij een tafeltje met vier aangeschoten kerels stond. Ze gebaarde naar Ben en John en zei iets tegen de mannen. Ze lachten. Zijn blik verplaatste zich naar de ingang. Een grote, zwaarlijvige blanke man, misschien een paar jaar jonger dan Ben, gekleed in camouflagetenue, laarzen en een oud groen legerjack, kwam binnen, strompelde naar de bar en klauterde moei-zaam op een barkruk twee plaatsen bij Ben vandaan. Zijn gezicht was zwaar gehavend.

'Wat is er in godsnaam met jou gebeurd, Bubba?' vroeg de barkeeper aan hem.

'Junior heeft me verdomme met een schop te grazen genomen.'

Bubba sprak met een zuidelijk accent. Hij trok zijn jack uit. Hij droeg een T-shirt met korte mouwen, waardoor een deel van een tatoeage zichtbaar was die je uitsluitend in Saigon kon laten zetten. De barkeeper zette ongevraagd een pul bier en drie glaasjes tequila voor Bubba neer.

Bubba sloeg het eerste glaasje achterover, huiverde toen de tequila naar binnen gleed én zei: 'Al, Junior heeft me het kamp uit getrapt.'

Al de barkeeper lachte. 'Wat heb je nou weer uitgevreten?'

Bubba haalde de rug van zijn hand over zijn mond. 'Die Vietnamese grietjes waren niet ouder, ik snap niet waarom hij zich zo druk maakt. Als ze eenmaal ongesteld is geweest, is ze ook oud genoeg om te neuken.'

Ben pakte Johns knie beet om te voorkomen dat hij zou reageren. Bubba sloeg het tweede glaasje tequila achterover.

'Waar moet ik vannacht verdomme slapen?'

'Ga nou maar gewoon terug naar het kamp,' zei Al.

Het derde glaasje tequila werd achterovergeslagen en Bubba schudde zijn hoofd. 'Kan niet. De berg is vergeven van de boobytraps.'

'Oké, Bubba,' zei Al, 'je kunt hier slapen, maar niet op het poolbiljart zoals de vorige keer.' Al draaide zich om en liep hoofdschuddend weg. 'Boobytraps.'

Toen hij langs Ben en John liep, zei hij: 'Die jongens weten niet dat de oorlog al dertig jaar voorbij is.'

Ben zat te bedenken hoe hij Bubba aan de praat kon krijgen toen hij een dronken stem hoorde: 'Hé, mietje, wat dacht je ervan om me eens lekker te pijpen?'

Ben keek opzij. Een van de aangeschoten kerels, de grootste van het stel, stond bij de bar; hij had zijn hand op Johns schouder gelegd. Johns gezicht was verstard.

Little Johnny Brice was minstens één keer per week in elkaar geslagen, soms wel twee keer. Maar de enige keer dat John R. Brice bijna in een vuistgevecht verwikkeld was geraakt, was twee jaar geleden, nadat een of andere zwakzinnige klojo in een zwarte BMW op de tolweg achter op Johns nieuwe Corvette was geknald en vervolgens met zijn dikke lijf was uitgestapt en John een debiel had genoemd. Zonder stil te staan bij de mogelijke consequenties had John hem toegebeten: 'Ik een debiel? Ik heb een IQ van 190, een afgeronde doctoraalstudie aan MIT en mijn eigen internetbedrijf waarmee ik naar de beurs ga! Wat kun jij daartegenover stellen, kerel?' Daar had de kerel niet van terug gehad.

Maar nu kwam het bij John op dat het vermelden van zijn IQ, zijn doctoraalstudie en zijn uiterst succesvolle beursgang tegenover het buitenmodel hufter dat over hem heen gebogen stond, in het landelijke Idaho mogelijk niet hetzelfde effect zou hebben als in het grootstedelijke Dallas, en werd hij plotseling bevangen door het vertrouwde gevoel van mannelijke inferioriteit. Little Johnny Brice keek naar Ben.

'Wegwezen,' zei Ben tegen de man.

John zag totaal geen angst in Bens ogen. Maar de hufter was te dronken om dat te merken. Hij deed een stap in Bens richting; John wist meteen dat dat een vergissing was. De ogen van de man puilden plotseling uit en er ontsnapte hem een diep gekreun. John keek omlaag. Ben had zijn laars in het kruis van de man geplant. De man boog zich voorover als een bejaarde met rugpijn, hij sloeg zijn handen voor zijn kruis en zijn gezicht vertrok van die uitzonderlijk folterende pijn die je ervaart als je in je ballen wordt getrapt. Ben kwam van zijn barkruk af, greep hem bij de schouders, draaide hem om en duwde hem zachtjes in de richting van zijn tafeltje. De man strompelde naar zijn stoel; zijn giechelende maten hielpen hem te gaan zitten.

Little Johnny Brice wilde een man zijn zoals Ben.

Ben ging weer op zijn barkruk zitten en knikte naar Bubba. 'Ik kan slecht tegen opdringerige dronken kerels,' zei hij.

Bubba dronk zijn bierpul leeg, liet een boer en zei: 'Ik ook.'

'Die tatoeage van je,' zei Ben. 'Hooglanden of delta?'

'Delta. Jij?'

'Hooglanden,' zei Ben.

'Groene Baret?'

'Ja.'

'Dan kunnen we mekaar een hand geven. Hoe lang heb jij daar gezeten?'

'Zeven jaar.'

Bubba schudde het hoofd. 'Jezus. Ik maar twee jaar. Ik zou met liefde en plezier de hele oorlog gebleven zijn, maar ik kreeg wat problemen.'

'Wat voor soort problemen?'

'Het doden van de verkeerde mensen, dat soort problemen.' Bubba zweeg even. ''71, nachtelijke operatie ten zuiden van Cao Lanh, vrijvuurzone. We zijn daar behoorlijk aan het rock-'n-rollen geweest.'

Vrijvuurzone wilde zeggen dat er geschoten mocht worden op alles wat bewoog, man, vrouw of beest. Rock-'n-rollen wilde zeggen dat je je wapen op automatisch zette en in het wilde weg vuurde.

'Toen de zon opkwam, zagen we dat we geen VC gedood hadden, alleen maar vrouwen en kinderen.' Hij haalde zijn schouders op. 'Dat soort dingen gebeurt nou eenmaal, man, het was verdomme oorlog.

Het leger heeft me ontslagen vanwege alle negatieve publiciteit over Quang Tri en My Lai.' Bubba zuchtte diep en zei: 'De beste jaren van mijn leven.'

'Wat heb je daarna gedaan?' vroeg Ben.

'Ik ben teruggegaan naar Mississippi, maar het was niet meer hetzelfde. Al dat verdomde gezeik over burgerrechten, nikkers die zich gedroegen alsof zij de baas waren, de FBI die ons het leven zuur maakte. Dus ben ik naar het westen getrokken, heb me bij deze jongens aangesloten en ben nooit meer weggegaan. We hebben een kamp op Red Ridge. We zijn met een volledige sectie, allemaal Groene Baretten, behalve Junior.'

Twaalf man. 'Is dat de Junior die je het kamp uit heeft getrapt?'

Bubba fronste zijn voorhoofd en knikte. 'De lul. Hij is nota bene niet eens in dienst geweest. Maar het is zijn berg.'

'Wat voeren jullie daar zoal uit in de bergen?'

Bubba boog zich naar hem toe; zijn adem rook naar de tequila.

'We gaan de wereld veranderen, maat. En niet zo'n klein beetje ook.' Bubba keek langs Ben heen en zei: 'Je vriend heeft nog niet genoeg gehad.'

Ben keek in de spiegel achter de bar en zag de grote dronken kerel snel op hem afkomen; hij hanteerde een bierflesje alsof het een knuppel was. Toen hij het flesje boven zijn hoofd bracht, draaide Ben snel weg naar rechts. Het flesje spatte uiteen op de bar in plaats van op Bens hoofd. Ben ramde de hak van zijn laars zo hard tegen de buitenkant van de rechterknie van de man dat de gewrichtsbanden het begaven. De man smakte tegen de grond en bleef daar kronkelend van de pijn liggen.

Ben ging weer naast Bubba zitten, die minachtend snoof naar de dronken man op de vloer. 'Die loopt geen atletiekwedstrijden meer.' Hij stak een vlezige hand uit. 'Ik ben Bubba.'

Ben schudde Bubba's hand. 'Ik ben Buddy.'

Bubba's gezicht klaarde op. 'Mijn vader heette Buddy, da's ook toevallig. Wat brengt jou naar Idaho, Buddy?'

'De jacht.'

'Nou, Buddy, je kunt hier prima jagen – herten, poema's, beren. Ik heb gisteren nog een mooie reebok geschoten. Junior laat me over een dag of wat wel weer terugkomen, zodra hij wat gekalmeerd is over dat grietje van hem. Heb je soms zin om dan mee te gaan, om een potje te jagen en de anderen te ontmoeten?'

Ben glimlachte breed tegen Bubba.

'Bubba, ik zou niets liever willen. Nog een glaasje tequila, maat?'

23.03 uur

John zat achter het stuur van de Land Rover. Ben zat achterin met die grote kerel uit Rusty's; zijn echte voornaam was Archie, maar iedereen noemde hem Bubba. Hij hing met zijn hoofd uit het raampje om te kotsen.

Bubba was straalbezopen toen ze eindelijk uit Rusty's waren vertrokken. Ben had hem een hele fles tequila gevoerd, maar had zelf geen druppel gedronken. Bubba had geen andere slaapplaats dan de bar, en dus had Ben voorgesteld dat hij bij hen zou blijven slapen. Dat had Bubba een prima idee gevonden en hij was in de Land Rover geklauterd.

Bubba trok zijn hoofd weer naar binnen en zei 'Kut', toen viel zijn hoofd achterover, zijn mond zakte open en hij begon te snurken.

Een uur later kwamen ze bij de Moyie River Bridge, die de diepe kloof overspande die ze die ochtend vanuit de helikopter hadden gezien en waarboven Dicky vijf minuten lang had rondgecirkeld, waarbij John bijna zijn ingewanden had uitgekotst.

'Stoppen,' zei Ben.

John bracht de Land Rover tot stilstand en zette de motor af. Op dat uur van de nacht was er geen ander verkeer op de weg. Ben stapte uit, liep naar de kant waar Bubba zat en deed het portier open. Hij sloeg Bubba een paar keer in zijn gezicht tot die weer enigszins bij zijn positieven was en trok hem toen de wagen uit.

'Zijn we er?' vroeg Bubba.

'Ik moet even pissen,' zei Ben. 'Jij niet?'

Bubba gromde iets. John voegde zich bij hen terwijl Ben Bubba naar de brugleuning hielp. Bubba leunde tegen de lage reling, wist met de nodige moeite zijn piemel tevoorschijn te halen en begon over zijn voeten te wateren. Hij kreunde van opluchting. In de diepte was wit water dat over rotsblokken kolkte zichtbaar in het maanlicht.

'Wat... doen we hier?'

Door de koude lucht kwam Bubba weer een beetje bij zijn positieven.

'Bubba, wat voor wapens hebben jullie in het kamp?' vroeg Ben.

'Stinger-raketten… granaatwerpers… napalm…'

Bubba's woorden kwamen onduidelijk en langzaam, en hij stond onvast op zijn benen terwijl hij sprak.

'Hoe zit het met die boobytraps?'

Bubba's hoofd zwaaide alle kanten op en hij lachte. 'Explosieven… struikeldraad…'

'Dat meisje in jullie kamp, heeft ze blond haar?'

'Hm-hm… lekker ding.'

'Wat wil Junior van haar?'

'Hij zegt dat ze… bij hem hoort… Zegt dat ze zijn…' Bubba was uitgeplast. 'Maar ze is gewoon… een kutje.' Hij lachte. 'Wou ik ook wel even pakken… dat kleine kreng schopte me… recht in mijn ballen.' Hij draaide zich om, zijn ogen niet meer dan spleetjes in zijn dikke gezicht. Hij stond te grijnzen met zijn penis in zijn hand. 'Junior wil haar voor zichzelf houden, maar ouwe Bubba krijgt haar ook nog wel een keertje, reken maar.'

'Ik dacht het niet, Bubba.'

Met een plotselinge scherpe beweging ramde Ben zijn vuist tegen Bubba's adamsappel, waardoor hij met zijn rug tegen de brugleuning klapte. Bubba kokhalsde en zijn handen vlogen naar zijn keel. Ben greep Bubba's benen, trok die met een ruk omhoog en kieperde Bubba over de reling. John keek met open mond toe hoe Bubba's zware lichaam honderdvijfendertig meter naar beneden viel en in de kloof verdween. Hij kon zijn ogen niet geloven.

'Jezus, Ben! Je hebt hem goddomme vermoord!'

Ben keek in de diepte; hij knikte. 'Tenzij hij heel goed kan stuiteren.'

'We moeten de FBI waarschuwen!'

'Als we de FBI inschakelen, John, zullen die kerels haar doden. Of de FBI zal haar doden terwijl ze proberen die mannen uit te schakelen.' Ben keek op van de kloof en keek John aan. 'Jongen, de FBI zal Gracie niet redden. Dat zullen wij moeten doen.'

John probeerde tot bedaren te komen: *Hier is Ben voor opgeleid.*

00.31 uur

Een halfuur later stonden ze weer stil langs de kant van de weg; ze doorzochten het terrein rond een onverhard weggetje dat bergopwaarts voerde. John had geen flauw idee waar ze naar zochten. Ben bevond zich een eind verderop op het weggetje; John kon alleen nog maar het schijnsel van zijn zaklantaarn zien. Plotseling kwam dat licht snel zijn richting uit. Even later kwam Ben in zicht.

'Dit is het,' zei Ben.

'Hoe weet je dat?'

Ben stak zijn hand uit. John liet het licht van zijn zaklantaarn op Bens handpalm schijnen, op een klein wit cilindervormig voorwerp met een enkel woord op het omhulsel gedrukt: *Tampax*.

'Ik zei toch dat ze een pientere meid is.'

01.18 uur

Het maanlicht dat weerkaatste op de sneeuw verschafte Ben en John genoeg zicht om zich tegen de steile berghelling omhoog te werken; ze bewogen zich zigzaggend door een dicht bos met hoge pijnbomen, grote zwerfkeien en diepe ravijnen.

Ze droegen zwarte wollen mutsen, zwarte camouflageverf op hun gezichten, zwarte handschoenen en zwarte thermische overalls; als ze stilstonden, waren ze zo goed als onzichtbaar tussen de bomen. Het scherpschuttersgeweer hing aan Bens schouder; een .45 pistool was om zijn ene been gegespt en het bowiemes om het andere. In zijn rugzak zaten munitie, het Starlight-vizier en een losse auto-accu die hij had gebruikt als draagbare jump-starter en die hij in Albuquerque uit de Jeep had gehaald en achter in de nieuwe Land Rover had gelegd. John droeg een slaapzak.

Bens ogen speurden de grond af, maar zijn gedachten waren bij een Amerikaanse soldaat, negentien jaar oud, rechtstreeks vanaf de middelbare school bij de landmacht ingelijfd, op patrouille in een Vietnamese jungle en met zijn gedachten bij zijn meisje thuis in plaats van bij de grond vóór hem. Hij zet zijn voet naar voren en net als hij zich realiseert dat hij een in het kreupelhout weggewerkte struikeldraad geraakt heeft, maakt hij kennis met zijn lot: een bamboeknots die hem met grote kracht tegemoet zwiept; een kruisboog vlak voor hem die een pijl op zijn borst afschiet; een plank, beslagen met in fecaliën gedoopte spijkers, die omhoogzwiept en hem in het gezicht slaat; of een groot met spijkers beslagen houtblok dat van hoog in de bomen op hem neerstort.

Ben kreeg de struikeldraad in het oog vijftig meter buiten de verdedigingslinie. Normaal gesproken zou de draad in het bos vrijwel niet te zien zijn geweest, maar hij stak af tegen de witte sneeuw.

'Ga zitten,' fluisterde Ben tegen John, die zich onmiddellijk op de grond liet zakken. 'Verroer je niet. Ik heb het een en ander te doen.'

Ben liet zijn zoon achter en volgde de struikeldraad door de bomen.

02.17 uur

De zeven dode Vietnamese communisten zijn netjes op een rij neergelegd, als sardines in een blikje; met het roodgloeiende brandijzer is een zwarte V in hun voorhoofden gebrand. Luitenant Ben Brice zal de geur van smeulend mensenvlees nooit meer vergeten.

Ben had nu datzelfde brandijzer in de kruisdraden van het Starlightvizier: een door een batterij gevoede versterker zorgde voor een beeld dat 75.000 keer scherper was dan het menselijk oog. Een sluipschutter kon tot op een afstand van zeshonderd meter vijandelijke bewegingen waarnemen. Zodra de Starlight-viziers in Vietnam in gebruik werden genomen, had Charlie 's nachts niet meer de alleenheerschappij.

John was in de slaapzak gekropen; hij was uitgeput na de twee uur durende klimtocht en hij had het koud. De temperatuur lag rond het vriespunt. Ben stond achter een boom en gebruikte het vizier om het kamp te observeren en de beste schietpositie te bepalen. Voor de grootste blokhut stond een witte SUV geparkeerd. Het brandijzer hing aan de deur van de blokhut ernaast. Twee geparkeerde oude pick-ups blokkeerden zijn vuurlijn naar de deuren van de andere blokhutten vanuit zijn huidige positie. Aan de oost-, west- en noordkant van het kamp kon hij gebruikmaken van de dekking van de bomen.

Nadat hij de indeling van het kamp in zijn geheugen had geprent, bestudeerde Ben door het vizier het hoger gelegen terrein aan weerszijden van het kamp. Een richel ongeveer vijfhonderd meter westelijk van het kamp zou de ideale sluipschutterspositie zijn als het uitschakelen van de vijand zijn enige missie zou zijn, maar dit was een reddingsoperatie. Hij moest dichter bij het kamp zien te komen. Hij stond op het punt het vizier te laten zakken, toen hij iets op die richel zag bewegen. Niet zichtbaar voor het blote oog, maar wel door een Starlight-vizier. Misschien een dier. Hij tuurde weer door het vizier.

Dat was geen dier.

Pete O'Brien had de pest in.

Degene met de minste dienstjaren kon er donder op zeggen dat hij de zaterdagavond en -nacht op de berg zou doorbrengen. De rotste klusjes zijn bij de FBI altijd voor de jonkies, en dat gold zeker voor het Hostage Rescue Team, de eenheid die belast was met het bevrijden van gijzelaars. Hij bracht de nachtkijker naar zijn ogen.

Pete O'Brien, sinds vijf jaar bij de FBI, maar de benjamin in dit zeven man sterke scherpschuttersteam, was weer eens met de nachtdienst opgezadeld. De teamleider en de collega's met meer dienstjaren waren met de Humvee naar Coeur d'Alene gereden om daar de nacht door te brengen; op dat moment sliepen ze in warme bedden naast vreemde vrouwen, terwijl Pete hier op deze verdomde berg zat te verrekken van de kou. Gelukkig was de wind gaan liggen. De nacht was zo stil dat hij zijn eigen hartslag kon horen. Als er op deze berg iets bewoog, zou hij dat weten.

Pete dacht aan het meisje.

En hij dacht aan het motto van het HRT: *Servare vitas.* Om levens te redden. En aan de missie van het HRT: het bevrijden van Amerikaanse staatsburgers die vastgehouden werden door vijandelijke strijders. Als hij een dochter had en de een of andere vijandelijke klootzak zou haar ontvoeren, dan zou hij verdomme niets anders verwachten dan dat het Hostage Rescue Team, het keurkorps van de FBI, alles in het werk zou stellen om haar leven te redden, niet om foto's te maken terwijl ze verkracht of vermoord werd. Maar Pete O'Brien had strikte orders gekregen om zich te beperken tot visuele surveillance van de 'crisislocatie', dat wil zeggen het groepje blokhutten, en zwart-witfoto's te maken in plaats van .308-patronen af te vuren op het tuig dat het meisje in gijzeling hield.

Ze hebben haar gegijzeld, verdomme nog aan toe!

En wij zijn verdomme het Gijzelaars *Bevrijdings* Team! Niet het Gijzelaars Fotografeer Team! Niet het Gijzelaars We Hopen Dat Het Jullie Lukt Te Ontsnappen Team! Niet het De Gegijzelde Wordt Waarschijnlijk Verkracht Maar We Hebben Belangrijker Zaken Aan Ons Hoofd Team!

Dit slaat verdomme nergens op!

Wat kon er nou belangrijker zijn dan het leven van dat meisje? We zouden de deur van die verdomde blokhut moeten opblazen en alles in het werk moeten stellen om haar leven te redden!

Pete was pisnijdig!

Pete O'Brien had zich aangemeld voor het HRT om levens te redden. Maar nadat ze een moeder hadden gedood op Ruby Ridge en ze die kinderen op Mount Carmel in Waco niet hadden kunnen redden, was het HRT gedwongen een toontje lager te zingen. Ze konden hun kont niet meer keren zonder toestemming van de een of andere hoge piet op het Hoofdkwartier. En toen was de zware klap van het World Trade Center gekomen voor het Hostage Rescue Team: het HRT was in het leven geroepen met het specifieke doel om vliegtuigpassagiers te redden die door terroristische kapers gegijzeld werden. Maar als die kapers bereid waren om met het toestel, zichzelf en hun gijzelaars kantoorgebouwen binnen te vliegen, wat had het HRT dan nog voor nut? Dat besef had het moreel op een zodanig dieptepunt gebracht dat uitstekend opgeleide en door een hoge testosteronspiegel opgefokte scherpschutters op een zaterdagavond achter de vrouwtjes aan zaten in plaats van schurken neer te knallen.

En dat irriteerde Pete mateloos. Het HRT was beter opgeleid, beter uitgerust en beschikte over meer financiële middelen dan enige andere rechtshandhavingsorganisatie in Amerika – *we vliegen nota bene het land rond in onze eigen C-130!* – maar we schieten nooit iemand neer! We redden nooit iemand! We doen nooit iets!

Pete O'Brien was echt pisnijdig!

We dragen onze camouflagekleding en kogelvrije vesten en we zijn bewapend met MP-5's en M-16's en 9-millimeter semi-automatische pistolen, maar we doen verdomme helemaal niks! We hebben Bradley-pantservoertuigen en helikopters, we hebben verrekijkers en nachtkijkers en telescoopvizieren, we hebben flashbanggranaten en explosieven om deuren op te blazen, we hebben zwarte paramilitaire uniformen en kogelwerend ondergoed, we hebben .50-geweren met kogels die iemands kop finaal van zijn romp schieten – maar we hebben geen ballen.

We zijn een stel verdomde carrièrebureaucraten die doodsbenauwd zijn om een fout te maken en geconfronteerd te worden met een administratief of strafrechtelijk onderzoek of een hoorzitting door het Congres en onze baantjes en pensioenen kwijt te raken, in plaats van te doen wat we zouden moeten doen: in actie komen en levens redden.

Dit klopt van geen kanten!

Pete O'Brien raakte het geweer naast hem aan. Hij was een volleerd FBI-scherpschutter, die zijn opleiding had genoten op de scherpschuttersopleiding van het Korps Mariniers, maar hij had nog nooit op een ander mens geschoten. Tijdens de opleiding had hij geleerd een doelwit te besluipen zonder ontdekt te worden, zo nodig dagen op de loer te liggen tot de kans zich voordeed om een schot te lossen, zich zodanig te camoufleren dat hij één werd met de modder, het moeras, de bomen en de struiken, wachtend op dat ene moment dat het doelwit tevoorschijn kwam, om vervolgens het schot te lossen, de schurk te doden en levens te redden. Het enige wat Pete O'Brien wilde, was een kans om datgene te doen waarvoor hij beter was opgeleid dan wie ook ter wereld.

Hij voelde iets kouds tegen zijn wang, koud als staal. Als de loop van een geweer.

03.30 uur

'Dat is haar,' zei de FBI-agent.

O'Brien keek naar de foto van Gracie die verlicht werd door Bens zaklantaarn. Ben richtte de lichtbundel op de plattegrond van het kamp die de agent bij zich droeg. De agent wees met beide handen, die door Ben met tape waren vastgebonden, de grootste blokhut aan.

'De laatste keer dat we haar zagen, verdween ze in die blokhut.'

'Wanneer was dat?'

'Zeventienhonderd uur, eergisteren. Ze probeerde te ontsnappen. Dat lukte haar niet.'

'Jullie hebben haar niet geholpen?'

De agent zuchtte. 'Nee.'

'Waarom niet?'

'Bevel van hogerhand. De allerhoogste instantie.'

'Hoeveel man?'

'Elf, allemaal op één oor. Twee van de mannen zijn gisteren met el-kaar slaags geraakt, een is er vertrokken en is niet meer teruggekomen. We weten niet wat er met hem gebeurd is.'

'Wij wel. Waarom is de FBI zo op die kerels gebrand dat jullie bereid zijn een meisje van tien op te offeren?'

De jonge agent schudde zijn hoofd. 'Ik weet het echt niet. Ik neem aan dat het vertrouwelijke informatie betreft. Maar in die grote blokhut ligt genoeg wapentuig opgeslagen om een oorlog mee te beginnen. En ze zien eruit als echte soldaten.' Hij schudde nogmaals zijn hoofd. 'Wat ze ook in hun schild voeren, het moet iets verdomd belangrijks zijn.'

Ben knipte de zaklantaarn uit.

'Jongen, niets ter wereld is belangrijker dan mijn kleindochter daar levend vandaan te krijgen.'

05.30 uur

'Eugene, ze leeft nog!'

'Wie?'

'Gracie! Ik heb gisteren acht keer je mobiele nummer gebeld.'

Jan Jorgenson had eindelijk Devereaux te pakken gekregen in zijn hotel in Des Moines, via de vaste telefoon.

'Een ogenblikje,' zei Eugene. Toen: 'Shit, de batterij van mijn mobiel-tje is leeg. We zijn tot 's avonds laat aan het werk geweest, en we hebben de dader te pakken gekregen. Goed, hoe zit dat nou precies met Gracie?'

'Ze leeft nog.'

'Begin bij het begin.'

'Oké. Nadat majoor Walker ontslagen was uit het leger…'

'Wacht even. Je hebt het onderzoek naar Walker voortgezet?'

'Eugene, ik had er geen goed gevoel over.'

'Geen probleem, Jan. Dat heb ik ook wel eens.'

'Hoe dan ook, hij heeft zich teruggetrokken op een berg in Idaho, is getrouwd en heeft een zoon gekregen. Hij bereidde een militaire coup voor. Twaalf jaar geleden hebben we een anonieme videoband binnengekregen. Door een mazzeltje konden we hem tien jaar geleden in Idaho arresteren. Allemaal strikt geheim.'

'Daarom heb ik er zeker nooit iets over gehoord.'

'Ongetwijfeld. Hoe dan ook, voordat het tot een proces kwam – o, tussen haakjes, Elizabeth Brice was een van de federale aanklagers in die zaak – namen zijn volgelingen iemand in gijzeling en dreigden haar in stukjes terug te sturen tenzij Walker vrijgelaten werd.'

'Laat me raden – die gijzelaar was Elizabeth Brice.'

'Ja. Dus McCoy liet Walker vrij, en Walker liet haar vrij.'

'En wat is er met Walker gebeurd?'

'Hij is gestorven in Mexico. Hartaanval. Waarschijnlijk geholpen door een paar CIA-kogels.'

'Waarschijnlijk. Waar het om gaat is dat hij dood is.'

'Alleen had hij een zoon, veertien jaar indertijd, dus die zou nu vierentwintig zijn. Blond haar, blauwe ogen. We hebben Walker gearresteerd toen hij de jongen naar het ziekenhuis bracht. Ze hebben daar zijn rechterwijsvinger moeten amputeren, spinnenbeet. Nadat Walker gearresteerd was, verdween de jongen. De dokter ging ervan uit dat hij ergens in de bergen gestorven is.'

'Aan een spinnenbeet?'

'Veldtrechterspin, lijkt op de vioolspin. Kan dodelijk zijn als de beet niet behandeld wordt.'

'Heb je hem door de computer gehaald?'

'Niets. Maar er is nog meer. Iedereen die betrokken was bij het proces tegen Walker – de rechter, drie vertegenwoordigers van justitie, onder wie je vriend James Kelly, en twee agenten – is dood. Iedereen, Eugene, behalve...'

'Elizabeth Brice en Larry McCoy.'

'Ja.'

'Jezus.'

'Er is nog meer.'

'Daar was ik al bang voor.'

'Degene die de ontvoerder heeft geïdentificeerd, Gracies voetbaltrainer, herinnerde zich iets over de ontvoerder wat hij niet gemeld heeft nadat Jennings zichzelf had opgehangen.'

'En dat is?'

'De ontvoerder miste zijn rechterwijsvinger.'

'Verdomme.'

'Er is nog meer. Degene die uit Idaho Falls belde, was er zeker van dat hij Gracie in een witte suv had gezien, samen met twee mannen, van wie er een een Viper-tatoeage had.'

'Wacht even. Ik heb een agent in Boise opdracht gegeven…'

'Dan Curry.'

'Ja, Curry. Hij heeft die tipgever opgezocht en hem de vergrotingen laten zien. Volgens zijn rapport kon de man noch Gracie, noch de mannen, noch de tatoeage identificeren.'

'Dat staat in zijn rapport, Eugene. Maar ik heb de tipgever gebeld. Curry is nooit bij hem langs geweest.'

Eugene zweeg even. 'Ik ruik lont.'

'Heb jij hier ook zo'n slecht gevoel over?'

'Nou en of. We heropenen officieel het onderzoek naar de ontvoering van Gracie Ann Brice – en als ze haar naar een andere staat hebben vervoerd, geeft dat ons federale jurisdictie. Het is nu mijn zaak. Ik zal Washington op de hoogte stellen, direct nadat ik Stan gebeld heb.'

'De directeur?'

'In hoogsteigen persoon. Verder nog iets?'

'Kolonel Brice en de vader hebben die mannen opgespoord in het noorden van Idaho, op een berg die bekendstaat als Red Ridge, in de buurt van Bonners Ferry. Het lijkt daar wel een soort vergaarbak van neonazi's en milities en meer van dergelijke malloten. Het ligt vlak bij Ruby Ridge.'

'O, dat is helemaal fraai. Twee vragen, Jan: ten eerste, als Walker iedereen vermoordt die volgens hem verantwoordelijk is voor de dood van zijn vader, heeft hij het dan ook op de president gemunt?'

'Agent Curry heeft vast niet op eigen houtje bewijsmateriaal achtergehouden in een ontvoeringszaak.'

'Mee eens.'

'Eugene, als ze het op McCoy gemunt hebben en wij zijn daarvan op de hoogte, dan zouden we die berg dag en nacht in de gaten houden, nietwaar?'

'Absoluut.'

'Samen met het HRT?'

'Ja.'
'Wat is de tweede vraag?' vroeg Jan.
'Waarom hebben ze Gracie ontvoerd?'

DAG TIEN

06.00 uur

Vier jaar voordat hij president van de Verenigde Staten van Amerika zal worden, zit FBI-directeur Laurence McCoy in de eetzaal van de Senaat te ontbijten met de leider van de Republikeinse meerderheid en probeert hij de senator ervan te overtuigen dat het budget van de FBI verhoogd moet worden ondanks het fiasco op Ruby Ridge, waar een FBI-scherpschutter die vrouw doodgeschoten heeft. Een assistent haast zich naar hem toe en fluistert hem iets in het oor. McCoy excuseert zich. Er is sprake van een noodsituatie.

Directeur McCoy wordt op de hoogte gebracht terwijl hij het Capitool verlaat. Elizabeth Austin, een officier van justitie die deel uitmaakt van het team van aanklagers dat het proces tegen majoor Charles Woodrow Walker voorbereidt, is ontvoerd toen ze gisteravond thuiskwam. In een handgeschreven briefje staat dat ze in stukjes teruggestuurd zal worden, tenzij de majoor vrijgelaten wordt uit de extra beveiligde gevangenis in Leavenworth in Kansas. Ze krijgen vierentwintig uur de tijd. Het Hostage Rescue Team is gemobiliseerd.

Ontvoeringen van federale rechters en openbare aanklagers door drugsbaronnen en terroristen zijn aan de orde van de dag in Colombia, Mexico en andere derdewereldlanden. Maar niet in de Verenigde Staten van Amerika. Dat kunnen we hier niet hebben; als we dat laten gebeuren en de regering gaat in op de eisen van de ontvoerders, zal dat het einde betekenen van de Amerikaanse rechtsorde. En als het gebeurt tijdens de ambtsperiode van de huidige FBI-directeur, zal dat ongetwijfeld tevens het einde betekenen van zijn droom om het Witte Huis te betrekken.

'Ik peins er niet over!'

Directeur McCoy is terug op zijn kantoor in het FBI-hoofdkwartier, in het gezelschap van de onderdirecteur, de leider van de Critical Incident Response Group en de leider van het Hostage Rescue Team.

'Laat Walker vrij,' zegt HRT-leider Tom Buchanan. 'We verbergen een zendertje in zijn schoen, we volgen hem tot hij de gijzelaar vrijlaat en dan schieten mijn scherpschutters hem dood.'

'Zoals ze die moeder op Ruby Ridge hebben doodgeschoten? Shit, Tom, we zijn verwikkeld in twee onderzoeken door het Congres en een federale rechtszaak dankzij die verdomde scherpschutters van jou! En ik heb net van de meerderheidsleider in de Senaat te horen gekregen dat we een verhoging van het budget wel kunnen vergeten!'

Larry McCoy draait zich om en staart uit het raam. In de verte kan hij het Witte Huis zien, geografisch gezien een paar straten verderop, maar politiek gesproken binnen handbereik. En het besluit dat hij nu neemt, zal bepalen of Laurence McCoy ooit dat huis zal bewonen. Hij draait zich weer om.

'Walker blijft waar hij is.'

Larry McCoy laat het afsluitbare plastic zakje dat gebruikt wordt voor het bewaren van bewijsmateriaal vallen.

Hij had niet gedacht dat ze het werkelijk zouden doen. Als de pers er lucht van krijgt dat een federale aanklager – een jonge vrouw nog wel – in gijzeling wordt gehouden door voormalige Groene Baretten en dat ze stukje bij beetje in plastic zakjes naar Washington wordt opgestuurd, is zijn politieke carrière voorbij. Anderzijds, als hij Walker vrijlaat en die vermoordt andere onschuldige burgers, is zijn politieke carrière ook voorbij. De klassieke *lose-lose*-situatie in Washington.

'Ze hebben gewoon een buigtang gebruikt,' zegt de onderdirecteur.

McCoy kijkt naar het plastic zakje, dat twee kiezen van Elizabeth Austin bevat.

Frank Kane van het Hostage Rescue Team zit in zijn auto die met draaiende motor voor de extra beveiligde gevangenis in Leavenworth, Kansas staat. Voor het eerst in zijn tienjarige carrière bij de FBI is hij ongewapend. Hij zal de gevangene naar de plek rijden waar hij wordt vrijgelaten. Er zijn zendertjes aangebracht in Kanes schoen, in de auto en in de schoen van de gevangene. Op datzelfde moment vliegt de C-130 van het HRT, met aan boord een stuk of tien agenten en genoeg wapentuig om een klein land te veroveren, op een hoogte van twintigduizend voet; ze zullen de gevangene volgen met behulp van de zendertjes, ze landen desnoods op een snelweg als het niet anders kan, en ze gaan majoor Charles Woodrow Walker en zijn kornuiten doden.

Dat wil zeggen, nadat ze Elizabeth Austin hebben vrijgelaten.

'Stoppen,' zegt de majoor.

Vanaf Leavenworth hebben ze op aanwijzingen van de majoor zo'n vijfenveertig kilometer in westelijke richting afgelegd via allerlei binnenweggetjes. Kane draait de parkeerruimte naast een verlaten groentestalletje langs de kant van de weg op. Er staat een nieuw model zwarte Suburban voor het stalletje geparkeerd; een jonge Latijns-Amerikaanse man zit op de motorkap. Ze gaan van auto wisselen.

Kane stapt uit zonder zich zorgen te maken over het achterlaten van zijn auto met de daarin aangebrachte zendertjes. Ze hadden deze zet van de majoor voorzien; de zendertjes in hun schoenen zullen het HRT-team daar boven leiden.

Ze lopen naar de Suburban.

'Sleuteltjes,' zegt de majoor met uitgestoken hand. Kane geeft de majoor de autosleuteltjes. De majoor zegt iets in het Spaans tegen de jongeman en overhandigt hem de sleuteltjes. De jongeman springt van de motorkap, loopt naar Kanes auto, stapt in en rijdt terug naar Leavenworth.

'Rijden,' zegt de majoor. Kane knikt, doet het portier aan de bestuurderskant open en stapt op de treeplank. 'Naakt.'

Kane verstijft. 'Wat?'

De majoor trekt zijn overhemd uit en laat het op de grond vallen.

'Trek je kleren uit.'

'Wilt u dat ik naakt ga rijden?'

'Ik ben er vrij zeker van dat jullie geen zendertje in mijn reet hebben verstopt, maar verder kan ik er niet zeker van zijn waar jullie ze wél verstopt hebben. Maak je geen zorgen – deze wagen heeft een prima verwarming.'

Kanes gezicht verraadt zijn gedachten. De majoor grinnikt.

'Hoe denk je dat we in Noord-Vietnam piloten opspoorden?'

Deze zet hadden ze niet voorzien. Kane probeert een uitweg te bedenken, maar er wil hem niets te binnen schieten. Hij ritst zijn jack open.

Frank Kane lacht. Niet om het feit dat twee volwassen mannen op een zondagochtend in februari naakt over het platteland van Kansas rijden, maar om de seks- en oorlogsverhalen uit Vietnam van de majoor.

'Drie Vietnamese vrouwen tegelijk?'

De majoor haalt zijn schouders op. 'Als je mans genoeg was.'

Een uur later merkt Frank Kane dat hij majoor Charles Woodrow Walker met elke kilometer méér begint te bewonderen. De majoor is een fantastische kerel. Waardoor zou deze man zich tegen zijn eigen land hebben gekeerd? De majoor leest zijn gedachten.

'Verraad. Daar heb jij ook wel enige ervaring mee, nietwaar, Frank?'

'Hoe bedoelt u?'

'Ruby Ridge. Jij was daar ook bij, je deed je plicht, je verdedigde je land tegen alle binnen- en buitenlandse vijanden. Maar de zaak liep verkeerd af en nou ben jij de zondebok.'

'Hoe weet u dat? Onze namen zijn nooit vrijgegeven.'

De majoor glimlacht. 'Frank, ik heb mijn mensen in elk onderdeel van de krijgsmacht, officieren in actieve dienst die op mijn bevel wachten, gereed om de orde in Amerika te herstellen. En ik heb ook mensen bij de FBI. Hoeveel agenten van het Hostage Rescue Team zijn ex-militair?'

'De meesten.'

De majoor knikt. 'Ik wist al dat jij mijn escorte zou zijn voordat je het zelf wist.'

'Beraamt u een coup?'

'Ik zou het liever een verandering van regime noemen. Jij bent een prima kerel, Frank. Er was lef nodig voor deze missie om de gijzelaar te redden. In mijn kabinet is er altijd plaats voor een prima kerel als jij.'

Die gedachte staat Frank wel aan. Hij is een van de zondebokken voor het drama van Ruby Ridge. Er zullen koppen rollen. En een van die koppen zou wel eens de zijne kunnen zijn. Waarom zou hij niet van team veranderen voordat hij afgedankt wordt, als een beroepsvoetballer die een beter contract kan krijgen bij een andere club? Waarom zou hij zich druk maken over loyaliteit ten opzichte van zijn land als zijn land geen enkele loyaliteit ten opzichte van hem toont?

Frank Kane zucht. Hij voelt zich wel degelijk loyaal. Zijn antwoord zal hem waarschijnlijk het leven kosten, maar hij zegt: 'Nee, dank u, majoor.'

Ze bevinden zich ergens in de binnenlanden van Kansas.

'Stoppen,' zegt de majoor.

Kane zet de auto in de berm en draait het contactsleuteltje om. Ze zijn bij een kruising van twee binnenwegen. Hij kan in elke richting kilometers ver kijken en het enige wat hij ziet zijn met sneeuw bedekte velden. De majoor haalt de sleuteltjes uit het contact.

'Uitstappen,' zegt de majoor.

Kane doet het portier open en stapt de kou in. Hij loopt om de wagen heen en gaat naast de majoor staan, twee naakte mannen in Kansas.

'Wat nu?' vraagt Kane.

'Daar komt mijn helikopter.'

Hij tuurt in de verte. Kane volgt zijn blik en ziet een zwarte stip die snel groter wordt. Binnen een minuut herkent hij een Apache-gevechtshelikopter die laag boven de grond vliegt.

'Zo blijft hij onzichtbaar voor de radar,' zegt de majoor.

De helikopter landt in een warreling van stof en sneeuw die door de rotorbladen wordt opgeworpen. Kane merkt op dat de piloot een militair uniform draagt. En dat de raketten van de helikopter op de Suburban zijn gericht.

'Ik zou maar niet te dicht bij de wagen blijven staan,' zegt de majoor.

'Waar is Austin?' vraagt Kane.

'We laten haar vrij.'

'Wanneer?'

'Gauw.'

'Hoe weet ik dat?'

'Je hebt mijn woord, Frank.'

De majoor stapt op het onderstel van de helikopter. Hij steekt zijn arm naar binnen en gooit een groene deken naar Frank. Dan salueert hij naar hem, als de president die naar zijn bemanning salueert op het gazon van het Witte Huis, voordat hij aan boord gaat van de presidentiële helikopter. Hij stijgt op van de grond als een god.

Terwijl Frank Kane het beeld probeert te bevatten van een naakte majoor Charles Woodrow Walker die hemelwaarts getild wordt door een Apache-gevechtshelikopter ergens midden in Kansas, vuurt de helikopter een raket af die de Suburban aan gruzelementen blaast.

Elizabeth Austin zit opgesloten in een kamertje in wat een kleine blokhut lijkt te zijn. Door het raampje kan ze het zand en de cactussen van een woestijn zien. Ze is ergens in het zuidwesten, in de buurt van Mexico, of misschien wel ín Mexico.

Het laatste wat ze zich herinnert is dat ze haar huis binnenging. Toen ze wakker werd, lag ze op het bed in dit kamertje en had ze pijn. Er zijn twee van haar kiezen getrokken. Ze spuugt bloed uit en beweegt haar kaak om de kloppende pijn te verlichten, als de deur opengaat en majoor Charles Woodrow Walker binnenkomt. Hij doet de deur achter zich dicht en draait hem op slot. Ze denkt: *Hij sluit mij niet op; hij sluit de anderen buiten.*

'Het spijt me van de kiezen,' zegt de majoor. 'McCoy was niet voor rede vatbaar.' Hij schudt zijn hoofd. 'Een politicus, hè?'

Zoals hij daar staat, gekleed in een zwart overhemd met lange mouwen, een spijkerbroek en laarzen, met zijn borstelige blonde haar en zijn gladgeschoren gezicht, met de kaarsrechte houding van een soldaat, lijkt Walker de belichaming van de man die hij ooit was, de uitverkorene op West Point, de charismatische leider, de legende van de Groene Baretten; maar niet de man die hij nu is, de gevaarlijkste man van Amerika.

Hij staart haar aan, en ze ziet het kwaad in zijn ogen verschijnen. Hij neemt haar van kop tot teen op – ze draagt nog steeds dezelfde blouse en de rok van haar mantelpakje – alsof hij probeert tot een besluit te komen. Hij komt tot een besluit.

'Kleed je uit.'

'Val dood.'

Hij stapt op haar af, pakt haar blouse beet en rukt die van haar lijf. Ze slaat hem met haar vuist in het gezicht; hij doet geen moeite om de klap af te weren. Hij vertrekt geen spier.

'Je kunt het jezelf beter gemakkelijk maken,' zegt hij. 'Ik krijg uiteindelijk toch mijn zin.'

Hij rukt haar beha los en ze staat met ontbloot bovenlichaam voor hem. Ze krimpt niet ineen en ze begint ook niet te huilen. Dat vertikt ze gewoon. Hij kijkt naar haar mooie figuur en begint sneller te ademen; zijn blauwe ogen worden donker. Hij komt dichterbij; ze geeft hem een knietje in zijn kruis. Hij slaat haar met de rug van zijn hand in het gezicht en duwt haar op het bed. Haar gezicht en kaak branden van pijn; haar ogen vullen zich met tranen. Hij pakt haar rok beet en rukt die samen met haar slipje van haar lijf. Zijn ogen zijn opengesperd en hij hijgt als een wild dier. Hij maakt zijn riem los; zijn broek valt op de vloer. Ze kijkt niet naar hem; dat is niet nodig. Hij draait haar op haar buik en trekt dan haar heupen omhoog. Ze knijpt haar ogen dicht, klemt haar kaken op elkaar en kreunt als hij met geweld bij haar binnendringt. Ze is opgelucht dat het niet lang duurt.

Maar het zal niet de laatste keer zijn.

Elke keer gaat het er ruw aan toe. Hij neemt haar altijd achterlangs, alsof hij haar gezicht niet wil zien als hij haar verkracht, of niet wil dat ze zijn gezicht ziet. Hij kleedt zich nooit uit; hij laat alleen zijn broek zakken. Hij probeert nooit om haar in zijn armen te nemen of haar te strelen. Hij neukt haar alleen maar. Als een dier, een wild beest. Als hij met haar klaar is, vertrekt hij snel en zonder iets te zeggen, bijna alsof hij zich schaamt voor wat hij gedaan heeft. Maar hij doet het opnieuw. En opnieuw. En opnieuw. Elke keer verzet ze zich, maar tevergeefs. Er valt tegen hem niet te vechten. Hij is als een natuurkracht. Haar wil verzwakt. De majoor beheerst nu haar leven. Zijn kwaad is overweldigend.

Na de tiende keer zegt ze: 'Ik hou van je.'

Twee weken later nemen de majoor en zijn mannen haar mee over de Mexicaanse grens. Ze reizen naar San Jose del Cabo. Hij zegt dat ze daar voor altijd samen zullen zijn.

'Hij moet dood! Hij moet dood en snel ook, als we verdomme geen tweede Colombia willen worden!'

FBI-directeur Laurence McCoy heeft Walker vrijgelaten, maar Walker is zijn belofte om Elizabeth Austin te laten gaan niet nagekomen. Twee weken en nog steeds geen Austin. Majoor Charles Woodrow Walker moet sterven. McCoys droom van het Witte Huis hangt ervan af.

Maar McCoy weet niet waar Walker is of wie hij kan vertrouwen. Walker heeft laten doorschemeren dat hij mensen bij de FBI had. Dus voor deze opdracht doet McCoy geen beroep op de FBI. Hij zegt tegen de directeur van de Central Intelligence Agency van de Verenigde Staten van Amerika: 'Spoor die klootzak op en maak hem af!'

De jonge Amerikaanse vrouw zit bij de openluchtkoffiebar met kleine slokjes van haar koffie te drinken, zo sereen en mooi met haar dunne witte jurk en witte zonnehoed en donkere zonnebril. Misschien is ze wel filmster. Ja, besluit Juan, ze is filmster. Al heel wat filmsterren hebben koffie gedronken in zijn zaak in Baja California, maar zij is ongetwijfeld de mooiste van allemaal.

Juan brengt haar een vers kopje van zijn beste koffie. Ze ziet er stralend uit. Hij kan er slechts van dromen zo'n mooie vrouw als zij te hebben. Hij zucht. Hij zal zich er tevreden mee moeten stellen dat hij haar de afgelopen weken in zijn zaak heeft gehad. Ze is vandaag alleen, de grote blonde Amerikaan is nergens te zien. Net zomin als hun lijfwachten. Juan zou dolgraag een praatje met haar willen maken, maar hij kan zich er niet toe brengen. Hij zet het kopje koffie voor haar neer.

'*Gracias*,' zegt ze, en dan valt ze flauw.

Dr. Jorge Hernandez behaalde zijn medische graad aan de universiteit van Guadalajara in 1965, toen abortus nog illegaal was in de Verenigde Staten. Van 1965 tot 1973 specialiseerde Jorge zich in abortussen voor Amerikaanse vrouwen. Hij opende abortusklinieken in grensplaatsen van Matamoras tot aan Tijuana. Versoepelde abortuswetgeving in de Verenigde Staten maakte een einde aan zijn praktijk.

Hij sloot zijn klinieken en verhuisde naar San Jose del Cabo om er te gaan vissen. De laatste keer dat hij een Amerikaanse heeft geaborteerd, is meer dan dertig jaar geleden. Toch moet dat de reden zijn waarom deze Amerikaanse vrouw hier is. Jorge ziet geen trouwring. Hij geeft klopjes op haar hand als ze haar ogen opendoet.

'Waar ben ik?'

'In het ziekenhuis,' zegt Jorge. 'Bent u hier voor een abortus?'

'Wat? Nee!'

'Maar u bent zwanger, weet u dat?'

Aan de uitdrukking op haar gezicht ziet Jorge dat dat niet het geval is. Ze zegt: 'Ik moet bellen.'

Majoor Charles Woodrow Walker parkeert de Jeep bij het afgelegen strandhuis buiten San Jose del Cabo. Hij gaat het huis binnen. Hij is twee dagen weg geweest; hij is naar de grens gereisd, waar hij constateerde dat zijn portret nog steeds op de voorpagina van elke krant in de VS stond. En dus heeft hij zijn mannen naar het noorden gestuurd. Hij blijft nog een maand in Mexico, daarna voegt hij zich bij zijn mannen in Idaho. En dan zullen ze oorlog voeren tegen Amerika.

Tot het zover is, zal hij genieten van de seks met Elizabeth.

Charles Woodrow Walker was in de wieg gelegd voor oorlog en seks. Hij bezat de mentale hardheid om te doden en de fysieke middelen voor seks, een combinatie die hem een grote macht over beide geslachten verschafte. Mannen wilden voor hem sterven en vrouwen wilden met hun benen wijd voor hem. Hij was de seks of het doden nooit beu geraakt. En er zou van allebei nog veel meer in het vat zitten voor Charles Woodrow Walker.

Voor hij vertrekt, zal hij Elizabeth doden. Ze houdt van hem, net zoals al zijn vrouwen uiteindelijk van hem hielden, maar ze vormt een veiligheidsrisico. Vrouwen vormen altijd een veiligheidsrisico. Charles Woodrow Walker houdt van vrouwen en hij houdt van seks, maar hij heeft nog nooit van een vrouw gehouden.

'Elizabeth!'

Geen antwoord. Hij loopt het huis door naar de veranda aan de achterkant. Hij speurt het strand af. Het is leeg, afgezien van een vrouw aan de waterkant. Hij loopt naar het strand.

Elizabeth voelt zijn aanwezigheid en draait zich om.

De majoor loopt op haar af. Ze ziet aan zijn gezicht wat hij van plan is. Hij glimlacht, maar dan blijft hij plotseling staan en houdt zijn hoofd schuin, alsof hij in de verte iets hoort. En dan zijn ze er. Drie zwarte helikopters verschijnen boven de bomen en omsingelen de majoor, vlak boven het strand; drie scherpschuttersgeweren zijn op majoor Charles Woodrow Walker gericht. Hij kijkt naar elk van de helikopters en dan weer naar Elizabeth.

'Je hebt me verraden.'

'Jij hebt me verkracht.'

Ze had FBI-directeur McCoy gebeld vanuit haar ziekenhuisbed en een val gezet voor majoor Charles Woodrow Walker. Ze had McCoy verteld waar ze was en waar de majoor zou zijn. 'Ik sta bij je in het krijt,

Elizabeth,' had McCoy gezegd. 'Je hebt me zojuist president gemaakt.'

'Je zei dat je van me hield,' zegt de majoor.

'Dat was een leugen.'

'Nee, dat was geen leugen. Je bent van mij, Elizabeth. Je zult altijd aan mij toebehoren – je geest, je ziel, je leven. Je zult nooit van me af zijn. En op een dag kom ik naar je toe. Maar ik zal je niet doden. Ik zal je nog meer pijn doen. Ik zal datgene van je afpakken waar je het allermeest van houdt. Dat garandeer ik je.'

Hij kijkt weer naar de helikopters en haalt minachtend zijn schouders op. 'Ze kunnen me weer arresteren, maar ze kunnen me niet vasthouden. Ik zal je weten te vinden, Elizabeth. Op een dag ben ik er weer.'

Hij grijnst en het is Satans grijns. Maar die grijns verdwijnt van zijn gezicht als ze zegt: 'Ze zijn hier niet om je te arresteren.'

Ze draait zich om en dan klinken er drie schoten.

Elizabeth Austin loopt weg zonder om te kijken, maar ze weet dat haar leven voorgoed veranderd is. Het kwaad heeft haar in bezit genomen. Het kwaad heeft haar overweldigd en verkracht en zijn zaad in haar geplant. Dat kwaad is nu dood. Maar moet het kind dat ze draagt eveneens sterven?

Sinds dr. Hernandez haar heeft verteld dat ze zwanger is, heeft ze elke dag overwogen het leven binnen in haar te beëindigen. Ze heeft ook overwogen om zichzelf het leven te benemen – maar eerst moest ze Walker doden. Nu is hij dood en is er niets dat haar ervan weerhoudt zichzelf en het kind dat ze draagt te doden. Ze verlangt wanhopig naar de dood.

Maar ze kan het leven dat in haar groeit niet beëindigen. Ze kan het kind niet doden. Het kind verdient het te leven, en dus moet Elizabeth blijven leven om het kind het leven te schenken. Het kind is het enige wat tussen haar en zelfmoord in staat. Het kind is haar redding.

Ze hoort nu de kreten van het kind. Ze gaan over in klaaglijk gejammer. Dan wordt het stil. Het kind bevindt zich weer in het donker, net als toen ze nog in Elizabeth zat. Maar nu kan ze het leven van het kind niet redden en het kind kan Elizabeth' leven niet redden. Slechts één man kan hen beiden redden.

Ze hoort een stem, de vertrouwde stem van het kwaad: 'Ik heb datgene van je afgepakt waar je het allermeest van houdt, zoals ik heb gezworen. Nu zal ik haar bezitten zoals ik jou bezeten heb.'

Elizabeth schrok wakker, ging rechtop in bed zitten en schreeuwde: 'Nee!'

Ben opende zijn ogen en keek om zich heen. Hij dacht dat hij iemand had horen schreeuwen.

Hij keek op zijn horloge: 04.00. Hij stond op, liep naar John, die in zijn warme slaapzak lag en hurkte naast zijn zoon neer. Hij herinnerde zich die late avonden na de oorlog, wanneer hij op de rand van Johns bed naar zijn slapende zoon had zitten kijken en had geluisterd naar zijn ademhaling en zich gerealiseerd had hoeveel hij van hem hield, maar tegelijkertijd besefte dat hij gefaald had als vader. Johns leven had hem over een ander pad gevoerd, een pad waarvan Ben had gedacht dat het nooit meer het zijne zou kruisen. Maar hun paden waren nu weer samengekomen.

Ben legde zijn hand over de mond van zijn zoon om te voorkomen dat hij zou schreeuwen. John schrok wakker; hij besefte dat het Ben was en ontspande zich.

'Het is tijd,' fluisterde Ben.

FBI-agent O'Brien lag met geboeide handen te slapen.

06.15 uur Central Time, Des Moines

'Wat bedoel je verdomme, dat je alles al weet?' schreeuwde FBI-agent Eugene Devereaux in de telefoon.

FBI-agenten, zelfs veteranen als hijzelf, werden niet verondersteld te vloeken tegen de directeur van het Federal Bureau of Investigation, zelfs niet als dat zo'n politieke draaikont was als Stanley White – de directeur had altijd één vinger in de lucht om te bepalen uit welke politieke hoek de wind waaide en een andere vinger in zijn reet. Maar Devereaux had geen boodschap aan protocol; niet nadat hij bijna een uur lang had geprobeerd de directeur te pakken te krijgen – hij zat op Chicago Midway Airport aan boord van het straalvliegtuig van de FBI, op het punt om terug te vliegen naar Washington – om hem alles te vertellen wat agent Jorgenson te weten was gekomen. En nu vertelde de directeur hem dat hij het allemaal al wist.

'We weten dat het meisje daar is,' zei de directeur. 'Het HRT houdt die plek al drie maanden onder observatie. We hebben dag en nacht mensen op die berg.'

'Ze hebben het op McCoy voorzien.'

'Ja. We denken dat ze een plan beramen om de president te vermoorden. Larry is degene die opdracht heeft gegeven om majoor Walker te doden.'

'Val het kamp dan binnen en arresteer ze! En haal Gracie daarvandaan!'

'Dat kan niet! Het enige waar we ze nu op kunnen pakken is verboden wapenbezit. We hebben meer bewijsmateriaal nodig.'

'Wat dacht je van Gracie? Ze hebben haar ontvoerd en staatsgrenzen met haar overschreden – dat is een federale misdaad! Zij is bewijsmateriaal! Stan, ze is de dochter van Elizabeth Austin.'

'Austin? Het meisje heet Brice.'

'De meisjesnaam van de moeder was Austin toen ze voor justitie werkte. Zij was een van de aanklagers in het proces tegen Walker. Zij was indertijd de gijzelaar.'

'Jezus, dat wist ik niet.'

'Ja.'

'Hoor eens, Eugene, we moeten iedereen die betrokken is bij deze samenzwering identificeren en lokaliseren voordat we in actie komen. Ze kunnen wel handlangers buiten het kamp hebben. Ik ben niet van plan een president te laten vermoorden tijdens mijn ambtsperiode!'

'Dus je offert haar op?'

'Het leven van de president is belangrijker dan dat van haar.'

'Je kunt de president beschermen!'

'Niet tegen deze lui, Eugene. Het zijn getrainde moordenaars, de allerbeste. Die gasten zijn Noord-Vietnam binnengedrongen om generaals te vermoorden – ze kunnen iedereen vermoorden die ze maar willen!'

'Dat kan kolonel Brice ook.'

'Wie?'

'Kolonel Ben Brice, Gracies grootvader. Groene Baret. Hij is degene die die piloten uit het krijgsgevangenenkamp van San Bie heeft bevrijd.'

'Dat kan ik me nog herinneren. Daar heeft hij de Medal of Honor voor gekregen.'

'Hij was een van hen, Stan. Hij maakte deel uit van Walkers eenheid. Hij heeft voor de krijgsraad tegen Walker getuigd.'

'Je meent het!'

'Ja, en hij is achter Gracie aan gegaan, naar Idaho, naar aanleiding van een of ander flauwekultelefoontje van iemand die haar gezien meende te hebben. Althans, ik dacht dat het flauwekul was, omdat agent Curry rapporteerde dat de tipgever de mannen of Gracie niet herkende van de foto's. Stan, heb je een FBI-agent een vals rapport laten indienen over een positieve identificatie in een geval van kinderontvoering? Dat is belemmering van de rechtsgang!'

'Niet als het een zaak betreft waarbij de nationale veiligheid in het geding is. Eugene, we konden de operatie niet in gevaar brengen.'

'Nou, Stan, ik heb zo'n idee dat de operatie niet alleen op het punt staat in gevaar te worden gebracht, maar dat hij ieder moment de lucht in kan vliegen.'

'Hoe bedoel je?'

'Ik bedoel dat kolonel Brice jullie mannetjes op dit moment op het spoor is.'

Stan lachte. 'Vergeet het maar. Hij vindt hun kamp nooit. Dat heeft ons bijna vier jaar gekost.'

'Bonners Ferry. Op een berg die bekendstaat als Red Ridge.'

Nu lachte hij niet meer. 'Wa... hoe wist jij dat?'

'Ik wist het niet. Kolonel Brice wist het. Daar is hij momenteel.'

'Jezus, als hij nu in actie komt, laat hij de hele operatie in het honderd lopen – en zelf gaat hij er ook nog eens aan!'

'Stan, daar zou ik niet zo zeker van zijn.'

04.37 uur Pacific Time, Bonners Ferry

Ben had de ontsteking verwijderd uit de explosieven die om het kamp heen waren aangebracht en had die vervolgens vervangen door zijn eigen afstandsontsteking met gebruikmaking van de accu; hij had de draad doorgetrokken naar hun positie achter een steenrichel waar John veilig zou zijn. Hij had de draad ook kunnen doortrekken naar zijn vuurpositie en de explosieven zelf tot ontploffing kunnen brengen, maar op deze manier zou John iets omhanden hebben wat hem uit de vuurlinie hield. Als John de knop indrukte, zou een elektrische lading de explosieven tot ontploffing brengen. Met de hoeveelheid explosieven die deze soldaten hadden aangebracht, zou de halve berg opgeblazen worden.

Maar dat was Plan B.

07.00 uur Central Time, Dallas

FBI-agent Jan Jorgenson wilde naar Idaho vliegen, maar Devereaux had gezegd dat ze in Dallas moest blijven tot hij en directeur White in Bonners Ferry arriveerden. Hij wilde dat ze mevrouw Brice op de hoogte zou stellen van eventuele ontwikkelingen voordat de pers dat deed. En dus zat ze op haar kantoor en vroeg zich af: waarom hebben ze Gracie ontvoerd? Haar blik bleef even rusten op elk afzonderlijk steekwoord op het whiteboard: GARY JENNINGS ... JOHN BRICE ... ELIZABETH BRICE ... KOL. BEN BRICE ... DNA. Ze realiseerde zich dat ze de DNA-resultaten van het bloed in de pick-up of op het shirt van John Brice of van de familie nog nooit bekeken had. Ze sloeg het dossier open bij de DNA-resultaten en liet haar ogen over de betreffende pagina glijden. En verstijfde.

'O, god. Daarom hebben ze haar ontvoerd.'

Ze keek op haar horloge: zeven uur in Dallas, vijf uur in Bonners Ferry. Jan pakte haar telefoon en begon een nummer in te toetsen.

De FBI-Academie bevindt zich op een marinebasis in Quantico, Virginia, op een terrein van zo'n twee vierkante kilometer waarop ook andere FBI-eenheden gevestigd zijn, waaronder het Hostage Rescue Team. Doordat ze in elkaars onmiddellijke nabijheid verkeerden, leerden studenten aan de Academie de HRT-agenten kennen. De meesten waren machofiguren die graag stoere praat uitsloegen. Maar dat gold niet voor Pete O'Brien.

Pete was een goeie kerel. Hij was betrokken. Jan en Pete waren drie keer met elkaar uit geweest tijdens haar dertien weken durende opleiding op de Academie. Pete had zijn eigen opleiding tot HRT-scherpschutter gevolgd, dus hij had net zo weinig vrije tijd gehad als zij. Toen was ze geslaagd en naar Dallas overgeplaatst; Pete was naar Spanje gevlogen op een HRT-missie om een internationale voortvluchtige te arresteren – hem te ontvoeren, feitelijk, aangezien een FBI-agent in Spanje ongeveer net zoveel wettelijk gezag had als degene die na een stierengevecht de rotzooi opruimde.

De laatste keer dat ze elkaar gesproken hadden was drie maanden geleden, vlak voordat Pete werd ingezet voor een langdurige missie die zo geheim was dat hij haar niet kon vertellen waar hij heen ging. Jan had iedereen gebeld die ze bij het HRT kende en was uiteindelijk terechtgekomen bij Ray, HRT-agent en Petes kameraad. Hun eerste afspraakje destijds was een *double date* geweest met Ray en een andere vrouwelijke agent in opleiding. Jans hart had een ogenblik stilgestaan toen Ray zei dat Pete in Idaho zat. Nadat ze hem had bezworen dat het een noodgeval betrof, had Ray haar het nummer van Petes satelliettelefoon gegeven.

FBI-agent Jan Jorgenson was niet van plan Gracie te laten opofferen.

05.09 uur Pacific Time, Bonners Ferry

Een laag doordringend gezoem onderbrak Bens gedachten.

'Mijn satelliettelefoon,' zei agent O'Brien. 'In mijn tas. Het is mijn teamleider. Als ik niet opneem, komen ze kijken wat er aan de hand is.'

Ben knikte. Hij haalde de telefoon uit O'Briens tas en stak hem het toestel toe. O'Brien gebruikte beide handen om het toestel naar zijn oor te brengen en zei: 'O'Brien.'

'Pete?' zei Jan Jorgenson.
    'Met wie spreek ik?'
    'Jan.'
    'Jan, hoe ben je aan dit nummer gekomen?'
    'Via Ray.'
    'Waarom?'
    'Ben je in Bonners Ferry?'
    'Ja.'

'Op een berg die Red Ridge heet?'

'Ja.'

'Pete, dit is belangrijk. Een ex-landmachtkolonel genaamd Ben Rice en zijn zoon…'

'Zitten hier naast me.'

'Meen je dat nou?'

'Ja. Ik, eh, sta momenteel min of meer onder bevel van de kolonel, als je begrijpt wat ik bedoel.'

'Ik denk het wel. Geef me kolonel Brice even.'

Het bleef even stil. Toen: 'Brice.'

'Kolonel, u spreekt met agent Jorgenson van de FBI.'

'Ik herinner me u.'

'Gracie leeft nog.'

'Dat weet ik.'

'Ze is ergens op die berg.'

'Dat weet ik ook.'

'De ontvoerder is Charles Woodrow Walker. *Junior*, de zoon van de majoor.'

De kolonel zweeg.

'Kolonel?'

'Dat wist ik niet. Dus de zoon neemt wraak voor zijn vader?'

'Jawel, kolonel, maar het heeft niets met de oorlog te maken. Ze smeden plannen om president McCoy te vermoorden. Toen McCoy tien jaar geleden directeur van de FBI was, werd Walker gearresteerd. Zijn mannen hebben toen een federale aanklager in gijzeling genomen. McCoy liet Walker vrij in ruil voor haar.'

'Elizabeth.'

'Inderdaad, kolonel. Vervolgens gaf McCoy opdracht om Walker uit de weg te ruimen. We kregen hem te pakken in Mexico. Nu wil de zoon de president vermoorden.'

'Maar waarom hebben ze Gracie ontvoerd?'

Ruis op de lijn.

'Kolonel, de satellietverbinding valt langzaam weg, dus luistert u goed, dit is belangrijk. De directeur van de FBI is momenteel per vliegtuig onderweg naar Bonners Ferry. Over een paar uur krioelt het op die berg van de FBI-agenten. Hij zal Gracie opofferen om die kerels te pakken te krijgen.'

'Daar krijgt hij de kans niet voor.'

Nog meer ruis.

'Kolonel?'

'Ik ben er nog.'

'O'Brien is een goeie vent en een eersteklas scherpschutter. Laat hem u helpen.'

'Waarom hebben ze Gracie ontvoerd?'

'Kolonel, nog één ding: neem geen gevangenen. Dood die mannen, allemaal, en brand alles plat.'

'Waarom?'

'Doet u het nou maar gewoon. Voor Gracie.'

De satellietverbinding viel weg.

Ben stopte de telefoon weer in de tas van agent O'Brien.

'Bent u kolonel bij de landmacht geweest?' vroeg O'Brien.

Ben knikte.

'Wat had Jan te melden?'

'Ze beramen een aanslag op de president.'

'Ik wist dat het iets belangrijks moest zijn.'

'En dat jouw directeur Gracie zou opofferen om hen te pakken te krijgen.'

'Jezus.' O'Brien schudde zijn hoofd. 'Kolonel, laat me u helpen. Ik kan met een vuurwapen omgaan.'

'Dat heb ik gehoord.' Ben keek O'Brien recht in de ogen en zag daarin hetzelfde als wat anderen ooit in de ogen van Ben Brice hadden gezien. 'Je zou daarmee ingaan tegen je orders.'

'Kolonel, ik ben bij de FBI gegaan om mensen als Gracie te redden.'

Ben haalde zijn mes tevoorschijn en sneed de tape door waarmee O'Briens handen vastgebonden waren.

'Neem een positie in ten westen van het kamp en blijf daar.' Hij wendde zich tot zijn zoon en gaf hem de .45. 'John, jij blijft hier. Druk op de ontstekingsknop zodra je mijn lichtkogel ziet en maak je zo klein mogelijk. Als de zaak ontploft, gaat het stenen regenen.' Hij keek zijn zoon recht in de ogen. 'Wat er ook gebeurt, John, verlaat deze positie niet, begrepen?'

John knikte.

07.25 uur Central Time, Dallas

Elizabeth Brice ging de katholieke kerk binnen. Ze liep met Sam en Kate over het middenpad, langs houten kerkbanken die vol zaten met gelovigen voor de ochtendmis van halfacht. Haar blik werd getrokken door het kruisbeeld hoog boven het altaar, dat met een wit kleed bedekt was. Het altaar was versierd met palmtakken en witte lelies. Gebrandschilderde ramen in de muren beeldden de kruiswegstaties uit.

Hoofden werden haar richting uit gedraaid; kinderen wezen; ouders leefden in stilte met haar mee. Ze kwamen bij een halflege bank vrij ver voorin; Sam en Kate schoven eerst de bank in. Elizabeth ging aan het middenpad zitten. Ze was teruggekomen voor de paasmis. Ze was gekomen om tot God en voor Ben Brice te bidden.

Alleen God en Ben Brice konden haar dochter nu nog redden.

05.30 uur Pacific Time, Bonners Ferry

Ben moest deze mensen doden om Gracie te redden.

Hij had nooit genoegen ontleend aan het doden, maar het was waarvoor hij was opgeleid.

Hij had zijn sluipschutterspositie ingenomen achter een omgevallen boom, waarop hij de loop van zijn geweer liet rusten. Hij bevond zich op hooguit driehonderd meter van het kamp; hij had onbelemmerd zicht op elk van de blokhutten. Plan A was simpel: elke man die zijn blokhut uit kwam een kogel door het hoofd jagen. Met de geluiddemper en een beetje geluk kon hij nog vóór de ochtendkoffie het hele kamp uitschakelen.

Ben bracht zijn oog naar het vizier en nam het kamp in ogenschouw.

07.32 uur Central Time, Dallas

Het processiegezang begon. Een misdienaar die de paaskaars droeg liep door het middenpad langs Elizabeth heen. Achter haar volgden twee

meisjes met kaarsen in lange kandelaars, een misdienaar die het kruisbeeld op een standaard droeg, een diaken die een bijbel boven zijn
hoofd hield, en ten slotte Father Randy. Hun ogen ontmoetten elkaar
toen hij langsliep.

05.35 uur Pacific Time, Bonners Ferry

Het licht ging aan in een van de blokhutten. Ben richtte zijn vizier op
de hut. Hij zag een gestalte, in silhouet afgetekend tegen het licht. Een
afstand van driehonderd meter en geen wind, het zou een makkie
zijn. De deur van de blokhut ging open en er verscheen in man in de
deuropening; hij rekte zich geeuwend uit en vormde een perfect
doelwit, helemaal met die achtergrondverlichting. Ben had al meer
dan dertig jaar zijn wapen niet meer op een medemens gericht. Het
doden van een mens was iets waarmee je de rest van je leven moest leven. Hij had er indertijd mee geleefd, en hij zou er ook nu weer mee
moeten leven.

Ben haalde diep adem, ademde langzaam uit en haalde de trekker
over.

De man viel neer.

Een goede sluipschutter houdt altijd zijn vizier gericht op het omge-
legde doelwit, omdat zijn kameraden dikwijls controleren of hij nog
leeft of wapens weghalen. Dat is een fout. Een fout die een andere man
in de blokhut nu maakte. Maar hij trok zich snel terug uit het zicht, stak
een pistool buiten de deur en vuurde twee schoten af in de lucht – de
schoten echoden tussen de bergen heen en weer als een bal in een flip-
perkast. *Verdomme!* Ben hield het vizier gericht op de plek waar het
hoofd van de tweede man zou verschijnen als hij naar buiten gluurde;
Ben wist dat hij dat zou doen.

Toen hij dat deed, haalde Ben de trekker weer over.

Dat was twee, nog negen te gaan.

Jacko schrok niet toen hij de twee schoten hoorde. Hij glimlachte. Ben
Brice was naar hem toe gekomen. Hij bevond zich op deze berg, en op
deze berg zou hij sterven. Jack Odell Smith zou wraak nemen voor de

majoor. Dit was het uur van zijn lotsbestemming.

Hij ging rechtop in bed zitten en stak een sigaret op.

Tijd voor Plan B. Ben vuurde met zijn linkerhand het lichtpistool af in de lucht en nam toen snel zijn sluipschutterspositie weer in. Er verscheen een man in de deuropening van een andere blokhut. De kogel raakte hem in het voorhoofd.

Dat was drie, nog acht te gaan.

John zag de lichtkogel en drukte de ontstekingsknop in.

Sheriff J.D. Johnson stond altijd bij het krieken van de dag op. Dat kreeg je als je twintig jaar bij het leger had gezeten. Vandaag moest hij wel vroeg opstaan. Hij ging de bergen ten noordoosten van het stadje in – de bergen waar hij zo graag op uitkeek wanneer hij zijn eerste kop koffie van de dag dronk, zoals nu – om op zoek te gaan naar kolonel Brice en zijn zoon. Of naar datgene wat kolonel Brice had achtergelaten. Net toen hij op het punt stond bij het raam weg te lopen, spatte Red Ridge als een Romeinse kaars uiteen.

De berg schudde.

Ben lag nu onder de boomstam, beschermd tegen de vallende brokken steen en boomtakken. Na een paar seconden, toen het ergste voorbij was, nam hij zijn sluipschutterspositie weer in en tuurde naar het kamp door de nevel van aarde en sneeuw die door de explosie de lucht in was geblazen.

De explosie had het beoogde effect: het kamp was ten prooi aan chaos. Mannen in lange onderbroeken strompelden de blokhutten uit, driftig rondkijkend op zoek naar hun aanvallers. Ze vuurden hun wapens in het wilde weg af en zochten dekking achter de voertuigen. Ben haalde er nog twee neer voordat ze de voertuigen hadden bereikt. Dat was vijf, nog zes te gaan.

Hij probeerde een volgende man in het vizier te krijgen, een grote kerel die weggedoken was achter de witte SUV die voor de grootste blokhut stond, toen die plotseling weer in het zicht verscheen met op zijn schouder een draagbare raketwerper die recht op Bens positie was gericht. Kapitein Jack O. Smith was een bekwaam soldaat: door de geluiddemper was er geen vuurflits uit de loop van het geweer te zien, dus hij wist niet precies waar Ben zich bevond; hij richtte gewoon op de positie die hij zelf zou hebben ingenomen als hij het kamp aanviel.

Geholpen door een adrenalinestoot sprong Ben overeind en rende weg voordat de kapitein de raket afvuurde. Hij rende vijf tellen in oostelijke richting en liet zich toen achter een boom plat op de grond vallen, net op het moment dat een explosie achter hem de aarde deed schudden.

'Ben!'

Little Johnny Brice zat ineengedoken terwijl de eerste explosie nog nadreunde in zijn oren. De tweede explosie had plaatsgevonden precies op de plek waar Ben zijn positie had ingenomen. Ben had hem gezegd dat hij zijn positie niet mocht verlaten, wat er ook gebeurde. En zijn moeder had hem gezegd dat hij precies moest doen wat Ben zei, dat ze dan misschien Gracie levend terug zouden krijgen.

Maar geen van beiden hadden ze hem verteld wat hem te doen stond als Ben opgeblazen werd!

John keek naar zijn rechterhand, de hand waarin hij het .45 pistool hield dat Ben hem had gegeven en die trilde als een espenblad. Hij had een keer of tien met het wapen geschoten achter Bens blokhut; hij had nooit zijn doelwit weten te raken. Op geen stukken na. Dit was niet zijn soort werk.

Scared shitless in Idaho!

John R. Brice, nerd eerste klas, doctoraal algoritmen, IQ van 190, drie miljard dollar waard, schoof zijn bril hoger op zijn neus, haalde diep adem en holde in de richting van Bens positie.

Als Ben Brice het kamp moest verdedigen, zou hij doen wat elke goede soldaat zou doen: een omtrekkende beweging maken en de vijand in de flank aanvallen. De westelijke route was te steil; een aanval zou vanuit het oosten komen. Dus zodra er geen grote brokstukken meer naar beneden kwamen, sprong Ben overeind en rende in oostelijke richting door het bos, zoals hij ook in Vietnam door de bossen had gerend. Zijn instincten zouden hem nooit in de steek laten, de instincten die…

… hem nu plotseling achter een dikke boom deden wegduiken. Zijn oren hadden een geluid opgevangen, en zijn geest en lichaam hadden automatisch gereageerd. Hij sloot het geluid van zijn eigen ademhaling buiten en luisterde. Hij hoorde zware voetstappen knerpen in de bevroren sneeuwresten; de vijand kwam dichterbij. Ben bukte en pakte een groot, plat stuk steen van een kilo of twee op van de grond. De voetstappen hadden hem nu bijna bereikt, nog even, nog even, nog even – *nu!*

Ben stapte van achter de boom tevoorschijn en knalde de steen in het onbeschermde gezicht van een lange man met een M-16. De man was al buiten westen voordat hij de grond raakte. Ben ging schrijlings op hem zitten. Hij kon niet het risico lopen dat de man bij bewustzijn kwam en weer zou deelnemen aan het gevecht. Zijn gedachten waren uitsluitend bij het redden van Gracie toen hij de nek van de man brak. Hij fouilleerde het jack van de man, vond twee handgranaten en stopte die in zijn eigen zakken.

Dat was zes, nog vijf te gaan.

John ademde rook in en hoestte. Waar de explosieven waren ontploft, waren de bomen zwartgeblakerd en ze smeulden nog na. Op de plek waar Ben positie had gekozen, was een kleine krater in de grond geslagen. Ben had de explosie overleefd, of hij was aan megabytes geblazen.

John holde verder.

De verdachte zat weggedoken achter een oude truck en was verdomme bezig een granaatwerper te laden! Op de grond naast hem lag een automatisch MP-5-machinegeweer! En FBI-agent Pete O'Brien durfde te wedden dat die truck niet geregistreerd stond bij de Dienst Motorvoertuigen van de staat Idaho!

Pete stond twintig meter achter de verdachte. De adrenaline pompte door zijn aderen; zijn geweer was gericht op de rug van de verdachte. Net toen hij op het punt stond de trekker over te halen, klonken de stemmen van zijn instructeurs op de Academie hem in de oren:

'Een FBI-agent mag een burger *niet* in de rug schieten!'

'Volgens de FBI-gedragscode moet de verdachte de gelegenheid krijgen om zich over te geven!'

'Je moet roepen: "FBI! Laat je wapen vallen! Ja, ik bedoel die granaatwerper!"'

'Verdachten hebben constitutionele rechten!'

Als hij deze verdachte opdracht gaf zijn wapen te laten vallen, zou dat hem natuurlijk de kans geven Pete eerst neer te schieten. Maar zo had de 'arresterende agent' het bij elke training op de Academie gedaan; en elke 'verdachte' had zich keurig overgegeven. Maar dit was niet een of andere flauwekuloefening op de Academie, met namaakboeven en namaakkogels, waar niemand echt stierf als er een fout werd gemaakt. Dit was menens, een echt vuurgevecht op een berg in Idaho met een stel tot de tanden gewapende terroristen die een klein meisje in gijzeling hielden en plannen smeedden om de president van de Verenigde Staten te vermoorden! Op de Academie zeiden ze dat negenennegentig procent van alle FBI-agenten met pensioen zou gaan zonder ooit hun dienstwapen op een verdachte afgevuurd te hebben, laat staan ooit een verdachte gedood te hebben. Pete O'Brien zuchtte; hij zou niet tot die groep behoren.

Hij schoot de verdachte in de rug. Tweemaal, om er zeker van te zijn dat hij geen aanklacht zou indienen wegens schending van zijn burgerrechten.

Ben hoorde twee schoten ten westen van het kamp. Agent O'Briens positie.

Hij moest het kamp van de achterkant naderen. Hij holde in noordelijke richting, dieper het bos in, en sloeg toen af naar westen. Hij kreeg de eerste blokhut in het oog. Hij sloop van boom tot boom tot hij de oostkant van de blokhut had bereikt. Hij drukte zijn rug tegen de buitenwand van de hut en schuifelde naar de achterkant, naar een klein raampje. Ben zag een ineengedoken man in de hoek achterin; hij droeg een vergeelde lange onderbroek en hield een jachtgeweer met afgezaagde loop op de deur gericht.

Ben deed een stap achteruit, trok de pinnen uit de twee handgranaten en gooide ze door het raampje naar binnen. Hij hoorde het jachtgeweer afgaan terwijl hij wegrende en zich plat op de grond wierp. Na de explosie keek hij achterom.

'*Jezus!*'

John was bijna boven op de man gestapt die in de sneeuw lag. Zijn armen en benen waren gespreid; zijn hoofd lag op een groteske manier scheef, alsof hij probeerde om te kijken. *Hier is Ben voor opgeleid.* Ben leefde nog.

John stapte behoedzaam om het lijk heen en holde dieper het bos in, in de richting van de blokhutten.

Ben ging ervan uit dat er nog vier mannen gedood moesten worden, misschien drie als O'Brien er een aan de westkant had uitgeschakeld. Een van hen was kapitein Jack O. Smith. Een andere was de blonde man die dekking had gezocht achter de houtstapel die zich achter de grootste blokhut bevond, vijftig meter bij Ben vandaan. Hij was gewapend met een groot kaliber pistool. Hij moest blijven leven, in elk geval tot ze Gracie gevonden hadden.

Ben liet de kruisdraden van het vizier zakken van het hoofd van de man naar zijn hand, de hand waarin hij het pistool hield, en haalde de trekker over.

Junior had nooit eerder een echt vuurgevecht meegemaakt. Hij was er als vanzelfsprekend van uitgegaan dat hij een onverschrokken vechtmachine zou zijn, omdat de majoor dat ook was. Dat had hij verkeerd gedacht. Hij trilde over zijn hele lijf en hij was bang dat hij het in zijn broek zou doen.

Charles Woodrow Walker jr. was een lafaard.

Zodra het schieten begon, was hij naar achteren gerend en had zich achter de houtstapel verstopt, in de hoop dat Jacko en de anderen de FBI-agenten zouden uitschakelen. Hij hield zijn .357-Magnum dertig centimeter van zijn gezicht, toen het wapen plotseling verdween, samen met zijn middelvinger.

'Sta op, je mankeert niks,' zei Ben, en hij gaf de blonde man die ineengedoken op de grond lag een schop; de man hield zijn bebloede hand vast en kreunde als een rekruut na de eerste dag in het opleidingskamp.

'Waar is ze?'

Voordat het antwoord van de man – 'Val dood' – zijn mond had verlaten, maakte die kennis met Bens laars. Toen de man weer opkeek, bloedde hij uit zijn mond.

Hij spuugde bloed uit en zei: 'Jij bent niet van de FBI.'

'En jij bent je vader niet, Junior.'

'Ben Brice. Jij hebt de majoor verraden.'

'De majoor heeft zichzelf verraden. Waar is Gracie?'

'Je zult haar nooit vinden.'

Ben greep Junior bij zijn kraag, rukte hem overeind en duwde hem naar de achterdeur van de blokhut.

'Maak open,' zei Ben.

Junior deed de deur langzaam open. Ben duwde Junior met zijn linkerhand voor zich uit en hield met zijn rechter zijn geweer in de aanslag toen hij de blokhut binnenging. De woonkamer was leeg. Aan één kant bevonden zich twee deuren.

'Gracie!'

'Ze is niet hier.'

Ben trok Junior achter zich aan en inspecteerde de twee kleine slaapkamers aan de ene kant van de blokhut. Geen spoor van Gracie. Hij keek de woonkamer rond. Kisten met militair materieel stonden hoog tegen een van de lange wanden opgestapeld: machinegeweren, mortieren, granaatwerpers, laws-raketten, C-4-springstof, ontstekingsmechanismen en napalm. Aan een andere wand hingen landkaarten en plattegronden en een luchtfoto van Camp David.

'Wat heeft Gracie met de president te maken?'

'Niks.'

'Waarom hebben jullie haar dan ontvoerd?'

'Omdat ze mijn zusje is.'

Ben draaide zich met een ruk om bij Juniors woorden. Als hij zijn hoofd niet bewogen had, zou de grootkaliberkogel zijn schedel opengespleten hebben als een machete die een watermeloen doorklieft. Nu schampte de kogel de zijkant van zijn hoofd; het voelde aan alsof iemand hem een dreun had gegeven met een eind hout. Hij viel op de grond. Hij voelde warm bloed over zijn gezicht stromen. Een grote laars schopte Bens geweer weg; een grote hand trok het bowiemes uit de om Bens dijbeen gegespte schede en rukte de wollen muts van zijn hoofd.

'Ik had je achtendertig jaar geleden van kant moeten maken.'

Kapitein Jack O. Smith stond over Ben heen gebogen. Ben krabbelde overeind.

'Hoezo?' vroeg Ben aan Junior.

Junior knikte naar de kapitein. 'Laat het hem maar zien.'

Kapitein Smith duwde Ben naar een gesloten deur naast de keuken. 'Maak open.'

Ben draaide de deurknop om en duwde. De deur ging open en erachter was een donkere kamer. Junior liep langs hem heen en stak een kerosinelamp aan. Hij ging naast een bed staan en hield de lamp erboven. En toen zag Ben hem.

Majoor Charles Woodrow Walker.

Zijn gestalte onder de deken was broos, zijn gezicht broodmager en zijn blonde haar dun. Zijn ogen waren gesloten. Zijn lichaam maakte geen enkele beweging, alsof hij...

'Verlamd,' zei Junior. 'Dat heeft McCoy op zijn geweten.'

'Ik dacht dat hij dood was.'

'Nadat we die vrouw hadden gegijzeld en de majoor vrij hadden gekregen,' zei de kapitein, 'zijn we naar Mexico gegaan. De majoor stuurde ons terug hiernaartoe, zei dat hij zich na een maand bij ons zou voegen. Twee maanden later was hij nog niet terug, dus Junior en ik reden naar Mexico. De plaatselijke bevolking had het nog steeds over de zwarte helikopters en de grote blonde man die ze op het strand hadden gevonden. Ze zeiden dat hij naar het ziekenhuis was gebracht. Daar troffen we hem aan zoals hij nu is. Ze hadden hem drie kogels in zijn lijf gejaagd, een in de nek, die zijn ruggenmerg had geraakt. Hij ligt al tien jaar in dat bed.'

De oogleden van de majoor trilden en zijn ogen gingen open. Ze bleven even op elk van zijn bezoekers en ten slotte op Ben rusten. Nadat er een blik van herkenning in zijn ogen gekomen was, dacht Ben dat hij de mond van de majoor zag bewegen. Junior boog zich over het bed heen.

'Hij wil iets tegen je zeggen.'

Ben stapte naar het bed toe. De gezichtshuid van de majoor was slap nu hij zo mager was, maar zijn blauwe ogen konden nog altijd in de ziel van een man kijken. Hij probeerde iets te zeggen. Ben boog zich voorover en hield zijn oor vlak bij de mond van de majoor. De woorden kwamen fluisterend en met grote inspanning.

'Junior heeft me... foto laten zien... tijdschrift... Elizabeth... het meisje... blond... van mij... ze is... van mij... ik zal... haar leven... beheersen... zoals ik... jouw leven... beheerst heb... en dat van... haar moeder.'

'Je hebt Elizabeth verkracht.'

Een flauw glimlachje. 'Zelfde als... die Viet-grietjes... Verschil is... na afloop... schoot ik haar... geen kogel... door het hoofd...'

En nu begreep Ben het. De majoor was verantwoordelijk voor de speciale relatie tussen hem en Gracie. Indertijd had hij het porseleinen poppetje niet kunnen redden. Achtendertig jaar later gaf God hem een tweede kans.

Ben rechtte zijn rug.

'U hebt mijn leven beheerst, majoor, dat is een feit, en misschien ook dat van Elizabeth. Maar u zult Gracies leven niet beheersen. Dat garandeer ik u. Ik ben gekomen om haar te redden, ook al wordt het mijn dood.'

Er verscheen een donkere glans in de blauwe ogen van de majoor, die zich van Ben naar de kapitein bewogen. Ben draaide zich om. De kapitein kwam op hem af met het bowiemes.

'Wat dat laatste betreft zal ik je graag behulpzaam zijn, Brice.'

John schuifelde met zijn rug tegen de buitenmuur aan gedrukt voetje voor voetje naar de achterkant van de grote blokhut en keek angstig om zich heen. Zijn hart ging zo tekeer dat hij het kon horen. Hij kwam bij een raam en gluurde naar binnen.

Snel trok hij zich weer terug.

Binnen stond Ben naast een bed waarin een oude, bleke man lag. Naast Ben stond een jonge blonde man met een vuurwapen in zijn hand; tegenover hem een grote man met een tatoeage. De twee mannen die bij de voetbalwedstrijd waren geweest. De mannen die Gracie hadden ontvoerd. De grootste van de twee had een groot mes in zijn hand.

De handen van Little Johnny Brice trilden. Hij zou er het liefst vandoor zijn gegaan. Toen hoorde hij de grote man zeggen: 'Ik ga je buik opensnijden, net zoals de VC bij je maatje Dalton heeft gedaan.'

John raakte het identiteitsplaatje van zijn vader dat om zijn hals hing aan, en het was op dat moment, zo realiseerde hij zich later, dat Little Johnny Brice eindelijk een man werd, op een berg in Idaho. Zijn geest en lichaam kwamen tot rust. Alle angst vloeide uit hem weg. Hij was niet langer bang: niet voor een mislukking, niet voor de pestkoppen, niet om te sterven. Er zat mannelijkheid in zijn genen en hij had die gevonden, of die had hem gevonden.

John bracht zijn armen omhoog terwijl hij het pistool met beide handen vasthield zoals Ben hem had voorgedaan, stapte voor het raam en vuurde. Het glas versplinterde. John bleef zo snel mogelijk de trekker overhalen, totdat alles zwart werd.

Jacko voelde een kogel zijn schouder binnendringen. Vervolgens trapte Brice zijn benen onder hem vandaan. Jacko smakte op de vloer. Voordat hij kon reageren, schopte Brice hem tegen zijn mond, die begon te bloeden. Maar Jacko had altijd al van de smaak van zijn eigen bloed gehouden.

Hij herinnerde zich niet dat Brice zo goed was.

Maar niet goed genoeg. Jacko rolde mee met de schop en kwam snel overeind, het bowiemes nog steeds in zijn hand.

Verdomme, dit bracht goede herinneringen bij hem boven!

Hij bewoog zich in de richting van Brice, opgewonden bij de gedachte de ongewapende verrader die hij in een hoek had gedreven de buik open te rijten. Hij wierp een blik op de majoor. Diens ogen glansden en hij glimlachte.

Dit is mijn lotsbestemming!

Toen hij weer naar Brice keek, zag hij de ondersteek van de majoor door de lucht vliegen, recht op zijn gezicht af. En Jacko dacht: *Verdomme, ik hoop maar dat Junior hem geleegd heeft!* Dat was niet het geval. Jacko weerde de ondersteek met zijn armen af – urine en poep spatten op de vloer en op hem – en besefte te laat dat het een afleidingsmanoeuvre was, dat de laars van Brice op hem af kwam en dat hij die niet meer kon afweren. De hak van de laars raakte Jacko midden op de borst en hij smakte met zijn honderdtwintig kilo hard tegen de wand. *Shit!* Jacko was verrast door de hevigheid van de pijn die plotseling aan zijn borst klauwde. Zijn borst had al heel wat stompen en schoppen te verduren gehad, maar hij had nog nooit zo'n pijn gevoeld. *Shit!* Hij nam aan dat het wel over zou gaan, maar dat was niet zo. Het werd alleen maar erger en het schoot nu ook naar zijn linkerarm; zijn rechterhand liet het mes los en greep naar zijn borst. *Shit!* En op dat moment besefte hij het: hij had verdomme een hartaanval! *Jezus, wat een moment om een hartaanval te krijgen!* En de waarheid drong tot hem door: Ben Brice was niet zijn lotsbestemming; hij was Ben Brice' lotsbestemming.

Hij viel op zijn knieën en hapte naar adem. Hij keek op naar Ben Brice en wilde zeggen 'val dood', maar hij had de lucht niet om de woorden uit te spreken. Hij wierp nog een laatste blik op de majoor; diens ogen waren opengesperd, alsof hij niet kon geloven wat hij zag. Jacko voelde zich licht in het hoofd en hij was plotseling duizelig. Het werd langzaam donker. Voor het eerst in zijn leven had Jacko totaal geen kracht meer, zelfs niet genoeg om zichzelf overeind te houden. Hij viel voorover, met zijn gezicht op de houten vloer. Zijn ogen zagen een laars, op een paar centimeter van zijn gezicht. En hij hoorde de stem van Ben Brice.

'Wie heeft dat ooit bedacht: *Old soldiers never die?*'

En zijn laatste gedachte voordat al het leven uit hem wegvloeide op de vloer van een blokhut in noordelijk Idaho en kapitein Jack Odell Smith uit Henryetta, Oklahoma, het tijdelijke voor het eeuwige verwisselde, was: *Godsamme, wat ontzettend grappig.*

Buiten probeerde John overeind te komen. Hij vertrok zijn gezicht. Het was alsof iemand hem met een koekenpan op zijn hoofd had geslagen. Hij rolde zich op zijn zij en – *Jezus!* – lag oog in oog met een andere man die naast hem lag, de lege ogen in het lelijke gezicht wijdopen. Het blad van een bijl stak in zijn schedel.

'Alles in orde?'

John keek op en zag agent O'Brien.

'Ja. Bedankt.'

'Waar is de kolonel?'

'Binnen… *shit!*'

John duwde zich overeind, strompelde de blokhut in en liep naar de slaapkamer; agent O'Brien volgde hem op de voet. De grote man lag met zijn gezicht omlaag op de vloer. Ben stond met zijn handen op zijn knieën over hem heen gebogen.

'Ben, alles goed met je?'

Ben kwam langzaam overeind, alsof het hem pijn deed.

'Ja. Zijn jullie gewond?'

'Nee,' zei John. Hij wees naar het bed. 'Wie is dat?'

'Majoor Charles Woodrow Walker,' zei Ben.

'Ik dacht dat die dood was.'

'Dat duurt niet lang meer.'

Ben wendde zich tot agent O'Brien: 'Hoeveel heb jij er uitgeschakeld?'

'Twee.'

Ben knikte. 'Dan is alleen Junior nog over.'

'Een blonde knaap?'

'Ja.'

'Die is er in een witte truck vandoor gegaan,' zei agent O'Brien. 'Ik heb vier schoten op hem afgevuurd, maar ik geloof niet dat ik hem geraakt heb.'

'Hij zei dat we haar nooit zullen vinden.'

'Gaat u maar achter hém aan,' zei O'Brien. 'Ik ga wel op zoek naar uw kleindochter.'

06.19 uur Pacific Time, Bonners Ferry

Ben zette de oude pick-up in z'n vrij en John en hij hobbelden de berg af, naar de Land Rover die in de berm van de weg naar het stadje stond geparkeerd. Ben wist waar ze Junior konden vinden. Een witte truck met ontbrekende achterruit – O'Brien had niet ver mis geschoten – stond voor het gerechtsgebouw van Boundary County geparkeerd, tussen de wagen van de sheriff en een nieuwe zwarte Lexus SUV.

Ze holden het bordes op, het gerechtsgebouw in en de gang door naar het kantoor van de sheriff. De receptioniste wierp één blik op hen – de zwarte overalls, de met zwarte camouflagestift bewerkte gezichten en het bloed – en pakte de telefoon. Sheriff Johnson verscheen nog voordat ze had opgehangen.

'Kolonel, alles in orde met u?'

Ben knikte en veegde bloed van zijn gezicht. 'Waar is Junior?'

'In een cel. Hij heeft bekend.'

'Heeft hij gezegd wat hij met Gracie heeft gedaan?'

De sheriff schudde zijn hoofd. 'Er is een advocaat bij hem. Hij wil immuniteit.'

De sheriff gebaarde dat ze hem moesten volgen en ging hun voor een deur door. Achter de deur bevonden zich vier cellen. Drie ervan waren leeg. In de vierde zat Junior op een brits; zijn rechterhand zat in het verband. Een dikke man in joggingpak die eruitzag alsof hij zojuist uit zijn bed was gekomen, zat op een stoel naast Junior, met een open aktetas op schoot. Hij keek op naar Ben en zei: 'Wie ben jij verdomme, Rambo?'

De sheriff maakte de celdeur open. De dikke man zei: 'Mijn cliënt zal vertellen waar het meisje is in ruil voor volledige immuniteit.'

'Norman, alleen de officier van justitie kan daarover beslissen, dat weet je net zo goed als ik. En die is er vandaag niet.'

'Dan praten we morgen verder,' zei Norman en hij deed zijn aktetas met een klap dicht. Hij stond op. Tegen Junior: 'Mondje dicht, dan ben je morgen weer een vrij man.'

Norman draaide zich om en wilde vertrekken, maar Ben versperde hem de weg.

'Mijn kleindochter bevindt zich ergens op die berg. Ze gaat dood als we haar vandaag niet vinden.'

Norman haalde zijn schouders op. 'Ik doe alleen maar mijn werk.'

'Fijne baan.'

'Het betaalt goed.' Norman glimlachte. 'Het spijt me van uw kleindochter, maar dat zijn mijn zaken niet.'

'De mijne wel,' zei Ben. Toen gaf hij Norman een dreun op zijn gezicht. Norman zakte in elkaar als een zak aardappelen.

Vanaf de vloer: 'Ik sleep je voor de rechter! Sheriff, ik wil een aanklacht wegens mishandeling indienen! U bent getuige!'

'Je bent gevallen en met je gezicht op de grond terechtgekomen.'

'*Wat?*'

'Je hebt me wel gehoord, Norman. En nou wegwezen hier.'

Norman krabbelde overeind en beende weg. 'Hier is het laatste woord nog niet over gezegd!'

Nadat Norman vertrokken was, wendde de sheriff zich tot Ben. 'Ik heb de pest aan advocaten. Ik heb een neef die advocaat is geworden. Niemand van de familie wil nog iets met hem te maken hebben.'

'Laat hem gaan,' zei Ben.

De sheriff keek hem niet-begrijpend aan. '*Wat?* Kolonel, waarom zou ik hem in godsnaam laten gaan, hij heeft bekend en...'

Toen drong het tot hem door. De sheriff nam Ben nieuwsgierig op; hij glimlachte flauwtjes en knikte langzaam.

'Goed, kolonel. Soms moet je de regels een beetje naar je hand zetten.'

Junior keek van de sheriff naar Ben en weer terug, zijn ogen plotseling wijdopen. 'Wat krijgen we nou? U kunt me niet laten gaan! Ik heb bekend! Ik ben schuldig! Ik heb haar ontvoerd!'

De sheriff hief zijn handen. 'Junior, er is geen meisje en dus is er ook geen bewijs op grond waarvan ik je kan vasthouden. Je hebt constitutionele rechten, jongen. Dit is Amerika.'

De sheriff pakte Junior beet en trok hem uit de cel. Vervolgens duwde hij Junior zijn kantoor door en de voordeur uit. Ze stonden op het bordes van het gerechtsgebouw.

'Succes, kolonel. Maar u kunt maar beter voortmaken, de FBI is in aantocht. Ik kreeg een telefoontje vanaf het vliegveld dat de directeur in hoogsteigen persoon in aantocht is.'

07.12 uur Pacific Time, Bonners Ferry

Junior zweeg tijdens de rit terug de berg op. Toen ze arriveerden, holde agent O'Brien op de wagen af.

'Ik kan haar niet vinden. Ze is niet in een van de blokhutten of de voertuigen. Ik heb alles in een straal van vijftig meter doorzocht – niets.'

Ben trok Junior uit de Land Rover. 'Waar is ze?'

'Val dood,' zei Junior.

Ben gaf Junior een vuistslag in het gezicht. Hij viel op de grond. Ben rukte hem weer omhoog en voelde een scherpe pijn in zijn buik.

'Junior, ik heb geen tijd voor spelletjes. Als je wilt blijven leven, vertel je me waar ze is.'

'Als je me van kant maakt, zul je haar nooit vinden.'

'Luister, jongen, je bent niet hard genoeg voor datgene wat ik met je ga doen. Waar is ze?'

Ben pakte Juniors rechterarm beet en draaide die achter zijn rug totdat Junior op zijn buik op de grond viel. Ben zette een knie op zijn rug, rukte het verband van Juniors rechterhand en drukte de hand plat op de grond, de duim en twee vingers gespreid.

'John, geef me dat bijltje daar eens aan.'

John liep naar de houtstapel en pakte het bijltje. Hij kwam terug en gaf het aan Ben. Junior keek met grote ogen naar het bijltje en toen naar zijn hand.

'Dat kun je niet maken! Ik heb mijn rechten! Dit is Amerika!'

'Junior, je hebt je rechten verspeeld toen je Gracie ontvoerde.'

Ben liet het bijltje met een harde klap neerkomen. John wendde het hoofd af. Junior gilde.

Toen Junior zijn ogen weer opendeed, stak het blad van het bijltje op twee centimeter afstand van zijn rechterhand diep in de grond. Hij had nog steeds een duim en twee vingers. De eerste gedachte die bij hem opkwam was dat hij het zich niet kon veroorloven nóg een vinger kwijt te raken, omdat hij dan met zijn linkerhand zou moeten masturberen.

'De volgende keer mis ik niet, Junior.'

Junior dacht dat hij waarschijnlijk twee tot vijf jaar gevangenisstraf zou krijgen wegens overtreding van de wapenwet. Ze konden hem op geen enkele manier in verband brengen met de moorden op die rechter, die aanklagers of die FBI-agenten. En ook niet met McCoy. *Shit, en al was dat wel zo, dan kon hij de majoor overal de schuld van geven!* Natuurlijk zou een veroordeling wegens ontvoering hem nóg eens twee tot vijf jaar kunnen opleveren, maar hij had haar met geen vinger aangeraakt en hij had haar gered van Bubba, daar zouden ze vast wel rekening mee houden. Die verlopen advocaat, Norman, kan daar vast wel wat mee: broer herenigd met zijn verloren gewaande zusje, laat de jury de foto's van haar kamer zien, zij zal getuigen dat hij warme baden en ontbijtjes voor haar klaarmaakte, en het mooist van alles, Elizabeth Austin zal moeten getuigen. Norman zal dat kreng aan het kruis nagelen, haar carrière, haar gezin, haar leven verwoesten. En trouwens, tegen de tijd dat het proces afgelopen is, zou Junior best wel eens een filmcontract op zak kunnen hebben. Misschien wilde Tom Cruise hem wel spelen.

'Ze is hier achter.'

John volgde Junior en Ben naar de achterkant van de blokhut. Junior bleef staan bij een houtstapel.

'Daar,' zei hij.

Junior wees naar de houtstapel. John begreep het niet, maar Ben zette zijn schouder tegen het hout en duwde de stapel omver. Hij liet zich op zijn knieën zakken en begon als een gek de resterende houtblokken opzij te gooien. Een kleine ventilatiepijp stak boven de grond uit.

Ben keek op. 'Je hebt haar *begraven*?'

Junior haalde zijn schouders op. 'Ik moest haar wat discipline bijbrengen.'

John begon over zijn hele lichaam te trillen, maar niet van angst. Al die jaren van aframmelingen door pestkoppen, van niet terugvechten, van schaamte en verdriet, van niet echt een kerel zijn – alle vernedering en pijn overspoelde John als een vloedgolf. Zijn gezicht gloeide. Junior stond hem aan te kijken met dat meesmuilende glimlachje dat John Brice zo goed kende.

'Wat maak je je nou druk, je bent niet eens haar vader,' zei hij.

John sloeg zijn ogen neer. Hij had altijd gedacht dat Gracie haar blonde haar en blauwe ogen van Ben had. Maar dat kon helemaal niet; John was geadopteerd. Dan had ze haar blonde haar en blauwe ogen van... en plotseling werd alles John duidelijk. Alles viel op zijn plek: Elizabeth, haar verdwijning tien jaar geleden, haar plotseling veranderde houding tegenover hem na haar terugkeer, het overhaaste huwelijk, de verhuizing naar Dallas, Gracies geboorte acht maanden later. Hij kende nu de waarheid. Maar het deed er niet toe. De enige waarheid die ertoe deed, was Gracie daar beneden. Hij sloeg zijn ogen op en keek Junior aan.

'Ik heb van haar gehouden vanaf de dag dat ze geboren werd en ik zal van haar blijven houden tot aan mijn dood. Dat maakt mij tot haar vader.'

'O ja? Dat zullen we nog wel eens zien als ze tijdens mijn proces de waarheid te weten komt.'

Maar John met zijn IQ van 190 was de arme Junior ver vooruit.

'Er komt geen proces, Junior.'

John zette de loop van de .45 tegen Juniors hoofd en haalde de trekker over.

'Dat heb ik niet gezien,' zei O'Brien.

John veegde Juniors bloed van zijn gezicht, liet het pistool vallen, zakte op zijn knieën en begon samen met Ben met zijn handen te graven. Binnen enkele minuten stuitten ze op metaal.

Gracie was begraven in een munitiekist van de U.S. Army. Bovenin was een gat geboord waar de ventilatiepijp doorheen stak. Ze veegden de kist zo goed mogelijk schoon, maakten de klampen los en haalden het deksel eraf. Gracie lag roerloos languit in de kist; ze had haar ogen dicht en haar armen lagen gevouwen over haar borst. Haar gezicht was vuil. John raakte zachtjes haar gezicht aan. Een traan rolde over zijn wang en viel op haar gezicht.

'O, Gracie, kindje.'

'Kom, dan halen we haar eruit,' zei Ben.

Ze pakten haar bij haar jack en broek, tilden haar voorzichtig uit de kist en legden haar op de grond. Ben voelde haar pols.

'Ze leeft nog. Ze moet zo snel mogelijk naar het ziekenhuis!'

Ben pakte Gracie op en kreunde; hij droeg haar naar de Land Rover. Haar armen en benen hingen slap. O'Brien holde vooruit, deed het achterportier open en stapte in. John ging achter het stuur zitten. Ben en O'Brien legden samen Gracie op de achterbank. Ben deed het portier dicht.

'Keer de wagen alvast.'

Ben holde naar de grootste blokhut. Een paar minuten later kwam hij weer tevoorschijn, holde naar de Land Rover en stapte in. 'Rijden!'

John trapte het gaspedaal in. 'Ben, waar is je geweer?'

Zachtjes zei Ben: 'Dat heb ik niet meer nodig.'

07.27 uur Pacific Time, Bonners Ferry

FBI-directeur Stanley White vond het geweldig om met achthonderd kilometer per uur het hele land rond te vliegen in het Gulfstream IIB Executive-straalvliegtuig van de FBI – *niets dan het allerbeste voor deze overheidsinstelling!* – met de leren stoelen, de notenhouten afwerking, de uiterst geavanceerde elektronica, de actieradius van ruim 5500 kilometer, de één meter drieëntachtig hoge cabine, meer dan genoeg voor zijn lengte van één meter achtenzestig. Vanochtend was hij, in plaats van vanaf Chicago terug te vliegen naar Washington, op weg naar Bonners Ferry, een afstand van een kleine 2500 kilometer, vliegtijd drie uur, inclusief een korte tussenstop in Des Moines om agent Devereaux op te pikken, die nu in de stoel achter Stan zat. Zijn houding was er niet beter op geworden sinds hun eerdere gesprek.

'We gaan zo dadelijk landen, meneer,' zei de piloot over de intercom.

Stan keek uit het raampje naar het oosten. Het toestel naderde een door bergkammen omgeven dal op weg naar het kleine vliegveld van Boundary County, even ten noorden van Bonners Ferry in Idaho. Op dat moment kwam een van de bergen als een vulkaan tot uitbarsting.

'*Jezus!*'

De hele bergtop verdween in een enorme vuurbal van oranjerode vlammen, vlammen die White slechts één keer eerder had gezien, toen het leger voor de FBI Terrorism Task Force de verwoestende uitwerking van napalm had gedemonstreerd.

Achter hem klonk de stem van Devereaux: 'Wat had ik je gezegd, Stan?'

07.39 uur Pacific Time, Bonners Ferry

Ze reden over de Moyie River Bridge; Gracies hoofd lag op Bens schoot. Hij streelde haar gezicht. Hij stak zijn hand in zijn overall, knoopte het borstzakje van zijn overhemd open en haalde er het kettinkje met de Silver Star uit. Hij drukte het in haar handpalm. Haar hand sloot zich eromheen, bijna als in een reflex.

Gracie staat voor dubbele deuren die langzaam opengaan en uitzicht bieden op een heldere wereld daarachter, een prachtige wereld die haar wenkt. Ze doet een stap vooruit – maar haar oog valt op iets glimmends op de grond. Ze bukt en raapt het op. Het is een Silver Star aan een zilveren kettinkje – en de deuren sluiten zich weer.

Ze deed haar ogen open. Het licht was te fel; ze kneep haar ogen tot spleetjes. Iets beschutte haar ogen. Na enkele ogenblikken kon ze wat beter zien en zag ze Bens gezicht. Ze glimlachte.

'Ik wist wel dat je zou komen,' zei ze.

09.40 uur Central Time, Dallas

FBI-agent Jan Jorgenson duwde de zware deur open en ging de katholieke kerk binnen. De banken zaten vol. Ze liet haar blik over de kerkgangers glijden, maar vanaf de plek waar ze stond, kon ze mevrouw Brice niet zien.

Ze liep door het middenpad.

Haar benen trilden en de tranen welden op in haar ogen. Hoofden werden haar kant op gedraaid; ze realiseerde zich dat ze nog steeds het jack droeg met FBI in grote goudkleurige letters op de rug. Ze naderde de voorste banken en zag mevrouw Brice in de tweede bank van voren, direct aan het middenpad. Haar zoontje en de grootmoeder zaten naast haar. Jan liep naar mevrouw Brice toe en bleef daar staan terwijl de tranen over haar gezicht liepen.

Elizabeth had haar blik strak gericht op het grote kruisbeeld boven het altaar toen ze zich realiseerde dat de priester het opdragen van de mis onderbroken had. Ze keek naar de priester. Hij had zijn blik op haar gericht. De misdienaars keken naar haar. Iedereen keek naar haar. Ze keek naar Kate; die hield haar handen voor haar mond, haar ogen waren opengesperd en ze keek in Elizabeth' richting, maar niet naar haar – naar iemand achter haar.

Elizabeth draaide zich om en zag agent Jorgenson, bij wie de tranen over het gezicht rolden. Angst greep Elizabeth bij de keel. Ze stond op en stapte uit de kerkbank. Jorgenson veegde haar tranen weg. Ze glimlachte.

'Gracie is in veiligheid.'

Alle kracht vloeide weg uit haar benen, en Elizabeth viel op haar knieën. De tranen rolden over haar wangen. Ze keek weer op naar het kruisbeeld. Hun band met het kwaad was verbroken.

08.15 uur Pacific Time, Bonners Ferry

'Er zal een diepgaand onderzoek worden ingesteld, meneer Brice!'

FBI-directeur White was met zijn gevolg gearriveerd, enkele minuten nadat Gracie het ziekenhuis was binnengebracht. Nu priemde de kleine kale man zijn wijsvinger in Bens richting.

'Je bedoelt *kolonel* Brice,' zei agent Devereaux.

'U hebt een lopend FBI-onderzoek belemmerd!'

Ze stonden voor Gracies kamer – Ben, de directeur, de sheriff en de agenten Devereaux en O'Brien. John en de dokter waren bij Gracie.

De directeur wendde zich tot O'Brien.

'O'Brien, jij had het kamp onder observatie. Wat is er in godsnaam gebeurd?'

FBI-agent Pete O'Brien vertrok geen spier onder de dodelijke blik van de directeur. Pete had die ochtend het verschil geleerd tussen goed en kwaad. Hij had geleerd dat zelfs het Federal Bureau of Investigation fout kon zitten… en fout had gezeten. Nu stond hij voor een belangrijke keuze: de waarheid vertellen, wat normaal gesproken de juiste handelwijze zou zijn, met als gevolg dat kolonel Brice en John Brice waarschijnlijk gearresteerd en in staat van beschuldiging gesteld zouden worden wegens moord en dat die terroristen zouden voortleven in de media, wat een slechte zaak zou zijn; of liegen, wat normaal gesproken de verkeerde handelwijze zou zijn, met als gevolg dat de familie Brice Gracie mee naar huis zou nemen en nog lang en gelukkig zou leven en dat de geroosterde lijken van de terroristen op die stinkende berg zouden wegrotten, wat een goede zaak zou zijn. Het besluit viel hem niet moeilijk.

'Nou, meneer, ik weet alleen dat ik daar boven op die berg zat en plotseling was er een enorme explosie. Het leek wel een vulkaan! Ik ben er als de donder vandoor gegaan. Deze mensen zijn zo vriendelijk geweest me een lift naar het stadje te geven. Die lui moeten er lucht van hebben gekregen dat we ze op het spoor waren en zichzelf daarom hebben opgeblazen.' Hij haalde met een onschuldig gebaar zijn schouders op. 'Een tweede Waco, meneer.'

De directeur knipperde met zijn ogen. 'Ja ja.'

Ben draaide zich om toen de dokter uit Gracies kamer kwam.

'Bent u de directeur van de FBI?' vroeg de dokter aan White.

'Ja,' zei de directeur.

'Ik denk dat u beter even kunt horen wat ze te zeggen heeft.'

Ze gingen achter de dokter aan Gracies kamer binnen.

'Wat is er, Gracie?' vroeg Ben.

Met zachte stem vroeg ze: 'Wat voor dag is het vandaag?'

'Eerste paasdag,' zei Ben.

'Ze gaan de president vermoorden.'

De directeur knikte. 'Dat waren ze van plan. We wilden er zeker van zijn dat we alle samenzweerders hadden, maar daar heeft je grootvader al voor gezorgd.'

'Er is nog een andere man,' zei Gracie. 'Rood haar, met een zwart geweer. Hij gaat president McCoy doodschieten in Camp David, op eerste paasdag. Vandaag.'

De directeur keek agent O'Brien aan.

'Er was niemand met rood haar in dat kamp,' zei O'Brien.

De directeur wierp Gracie een onderzoekende blik toe. 'Hoe weet je dat?'

'Ik heb hem gezien,' zei Gracie. 'In Wyoming. Ze zeiden dat ze ervoor zouden zorgen dat moslimterroristen de schuld kregen.'

De directeur keek op zijn horloge.

'Meneer?'

'Ja?'

'U moet opschieten.'

De directeur holde de kamer uit, gevolgd door de andere agenten.

Sheriff J.D. Johnson stond bij de deur in de kamer van het meisje. Dokter Sanders, de kolonel en de vader stonden bij het bed. De dokter draaide zich om en liep naar de deur. Hij glimlachte.

'Het komt allemaal weer prima in orde met haar,' zei hij, en hij deed de deur open en liep de kamer uit.

De kolonel boog zich over het bed heen, gaf het meisje een kus en liep naar de sheriff toe. Hij zag een beetje bleek; waarschijnlijk was hij alleen maar moe.

'Eind goed, al goed, kolonel.'

Plotseling zakte de kolonel in elkaar op de vloer. J.D. schreeuwde naar dokter Sanders. Hij knielde neer, ritste de overall van de kolonel open en zag zijn bebloede overhemd. Hij hoorde de snerpende gil van het meisje.

'*Ben!*'

DAG VIJFTIEN

17.35 uur

'Rennen, Gracie, rennen!'

FBI-agent (niet langer in haar proeftijd) Jan Jorgenson stond naast het doel aan de ene kant van het veld, het doel waar Gracie Ann Brice nu op af holde. Ze speelde de bal naar voren, op de hielen gezeten door speelsters van het andere team. De ouders op de tribune moedigden haar aan.

'Naar het doel, Gracie!'

'Hup, Gracie! Schiet hem erin!'

Gracie zette met een schijnbeweging de keepster op het verkeerde been en schoot de bal hard in het net. De toeschouwers juichten. Jan applaudisseerde.

Gracie holde nog een paar passen door tot ze op zo'n zes meter afstand van Jan was. Ze stond op het punt zich om te draaien toen haar ogen die van Jan ontmoetten. Gracie staarde haar aan, met een vragende uitdrukking op haar gezicht, alsof ze zich afvroeg of ze elkaar ooit hadden ontmoet. De andere meisjes verdrongen zich rond Gracie en trokken haar mee. Halverwege het veld draaide Gracie zich nog een keer om. Jan stak haar duim naar haar op.

Ik heb je niet in de steek gelaten, Gracie Ann Brice.

Ze was niet zo gelukkig geweest met haar detachering naar het bureau in Dallas, maar nu begreep ze het. Ze was voorbestemd om er te zijn voor Gracie, en daardoor had ze haar eigen plek in het leven gevonden. Ze was geen Clarice Starling. Ze was Jan Jorgenson, en die avond zou ze naar St. Louis vliegen om zich bij agent Devereaux te voegen. Er was daar een meisje van zes ontvoerd door een onbekende.

De ouders op de lage tribune juichten voor zijn dochter. Maar niemand juichte harder dan John Brice.

'Goed zo, Gracie! Prima gedaan! Laat ze een poepie ruiken, meid!'

John R. Brice was nu drieënhalf miljard dollar waard, maar hij had afgezien van zijn voornemen om de Boston Red Sox te kopen voor Sam of een stel radiostations voor Gracie. Of zelfs maar een straalvliegtuig. Maar hij had wel een cheque van tien miljoen dollar uitgeschreven voor de weduwe van Gary Jennings. Ze zei dat ze met haar baby terugging naar Nebraska om op de boerderij van haar ouders te gaan wonen. Ze zei dat ze er te zijner tijd wel overheen zou komen. Dat ze om Gracies terugkeer gebeden had. En Gracie was weer thuisgekomen. Zij was terug, de pestkoppen waren verdwenen, en met hen Little Johnny Brice.

John R. Brice was nu een man.

Een andere man. De berg had hem veranderd. Op die berg had hij het nodige over zichzelf geleerd. En hij had ook het een en ander over het leven geleerd. Hij had altijd de theorie aangehangen dat het leven niet meer was dan een eindeloze opeenvolging van toevalligheden, willekeurige gebeurtenissen zonder enige betekenis of verband; hij had altijd geloofd dat mensen als moleculen waren die in de atmosfeer lukraak op elkaar botsten. Met wie we op die manier in aanraking kwamen, was louter een kwestie van toeval.

Het was louter toeval dat Ben Brice en Johns echte vader op West Point slapies waren geweest, waardoor ze uiteindelijk samen in Vietnam terechtkwamen, en bij het SOG-team Viper van majoor Charles Woodrow Walker.

Het was louter toeval dat Ben bezwaar had gemaakt tegen het doodschieten van de oude Vietnamese vrouw aan de oever van de rivier, wat geleid had tot een hinderlaag waarbij Johns echte vader om het leven was gekomen, en tot een slachting, wat weer had geleid tot een veroordeling door de krijgsraad van majoor Walker op grond van Bens getuigenis.

Het was louter toeval dat Ben en Kate John hadden geadopteerd, wat John op legerbases had gebracht waar hij door andere kinderen gepest werd, wat ertoe leidde dat hij zich terugtrok op zijn kamer, waar hij troost vond bij zijn Apple-computer en waar hij leerde programmeren, wat hem op MIT deed belanden en op het ministerie van Justitie, waar hij Elizabeth tegen het lijf was gelopen.

Het was louter toeval dat Junior gebeten was door een veldtrechter-spin, wat leidde tot de arrestatie van majoor Walker en de ontvoering van Elizabeth en tot de conceptie van Gracie, wat Elizabeth in de armen van John had gedreven en ertoe had geleid dat de zoon van degene die Walker beschuldigd had, trouwde met de moeder van diens kind.

Het was louter toeval dat *Fortune* een artikel had gepubliceerd over John R. Brice en daarbij een gezinsfoto had geplaatst, wat Junior en Jacko naar Gracies voetbalwedstrijd had gebracht, zodat de Viper-tatoeage op de videobeelden van de wedstrijd was terechtgekomen.

Het was louter toeval dat John Lou aan de telefoon had gehad en dat Elizabeth door haar rechtszaak later dan gepland in het park arriveerde, wat ertoe had geleid dat Gracie zonder haar ouders naar de kantine was gegaan en in Juniors val was gelopen.

Het was louter toeval dat Juniors gammele SUV gerepareerd moest worden, waardoor ze bij Clayton Lee Tuckers benzinestation waren terechtgekomen, waar Tucker Gracie had herkend van de foto bij het opsporingsbericht en vervolgens de FBI-hotline had gebeld, wat Ben en John naar Tucker en naar Bonners Ferry had gebracht.

Het was louter toeval dat Bubba Rusty's Tavern binnengelopen was, wat hen in staat had gesteld de boobytraps te omzeilen en de berg die bekendstond als Red Ridge te beklimmen, waar ze agent O'Brien tegen het lijf waren gelopen, de man die Johns leven redde zodat John Bens leven kon redden zodat Ben Gracies leven kon redden zodat Gracie het leven van de president kon redden.

Het was allemaal niet meer dan een eindeloze aaneenschakeling van toevalligheden.

Dat was altijd zijn theorie over het leven geweest.

Hij had er al die tijd faliekant naast gezeten.

Het leven is geen kwestie van toeval. Toeval bestaat niet. Mensen zijn méér dan moleculen die lukraak door het leven stuiteren. We stuiteren door het leven met een doel. We zijn voorbestemd om tijdens ons leven op bepaalde andere mensen te stuiten, andere mensen die de inhoud en de loop van ons leven zullen veranderen. We zijn voorbestemd om precies diegene te worden die we zijn. John R. Brice was voorbestemd om de echtgenoot te worden van Elizabeth, de vader van Gracie en Sam, en de zoon van Roger en Mary en nu van Ben en Kate. Hij was voorbestemd om precies degene te worden die hij vandaag was: een man die op een mooie lentedag met zijn gezin langs de zijlijn van een voetbalveld stond.

En daar voelde hij zich verdomde goed bij.

John begon weer te roepen: 'Goed zo, Gracie! Zet hem op! Laat zien wat je kunt, meid! Je bent de beste van allemaal! Laat ze een poepie ruiken!'

Elizabeth boog zich over naar haar man en kuste hem. Ze fluisterde in zijn oor: 'Ik hou van je.'

Toen hij uit Idaho terug was gekomen, had ze in zijn ogen gezien dat hij de waarheid te weten was gekomen over haar en over Grace. Maar hij had er niets over gezegd. De vorige avond, toen ze naast hem in bed lag, had ze erover willen beginnen, maar hij had zijn vinger op haar lippen gelegd. 'Het kan me niet schelen hoe Gracie in mijn leven is gekomen,' had hij gezegd. 'Het enige belangrijke is dat ze er deel van uitmaakt en dat we haar terug hebben. Het verleden – dat van mij, dat van jou, dat van Gracie – is daar op die berg achtergebleven.'

Hij had gezegd dat ze het nooit meer zouden hebben over wat er tien jaar geleden met haar gebeurd was, of wat er was gebeurd op die berg in Idaho. Dat was nu allemaal verleden tijd, en Elizabeth Brice was eindelijk in staat het verleden achter zich te laten. Het misbruik waar ze tien jaar geleden het slachtoffer van was geweest, had haar leven sinds die tijd beheerst. Maar nu niet meer. Omdat dat misbruik haar een beter leven geschonken had – het leven van een kind.

Grace was het waard.

Gracie dreef de bal het veld over, maar ze kon zich niet goed concentreren, niet als haar vader zich langs de zijlijn zo idioot aanstelde, schreeuwend en juichend en af en toe, zoals nu, een raar dansje uitvoerend. De lieverd, hij had het ritmegevoel van een rotsblok. Misschien was het maar beter als hij zich tijdens haar wedstrijden bezighield met *multitasking*… Nee, dit was beter. Oneindig veel beter. Ze glimlachte naar hem toen ze langs hem heen holde.

Alles was anders nu. Alles was beter. Haar ouders leken elkaar zowaar aardig te vinden – ze had mama nog nooit papa zien kussen, en dat nog wel in het openbaar! Papa was een nieuw mens, een echte volwassene, meer een stoere vader dan een grote broer (hoewel hij had beloofd om hen nog steeds elke zaterdagochtend mee te nemen naar de donutzaak). Hij had haar sinds haar thuiskomst wel tien keer stevig omhelsd en geknuffeld.

En mama – goh, mama kende ze nauwelijks nog terug. Toen ze uit het vliegtuig stapten, had ze Gracie omhelsd en onbedaarlijk gehuild. Ze had niet eens de tijd genomen om de verslaggevers die hen opwachtten te woord te staan. Ze had haar gisteren zelfs naar school gebracht en samen met haar geluncht. Dat was nog nooit gebeurd. En ze was niet meer boos op de wereld. Ze was gelukkig. Ze wilde geen advocaat meer zijn.

Maar ze vond het nog steeds niet goed dat Gracie voor haar elfde verjaardag een tatoeage nam.

Gracie was zelf ook veranderd sinds de vorige keer dat ze op dit veld had gespeeld. Ze was ontvoerd, begraven en gered. Ze had dingen gezien die geen enkele vierdeklasser ooit hoorde te zien en mensen ontmoet die geen enkele vierdeklasser ooit hoorde te ontmoeten, en ze had dingen geleerd die geen enkele vierdeklasser ooit hoorde te leren. En ze had de president van de Verenigde Staten van Amerika gesproken. De man met het rode haar en het lange geweer was opgepakt, en de president had gebeld om haar te bedanken. Ze had hem wel even duidelijk laten weten dat ze Democraat was. Hij had lachend gezegd dat hij dat geen enkel probleem vond.

Ze was zelfs blij Sam weer te zien, hoewel ze na één blik op haar kamer wist dat hij al haar spulletjes doorzocht had. Ze besloot hem niet te vermoorden, nu nog niet, tenminste.

Haar gezin was eindelijk samen.

'Kom op, Gracie, naar het doel!'

Coach Wally stond zich weer vreselijk druk te maken. Dus deed Gracie er nog een schepje bovenop, speelde twee verdedigsters uit, holde met de bal aan de voet op het doel af en knalde hem onhoudbaar in de linkerbovenhoek. Het was Gracies derde doelpunt en de wedstrijd was nog geen kwartier oud. De andere meisjes verdrongen zich om haar heen.

Het elftal had de play-offs bereikt. Toevallig waren hun eerste tegenstanders de Raiders, het team van het verwaande wicht. Haar hufter van een vader stond weer langs de zijlijn. Hij droeg een glimmend pak en dronk uit een grote plastic beker. Zijn vrouw stond als een cipier naast hem. Je zou toch denken dat die mafkees inmiddels zou weten wanneer hij maar beter zijn grote mond kon houden. Nou, niet dus.

'Sli-i-ipjescontro-o-ole!'

Het werd onmiddellijk stil op het veld en op de tribune. Brenda kreunde: 'O nee, niet wéér.'

Maar ditmaal was het anders voor Gracie. Ze had niet het gevoel alsof iemand haar een stomp in haar maag had gegeven. Ze beet niet op haar onderlip om de tranen terug te dringen. Ze wilde niet dat ze dood was of dat ze groter en ouder was, zodat ze die vent in elkaar kon slaan, of dat papa iets zou doen of dat Elizabeth Brice, de razende raadsvrouwe, hem eens flink...

'O, shit, Gracie!' zei Brenda. 'Je moeder!'

Gracie wendde haar blik af van de grote hufter en zag haar moeder met gebalde vuisten dwars over het veld recht op hem af lopen. Gracie hoorde Sams hoge stemmetje vanaf de zijlijn: 'Gaaf, vechten!' Gracie keek die kant op en zag papa achter mama aan hollen, maar ze zou de hufter te grazen nemen voordat hij haar tegen kon houden. Achter zich hoorde Gracie Sally vol leedvermaak zeggen: 'Je moeder gaat hem op zijn bek slaan!'

Twee weken geleden zou Gracie er heel wat voor over hebben gehad om deze vechtpartij te zien. Maar nu was ze veranderd. Ze rende naar haar moeder toe en sneed haar de pas af.

Elizabeth Brice was niet langer een door woede verteerde vrouw van veertig. Ze was niet langer een keiharde strafpleiter voor witteboordencriminelen die bereid was korte rokjes te dragen om rechtszaken te winnen. Ze was niet langer hard en gemeen en meedogenloos.

Maar ze was nog wel moeder.

En het gevaarlijkste schepsel ter wereld is een moeder wier kind bedreigd, beledigd of getreiterd wordt.

Elizabeth Brice zou die grote hufter op zijn bek gaan slaan.

'Mam, niet doen!'

Grace greep Elizabeth bij haar arm om haar tegen te houden, net toen John aan kwam hollen.

'Mam,' zei Grace op smekende toon, 'ik kan dit zelf wel af.'

'Nee, Grace, ik ben je moeder. Ik handel het wel af!'

'Nee,' zei John, 'ik ben je vader, ík handel het af!'

'Nee! Luister, jullie allebei! Ik ben nu een grote meid. Ik kan het zelf wel af!'

Elizabeth staarde in de blauwe ogen van haar dochter. Haar woede verdween alsof hij meegevoerd werd door het zachte briesje. Grace was ook veranderd.

'Je bent inderdaad een grote meid, hè?'

'Ja, mama, dat klopt.'

'Weet je zeker dat ik die vent niet in elkaar hoef te slaan?'

'Ik weet het zeker.'

John zei: 'Mag ik het dan doen?'

'Nee! Laat mij nou maar.'

Elizabeth glimlachte. En toen glimlachte Grace. En Elizabeth Brice zag in de ogen van haar dochter dat Grace het inderdaad zelf wel af kon. Ze boog zich naar haar dochter over en fluisterde: 'Maak er wat moois van.'

Papa en mama liepen het veld af en de scheidsrechter, dat lekkere ding, blies op zijn fluitje om de wedstrijd te hervatten. Gracie ontfutselde al snel een van de Raiders de bal en trapte die vervolgens met een grote boog over de verdedigsters heen naar Brenda, die vrijstond in de buurt van de zijlijn. Brenda nam de bal aan en dreef hem langs de zijlijn, in de richting van de Raiders-supporters. Gracie plande razendsnel haar tactiek; dit vereiste een zorgvuldige timing. Ze sprintte eveneens in de richting van de zijlijn, naar een punt waar ze de pass van Brenda zou kunnen oppikken en…

Brenda's pass kwam precies op tijd en Gracie zette met uiterste concentratie de wreef van haar witte Lotto- voetbalschoen tegen de bal en schoot die snoeihard…

… recht op het hoofd van de hufter af.

Hij sprong opzij om de bal te ontwijken. De plastic beker vloog uit zijn hand, ijsblokjes en drank spatten over zijn dure kostuum en hij kwam hard met zijn dikke reet op de grond terecht. De andere ouders lagen in een deuk. De vrouw van de hufter keek grijnzend op hem neer.

Gracie liep naar de grote hufter toe.

'Ik ben een meisje.' Ze haakte haar duimen onder haar broekband, alsof ze haar broekje naar beneden wilde trekken. 'Wilt u het controleren?'

De hufter schudde zijn hoofd.

'Dat dacht ik al.'

Gracie liep terug het veld op.

Sam stond langs de zijlijn; hij was zwaar teleurgesteld. Verdorie nog aan toe, hij had een echte knokpartij willen zien.

Hij had gehuild toen Gracie thuiskwam, omdat ze niet dood was of zo. Het was fijn om weer een grote zus te hebben. Evengoed hoopte hij dat ze er niet achter kwam dat hij tijdens haar afwezigheid al haar spulletjes had doorzocht.

Kate Brice stond naast Sam. Het was achtendertig jaar te laat, maar eindelijk had ze haar sprookjeshuwelijk. Ze keek neer op haar man. Ze had het mis gehad. Ben Brice was teruggekomen.

De oorlog was eindelijk voorbij voor Ben Brice.

Hij zat in de rolstoel; Kates hand lag op zijn schouder en Buddy lag naast hem op de grond. De artsen hadden gezegd dat hij naar de wedstrijd mocht, maar alleen als hij in de rolstoel bleef zitten. Hij had willen protesteren maar had zich toen bedacht; hij zou nog gekomen zijn als ze het ziekenhuisbed hiernaartoe hadden moeten rijden. Gracie was in veiligheid. En hij had eindelijk zijn rust gevonden.

Hij keek op naar John en Elizabeth. Ze hadden dit overleefd en waren er sterker door geworden. Ze waren nu één.

'Bedankt, pa,' zei John. 'Sorry voor die kogel in je lijf.'

'Je was niet de eerste.'

Elizabeth boog zich voorover, gaf Ben een kus op zijn wang en fluisterde in zijn oor: 'Dank je wel, kolonel Ben Brice, dat je Grace gered hebt.'

Ben keek naar Gracie die over het veld holde. Zijn verleden was inderdaad teruggekomen – West Point; de Special Forces-opleiding; gezagvoerder Ron Porter; kapitein Jack O. Smith; sheriff J.D. Johnson; luitenant Roger Dalton; majoor Charles Woodrow Walker; Quang Tri en het porseleinen poppetje – maar niet om Gracie te achtervolgen, zoals hij gevreesd had. Zijn verleden was teruggekomen om haar te redden. De stukjes van zijn leven die vroeger nooit in elkaar leken te passen, waren op hun plaats gevallen als in een ingewikkelde legpuzzel en vormden een bestaan dat hij nu pas begreep. Hij dacht aan dat leven en aan zijn moeder. Ze had het aldoor bij het rechte eind gehad.

God had inderdaad een plan gehad voor Ben Brice.